Estadísticas tributarias en América Latina y el Caribe 2025

1990-2023

Por favor, cite esta publicación de la siguiente manera:
OECD et al. (2025), *Estadísticas tributarias en América Latina y el Caribe 2025*, OECD Publishing, Paris, https://doi.org/10.1787/f0bee3b4-es.

ISBN 978-92-64-50476-9 (impresa)
ISBN 978-92-64-76834-5 (PDF)
ISBN 978-92-64-88354-3 (HTML)

Estadísticas tributarias en América Latina y el Caribe
ISSN 2959-4928 (impresa)
ISSN 2959-4936 (en línea)

Imágenes: Portada © John W. Banagan/Getty images.

Las erratas de las publicaciones se encuentran en línea en: https://www.oecd.org/en/publications/support/corrigenda.html.

Presentación

La publicación *Estadísticas tributarias en América Latina y el Caribe 2025* ha sido elaborada conjuntamente por el Centro de Política y Administración Tributaria de la Organización para la Cooperación y el Desarrollo Económicos (OCDE), el Centro de Desarrollo de la OCDE, la Comisión Económica para América Latina y el Caribe de las Naciones Unidas (CEPAL-NU), el Centro Interamericano de Administraciones Tributarias (CIAT) y el Banco Interamericano de Desarrollo (BID), con el apoyo financiero de la Agencia Española de Cooperación Internacional para el Desarrollo (AECID) así como de los gobiernos de Irlanda, Japón, Luxemburgo, Noruega, Países Bajos, Reino Unido, Suecia y Suiza. Esta publicación presenta datos detallados y comparables a nivel internacional sobre los ingresos tributarios de 27 economías de América Latina y del Caribe (ALC), cuatro de las cuales son miembros de la OCDE.

La publicación *Estadísticas tributarias en América Latina y el Caribe 2025* se basa en la clasificación de ingresos establecida en la Guía Interpretativa de la OCDE. Se presentan también comparaciones con los promedios de indicadores tributarios para las economías de la OCDE. En la presente publicación, el término "impuestos" se limita exclusivamente a los pagos obligatorios sin contraprestación efectuados al gobierno general. Los impuestos carecen de contraprestación en el sentido en que, normalmente, las prestaciones proporcionadas por el gobierno a los contribuyentes no guardan relación directa con los pagos realizados por estos. La metodología de la OCDE clasifica un impuesto de acuerdo con su base: renta, utilidades y ganancias del capital (categoría 1000); nómina (categoría 3000); propiedad (categoría 4000); bienes y servicios (categoría 5000); y otros impuestos (categoría 6000). Las contribuciones obligatorias a la seguridad social pagadas al gobierno general se tratan aquí como impuestos y se clasifican en la categoría 2000. Para mayor detalle sobre el concepto de impuesto, su clasificación y su registro según el criterio de devengo, véase la Guía de Interpretación que figura en el Anexo A.

Aplicar la metodología de la OCDE a América Latina y el Caribe (ALC) posibilita la comparación de sistemas tributarios a partir de una base coherente en la región, entre los países de ALC, con los países miembros de la OCDE, y con todos los países incluidos en la base de datos global de estadísticas tributarias. Sin embargo, en algunas ocasiones, esta metodología difiere de la empleada por la CEPAL-NU, el CIAT y el BID; en esos casos, las diferencias se han indicado en el texto y en las notas.

El informe ofrece un panorama general de las principales tendencias en materia tributaria en la región de ALC. Examina los cambios registrados entre 1990 y 2023 en el nivel y la composición de la tributación, así como en la atribución de la recaudación tributaria a los diversos subsectores de gobierno. El informe incluye dos capítulos especiales: el primero identifica ingresos no tributarios en la región de ALC entre 2019 y 2023; el segundo se centra en las tendencias de los ingresos fiscales provenientes de los recursos naturales no renovables en la región de ALC en 2023 y 2024.

Agradecimientos

La publicación *Estadísticas tributarias en América Latina y el Caribe 2025* ha sido elaborada conjuntamente por el Centro de Política y Administración Tributaria de la Organización para la Cooperación y el Desarrollo Económicos (OCDE), el Centro de Desarrollo de la OCDE, la Comisión Económica para América Latina y el Caribe de las Naciones Unidas (CEPAL-NU), el Centro Interamericano de Administraciones Tributarias (CIAT) y el Banco Interamericano de Desarrollo (BID). Esta publicación se benefició del apoyo financiero de la Agencia Española de Cooperación Internacional para el Desarrollo (AECID) en el marco de las actividades dirigidas a mejorar los sistemas fiscales en América Latina y el Caribe (ALC). También recibió apoyo financiero de los gobiernos de Irlanda, Japón, Luxemburgo, Noruega, Países Bajos, Reino Unido, Suecia y Suiza.

Las personas de estas organizaciones responsables de redactar la presente publicación han sido: Emmanuelle Modica del Centro de Política y Administración Tributaria de la OCDE, bajo la supervisión de la Directora, Manal Corwin, del Sub-director, Ben Dickinson, del Jefe de la División de Políticas y Estadísticas Tributarias, Kurt Van Dender, y del Jefe de la Unidad de Análisis de Datos Tributarios y Estadísticas, Alexander Pick; Jingjing Xia y René Orozco del Centro de Desarrollo de la OCDE, bajo la supervisión de la Directora, Ragnheiður Elín Árnadóttir, del Director adjunto, Federico Bonaglia, y del Jefe de la Unidad de América Latina y el Caribe, Sebastián Nieto Parra; Indira Romero de la Sede Subregional de la CEPAL-NU en México, Michael Hanni y Dalmiro Morán de la División de Desarrollo Económico de la CEPAL-NU, bajo la supervisión del responsable de la División de Desarrollo Económico, Noel Pérez Benítez; Julio Alberto López de la Dirección de Estudios e Investigaciones Tributarias del CIAT, bajo la supervisión del Director, Santiago Díaz de Sarralde; y Alberto Barreix, Líder Técnico Principal en Economía Fiscal del BID bajo el Especialista Líder de Sector en Administración Fiscal, Ubaldo González de Frutos. Michael Hanni de la CEPAL-NU fue autor del capítulo especial sobre los ingresos fiscales provenientes de los recursos naturales no renovables en América Latina y el Caribe (Capítulo 3). Los autores agradecen también a Daniel Titelman, ex Director de la División Económica de la CEPAL, su apoyo a esta publicación.

Los autores desean agradecer a otras personas del Centro de Política y Administración Tributaria de la OCDE por su invaluable contribución a la mejora y finalización de la edición 2025 de esta publicación. Karena Garnier se encargó de la maquetación de la publicación, mientras que Natalie Lagorce diseñó la nueva portada. Michael Sharratt brindó una valiosa ayuda con las bases de datos, el sitio web y otras herramientas de difusión. Nicolas Miranda prestó una valiosa ayuda en la revisión de la traducción al español. Eduardo Jiménez proporcionó información clave sobre la reforma del IVA en Brasil. Los autores desean dar las gracias a Bopha Chhun, de la Dirección de Medio Ambiente, que facilitó estadísticas de ingresos relacionadas con el medio ambiente.

Por último, el Centro de Política y Administración Tributaria y el Centro de Desarrollo de la OCDE quisieran agradecer a colegas de entidades nacionales, a los que hemos consultado con frecuencia durante la preparación de esta publicación. En particular, damos gracias a Eduardo Rodriguez, del Ministerio de Hacienda de Argentina; Jorge Richard Muñoz Nuñez, del Ministerio de Hacienda de Costa Rica; Fidelia Raulina Pérez Castillo y Mariam Ortiz, del Ministerio de Hacienda de la República Dominicana;

Marina E. Echegoyén de Espinal, Joaquin Alberto Montano Ochoa and Humberto Barrera Salinas del Ministerio de Hacienda de El Salvador; David Fernando Pineda Pinto, del Servicio de Administración de Rentas, y Kervin Andre Sánchez Valle y Santos Ariel Rodriguez, de la Secretaría de Finanzas de Honduras; Princess Scott, de la Administración de Impuestos y Aduanas de Jamaica; Emma Isaza, del Ministerio de Hacienda de Panamá; y Sanchez Vecorena Jorge Luis, Villena Guzman Pilar Denisse, y Jara Acosta Gustavo de la SUNAT (Superintendencia Nacional de Aduanas y de Administración Tributaria), y Óscar Gustavo Núñez Del Arco Mendoza y Jorge Rivera Calderón, del Ministerio de Economía y Finanzas de Perú.

Índice

GRÁFICOS

CUADROS

Resumen ejecutivo

Tras dos años de incrementos, la recaudación tributaria como proporción del PIB descendió 0.2 puntos porcentuales (p.p.) en promedio en América Latina y el Caribe (ALC) entre 2022 y 2023, hasta el 21.3%. Este descenso se debió a una caída de la recaudación del impuesto sobre la renta en una coyuntura de ralentización económica y bajada de los precios internacionales de los recursos naturales no renovables.

El informe *Estadísticas tributarias en América Latina y el Caribe de 2025* proporciona datos internacionalmente comparables sobre los niveles y las estructuras tributarias de 27 países de ALC: Antigua y Barbuda, Argentina, Bahamas, Barbados, Belice, Bolivia, Brasil, Chile, Colombia, Costa Rica, Cuba, la República Dominicana, Ecuador, El Salvador, Guatemala, Guyana, Honduras, Jamaica, México, Nicaragua, Panamá, Paraguay, Perú, Santa Lucía, Trinidad y Tobago, Uruguay y Venezuela. El promedio de ALC representa el promedio no ponderado de 26 países de la región incluidos en esta publicación, a excepción de Venezuela debido a problemas con los datos.

En la presente publicación, se definen los «impuestos» como los pagos obligatorios sin contrapartida a la administración general. En esta clasificación, también se incluyen las contribuciones a la seguridad social (CSS) obligatorias que se pagan a la administración general. En la Guía de interpretación del Anexo A se ofrece más información sobre la clasificación de los impuestos.

La recaudación tributaria como proporción del PIB en la región de ALC en 2023

La recaudación tributaria como proporción del PIB en las economías ALC osciló entre el 11.6% de Guyana y el 32.0% de Brasil en 2023. Tres cuartas partes de los países de esta región registraron coeficientes tributarios inferiores al 25% del PIB, mientras que más de las tres cuartas partes de los países de la OCDE presentaron coeficientes superiores a este nivel. La recaudación tributaria como proporción del PIB disminuyó en más de la mitad de los países de ALC (14 países) entre 2022 y 2023. Durante los dos ejercicios anteriores, la recaudación tributaria como proporción del PIB había aumentado en la mayoría de los países. En todos los países salvo en tres, en los que el coeficiente tributario descendió en 2023, el crecimiento del PIB nominal superó el crecimiento de los ingresos tributarios nominales.

Los mayores descensos en la recaudación tributaria como proporción del PIB se observaron en Chile (3.2 p.p.) y Perú (2.1 p.p.), impulsados por caídas de 3.2 p.p. y 1.2 p.p. en la recaudación del impuesto sobre la renta respectivamente. En ambos países, la recaudación del impuesto sobre la renta como proporción del PIB descendió en 2023 desde el máximo registrado el año anterior, porque los beneficios empresariales fueron inferiores durante 2022, lo que generó cuantiosas devoluciones y desgravaciones tributarias durante el ejercicio siguiente. El descenso de los precios de los recursos naturales no renovables también contribuyó a la caída de los recibos del impuesto sobre la renta en ambos países en 2023.

En términos generales, la recaudación del impuesto sobre la renta descendió 0.1 p.p. en promedio en toda la región de ALC en 2023, tras un incremento de 0.6 p.p. en 2022, año en el que un fuerte aumento de los ingresos por hidrocarburos disparó las sumas percibidas en concepto de impuesto de sociedades (IS). Al mismo tiempo, la recaudación del impuesto sobre la renta de las personas físicas (IRPF) aumentó un 0.1 % en 2023 mientras la recaudación del IVA y de otros impuestos al consumo fue estable entre 2022 y 2023.

Las tendencias tributarias variaron considerablemente entre las diferentes subregiones, poniendo de manifiesto presiones económicas singulares y cambios en los precios de las materias primas. La recaudación tributaria como porcentaje del PIB descendió con fuerza (0.5 p.p.) en la subregión de América del Sur, que fue la más afectada por el descenso de los precios de los recursos naturales no renovables y experimentó la ralentización económica más pronunciada en 2023. Sin embargo, América del Sur siguió registrando el nivel más alto de recaudación tributaria como proporción del PIB en promedio, del 22.9%.

En 2023, el promedio de la recaudación tributaria como proporción del PIB en el Caribe y América Central y México se situó en el 21.9% y el 19.0%, respectivamente. La recaudación tributaria descendió 0.2 p.p. en América Central y México en 2023, mientras que la recaudación tributaria como proporción del PIB del Caribe aumentó 0.3 p.p. tras ser la única subregión en la que había caído la recaudación tributaria como proporción del PIB en 2022.

Evolución de la recaudación tributaria como proporción del PIB en la región de ALC desde 1990

Si se observa un período histórico más amplio, el promedio de la recaudación tributaria como proporción del PIB de la región de ALC aumentó 6.7 p.p. entre 1990 y 2023 debido principalmente a un incremento de los ingresos por IVA y por los impuestos sobre la renta y las ganancias (de 3.8 p.p. y 2.9 p.p., respectivamente). La diferencia entre los promedios de la recaudación tributaria como proporción del PIB de ALC y de la OCDE se redujo durante este período, de 16.3 p.p. en 1990 a 12.7 p.p. en 2023. Los países de ALC convergieron principalmente con los países de la OCDE durante el primer decenio del siglo XXI, aunque en el segundo decenio no se mantuvo esta tendencia. Desde la pandemia del COVID-19, la diferencia ha aumentado.

Estructuras tributarias en la región de ALC

En 2023, los impuestos al consumo generaron prácticamente la mitad de los ingresos tributarios totales de la región de ALC, frente a menos de un tercio en la OCDE (31.5% en 2022, último año disponible). El IVA fue la principal fuente de dichos ingresos en la región de ALC en 2023, al representar un 28.5% de los ingresos tributarios totales en promedio y un 6.0% del PIB.

Los impuestos sobre la renta y las ganancias representaron un 29.6% de los ingresos tributarios totales de la región de ALC en 2023. Los ingresos procedentes del IS y del IRPF representaron un 18.7% y un 9.5% respectivamente de los ingresos tributarios totales en promedio, frente a un 12.0% y un 23.6% en la OCDE (cifras de 2022). La participación promedio de las CSS en los ingresos tributarios totales fue de un 16.6% en la región de ALC en 2023, por debajo del promedio de la OCDE, del 24.8% (cifra de 2022).

Sección especial: Tendencias de los ingresos no tributarios

Por primera vez, esta edición de las *Estadísticas tributarias en América Latina y el Caribe* presenta y analiza datos armonizados sobre los ingresos no tributarios de la región de ALC. Los ingresos no tributarios realizan una importante contribución a la movilización de recursos nacionales en muchos países de ALC, pero son volátiles y menos sostenibles que los ingresos tributarios.

En 2023, los ingresos no tributarios del gobierno central oscilaron entre el 0.4% del PIB en Perú y el 11.6% en Cuba. El promedio de ingresos no tributarios de los 22 países de la región de ALC (a excepción de los cuatro países de la OCDE) fue del 3.1% del PIB. Las ventas de bienes y servicios fueron la fuente principal de ingresos no tributarios del gobierno central de más de la mitad de los 22 países de ALC, seguidas de la renta de la propiedad, que engloba los arriendos, las regalías, los intereses y los dividendos.

Entre 2019 y 2023, los ingresos no tributarios descendieron 0.4 p.p. en promedio en la región de ALC. En 2020 disminuyeron 0.2 p.p., después aumentaron 0.8 p.p. en 2021, tras lo cual descendieron durante dos años consecutivos (0.3 p.p. en 2022 y 0.7 p.p. en 2023).

Sección especial: Tendencias de los ingresos fiscales procedentes de recursos naturales no renovables

Los ingresos relacionados con los hidrocarburos de los principales productores de petróleo de la región de ALC, descendieron hasta el 3.9% del PIB, en promedio, en 2023, desde el 4.4% del PIB en 2022, afectados por una fuerte caída de los precios del petróleo. Al mismo tiempo, los ingresos promedio procedentes del sector de la minería descendieron del 0.74% del PIB en 2022 al 0.59% del PIB en 2023, impulsados principalmente por una caída de los pagos del IS. Se estima que tanto los ingresos relacionados con los hidrocarburos como los procedentes del sector de la minería han seguido cayendo en 2024 (hasta el 3.2% y el 0.5% del PIB respectivamente) en una coyuntura de ligero descenso de los precios internacionales.

1 Tendencias tributarias, 1990-2023

Introducción

Las *Estadísticas tributarias en América Latina y el Caribe 2025* presentan los ingresos tributarios íntegros, pormenorizados y armonizados de 27 países de América Latina y el Caribe (ALC) hasta 2023, año en el que el promedio de los ingresos descendió como proporción del PIB en toda la región, tras dos años consecutivos de incremento debido a la crisis del COVID-19 en 2020.

Tras una fuerte recuperación del impacto inicial que tuvo el COVID-19, el crecimiento económico se ha mantenido en niveles bajos en muchos países de ALC. Aunque esta tendencia es un reflejo de factores cíclicos – entre ellos condiciones externas menos favorables, el desmantelamiento de las transferencias públicas y el endurecimiento de la política monetaria – también se debe a obstáculos estructurales al crecimiento económico, en particular al escaso aumento de la productividad (OECD et al., 2024[1]). Al mismo tiempo, persisten las dificultades sociales, ya que la pobreza y la pobreza extrema de esta región se mantuvieron por encima de los niveles previos a la pandemia y la inflación siguió mermando el poder adquisitivo. En 2023, en la región de ALC, el 27.3 % de la población se encontraba en situación de pobreza y el 10.6 % en situación de pobreza extrema (OECD et al., 2024[1]). Pese a los recientes esfuerzos de consolidación, el espacio tributario para promover la inversión y ampliar los programas de protección social sigue siendo limitado. El servicio de la deuda como porcentaje de la recaudación aumentó hasta el 12.2% en 2022, lo que supone una subida desde el 9.8% de 2012 y duplica con creces el promedio de la OCDE (4.8%) (OECD et al., 2024[1]).

Para financiar sus programas de desarrollo, las administraciones de esta región tienen que aumentar el gasto público y movilizar más recursos. Se necesitan sistemas tributarios más justos y eficientes: los reducidos ingresos tributarios limitan la capacidad estatal para responder a las demandas de la ciudadanía y mejorar los servicios públicos. Asimismo, mediante el reequilibrio de la estructura tributaria para no seguir dependiendo de los impuestos al consumo y del impuesto de sociedades y la promoción de una mayor progresividad del impuesto sobre la renta de las personas físicas, la región podría seguir reduciendo las desigualdades y minimizar las distorsiones que restringen la iniciativa empresarial (OECD et al., 2024[1]). También serán necesarias reformas tributarias para fomentar una transición verde y justa (OECD et al., 2022[2]). En muchos países de ALC, se requiere un pacto tributario más sólido entre la administración, la ciudadanía y el sector privado, que garantice el respaldo político necesario para sostener dichas reformas a lo largo de lo que se prevé será un proceso prolongado (OECD et al., 2021[3]).

El informe *Estadísticas tributarias en América Latina y el Caribe 2025* proporciona una base única para llegar a dichos pactos tributarios, al servir como pilar para emprender análisis detallados de las políticas tributarias de los países y también como punto de partida común para el intercambio de conocimientos y el desarrollo de capacidades en toda la región. El informe se organiza como sigue. En este capítulo (Capítulo 1) se aborda la evolución de los principales indicadores tributarios desde 1990 hasta 2023, entre ellos, la recaudación tributaria como proporción del PIB, la estructura tributaria y la proporción de ingresos tributarios que generan los diferentes niveles gubernamentales, así como la eficiencia del impuesto sobre el valor agregado en la región. También se analizan los ingresos procedentes de los impuestos ambientales. Dicho análisis se completa con secciones especiales sobre los ingresos no tributarios en la región de ALC (Capítulo 2) y los ingresos procedentes de recursos naturales no renovables (Capítulo 3). En el Capítulo 4 se incluyen cuadros comparativos de los indicadores tributarios fundamentales de la región, y los Capítulos 5 y 6 contienen un desglose minucioso por país de los ingresos tributarios.

Niveles de recaudación tributaria y variaciones anuales en 2023

La recaudación tributaria como proporción del PIB en 2023

La recaudación tributaria como proporción del PIB mide la parte del producto interno bruto (PIB) que procede de los ingresos tributarios (incluidas las contribuciones a la seguridad social que reciben las administraciones públicas). El promedio de ALC representa una medida no ponderada de los 26 países incluidos en esta publicación y excluye a Venezuela por falta de datos (véase en el Recuadro 1.1 una explicación completa sobre la recaudación tributaria como proporción del PIB).

Gráfico 1.1. Recaudación tributaria como proporción del PIB en la región de ALC, 2023

Ingresos tributarios totales como porcentaje del PIB

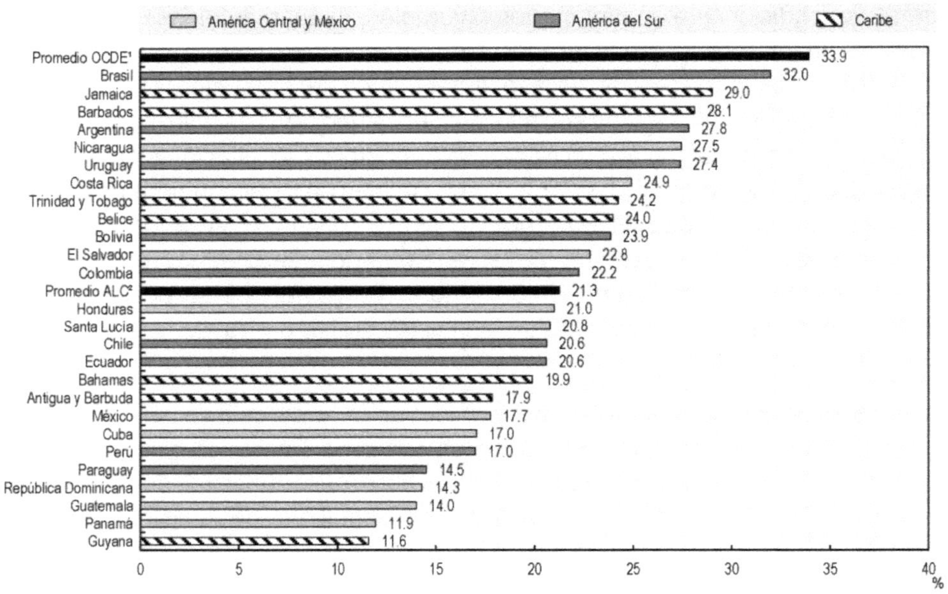

Nota: La clasificación de los países en diferentes subregiones respeta la clasificación de la CEPAL y se basa en el idioma de cada uno de ellos. En el «Caribe» se incluyen los países de habla inglesa y Guyana, mientras que «América Central y México» abarca países hispanohablantes, incluidos la República Dominicana y Cuba.

Las cifras no incluyen los ingresos de la administración local de Antigua y Barbuda, Argentina (aunque incluyen los ingresos de las provincias), Bahamas, Barbados, Cuba, República Dominicana, Santa Lucía y Trinidad y Tobago, por falta de datos disponibles.

1. Representa el promedio no ponderado de los 38 países miembros de la OCDE. Chile, Colombia, Costa Rica y México también están incluidos en el promedio de la OCDE.

2. Representa el promedio no ponderado de los 26 países de América Latina y el Caribe que se incluyen en esta publicación, sin contar con Venezuela por problemas de disponibilidad de los datos.

Fuente: OCDE *et al.* (2025[4]), Cuadro 4.1.

StatLink https://stat.link/hq7sgb

En 2023, la recaudación tributaria como proporción del PIB en la región de ALC se situó en el 21.3% (Gráfico 1.1). Los porcentajes más altos de este indicador fueron los de Brasil (32.0%), Jamaica (29.0%)

y Barbados (28.1%), mientras que los países con los promedios más bajos fueron Guyana (11.6%), Panamá (11.9%) y Guatemala (14.0%). Todos los países de la región de ALC registraron una recaudación tributaria como proporción del PIB inferior al promedio de la OCDE, que se situó en el 33.9% en 2023[1].

En 2023, el promedio de la recaudación tributaria como proporción del PIB en la región de ALC fue 0.2 puntos porcentuales (p.p.) más bajo que en 2022. Los cambios observados en la recaudación tributaria como proporción del PIB entre 2022 y 2023 fueron variados en toda la región (Gráfico 1.2). Catorce países experimentaron un descenso de su recaudación tributaria como proporción del PIB, mientras diez países registraron un aumento y dos no presentaron cambio alguno.

El descenso de la recaudación como proporción del PIB de 2022 a 2023 fue superior a 1.0 p.p. en cuatro países: Chile (3.2 p.p.), Perú (2.1 p.p.), Argentina (1.7 p.p.) y Cuba (1.3 p.p.). Por otra parte, dos países experimentaron un aumento superior a 1.0 p.p.: Colombia (2.6 p.p.) y Jamaica (1.1 p.p.).

Gráfico 1.2. Variación de la recaudación tributaria como proporción del PIB en la región de ALC, 2022 y 2023

Variación interanual, p.p.

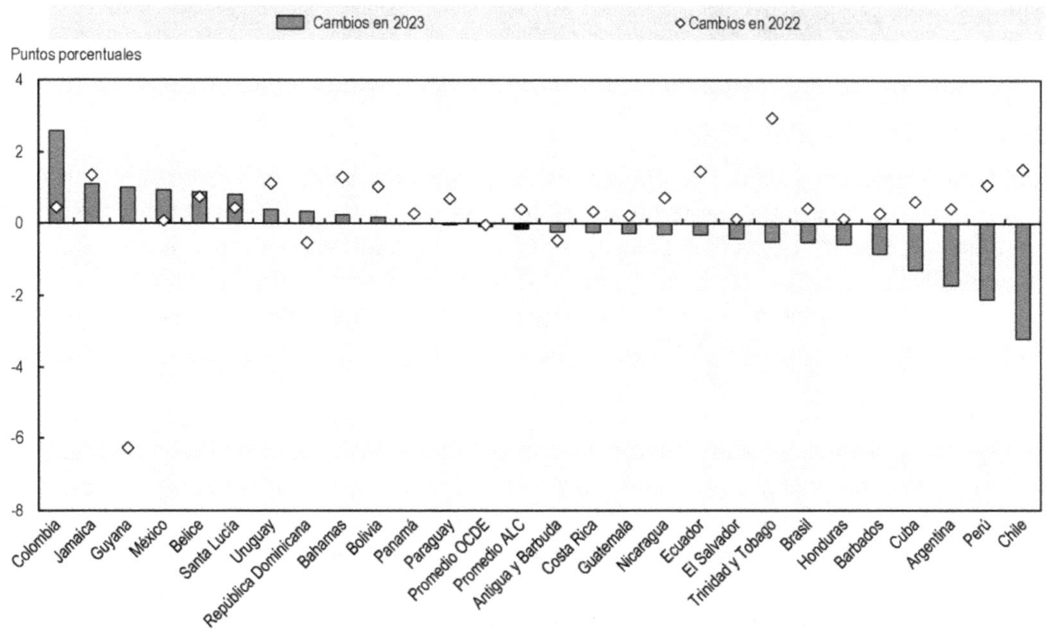

Nota: El promedio de ALC representa el promedio no ponderado de 26 países de ALC incluidos en esta publicación, sin contar con Venezuela por problemas de disponibilidad de los datos.
El promedio de la OCDE representa el promedio no ponderado de los 38 países miembros de la OCDE. Chile, Colombia, Costa Rica y México también forman parte de la OCDE (38).
Fuente: Cálculos propios basados en OCDE *et al.* (2025[4]), Cuadro 4.1.

StatLink https://stat.link/2ekt7j

Recuadro 1.1. Metodología de cálculo de la recaudación tributaria como proporción del PIB

Los coeficientes tributarios que se reflejan en esta publicación expresan la recaudación tributaria total como porcentaje del PIB. El valor de este cociente depende de su denominador (PIB) y su numerador (ingresos tributarios). Ambos, numerador y denominador, pueden experimentar una corrección histórica. La recaudación tributaria como proporción del PIB debe interpretarse con precaución: los ingresos tributarios nominales y el PIB nominal pueden moverse en el mismo sentido (ambos pueden subir o bajar). Sin embargo, la recaudación tributaria como proporción del PIB se moverá en sentido contrario a lo largo del mismo período si la variación de los ingresos tributarios nominales es inferior a la experimentada por el PIB nominal.

En 21 países de ALC, el año de referencia para el informe coincide con el año natural. Los cinco países restantes ofrecen datos relativos al ejercicio presupuestario:

- El ejercicio presupuestario en Barbados, Belice y Santa Lucía va de abril a marzo. Esto significa que el año de referencia para el informe 2023 se corresponde con el período comprendido entre el segundo trimestre de 2023 y el primer trimestre de 2024.
- El ejercicio presupuestario en Trinidad y Tobago abarca de octubre a septiembre, de modo que el año de referencia del informe 2023 comprende desde el cuarto trimestre de 2022 al tercer trimestre de 2023.
- El ejercicio presupuestario de Bahamas termina el 30 de junio. El año de referencia del informe 2023 abarca desde el segundo trimestre de 2022 al segundo trimestre de 2023.

El numerador (ingresos tributarios)

Esta publicación utiliza las cifras relativas a los ingresos tributarios que presentan los centros de referencia o que publican anualmente los ministerios de Hacienda, las administraciones tributarias o las oficinas de estadística nacionales. Los datos históricos pueden experimentar correcciones anuales, siendo las más importantes las de los años más recientes. Las cifras anteriores también pueden variar de una edición a otra cuando mejoran los datos (por ejemplo, si se obtienen nuevos datos o se ajusta la clasificación).

El denominador (PIB)

Las cifras relativas al PIB utilizadas en la presente publicación proceden, en su mayoría, del informe *Perspectivas de la economía mundial* (informe WEO, por sus siglas en inglés) que publica el FMI (FMI, 2024[5]). Las cifras relativas al PIB de los cuatro países de ALC que también son miembros de la OCDE (Chile, Colombia, Costa Rica y México) se basan en las Cuentas Nacionales anuales de la OCDE. Las cifras del PIB se revisan y actualizan para dar cuenta de las mejoras en las fuentes de datos y de una mayor precisión en los procedimientos de cálculo o para aproximarse en mayor medida a nuevas directrices internacionales de cálculo del valor del PIB. Las cifras de PIB nominal de esta edición fueron revisadas con respecto a las que figuran en la edición del año pasado en relación con 14 países. De estos, se revisó al alza el PIB de 2022 de diez países y a la baja, el de cuatro países. La revisión al alza más pronunciada correspondió a Barbados (7.8%).

Recaudación tributaria como proporción del PIB

La diferencia entre el coeficiente tributario de 2022 que aparece en las ediciones de 2024 y 2025 de este informe osciló entre -1.5 p.p. en Barbados y +1.6 p.p. en Santa Lucía y se debió principalmente a las revisiones del PIB mencionadas anteriormente. El promedio de recaudación tributaria como proporción del PIB de la región de ALC correspondiente a 2022 que aparecía en la edición de 2024 de las *Estadísticas tributarias en América Latina y el Caribe* era del 21.5%. En la edición de este año, es 0.1 p.p. inferior, del 21.4%. También se ha revisado al alza el incremento del coeficiente tributario de la región de ALC entre 2021 y 2022, de 0.3 p.p. en la edición de 2024 a 0.4 p.p. en esta edición.

Variaciones más importantes en la recaudación tributaria como proporción del PIB en los países de ALC en 2023

El crecimiento económico de la región de ALC se ralentizó en 2023, de modo que la desaceleración que comenzó en 2022 continúa. El crecimiento en 2023 se vio influido por unas condiciones externas menos favorables, el descenso de los precios de los recursos no renovables, el desmantelamiento de las transferencias públicas, el endurecimiento de la política monetaria y también desafíos estructurales como la escasa productividad (CEPAL, 2024[6]; CEPAL, 2024[7]; OECD et al., 2024[1]).

En este apartado se analizan de manera pormenorizada las variaciones más llamativas de la recaudación tributaria como proporción del PIB en los países de ALC producidas en 2023.

- Chile registró el mayor descenso de la recaudación tributaria como proporción del PIB de los países de ALC en 2023, de 3.2 p.p., en una coyuntura de ralentización económica y descenso de los precios de los minerales (FMI, 2024[8]). Esta caída se debió principalmente a un descenso de 3.2 p.p. en los ingresos por el impuesto sobre la renta. Durante el ejercicio anterior, el nivel de ingresos procedentes del impuesto sobre la renta de Chile marcó un máximo del 10.4% del PIB. Sin embargo, en 2023, se registró un fuerte aumento de las devoluciones y del uso de saldos acreedores cuando la obligación de pago del impuesto sobre la renta era inferior a los pagos a cuenta realizados en 2022 (CEPAL, 2024[6]).
- Perú experimentó la segunda mayor caída de la recaudación tributaria como porcentaje del PIB (2.1 p.p.) debido a descensos de 1.2 p.p. en los ingresos procedentes del impuesto de sociedades (IS) y de 0.8 p.p. en la recaudación del IVA de 2023. La actividad económica se vio afectada por varias crisis durante el ejercicio, entre ellas disturbios sociales, condiciones climáticas desfavorables y la gripe aviar (Banco Central de Reserva de Perú, 2024[9]). Perú resultó especialmente perjudicado por la caída de los precios de las materias primas, que redujo los beneficios empresariales y, por ende, las sumas percibidas en concepto de IS. Este descenso del IS también se puede atribuir a la bajada de las sumas recibidas a cuenta en 2023 y al fuerte aumento de la recaudación del IS en 2022, que derivó en un nivel de referencia elevado (CEPAL, 2024[6]).
- La recaudación tributaria como proporción del PIB de Argentina registró el tercer mayor descenso en 2023, de 1.7 p.p. Se produjeron descensos de la recaudación del impuesto sobre la renta y otros impuestos al consumo, que cayeron 1.1 p.p. y 1.0 p.p. respectivamente. Una sequía afectó a la producción agrícola y las exportaciones, lo que contribuyó a una caída de 1.2 p.p. en la recaudación de impuestos por exportaciones y al descenso global de la recaudación de los otros impuestos al consumo (Pérez M. , Andrés; Ciongo, Diego, 2024[10]). El descenso de los ingresos procedentes del impuesto sobre la renta puede atribuirse al elevado valor de referencia de 2022, ya que ese año se impuso un anticipo extraordinario sobre ingresos empresariales no previstos (CEPAL, 2024[6]).
- Por el contrario, en Colombia se registró el mayor aumento de los ingresos tributarios entre 2022 y 2023. La recaudación aumentó 2.6 p.p. impulsada por un incremento de 2.4 p.p. en los ingresos obtenidos por impuestos que gravan las rentas, en particular el impuesto de sociedades (2.2 p.p.). Estos incrementos se deben a varios factores, entre los que se incluyen el efecto de una reforma tributaria (Ley 2277), que entró en vigor en enero de 2023 e incluyó cambios en el impuesto de sociedades y nuevos recargos relativos a industrias específicas (entre ellas, instituciones financieras y empresas de petróleo crudo, extracción de carbón e hidroeléctricas). El aumento también puso de relieve el hecho de que se exigió a los grandes contribuyentes el pago anticipado de puntos adicionales del impuesto sobre la renta correspondientes al ejercicio tributario 2024.. Este anticipo afectó principalmente a los intermediarios financieros.
- Jamaica registró un aumento de la recaudación de 1.1 p.p. en 2023, que se debió principalmente a un incremento de 1.7 p.p. en los ingresos por el impuesto sobre la renta de las personas físicas

(IRPF). Esta subida de los ingresos se produjo a causa de una reforma de los salarios públicos como parte del programa del Gobierno para la transformación del sector público, por el que se simplificaron las escalas de sueldos y las prestaciones y aumentaron los salarios del sector público, de modo que los empleados pasaron a situarse en categorías impositivas superiores (Linton, 2023[11]; FMI, 2024[12]).

Gráfico 1.3. Variaciones en la recaudación tributaria como proporción del PIB de los países de ALC, según las principales partidas tributarias, 2023

Variación interanual, p.p.

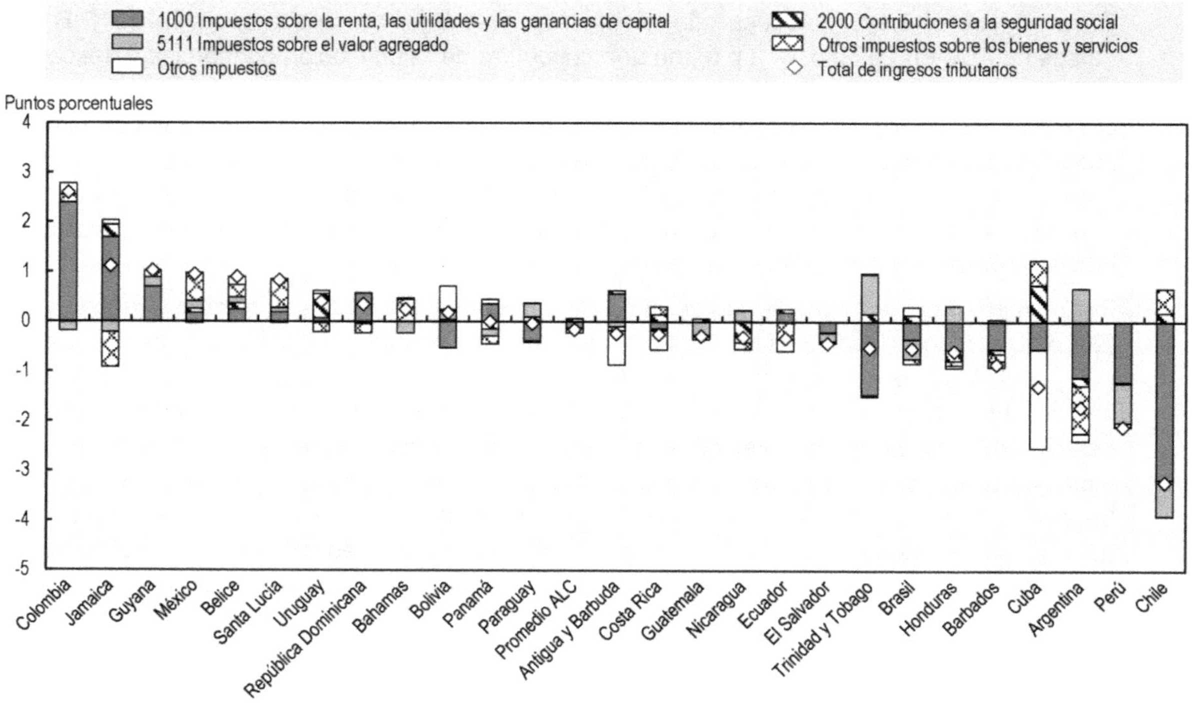

Nota: El promedio de ALC representa el promedio no ponderado de 26 países de ALC incluidos en esta publicación; se excluye Venezuela, dada la falta de datos disponibles.
Fuente: Cálculos propios basados en OCDE *et al.* (2025[4]), Capítulo 4.

StatLink https://stat.link/hvlmao

Las variaciones de la recaudación tributaria como proporción del PIB se deben a los cambios relativos registrados por los ingresos tributarios nominales y el PIB nominal (Recuadro 1.1). De un año para otro, si los ingresos tributarios aumentan más que el PIB (o disminuyen menos que el PIB), la recaudación tributaria como proporción del PIB aumentará. Por el contrario, si los ingresos tributarios aumentan menos que el PIB, o disminuyen más, la recaudación tributaria como proporción del PIB disminuirá. Por lo tanto, una recaudación tributaria como proporción del PIB más alta no necesariamente significa que hayan aumentado los ingresos tributarios en términos nominales o reales.

El Gráfico 1.4 muestra la variación porcentual del PIB nominal y los ingresos tributarios nominales entre 2022 y 2023. En la mayor parte de los casos, los ingresos tributarios nominales y el PIB nominal aumentaron durante el período, a excepción de Chile y Perú, que registraron caídas de los ingresos tributarios nominales durante el período, y Trinidad y Tobago, donde descendieron tanto el PIB nominal como los ingresos tributarios nominales. Los ingresos tributarios aumentaron más que el PIB nominal en 10 países, menos que el PIB nominal en 11 y en la misma magnitud en dos países.

Gráfico 1.4. Variaciones de los ingresos tributarios nominales y el PIB nominal por subregión, 2022-2023

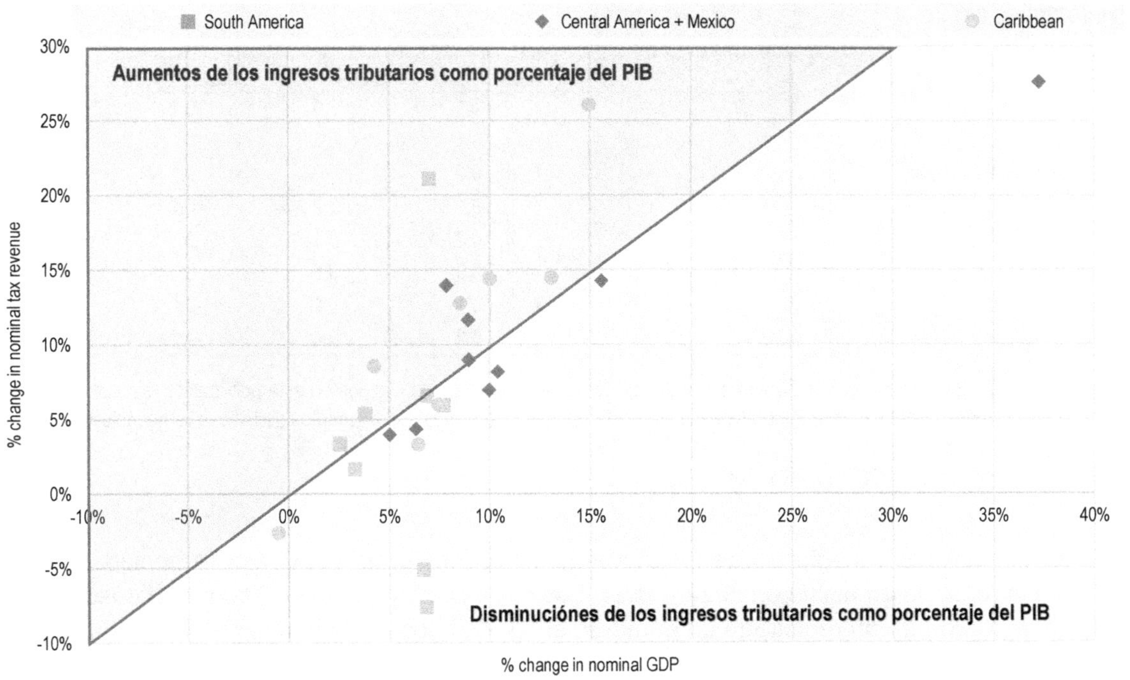

Nota: La línea diagonal que atraviesa el gráfico representa el punto en el que la variación en los ingresos tributarios y el PIB fueron de la misma magnitud y, por tanto, el punto en el que la recaudación tributaria como proporción del PIB se mantuvo inalterada. En los países situados por encima de la diagonal aumentó la presión fiscal y en los países que están por debajo se redujo.
Fuente: Los datos relativos a ALC son cálculos propios basados en OCDE *et al.* (2025[4])

StatLink https://stat.link/piqtlk

Variaciones en los ingresos tributarios de diferentes tipos de impuestos en 2023

Los descensos de los ingresos tributarios en la región de ALC en 2023 se vieron impulsados por los impuestos sobre la renta en una coyuntura de descenso de los precios de las materias primas, en particular de los precios de los recursos naturales no renovables. Por el contrario, los ingresos procedentes de los impuestos sobre bienes y servicios se mantuvieron estables en 2023.

La recaudación del impuesto de sociedades y de impuestos sin clasificar descendieron ambas un 0.1% del PIB en promedio en toda la región de ALC en 2023 (Cuadro 1.1). La recaudación del IS había aumentado 0.6 p.p. en 2022, impulsada por los elevados precios del petróleo y del gas en 2021 que fortalecieron los beneficios de las empresas en 2022, en especial de los países productores de petróleo.

En 2023, las sumas percibidas por el impuesto de sociedades disminuyeron en relación con la elevada base registrada en 2022. Varios países efectuaron reembolsos del impuesto sobre la renta (lo que contribuyó al descenso de los ingresos por el impuesto sobre la renta sin imputar), una tendencia que se agravó por la bajada de los precios de las materias primas.

Cuadro 1.1. Variaciones de los ingresos tributarios de las principales categorías de impuestos, 2021 a 2023

Variación interanual, p.p.

	2021	2022	2023
IRPF	-0.1	0.0	0.1
IS	0.1	0.6	-0.1
Impuesto sobre la renta sin imputar	0.1	0.0	-0.1
CSS	-0.1	-0.2	0.1
IVA	0.2	0.1	0.0
OIC	0.0	-0.2	0.0
Res.	0.1	0.1	-0.1
Total	**0.2**	**0.4**	**-0.2**

Nota: El promedio de ALC representa el promedio no ponderado de 26 países de la región incluidos en esta publicación, sin contar con Cuba (hasta 2020) ni con Venezuela, debido a los problemas de disponibilidad de datos. Además, los promedios de IRPF e IS no incluyen a Ecuador debido a problemas de calidad de los datos.
Fuente: Cálculos propios basados en OCDE *et al.* (2025[4])

El Gráfico 1.6 muestra las variaciones de los ingresos procedentes del impuesto de sociedades y del impuesto sobre la renta no atribuible en 2022 y 2023. Los once países que experimentaron descensos de estos ingresos en 2023 habían registrado un aumento en 2022, sobre todo varios países productores de petróleo, como Argentina, Bolivia, Brasil, Perú y Trinidad y Tobago. En promedio, la recaudación del impuesto de sociedades y de los impuestos sobre la renta sin imputar aumentó 1.4 p.p. en estos 11 países en 2022 y posteriormente descendió 0.9 p.p. en 2023.

Gráfico 1.5. Variaciones de los ingresos procedentes de la recaudación conjunta del impuesto de sociedades y del impuesto sobre la renta no atribuible en los países de ALC, 2022 y 2023

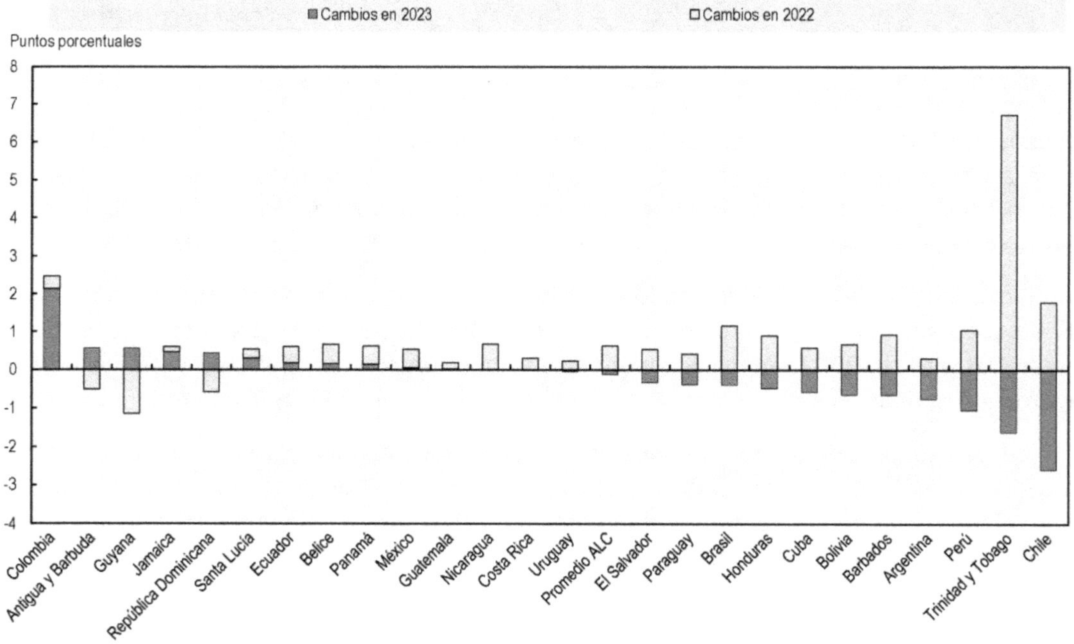

Nota: En el caso de Ecuador, se muestra la recaudación total del impuesto sobre la renta porque no se dispone del desglose. Bahamas no grava la renta.
Fuente: Cálculos propios basados en OCDE *et al.* (2025[4]), Capítulo 4.

StatLink https://stat.link/fqolgi

Por el contrario, la recaudación del IRPF aumentó como porcentaje del PIB en 2023, sobre todo impulsada por el gran aumento de los ingresos por IRPF de Jamaica. Los ingresos obtenidos por las contribuciones a la seguridad social (CSS) también aumentaron 0.1 p.p. en 2023. (Cuadro 1.1).

Dentro de los impuestos al consumo, los ingresos por IVA y otros impuestos al consumo (esta categoría, abreviada como «OIC» en el cuadro y, por lo tanto, en el capítulo, incluye los impuestos especiales, los derechos de aduanas y sobre importaciones, así como impuestos generales diferentes al IVA, tales como los impuestos sobre ventas) no experimentaron cambios como proporción del PIB entre 2022 y 2023.

La recaudación tributaria como proporción del PIB en las subregiones de ALC

En este informe se examinan las tendencias de la recaudación de impuestos en las tres subregiones de ALC: América Central y México; el Caribe; y América del Sur. En 2023, el promedio de la recaudación tributaria como proporción del PIB en América Central y México y América del Sur descendió tras dos años de incremento y se situó en el 19.0% y el 22.9%, respectivamente, mientras que la recaudación tributaria como proporción del PIB del Caribe aumentó hasta el 21.9%. Tanto en América del Sur como en América Central y México, se registró un descenso de 0.5 p.p. y 0.2 p.p. respectivamente entre 2022 y 2023, mientras que la recaudación tributaria como proporción del PIB del Caribe aumentó 0.3 p.p. durante el período.

El Cuadro 1.2 refleja las variaciones anuales de la recaudación registradas en estas subregiones, por tipo de impuesto principal en 2023.

- La recaudación del impuesto de sociedades disminuyó en todas las subregiones, 0.1 p.p. en el Caribe y en América Central y México, y 0.2 p.p. en América del Sur. Las variaciones de ingresos por IVA, OIC, IRPF y CSS fueron diferentes entre las distintas subregiones.
- En el Caribe, los ingresos de las categorías principales excepto el IS y la categoría «residual» aumentaron como proporción del PIB. El mayor incremento fue el registrado por el IRPF (0.2 p.p.) seguido de las CSS, el IVA y los OIC. El crecimiento de la recaudación de impuestos relacionados con el turismo y la retirada de las medidas de exención impositiva de 2022 destinadas a reducir los costos del combustible en algunos países contribuyó a que aumentara la recaudación de los impuestos al consumo (CEPAL, 2024[6]).

Cuadro 1.2. Variaciones en los ingresos tributarios por categoría como proporción del PIB, ALC y subregiones, 2023

Variación interanual, p.p.

	ALC	Caribe	América Central y México	América del Sur
IRPF	0.1	0.2	0.0	-0.1
IS	-0.1	-0.1	-0.1	-0.2
Impuesto sobre la renta sin imputar	-0.1	0.0	0.0	-0.2
CSS	0.1	0.1	0.0	0.1
IVA	0.0	0.1	0.0	-0.1
OIC	0.0	0.1	0.1	-0.1
Res.	-0.1	-0.1	-0.3	0.1
Total	**-0.2**	**0.3**	**-0.2**	**-0.5**

Nota: El promedio excluye a Venezuela por los problemas de disponibilidad de datos. Asimismo, los promedios del IRPF y el IS para ALC y la subregión de América del Sur no tienen en cuenta a Ecuador por problemas relacionados con la calidad de los datos.
Fuente: Cálculos propios basados en OCDE *et al.* (2025[4]).

- En América Central y México, la recaudación del impuesto, de sociedades y la categoría «residual» disminuyó 0.1 p.p. y 0.3 p.p. respectivamente, mientras que el resto de categorías de impuestos se mantuvieron estables. El descenso de la categoría «residual» se debe principalmente a la importante caída de «otros impuestos y tasas» en 1.8 p.p. en Cuba, impuestos cuyas bases imponibles principales no se identifican ni desglosan.
- América del Sur fue la región que registró los descensos más pronunciados y generalizados de la recaudación entre las categorías de impuestos principales. La recaudación del impuesto sobre la renta cayó 0.5 p.p. y la de los impuestos al consumo, 0.2 p.p. Todas las subcategorías principales dentro de estas dos categorías de ingresos descendieron 0.1 p.p. o 0.2 p.p. América del Sur fue la subregión más afectada por la caída de los precios de los recursos no renovables en 2023, lo que afectó a la actividad económica y la recaudación de impuestos de esta subregión.

Tendencias a largo plazo de la recaudación tributaria

Evolución de la recaudación tributaria como proporción del PIB desde 1990

La recaudación tributaria como proporción del PIB en los países de ALC aumentó a principios de los años noventa, tras una década de inestabilidad macroeconómica. Durante los años ochenta, muchos países sufrieron grandes desequilibrios presupuestarios y algunos recurrieron a formas alternativas de financiación del gasto (préstamos o emisión de moneda), con lo que se originó una rápida inflación en toda la región, que menoscabó el valor real de los ingresos tributarios. Las reformas emprendidas en los años noventa se centraron en la estabilidad de los precios, la liberalización del comercio y la disciplina presupuestaria. La mayoría de los gobiernos redujeron el gasto y aplicaron políticas dirigidas a aumentar los ingresos tributarios; la gestión presupuestaria y el equilibrio presupuestario mejoraron considerablemente. Los responsables políticos pusieron en marcha reformas en la política impositiva y la administración encaminadas a reforzar los regímenes tributarios frente a los episodios inflacionistas, reduciendo los desfases recaudatorios e indexando las deudas tributarias (CEPAL, 2018[13]).

La introducción del IVA ha sido la reforma tributaria más importante de la región de ALC, en las últimas tres décadas. A principios de la década de 1990, casi todos los países estaban implantando el régimen del IVA y realizando reformas dirigidas a aumentar su tipo o tasa impositiva, a fin de ampliar su base y aumentar la recaudación. Varios países han pasado a regímenes de IVA de tipo único (CEPAL, 2018[13]).

Durante las dos últimas décadas, los países de la región de ALC han realizado grandes esfuerzos para modernizar la administración tributaria. Se han implantado sistemas informáticos nuevos, los sistemas de recaudación se han hecho más eficientes y el personal ha adquirido experiencia (BID, 2013[14]). Las reformas tributarias han incluido la introducción o el desarrollo de regímenes simplificados para pequeños contribuyentes, la tributación de la propiedad en regímenes de rentas presuntas y la ampliación de la tributación a los rendimientos del trabajo y del capital, incluidos los dividendos. Las reformas también han incluido la creación de impuestos mínimos, impuestos sobre las operaciones financieras y reducciones graduales en el nivel de ingresos reales gravados al tipo marginal máximo (CEPAL, 2013[15]; CEPAL, 2018[13]).

El Gráfico 1.6 muestra la evolución de los promedios de la recaudación tributaria como proporción del PIB de ALC y la OCDE entre 1990 y 2023. El promedio de la recaudación tributaria como proporción del PIB de la región de ALC ha aumentado significativamente en las tres últimas décadas, pasando del 14.6% en 1990 al 21.3% en 2023. Sin embargo, esta trayectoria al alza se vio interrumpida por la crisis económica mundial de 2009, la crisis de los precios de las materias primas de 2016 y la pandemia del COVID-19 en 2020 (que provocaron descensos de 0.8 p.p., 0.1 p.p. y 0.6 p.p., respectivamente).

La recaudación tributaria como proporción del PIB de la OCDE también siguió una tendencia al alza desde 1990 (aunque menos pronunciada y desde un nivel superior al promedio de ALC), pese a los importantes descensos registrados durante la crisis económica mundial (de 0.6 p.p. y 0.8 p.p. en 2008 y 2009 respectivamente). La recaudación tributaria como proporción del PIB de la OCDE alcanzó el 33.9%, en 2023, 3.1 p.p. por encima de su nivel de 1990. De este modo, la diferencia entre los promedios de este coeficiente tributario de ALC y la OCDE se ha reducido considerablemente a lo largo del tiempo y en 2023 se situó en el 12.7% del PIB.

Gráfico 1.6. Recaudación tributaria como proporción del PIB, promedios de ALC y la OCDE, 1990-2023

Porcentaje del PIB

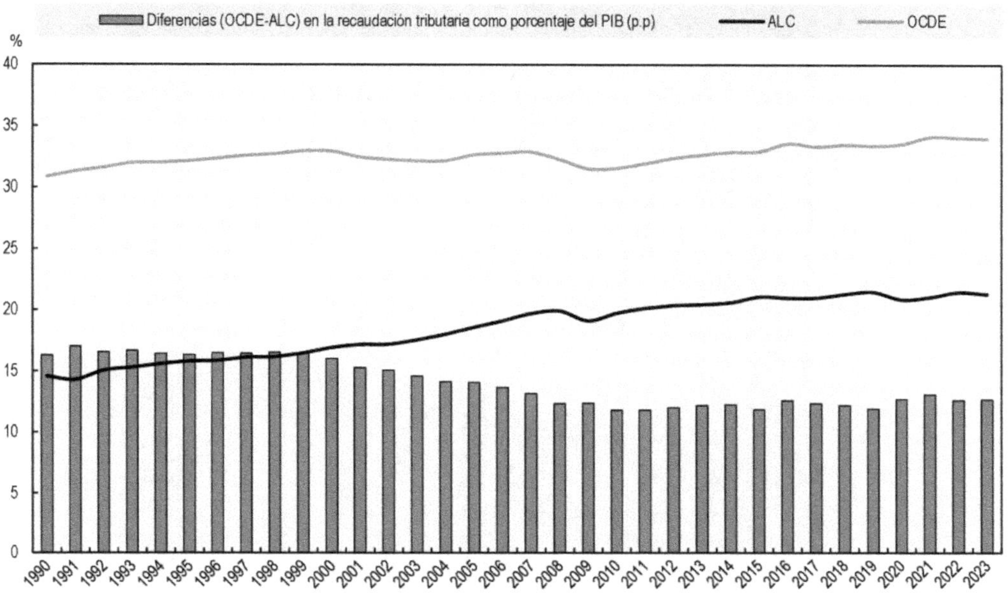

Nota: El promedio de ALC representa el promedio no ponderado de 26 países de la región incluidos en esta publicación, sin contar con Cuba (hasta 2020) ni con Venezuela, debido a los problemas de disponibilidad de datos. El promedio de la OCDE representa el promedio no ponderado de los 38 países miembros de la OCDE. Chile, Colombia, Costa Rica y México también están incluidos en el promedio de la OCDE.
Fuente: Cálculos propios basados en OCDE *et al.* (2025[4]), Capítulo 4.

StatLink https://stat.link/1350pr

El Gráfico 1.7 muestra los promedios de recaudación tributaria como proporción del PIB trianuales correspondientes a 2011-2013 y 2021-2023 en los países de ALC y la OCDE, así como las diferencias en los promedios trianuales de la recaudación tributaria como proporción del PIB durante el decenio anterior (respectivamente los períodos 2001-2003 y 2011-2013). El uso de promedios trianuales ayuda a suavizar las fluctuaciones a corto plazo de las recaudaciones tributarias como proporción del PIB, de manera que se obtiene información más detallada sobre la convergencia de los países de ALC con los países de la OCDE. Los países de ALC convergieron principalmente con los países de la OCDE durante el primer decenio del siglo XXI (entre 2001-2003 y 2011-2013), pero no durante el segundo decenio (entre 2011-2013 y 2021-2023).

Todos los países de ALC excepto dos registraron una recaudación tributaria como proporción del PIB superior en 2011-2013 a la de 2001-2003, mientras que solo la mitad de los países de la OCDE aumentaron su recaudación tributaria como proporción del PIB durante el período. Además, la magnitud de los incrementos del promedio trianual entre 2001-2003 y 2011-2013 fue superior en la región de ALC a la de los países de la OCDE. En promedio, la diferencia en el promedio trianual de las recaudaciones tributarias como proporción del PIB entre ambos períodos se situó en 3.0 p.p. en el caso de los países de ALC y fue nula en el caso de los países de la OCDE. Esto indica que los países con una recaudación tributaria como proporción del PIB más baja, como los de la región de ALC, tendieron a registrar aumentos más significativos en dicha proporción en comparación con aquellos con niveles más altos, como muchos países de la OCDE.

Sin embargo, esta tendencia ya no se observa en el segundo decenio: aunque el promedio trianual de la recaudación tributaria como proporción del PIB aumentó en la mayoría de países de ALC y la OCDE entre 2011-2013 y 2021-23, los incrementos fueron de nivel inferior y se produjeron en menos países de ALC que de la OCDE. En promedio, la diferencia en el promedio trianual de las recaudaciones tributarias como proporción del PIB entre ambos períodos se situó en 1.1 p.p. en el caso de los países de ALC y 1.7 p.p. en los países de la OCDE.

Gráfico 1.7. Promedio trianual de los niveles de la recaudación tributaria como proporción del PIB y diferencia con el promedio trianual de la recaudación tributaria como proporción del PIB durante el decenio anterior, países de ALC y la OCDE

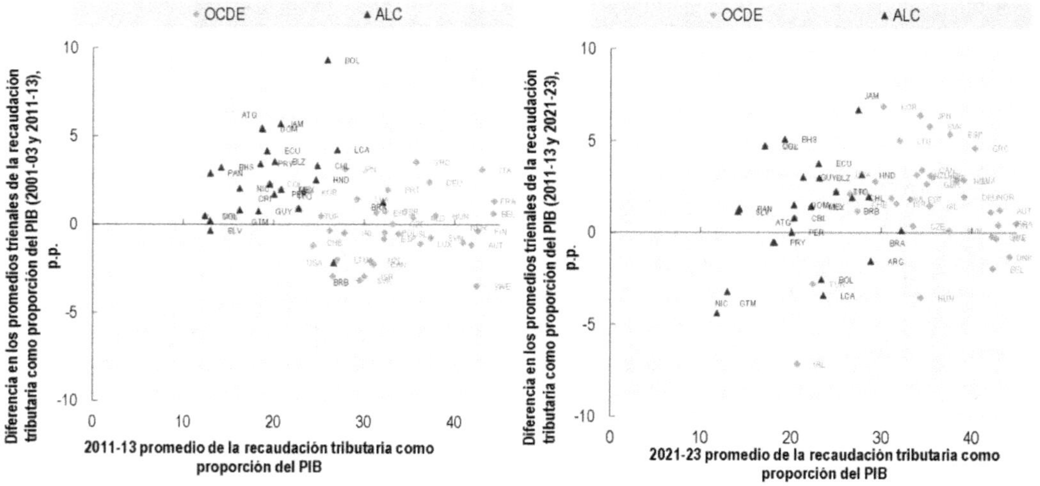

Nota: La cifra excluye a Cuba y Venezuela por los problemas de disponibilidad de datos. Se utilizaron los datos de 2022 en Japón y Australia, porque no se dispone de los datos de las recaudaciones tributarias como proporción del PIB de 2023.
Fuente: Cálculos propios basados en OCDE *et al.* (2025[4]), Capítulo 4 y (OECD, 2024[16])

StatLink https://stat.link/wxqunl

El Gráfico 1.8 muestra la distribución de los promedios trianuales de recaudación tributaria como proporción del PIB correspondientes a los períodos 2001-2003 y 2021-2023 en los países de ALC y la OCDE. En ambas regiones y períodos, existe una gran heterogeneidad en las recaudaciones tributarias como proporción del PIB. En 2001-2003, el promedio trianual de las recaudaciones tributarias como proporción del PIB de los países de ALC osciló entre un 10.1% y un 30.8%, con una media de 16.5%. En 2021-2023, se registró un cambio notable en la distribución entre los países de ALC: todos los cuartiles de 2021-2023 superaron a los de 2001-2003 en más de 4 p.p., mientras que el cuartil inferior superó la media 2001-2003 (18.3% frente a 16.5% del PIB). También hubo un movimiento al alza entre los países de la OCDE entre ambos períodos, aunque menos marcado. Pese a estas tendencias, el cuartil superior de la región de ALC se mantuvo por debajo del cuartil inferior de la OCDE (el 25.0% y el 30.4% del PIB respectivamente). Todos los países de ALC excepto Brasil se sitúan por debajo del cuartil inferior de la OCDE.

Gráfico 1.8. Promedios de recaudación tributaria como proporción del PIB de 2001-2003 y 2021-2023, países de ALC y OCDE

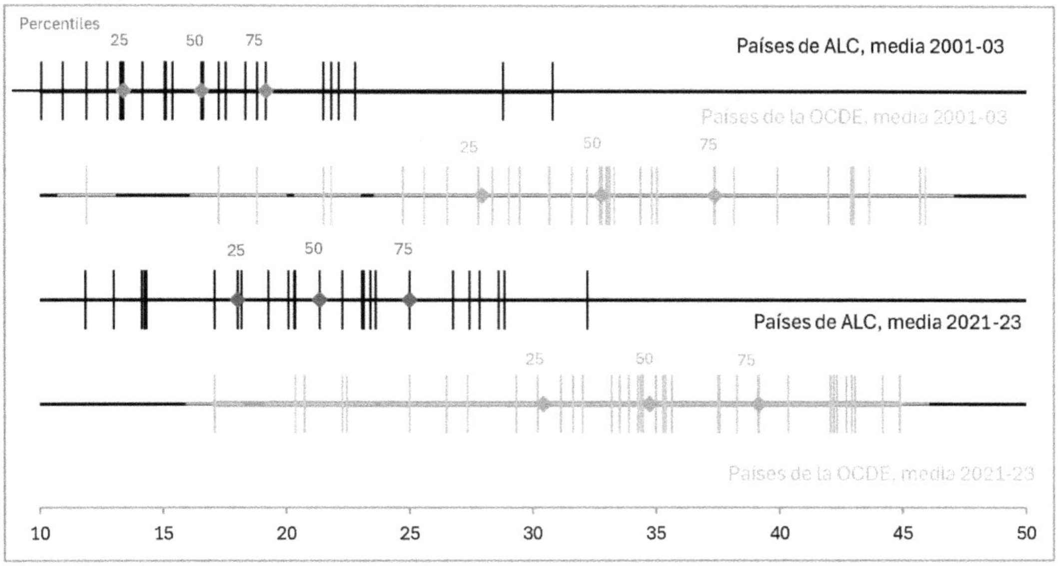

Nota: La cifra excluye a Cuba y Venezuela por los problemas de disponibilidad de datos. Se utilizaron los datos de 2022 en Japón y Australia, porque no se dispone de los datos de las recaudaciones tributarias como proporción del PIB de 2023.
Fuente: Cálculos propios basados en OCDE *et al.* (2025[4]), Capítulo 4 y (OECD, 2024[16])

StatLink https://stat.link/xd3gfh

Recuadro 1.2. Factores que influyen en el nivel de recaudación

Existe una serie de factores económicos y estructurales que influyen en la recaudación tributaria como proporción del PIB. Las diferencias entre el promedio de recaudación tributaria como proporción del PIB de ALC y la OCDE son congruentes con la tendencia de los países con niveles de renta más elevados de presentar también mayores coeficientes tributarios (Gráfico 1.9). Argentina, Barbados, Brasil y Uruguay presentan unos coeficientes tributarios y niveles de renta similares a los de algunos países de la OCDE.

El PIB per cápita (medida del nivel de renta de un país), la apertura comercial, las dotaciones de recursos naturales y la importancia de la agricultura en la economía son factores económicos y estructurales que influyen en la recaudación tributaria como proporción del PIB. La capacidad de las administraciones tributarias, los niveles de corrupción y la moral tributaria (la predisposición de las personas a pagar impuestos) también están íntimamente relacionados con el nivel de ingresos tributarios (OECD, 2014[17]; OECD, 2019[18]).

Gráfico 1.9. PIB per cápita en PPA (USD) y recaudación tributaria como proporción del PIB en la región de ALC, la OCDE y un grupo de economías de África, Asia y el Pacífico, 2022

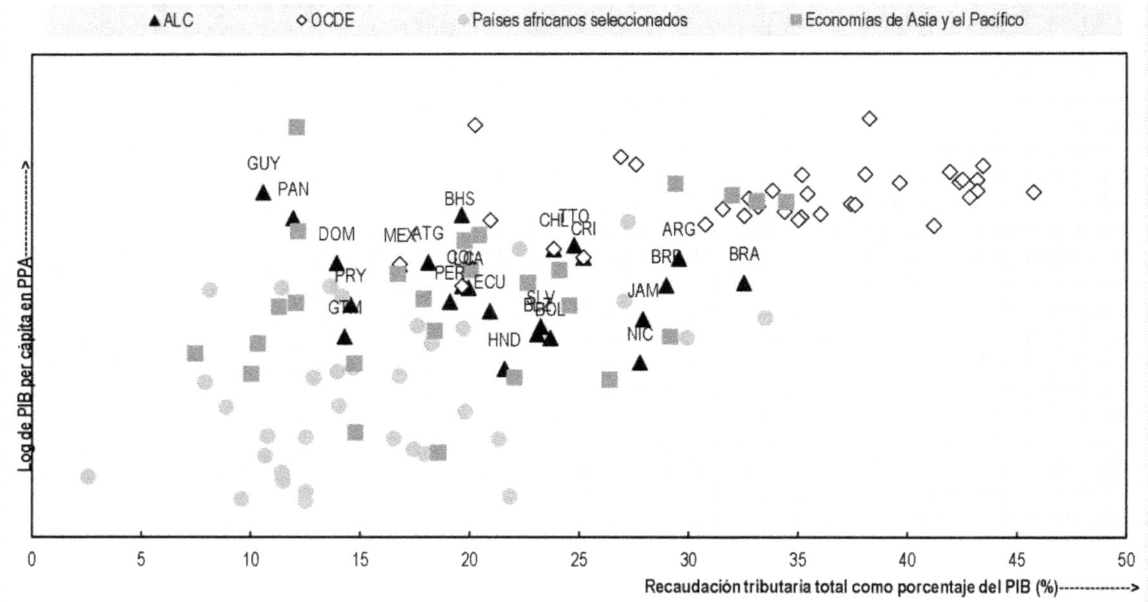

Nota: El año de comparación es 2022, dado que los datos relativos a la recaudación tributaria como proporción del PIB de 2023 de las economías seleccionadas de África, Asia y el Pacífico no están disponibles. No se incluyen ni Cuba ni Venezuela debido a los problemas de datos. La paridad de poder adquisitivo (PPA) entre dos países es el tipo de cambio entre las divisas de dos países para garantizar que una determinada suma en la moneda del primer país sirve para adquirir la misma cantidad de bienes y servicios en el segundo país. El tipo de conversión PPA implícito se expresa como moneda nacional por dólar internacional actual. El dólar internacional tiene el mismo poder adquisitivo que el dólar estadounidense en los Estados Unidos. El dólar internacional es una moneda hipotética que se utiliza como medio para convertir y comparar los costos de un país a otro utilizando un punto de referencia común, el dólar estadounidense (USD).
Fuente: (FMI, 2024[5]) para las cifras del PIB per cápita. La fuente de la recaudación tributaria como proporción del PIB es la base de datos de estadísticas tributarias mundiales *Global Revenue Statistics* (https://www.oecd.org/tax/tax-policy/global-revenue-statistics-database.htm).

StatLink https://stat.link/68hawr

La recaudación tributaria como proporción del PIB también refleja las opciones políticas acerca del papel que desempeña el gobierno y su tamaño. Por ejemplo, el alcance de la participación pública en la financiación de la seguridad social es un factor importante que subyace a los dispares coeficientes tributarios de la región de ALC. Desde la década de 1980, muchos países de ALC, como Chile, El Salvador y México, han privatizado la salud y las pensiones, en mayor o menor medida: estos aportes a entidades privadas no se consideran contribuciones a la seguridad social. En Colombia y Perú, los sistemas públicos y privados conviven y los trabajadores pueden optar entre ellos (OECD et al., 2015[19]; OECD/IDB/The World Bank, 2015[20]). Por otro lado, Argentina, Brasil y Uruguay siguen un modelo de complementariedad entre los sistemas público y privado. En estos países, se emprendieron reformas sustanciales para ampliar la cobertura de los sistemas de seguridad social a las personas que estaban excluidas. Esto también ha sido fundamental para el aumento de los ingresos tributarios (CEPAL, 2014[21]).

La informalidad es otro factor que impacta la recaudación de tributos en la región de ALC al reducir considerablemente la base imponible. El empleo informal representa más de la mitad de los trabajadores en América Latina y el Caribe, y ha aumentado en el último decenio (CEPAL, 2024[7]).

La región de ALC pierde cantidades importantes de ingresos tributarios como consecuencia de la evasión impositiva y la planificación fiscal abusiva. Según estimaciones de (CEPAL, 2024[7]), la evasión y la elusión tributarias en América Latina tuvo un costo de 433.000 millones de dólares en 2023, equivalente a un 6.7% del PIB, de los cuales el IRPF y el IS representaron un 4.6% del PIB. Las pérdidas de ingresos por IVA ascendieron a un 2.1% del PIB.

Asimismo, también pueden afectar a la recaudación tributaria como proporción del PIB la ubicación geográfica y factores históricos: por ejemplo, los países sin litoral tienen menos capacidad de gravar los bienes y servicios en un puerto de entrada que los costeros. Además, los condicionantes sociodemográficos, como el nivel educativo o la participación femenina en el mercado laboral, también son importantes. Por último, factores internacionales, como las políticas tributarias de otros países, pueden tener un efecto sobre la recaudación tributaria como proporción del PIB.

El Gráfico 1.10 muestra la evolución desde 1990 del promedio de recaudación tributaria como proporción del PIB de las tres subregiones de ALC. Aunque los niveles tributarios de las tres subregiones han mostrado una tendencia creciente durante las últimas tres décadas, sus trayectorias reflejan importantes diferencias:

- En promedio, América del Sur experimentó el crecimiento más fuerte entre 1990 y 2023, de 9.5 p.p. El incremento más rápido de la recaudación tributaria como proporción del PIB de la subregión se produjo durante la década de 1990. A partir de 2015, su cociente se fue acercando al promedio de ALC y, a partir de 2019, ha seguido la tendencia de este. La recaudación tributaria como proporción del PIB de América del Sur creció considerablemente en 2021 y 2022, con incrementos de 0.9 p.p. durante ambos ejercicios y se situó en el 22.9% en 2023, 1.6 p.p. por encima del promedio de ALC y 0.4 p.p. por encima del nivel anterior a la pandemia de 2019.
- El aumento del promedio de la recaudación tributaria como proporción del PIB de América Central y México durante el período ha seguido una tendencia similar al promedio de ALC, al ascender a 6.1 p.p. Entre 1990 y 2023, el promedio de recaudación tributaria como proporción del PIB de esta subregión se mantuvo por debajo del promedio de la región de ALC; en 2023, se situó en el 19.0%, 2.2 p.p. menos que el promedio de ALC, pero 0.7 p.p. por encima de su nivel antes de la pandemia (18.5% en 2019).
- Entre 1990 y 2023, el promedio de recaudación tributaria como proporción del PIB del Caribe aumentó 3.7 p.p. entre 1990 y 2022, y se ha mantenido constantemente por encima del promedio de ALC. Tras un fuerte aumento entre 2017 y 2019, la recaudación tributaria como proporción del PIB del Caribe experimentó un fuerte descenso. El Caribe es la única subregión en la que la recaudación tributaria como proporción del PIB no ha recuperado su nivel anterior a la pandemia: el promedio de dicho indicador se situó en el 21.9% en 2023, 1.5 p.p. menos que en 2019. Guyana impulsó un descenso global de la recaudación tributaria como proporción del PIB de la subregión del Caribe entre 2019 y 2023. En 2021 y 2022, Guyana experimentó fuertes caídas de su recaudación tributaria como proporción del PIB (4.5 p.p. y 6.3 p.p. respectivamente) como consecuencia de su fuerte aumento del PIB debido a una mayor producción de petróleo. Por el contrario, los ingresos no tributarios aumentaron considerablemente en Guyana entre 2019 y 2023, lo que compensó en parte el descenso de la recaudación tributaria durante ese período (véase el Capítulo 2).

Gráfico 1.10. Promedio de recaudación tributaria como proporción del PIB, ALC y subregiones, 1990-2023

Porcentaje del PIB

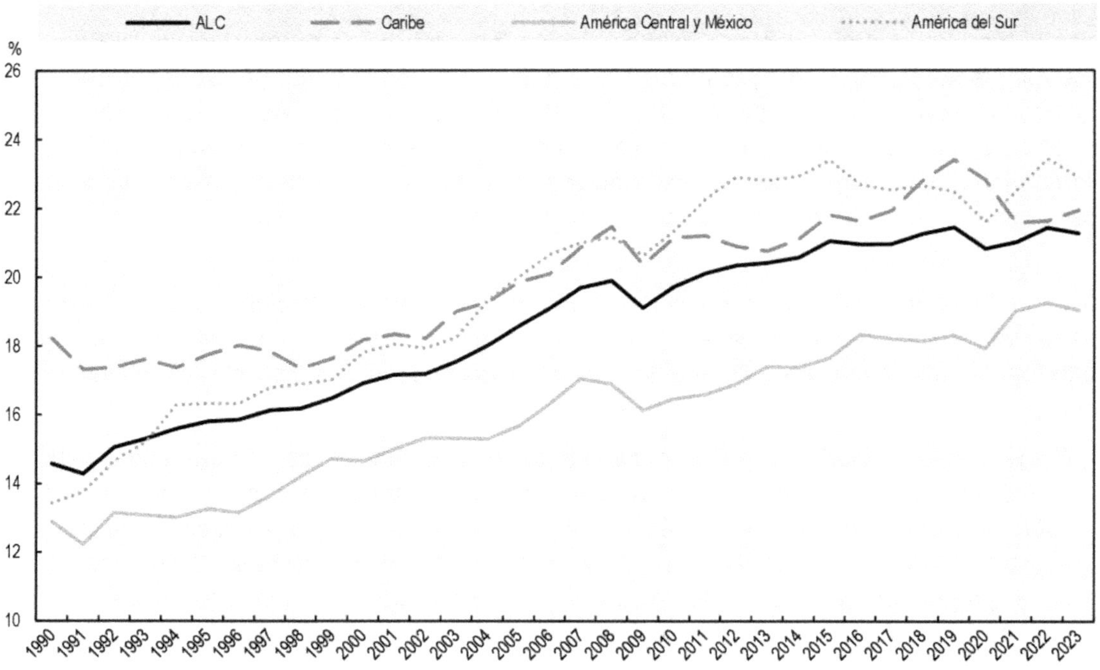

Nota: El promedio de ALC representa el promedio no ponderado de 26 países de la región incluidos en esta publicación, sin contar con Cuba (hasta 2020) ni con Venezuela, debido a los problemas de disponibilidad de datos. El Caribe incluye ocho países (Antigua y Barbuda, Bahamas, Barbados, Belice, Guyana, Jamaica, Santa Lucía y Trinidad y Tobago), América Central y México, nueve países (Costa Rica, Cuba desde 2021, República Dominicana, El Salvador, Guatemala, Honduras, México, Nicaragua y Panamá) y América del Sur, nueve países (Argentina, Bolivia, Brasil, Chile, Colombia, Ecuador, Paraguay, Perú y Uruguay). La clasificación de los países en las diferentes subregiones sigue la clasificación de la CEPAL y se basa en el idioma oficial de cada uno de ellos. En el «Caribe» se incluyen los países de habla inglesa y Guyana, mientras que «América Central y México» abarca países hispanohablantes e incluye a la República Dominicana.
Fuente: Cálculos propios basados en OCDE *et al.* (2025[4]), Capítulo 4.

StatLink https://stat.link/2zliom

Evolución de la recaudación por tipo de impuesto desde 1990

Desde 1990, el incremento del promedio de recaudación tributaria como proporción del PIB de la región de ALC se ha visto en gran medida impulsado por los aumentos de la recaudación del IVA y de los impuestos sobre la renta y las ganancias, que se alzaron 3.8 p.p. y 2.9 p.p. respectivamente, entre 1990 y 2023. En este último año, la recaudación del IVA equivalió al 6.0% del PIB, mientras que los ingresos procedentes de los impuestos sobre la renta y las ganancias representaron el 6.2% del PIB (Gráfico 1.11).

Entre 1990 y 2023, la recaudación de los otros impuestos al consumo como porcentaje del PIB se redujo en la región de ALC. Esta reducción está asociada a la liberalización del comercio, cuyo resultado fue que los países de ALC cambiaron la forma de gravar los bienes importados y exportados, así como determinados bienes y servicios. Estos cambios incluyeron una reducción de los derechos de importación, la limitación de la base de productos y servicios sujetos a impuestos especiales y la eliminación de impuestos sobre las exportaciones. Una excepción es Argentina, país en el que se restablecieron los impuestos sobre las exportaciones en 2002, se abolieron parcialmente en 2015 y se volvieron a introducir en 2018.

Gráfico 1.11. Recaudación de algunos impuestos en la región de ALC, 1990-2023

Porcentaje del PIB

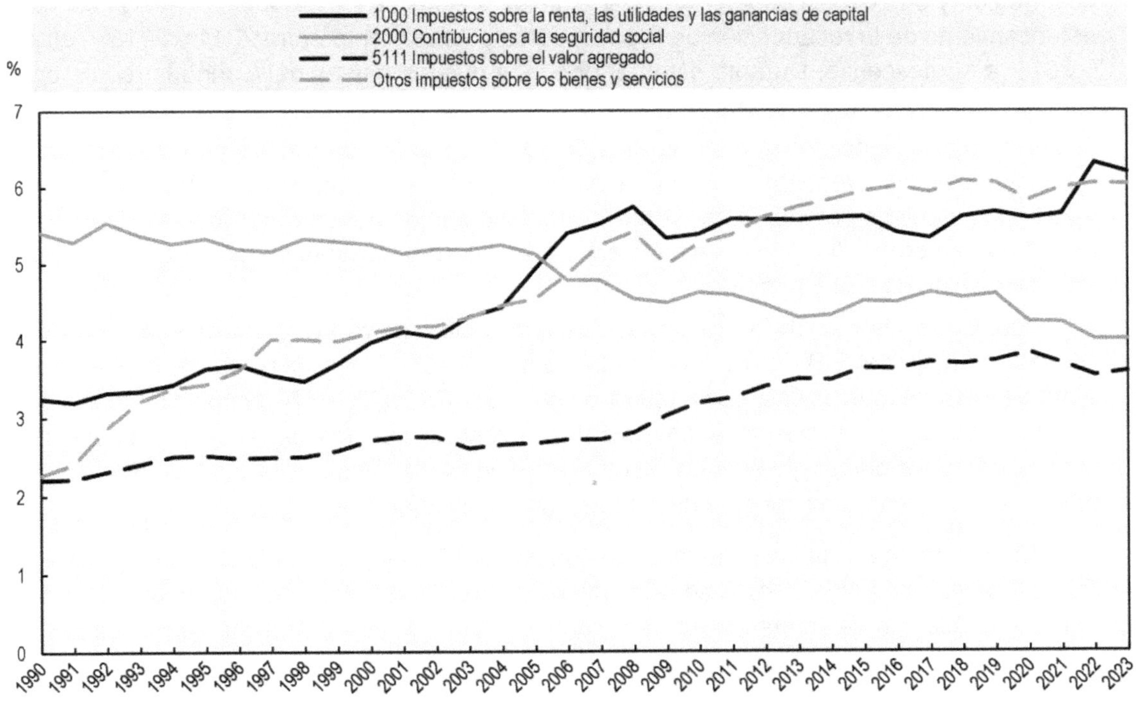

Nota: El promedio de ALC representa el promedio no ponderado de 26 países de la región incluidos en esta publicación, sin contar con Cuba (hasta 2020) ni con Venezuela, debido a los problemas de disponibilidad de datos.
Fuente: Cálculos propios basados en OCDE *et al.* (2025[4]), Capítulo 4.

StatLink https://stat.link/658bmk

Pueden diferenciarse cinco etapas en la evolución de los ingresos tributarios en la región de ALC:

- Entre 1990 y 2002, el IVA contribuyó más al aumento de los ingresos tributarios que los impuestos sobre la renta y las ganancias (el 1.9% del PIB frente al 0.8%). Durante este período, cinco países introdujeron el IVA (Barbados, Belice, El Salvador, Jamaica y Paraguay). Otros países aumentaron sus tipos generales de IVA y emprendieron reformas para incrementar la base imponible y mejorar la recaudación tributaria.
- Entre 2002 y 2008, los ingresos procedentes de los impuestos sobre la renta y las ganancias contribuyeron más que el IVA al aumento del promedio de la recaudación tributaria como proporción del PIB (los incrementos representaron el 1.7% y el 1.2% del PIB, respectivamente). El incremento de los impuestos sobre la renta se explica, en parte, por la fuerte alza que experimentaron los precios de los productos básicos a partir de 2003, que impulsó los ingresos por el IS del sector de los recursos naturales (CEPAL, 2014[21]; Barreix, Benítez and Pecho, 2017[22]). En varios países, este incremento también se explica por las políticas que redujeron los estímulos fiscales en las zonas de libre comercio, la introducción de impuestos mínimos para las sociedades, las reformas en la tributación internacional y los acuerdos entre países para luchar contra la evasión de impuestos.
- Los ingresos procedentes del IVA y de los impuestos sobre la renta sufrieron un descenso durante la crisis financiera mundial. En la recuperación posterior, la recaudación del IVA aumentó con mayor rapidez que la recaudación promedio del impuesto sobre la renta como porcentaje del PIB de la región y en 2013, la superó. La bajada de los precios de los productos básicos contribuyó al estancamiento de la recaudación de los impuestos sobre la renta entre 2011 y 2015 y, entre 2015 y 2016, a su descenso. Durante este período, dos nuevos países del Caribe introdujeron el IVA (Santa Lucía en 2012 y Bahamas, en 2015).
- Entre 2016 y el principio de la crisis de COVID-19 en 2020, se recuperaron los precios de los productos básicos y repuntaron los ingresos procedentes del impuesto sobre la renta. Entre 2017 y 2018, los ingresos por impuestos sobre la renta experimentaron su mayor aumento desde 2011, de 0.3 p.p. en promedio, gracias a las fuertes ganancias generadas en los sectores de la minería y de extracción de gas y petróleo.
- En 2020, todas las categorías de impuestos principales, salvo las CCS, sufrieron un descenso como porcentaje del PIB debido a la pandemia de COVID-19. A excepción del impuesto sobre la renta de las personas físicas, se recuperaron en 2021. En 2022, el ITP impulsó un fuerte aumento de los ingresos del impuesto sobre la renta, mientras que los ingresos procedentes de los impuestos sobre bienes y servicios disminuyeronen parte debido a la introducción de medidas tributarias para mitigar el impacto de los elevados precios de la energía.

El Gráfico 1.12 muestra la evolución de la recaudación por IRPF, IS y los impuestos sobre la renta en total desde 2005. Durante este período, el IS se ha mantenido como el impuesto que representa la proporción principal de la recaudación de impuestos sobre la renta en la región de ALC, al situarse cerca del 60% en promedio.

Aunque la recaudación del IS como porcentaje del PIB ha mostrado mayor volatilidad que los ingresos por IRPF, ha sido el principal motor de crecimiento de la recaudación total a lo largo del tiempo. Sin embargo, la recaudación promedio por IRPF ha ido aumentando de forma constante en toda la región y resistió mejor la crisis financiera mundial y la pandemia del COVID-19 que la recaudación del IS. En 2023, los promedios de los ingresos por estos dos impuestos en ALC se situaron en el 3.8% y el 2.0% del PIB, respectivamente.

En las dos últimas décadas, se aprecian importantes diferencias en la evolución de las principales categorías tributarias entre las tres subregiones de ALC:

- El Caribe registró un considerable aumento de la recaudación promedio por IVA como porcentaje del PIB. Siete de los ocho países caribeños incluidos en este informe[2] introdujeron el régimen del IVA durante este período, más tarde que la mayoría de los países de América Central y México y de América del Sur. El IVA fue el factor que más impulsó el aumento global de la recaudación tributaria como proporción del PIB del Caribe durante este período.
- En América Central y México y en América del Sur, los impuestos sobre la renta y las ganancias fueron los que más contribuyeron al aumento de la recaudación tributaria total como proporción del PIB, seguidos de la recaudación del IVA. El aumento de los precios de los minerales y del petróleo, entre 2003 y 2010, condicionó los ingresos procedentes de los impuestos sobre la renta y las ganancias.

Gráfico 1.12. Recaudación de los impuestos sobre la renta y las ganancias, IS e IRPF en la región de ALC, 2005-2023

Porcentaje del PIB

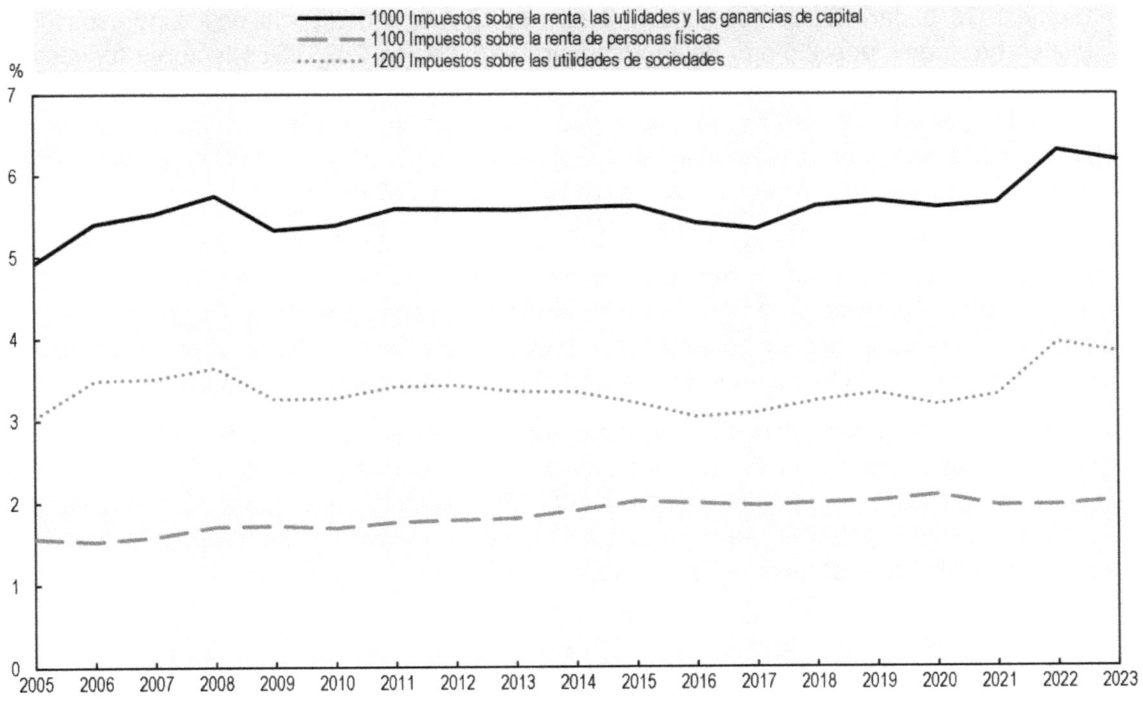

Nota: Los promedios de ALC no incluyen a Cuba (hasta 2020) ni a Venezuela por problemas de datos. Ecuador está incluido en el promedio de ALC correspondiente a los ingresos totales por impuestos sobre la renta, pero está excluido de los promedios de ALC correspondientes a los ingresos por IRPF e IS como porcentaje del PIB.
Fuente: OCDE *et al.* (2025[4]), "Comparative tables of Revenue Statistics in Latin America and the Caribbean", OECD Data Explorer, http://data-explorer.oecd.org/s/e1..

StatLink https://stat.link/4khpz6

Estructuras tributarias en la región de ALC

La estructura tributaria (definida como la participación de los principales tipos de impuestos en la recaudación tributaria total) refleja la composición de los ingresos tributarios según los diferentes tipos de impuestos. Se trata de un importante indicador para entender los efectos económicos y sociales de los regímenes tributarios en la región de ALC.

Evolución de las estructuras tributarias, 1990-2023

En 2023, los impuestos sobre bienes y servicios generaron la mayor proporción de ingresos tributarios totales en la región de ALC, pues constituyeron, en promedio, aproximadamente la mitad de la tributación total.

- En 2023, la participación de la recaudación del IVA en los ingresos tributarios totales alcanzó el 28.5%, que representa un aumento de 12.3 p.p. desde 1990. La participación en la recaudación de otros impuestos sobre bienes y servicios (como los impuestos especiales, y los derechos de aduana y de importación) se redujo 21.6 p.p., durante el mismo período.
- Entre 1990 y 2023, la participación de la recaudación de los impuestos sobre la renta y las ganancias creció 9.3 p.p. (del 20.3% al 29.6% de los ingresos tributarios totales).
- Desde 1990, la participación de las contribuciones a la seguridad social en los ingresos tributarios totales ha aumentado 2.5 p.p. hasta alcanzar el 16.6%, en 2023. Dos factores (opuestos) han influido en la trayectoria de las contribuciones a la seguridad social. Aunque el aumento de la base imponible regular se tradujo en una mayor recaudación, esta se vio contrarrestada por la privatización total o parcial de la seguridad social que se produjo en muchos países, sobre todo entre mediados de los años noventa y 2010 (OECD et al., 2015[19]).

La participación del IRPF en los ingresos tributarios totales creció del 8.0%, en 2005, al 9.5%, en 2023, en parte, gracias al incremento de las rentas de las personas físicas en toda la región, durante las últimas dos décadas, antes del impacto de la COVID-19. No obstante, en comparación con los países de la OCDE, la participación media de la recaudación del IRPF se mantiene en niveles bajos en los países de ALC, a pesar de que algunos países han introducido reformas para ampliar su base imponible.

Tras la crisis financiera mundial, varios países establecieron tipos fijos sobre rentas del capital que antes estaban exentas y aplicaron tipos progresivos sobre las rentas del trabajo (CEPAL, 2014[21]). En la región de ALC, hay relativamente pocos sujetos pasivos del IRPF, debido en gran parte a los elevados niveles de informalidad y a que la población se concentra en los niveles de bajos ingresos: en 2013, solo un 10% de la población de América Latina eran contribuyentes registrados (BID, 2013[14]).

Gráfico 1.13. Estructura tributaria promedio en la región de ALC, 2005-2023

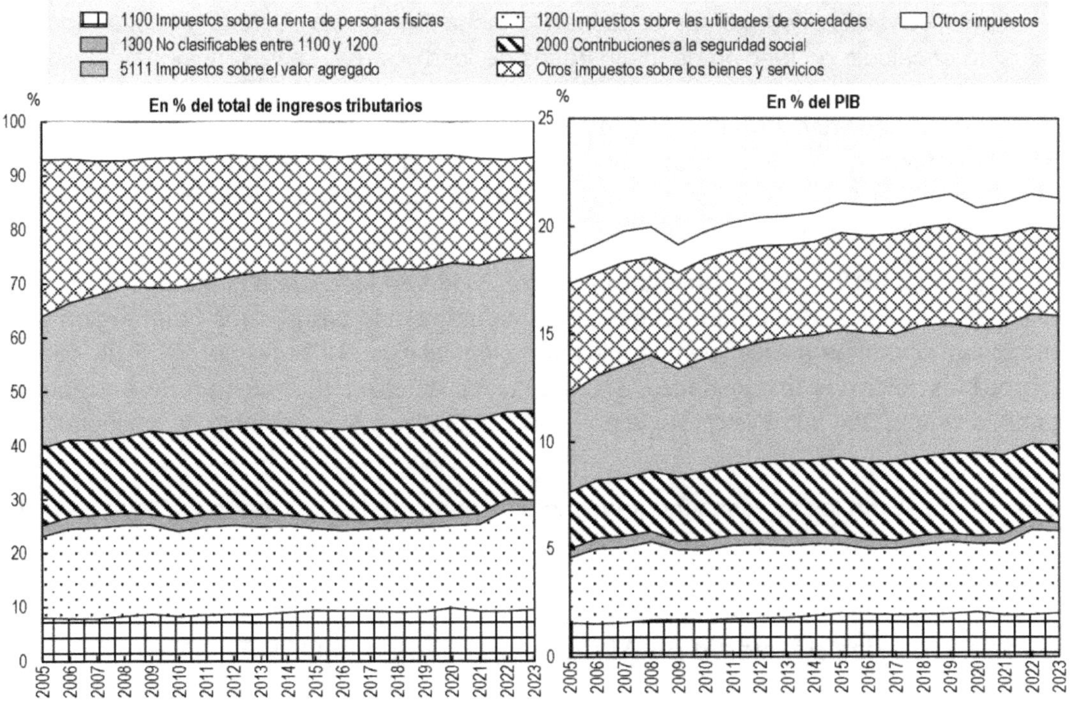

Nota: Se excluye a Cuba (hasta 2020) y Venezuela del promedio de ALC por los problemas de disponibilidad de datos. A su vez, se excluye a Ecuador del promedio de la recaudación del IS como porcentaje del PIB de ALC por problemas de calidad de los datos.

Fuente: Cálculos propios basados en OCDE *et al.* (2025[4]), "Comparative tables of Revenue Statistics in Latin America and the Caribbean", OECD Data Explorer, http://data-explorer.oecd.org/s/e1.

StatLink https://stat.link/6eystp

Existe otra serie de factores que contribuye a limitar los ingresos del IRPF, como la existencia de una base imponible reducida integrada principalmente por salarios (puesto que los privilegios fiscales se suelen otorgar a los rendimientos del capital), las elevadas desgravaciones fiscales (por ejemplo, deducciones personales y exenciones en el impuesto sobre la renta), así como los elevados niveles de evasión (CEPAL, 2023[23]). (CEPAL, 2020[24]) concluye que las tasas de evasión del IRPF son altas en varios países de ALC. La evasión es más habitual entre los autónomos que entre los trabajadores por cuenta ajena.

Un estudio relativo a México concluyó que las pérdidas de ingresos tributarios como porcentaje del PIB de las personas que desarrollan actividades profesionales son cinco veces más altas que las de los asalariados y, en el caso de las personas con ingresos por alquiler son siete veces superiores. De manera similar, en Costa Rica, la tasa de evasión de los asalariados y los pensionistas fue únicamente del 3.5% en 2018, mientras que la tasa de incumplimiento en relación con actividades lucrativas se situó en el 82.7% en 2018 y, desde 2015, ha seguido una tendencia al alza (CEPAL, 2023[23]).

El efecto redistributivo del IRPF en América Latina es escaso, ya que se consigue una reducción de tan solo el 2% en la desigualdad en materia de ingresos, lo que contrasta notablemente con los países de la Unión Europea, donde los impuestos sobre la renta redujeron la desigualdad un 12% en 2014 (OECD et al., 2018[25]). La reducción del coeficiente Gini que puede atribuirse al IRPF en la región de ALC osciló en 2014 entre un 0.3% (Paraguay) y un 5.9% (México) (OECD et al., 2018[25]).

Un gran número de países de ALC aplican con frecuencia diferimientos en el pago de impuestos, tipos reducidos y exenciones, que suelen tener un efecto redistributivo menor al de las desgravaciones tributarias específicas. Los diferimientos posponen la fecha límite para declarar y liquidar los impuestos, pero no ajustan el cálculo en función de los ingresos de los hogares. Las exenciones del IRPF, por otra parte, pueden reducir los ingresos y menoscabar el efecto redistributivo. Sin embargo, es importante considerar la heterogeneidad de la región, puesto que la eliminación de muchos de esos privilegios tributarios o la reducción de sus umbrales podría potenciar el efecto redistributivo, aunque a costa de agravar las distorsiones en la eficiencia distributiva, lo que podría influir en las decisiones y el comportamiento de los contribuyentes (CEPAL, 2023[23]).

Mejorar el diseño del IRPF podría aumentar la progresividad de los sistemas tributarios de la región de ALC e incrementar la recaudación. Los regímenes tributarios más progresivos de la región precisan de administraciones tributarias más eficientes. Resulta esencial que el diseño del IRPF de cada país, así como las posibles reformas encaminadas a aumentar su efectividad, muestren un equilibrio entre los principios de la simplicidad administrativa, la equidad distributiva y la suficiencia de los ingresos (CEPAL, 2023[23]).

La participación del IS en los ingresos tributarios totales aumentó 3.6 p.p. entre 2005 y 2023, al alcanzar un 18.7%, debido principalmente al importante aumento de recaudación del impuesto de sociedades en 2022.

Estructuras tributarias promedio en ALC y los países de la OCDE

En relación con los países de la OCDE, la composición media de la estructura tributaria de la región de ALC se caracteriza por unos ingresos bajos procedentes del impuesto sobre la renta de las personas físicas y las contribuciones a la seguridad social, así como por una mayor dependencia de los impuestos sobre bienes y servicios (Gráfico 1.14). En promedio, en toda la región ALC, los impuestos sobre bienes y servicios representan la mitad de los ingresos tributarios, frente a aproximadamente un tercio en las economías de la OCDE. Sin embargo, como porcentaje del PIB, en 2022, la recaudación procedente de los impuestos sobre bienes y servicios de la región de ALC y la OCDE fueron similares, un 10.0% y un 10.6%, respectivamente[3].

Por el contrario, la participación combinada de los impuestos sobre la renta y los beneficios y las CSS como porcentaje de la recaudación de impuestos total fue mucho menor en la región de ALC que en la OCDE en 2022, (el 46.0% frente al 61.3%, como promedio). Como porcentaje del PIB, estas dos categorías alcanzaron el 9.8% en la región de ALC, menos de la mitad del promedio de la OCDE (que se sitúa en el 21.0%). Esta diferencia se explica, en parte, por la tendencia a privatizar las prestaciones de la seguridad social en muchos países de ALC.

Como promedio, el IS generó el 18.8% de los ingresos tributarios totales en la región de ALC frente al 12.0% en la zona de la OCDE (ambos un 3.9% del PIB). La diferencia más llamativa entre los promedios de ambas regiones se relaciona con la recaudación del IRPF, que en 2022 representó el 23.6% de los ingresos tributarios totales de la OCDE y el 9.2% de la región de ALC. Como promedio, la recaudación del IRPF ascendió al 2.0% del PIB, en la región de ALC, frente al 8.2% en la OCDE.

En la región de ALC, los impuestos sobre los bienes inmuebles y las nóminas (que se incluyen en la categoría «otros impuestos»), en promedio, son una fuente de ingresos menos relevante que en la OCDE, aunque hay dificultades de disponibilidad de datos relativos a los impuestos sobre la propiedad.

Gráfico 1.14. Estructura tributaria promedio en ALC y la OCDE, 2022

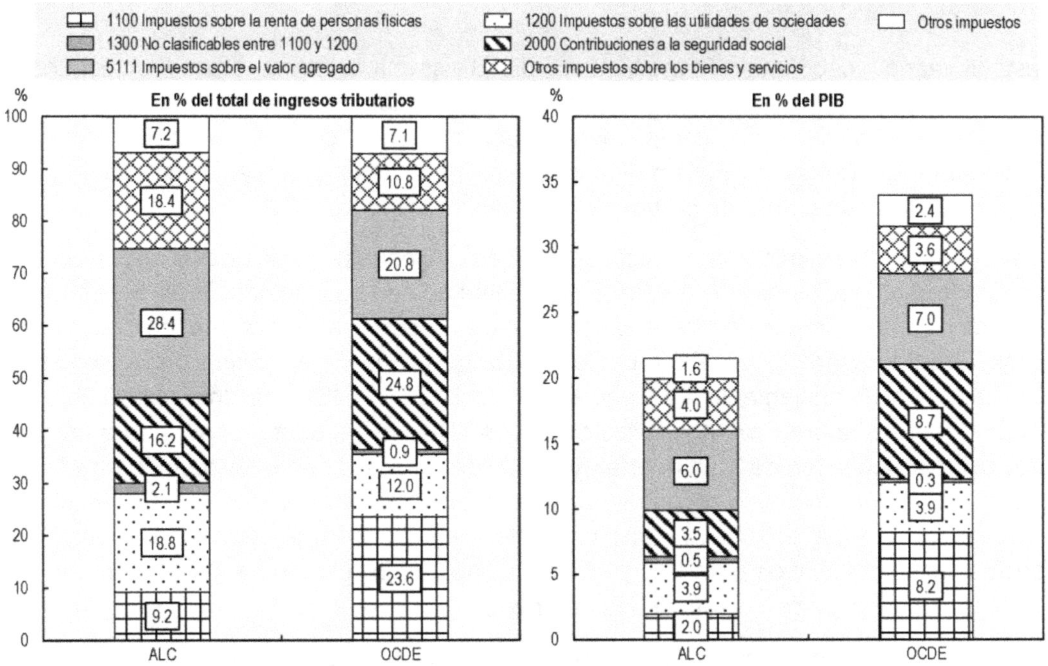

Nota: El año de comparación es 2022, puesto que los datos relativos al promedio de la OCDE del año 2023 no están disponibles. Se excluye a Venezuela del promedio de ALC por los problemas de disponibilidad de datos. A su vez, se excluye a Ecuador del promedio de la recaudación del IS como porcentaje del PIB de ALC por problemas de calidad de los datos. El promedio de la OCDE representa el promedio no ponderado de los 38 países miembros de la OCDE. Chile, Colombia, Costa Rica y México están incluidos en el promedio de la OCDE.
Fuente: Cálculos propios basados en OCDE *et al.* (2025[4]), "Comparative tables of Revenue Statistics in Latin America and the Caribbean", OECD Data Explorer, http://data-explorer.oecd.org/s/e1.
StatLink 2 https://stat.link/1ci7jh

Estructura tributaria en los países de ALC

Los impuestos sobre los bienes y servicios fueron la principal fuente de ingresos en todos los países de ALC, excepto en Costa Rica, Cuba, Guyana, México, Panamá y Trinidad y Tobago en 2023 (Gráfico 1.15). En Cuba, Guayana, México y Trinidad y Tobago, la recaudación procedente de los impuestos sobre la renta y los beneficios representó la mayor proporción, mientras que, en Costa Rica y Panamá, la principal fuente de ingresos fueron las CSS.

En la mayoría de los países en los que los impuestos sobre bienes y servicios fueron la principal fuente de ingresos, la recaudación del IVA supuso una mayor proporción que la de los OIC. Diecisiete países presentaron mayores ingresos tributarios procedentes del IVA, que variaron entre el 21.2% de la recaudación total en Brasil y el 44.9% en las Bahamas. El porcentaje del IVA en la recaudación tributaria total de Brasil podría cambiar a partir de 2026 debido a una importante reforma (véase el Recuadro 1.3).

Recuadro 1.3. La reforma del IVA en Brasil

Brasil está llevando a cabo una reforma histórica de su sistema de impuestos indirectos. Los cimientos de esta reforma se sentaron con la promulgación de la Enmienda Constitucional nº 132 en diciembre de 2023. Esta enmienda se complementó recientemente con la promulgación de la Ley Complementaria (Lei Complementar) nº 214 en enero de 2025. La plena aplicación de la reforma está prevista para 2033 tras un período de transición que comenzará en 2026.

El sistema tributario brasileño impone actualmente cinco impuestos principales sobre el consumo de bienes y servicios en varios niveles de gobierno, a menudo con bases impositivas superpuestas. Entre ellos se incluyen tres impuestos recaudados a nivel federal: el Programa de Integración Social (Programa de Integração Social, PIS), la Contribución para la Financiación de la Seguridad Social (Contribuição para Financiamento da Seguridade Social, COFINS) y un Impuesto sobre Productos Industriales (Imposto sobre Produtos Industrializados, IPI); un impuesto recaudado a nivel estatal, el Impuesto sobre Circulación de Mercaderías y Servicios (Imposto sobre Circulação de Mercadorias e Serviços, ICMS), y un impuesto recaudado a nivel municipal, el Impuesto sobre Servicios (Imposto sobre Serviços, ISS). La estructura y las diferentes regulaciones de estos impuestos dan lugar a ineficiencias, crean incentivos para la competencia fiscal entre estados y generan importantes retos para la neutralidad y el cumplimiento de las empresas.

El núcleo de la reforma es la consolidación de los cinco principales impuestos indirectos en un «IVA dual» con dos impuestos separados pero armonizados que se aplicarán simultáneamente: una Contribución Social sobre Bienes y Servicios (Contribuição Social sobre Bens e Serviços, CBS), recaudada por el Gobierno Federal; y un Impuesto sobre Bienes y Servicios (Imposto sobre Bens e Serviços, IBS), recaudado por los estados, los municipios y el Distrito Federal. El sistema se complementa con el Impuesto Selectivo (Imposto Seletivo), un impuesto especial federal destinado a desincentivar el consumo de determinados bienes y servicios.

Las principales características del nuevo sistema dual de IVA son:

- El CBS y el IBS se recaudarán en destino, se aplicarán a una amplia base imponible común y se regirán por normas uniformes en todo el país.
- Las empresas tendrán derecho a recuperar el IBS y el CBS en que hayan incurrido sobre sus insumos comerciales, sujeto a ciertas excepciones y limitaciones.
- El gobierno federal fijará la tasa para el CBS, mientras que los estados, municipios y el Distrito Federal fijarán la tasa para sus respectivos componentes del IBS.
- Además de la tasa estándar, se aplicarán tres regímenes de tasa reducida, que ofrecen reducciones de la tasa estándar del 30% (por ejemplo, servicios prestados por determinados profesionales y técnicos cualificados), del 60% (por ejemplo, determinados suministros relacionados con la educación, la sanidad y la cultura) o del 100% (por ejemplo, ciertos dispositivos médicos, medicamentos, productos de higiene femenina, productos frescos, entre otros). Los suministros que se beneficiarán de estas tasas reducidas se determinan en la Ley Complementaria nº 214/2025 y se aplicarán tanto al CBS como al IBS. Los niveles subfederales no estarán autorizados a conceder reducciones adicionales.
- Se creará un Comité Gestor del IBS (Comitê Gestor do IBS) para organizar la gestión y administración conjunta del IBS subfederal, incluyendo representantes de los estados, municipios y del Distrito Federal.

- La reforma contempla la implementación de un mecanismo de devolución dirigido a los contribuyentes de menores ingresos para reducir la regresividad del IBS y del CBS ("cashback").

La reforma pretende reducir las distorsiones, mejorar la productividad y apoyar el crecimiento económico, al tiempo que aborda la distribución de los ingresos. Sigue de cerca las mejores prácticas internacionales y las recomendaciones de la OCDE, al tiempo que introduce una serie de elementos únicos e innovadores que tienen en cuenta la estructura del sistema federal brasileño.

Gráfico 1.15. Estructuras tributarias en los países de ALC, 2023

Porcentaje de los ingresos tributarios totales

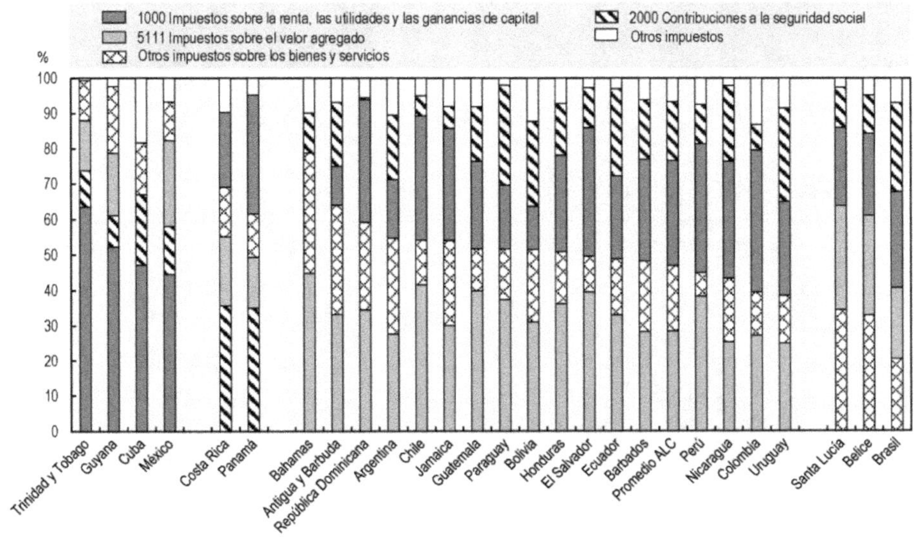

Nota: Los países están agrupados en función de la principal proporción de ingresos tributarios entre 1000 impuestos sobre la renta y los beneficios, 2000 contribuciones a la seguridad social, 5111 impuestos sobre el valor añadido y otros impuestos sobre bienes y servicios. Bahamas no grava la renta. En Cuba, no existe un régimen del IVA. El promedio de ALC representa el promedio no ponderado de 26 países de ALC incluidos en esta publicación, sin contar con Venezuela por los problemas de disponibilidad de datos.
Fuente: Cálculos propios basados en OCDE *et al.* (2025[4]), Capítulo 4.

StatLink https://stat.link/nv06ra

En 2023, las CSS oscilaron entre el 0.4% de los ingresos tributarios totales de la República Dominicana y el 35.0% de Panamá. El nivel de estos ingresos refleja las opciones de financiación de la seguridad social (véase el Recuadro 1.2): en países que cuentan con sistemas de seguridad social públicos o mixtos (como Argentina, Bolivia, Brasil, Costa Rica, Panamá, Paraguay y Uruguay), las CSS representaron más del 15% de los ingresos tributarios totales.

El Gráfico 1.16 presenta la recaudación tributaria como proporción del PIB de los países de ALC y la OCDE frente a los impuestos al trabajo (IRPF y CSS), el IS, el IVA y los impuestos al consumo diferentes al IVA como porcentaje de la recaudación tributaria total. El Gráfico 1.16 refleja el hecho de que los países que recaudan un porcentaje más elevado de sus ingresos tributarios por los impuestos al trabajo suelen presentar una recaudación tributaria como proporción del PIB más alta (aunque este porcentaje depende también de cómo financian los países sus sistemas de protección social). En 2023, tres cuartas partes de los países de la OCDE presentaban un porcentaje de impuestos al trabajo superior al 46.1% de la recaudación (percentil 25°); por el contrario, tres cuartas partes de los países de ALC presentaba un porcentaje de impuestos al trabajo inferior al 28.7% de la recaudación tributaria total (percentil 75°). Un caso atípico es Panamá, país en el que los impuestos al trabajo son el mayor componente de la recaudación tributaria total, con más del 50%, pese a que su recaudación tributaria como proporción del PIB es relativamente baja (11.9% en 2023).

Por otra parte, los países que dependen en mayor medida de la recaudación del IS, el IVA y los impuestos al consumo diferentes al IVA suelen tener recaudaciones tributarias como proporción del PIB más bajas. Con respecto al IS, tres cuartas partes de los países de ALC recaudaron más del 11% de la recaudación de impuestos total, mientras que dos terceras partes de los países de la OCDE recaudaron menos.

En cuanto a los impuestos sobre bienes y servicios, los ingresos procedentes del IVA y de los impuestos sobre bienes y servicios distintos del IVA superaron el 24,9% y el 12,5% del total de ingresos fiscales respectivamente (percentiles 25) en tres cuartas partes de los países de ALC. En cambio, en más de las tres cuartas partes de los países de la OCDE, los porcentajes de ingresos procedentes del IVA y de los impuestos sobre bienes y servicios distintos del IVA cayeron por debajo de esos umbrales.

Gráfico 1.16. Recaudaciones tributarias como proporción del PIB y tipos de impuestos como porcentaje de la tributación total en los países de ALC y la OCDE, 2023

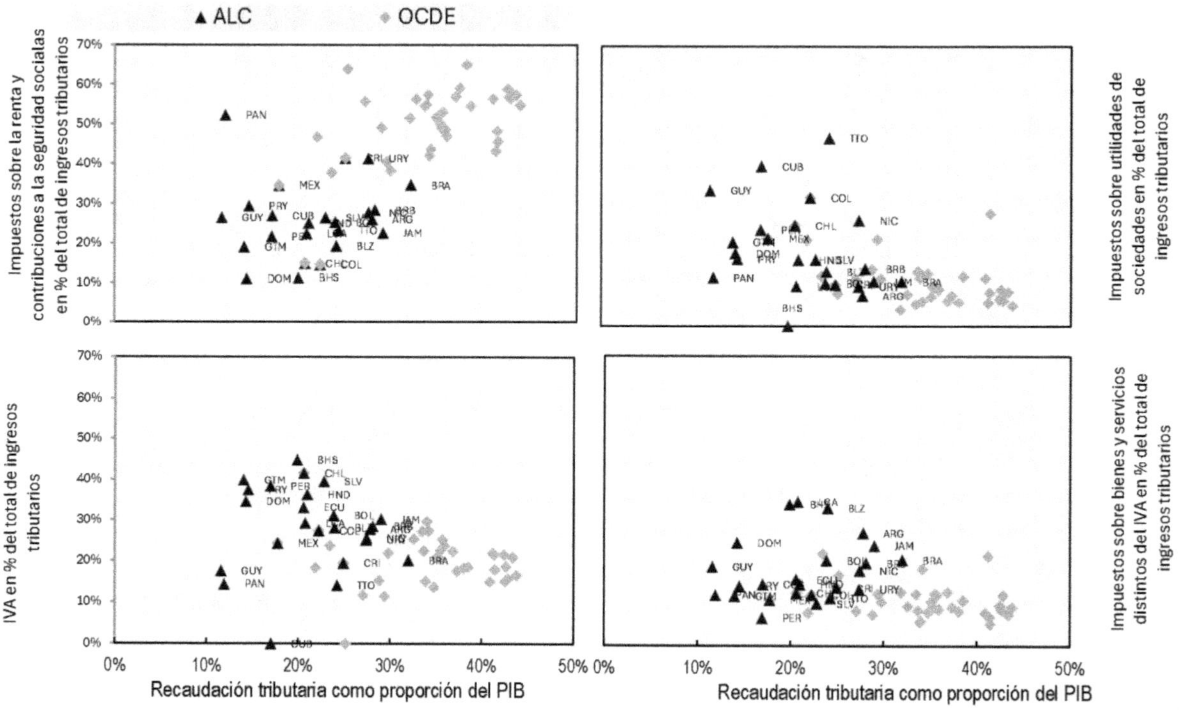

Nota: La cifra excluye a Cuba y Venezuela por los problemas de disponibilidad de datos. También se excluye a Japón y Australia, ya que no hay datos disponibles correspondientes a 2023.
Fuente: Cálculos propios basados en OCDE *et al.* (2025[4]), Capítulo 4 y (OECD, 2024[16])

StatLink https://stat.link/ekbma0

Ratio de recaudación del IVA

Este apartado examina el ratio de recaudación del IVA de los países de ALC en 2023. El ratio de recaudación del IVA «mide la diferencia entre los ingresos recaudados por IVA y los ingresos que teóricamente se habrían recaudado si se hubiera aplicado el tipo general del IVA a la totalidad de la base imponible potencial en un régimen de IVA «puro» y se hubiera recaudado la totalidad de los ingresos» (OECD, 2024[26]). El ratio de recaudación del IVA es el cociente entre los ingresos reales recaudados por IVA y el producto del consumo final (una vez descontada la recaudación del IVA) y el tipo de IVA general. A continuación, se muestra la fórmula de cálculo.

$$\frac{\text{Ingresos por IVA}}{(\text{gasto de consumo final} - \text{ingresos por IVA}).\,\text{tipo de IVA general}}$$

Este indicador ofrece una idea de la pérdida de ingresos por IVA que se produce al aplicar exenciones y tipos reducidos o por fraude, evasión y planificación tributaria y deficiencias de las administraciones tributarias. No obstante, ha de interpretarse teniendo en cuenta las características subyacentes del régimen de IVA de cada país, ya que un ratio de recaudación del IVA más elevado podría deberse a un efecto dominó (por ejemplo, si la exención se aplica en las primeras fases de la cadena de suministro) o a que no se hayan reembolsado aún las devoluciones de IVA. También pueden influir en el aumento o descenso de este indicador otros factores, por ejemplo, el hecho de que las normas del lugar de tributación aplicables al comercio internacional se desvíen del principio de imposición en destino o si no se cobra el impuesto por suministros digitales importados.

Asimismo, cabe señalar que también resulta más difícil interpretar el ratio de recaudación del IVA en el caso de los países que tienen una importante dependencia del sector turístico, ya que podrían registrar altos niveles de este indicador por motivos metodológicos: las compras efectuadas por no residentes podrían no incluirse en el gasto de consumo final (el denominador) pero sí incluirse el IVA aplicado a esas compras en los ingresos totales por IVA (el numerador) (Keen, 2013[27]).

El Cuadro 1.3 presenta el ratio de recaudación del IVA de los países de ALC y de las tres subregiones. Los niveles máximos de este indicador los registra Bahamas, y se sitúan bastante por encima del 1. Este es un ejemplo destacado del impacto de la metodología en la interpretación del ratio de recaudación del IVA, tal como se ha explicado con anterioridad en esta sección. El elevado ratio de recaudación del IVA de Bahamas se debe en parte a que los ingresos que recibe este país del sector turístico se incluyen en el numerador, pero los recibos del turismo no se contabilizan en el gasto de consumo final (el denominador). A pesar de esto, cabe señalar que Bahamas introdujo el IVA en 2015 siguiendo una buena práctica internacional, al implementar un IVA de base amplia con un tipo general bajo (del 7.5%, incrementado al 12.0% en 2018 y reducido al 10% en 2022), con un número reducido de exenciones y sin aplicar tipos reducidos.

Por el contrario, las cifras más bajas del ratio de recaudación del IVA (por debajo del 0.4) se observaron en Guyana y Trinidad y Tobago en el Caribe, así como en la República Dominicana y México en América Central, y Colombia en América del Sur. Existen varios factores que contribuyen al bajo nivel de este indicador en México, entre ellos el alcance de las exenciones de IVA, la aplicación de un tipo cero nacional a numerosos bienes y servicios, y el escaso cumplimiento (OECD, 2024[26]); (OECD, 2018[28]). No obstante, México introdujo una reforma del IVA en enero de 2014, que incluyó la sustitución de algunos tipos reducidos y tipos cero por el tipo general y la mejora de los procesos. Este indicador se incrementó a 0.35 en 2020, como consecuencia de la ampliación de la base imponible de IVA de los servicios digitales, en consonancia con las recomendaciones de la OCDE (KPMG, 2019[29]).

Cuadro 1.3. Ratio de recaudación del IVA y tipos de IVA en los países de ALC por subregión, 2023

	Ratio de recaudación del IVA	Tipo de IVA (%)
América Central y México	**0.51**	**13.6**
Costa Rica	0.50	13.0
República Dominicana	0.39	18.0
El Salvador	0.77	13.0
Guatemala	0.50	12.0
Honduras	0.54	15.0
México	0.35	16.0
Nicaragua	0.56	15.0
Panamá	0.44	7.0
América del Sur	**0.59**	**16.8**
Argentina	0.49	21.0
Bolivia	0.71	13.0
Chile	0.67	19.0
Colombia	0.38	19.0
Ecuador	0.79	12.0
Paraguay	0.75	10.0
Perú	0.50	18.0
Uruguay	0.43	22.0
Caribe	**0.66**	**13.6**
Antigua y Barbuda	0.64	15.0
Bahamas	1.29	10.0
Barbados	0.57	17.5
Belice	0.73	12.5
Guyana	0.20	14.0
Jamaica	0.74	15.0
Santa Lucía	0.72	12.5
Trinidad y Tobago	0.38	12.5
Promedio ALC	**0.59**	**14.7**
Promedio OCDE (2022)	**0.58**	**19.3**

Nota: No se incluye a Brasil, Cuba ni Venezuela. En Brasil existe un régimen tributario en el que se aplican diferentes tipos del impuesto en cada nivel subnacional. En 2023, Cuba no contaba con un sistema de IVA. No hay datos disponibles sobre la recaudación de Venezuela.
Fuente: Los tipos de IVA se han obtenido de (OECD, 2024[26]), las cifras sobre gasto de consumo final del informe WEO (FMI, 2024[5]) y los ingresos por IVA de los cuadros relativos a cada país de la OCDE *et al.* (2025[4]) y el Capítulo 5 de (OECD, 2024[26]) en el caso de los países de la OCDE.

Hay varios factores que pueden contribuir al bajo nivel del ratio de recaudación del IVA de la República Dominicana. El diseño del IVA de este país es uno de esos factores, ya que la República Dominicana aplica numerosas exenciones de este impuesto (Schlotterbeck, 2017[30]), entre otras a los materiales educativos, los medicamentos, los servicios de salud, los servicios financieros, los servicios públicos, el equipamiento para energías renovables y los servicios de transporte terrestre, además de estar exentos también servicios como la educación, los de carácter cultural y la electricidad (OECD, 2023[31]). La evasión del IVA es otro factor que incide en el bajo nivel de este indicador. La CEPAL (2020[24]) calcula que el nivel de evasión del IVA de la República Dominicana se encuentra entre los más elevados de la región de ALC, del 43.8% (cifra de 2017), frente a un promedio del 30% en una muestra de 12 países de ALC.

Ingresos tributarios relacionados con el medioambiente

A raíz del Acuerdo de París de 2016, los países se han comprometido a reducir las emisiones de carbono de sus economías para mediados del siglo XXI, lo que implica el abandono de los combustibles fósiles como fuente de energía. Para reducir las emisiones y promover la descarbonización, cada vez son más los países que están introduciendo impuestos relacionados con el medioambiente e instrumentos políticos basados en los precios.

Al introducir una señal de precios en las decisiones del consumidor, estos impuestos aplican el principio de «quien contamina, paga» para favorecer las actividades económicas más respetuosas con el medioambiente sobre las que más contaminan. Un régimen de impuestos medioambientales adecuadamente diseñados puede fomentar que tanto las empresas como los hogares se planteen los costes ambientales de sus acciones.

Un impuesto relacionado con el medio ambiente es un impuesto cuya base es una unidad física (o un equivalente a una unidad física) de algo que tiene un efecto negativo específico y contrastado sobre el medioambiente, con independencia de si el impuesto tiene por objeto cambiar las conductas o si persigue otro propósito (OECD, 2005[32]).

Los países de la región de ALC han tardado, en general, en aplicar impuestos relacionados con el medio ambiente. Aunque se han introducido impuestos sobre los combustibles (más para percibir ingresos que por finalidades medioambientales), muchos países también ofrecen subvenciones a los productos energéticos (Lorenzo, 2016[33]) a pesar de la carga que puede suponer para los presupuestos nacionales mitigar el impacto de unos precios de los combustibles elevados y volátiles, controlar la inflación, estimular la competitividad y proteger a los segmentos más pobres de la población. Aunque las ayudas a la energía disminuyeron entre 2012 y 2019 en torno a un 30%, en 2021 se duplicaron con creces (OECD, 2023[34]).

Al margen de los impuestos sobre los combustibles y los impuestos de matriculación y circulación de vehículos, los impuestos medioambientales aún están poco desarrollados en la región de ALC. Sin embargo, un número reducido de países de ALC han introducido importantes reformas en los impuestos ecológicos en los últimos años. Argentina, Chile, Colombia, México y Uruguay introdujeron políticas de tarificación del carbono a través de impuestos al carbono, principalmente en el sector del transporte, aunque siguen siendo limitados y los tipos efectivos de los impuestos al carbono no se sitúan a un nivel que posibiliten la reducción de las emisiones de carbonos de manera efectiva (OECD, 2023[34]).

Un análisis pormenorizado de los impuestos específicos de cada país[4] demuestra que los ingresos por impuestos relacionados con el medioambiente de la región de ALC en 2023 oscilaron entre el 0.1% del PIB en Belice y el 2.0% en Costa Rica (Gráfico 1.17). En promedio, en los 23 países de ALC incluidos en este informe, los ingresos por impuestos medioambientales representaron el 0.9%[5] del PIB en 2023, un nivel inferior al promedio de la OCDE, que se situó en el 1.8% del PIB (cifra estimada de 2023) (OECD, 2024[35]).

Gráfico 1.17. Ingresos por impuestos medioambientales en los países de ALC, por base imponible principal, 2023

Porcentaje del PIB

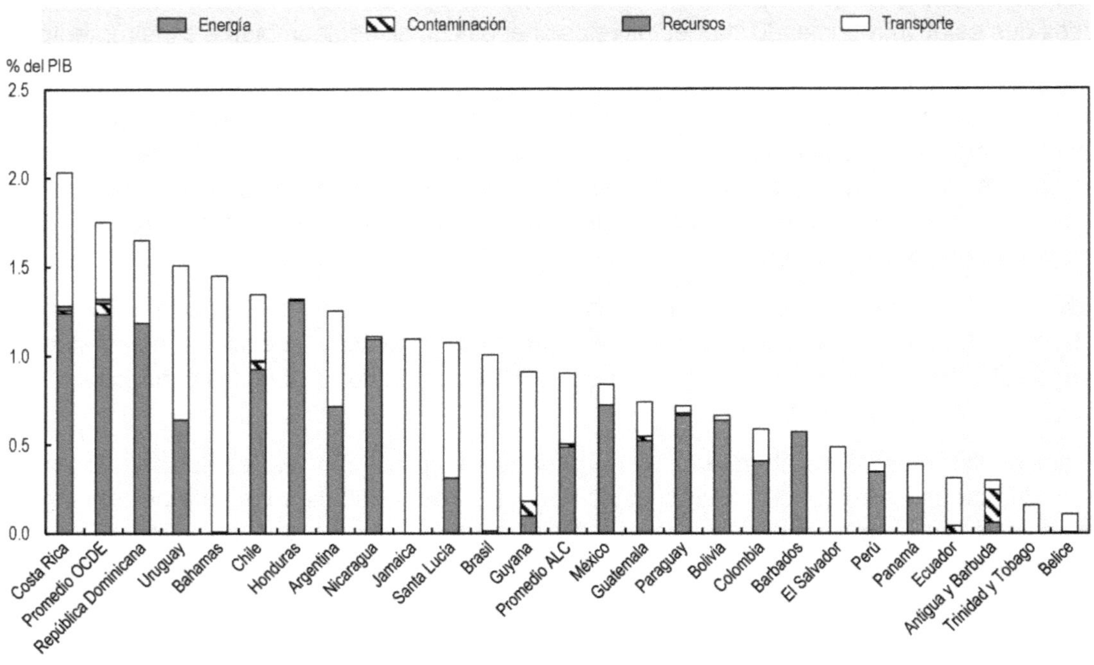

Nota: El promedio de ALC representa el promedio no ponderado de 25 países de la región incluidos en esta publicación, sin contar con Cuba ni con Venezuela, debido a los problemas de disponibilidad de datos. El gráfico no incluye los ingresos procedentes de impuestos especiales sobre el consumo de productos petrolíferos de Jamaica (que se calcula que fue superior al 2.0% del PIB, en 2018) (OECD, 2021[36]), puesto que los datos no están disponibles. El promedio de la OCDE representa el promedio no ponderado de los 38 países miembros de la OCDE.
Fuente: Base de datos PINE para Chile, Colombia, Costa Rica y México y cálculos propios para los demás países basados en OCDE *et al.* (2025[4]), Capítulo 5.

StatLink https://stat.link/ogbeak

En 2023, los ingresos por impuestos sobre la energía (normalmente, impuestos especiales sobre el diésel y la gasolina) representaron la mayor proporción de los ingresos por impuestos relacionados con el medioambiente de la región de ALC. Los ingresos procedentes de los impuestos de la energía ascendieron al 0.5% del PIB en promedio, mientras que los ingresos de los servicios de transporte y vehículos a motor ascendieron a un 0.4% del PIB y representaron la mayor proporción del resto. Los ingresos procedentes de impuestos que gravan otras bases relacionadas con el medioambiente fueron insignificantes (a saber, inferiores al 1.5% de los impuestos medioambientales totales). Los ingresos por impuestos relacionados con el medioambiente fueron más elevados en la OCDE que en la región de ALC en 2023 en todas las bases imponibles, sobre todo con respecto a los impuestos relacionados con la energía, que ascendieron al 1.2% del PIB en la OCDE (OECD, 2024[35]).

En 2023, hubo importantes diferencias en la composición media de los ingresos por impuestos relacionados con el medioambiente entre las subregiones (Gráfico 1.18). Los ingresos procedentes de impuestos relacionados con la energía representaron la mayor proporción de los ingresos por impuestos relacionados con el medioambiente en América Central y México (0.8% del PIB de un total de 1.1%); en América del Sur, el porcentaje de impuestos relacionados con el transporte y la energía fue prácticamente el mismo, del 0.5% y el 0.4% del PIB respectivamente en 2023, y los impuestos relacionados con el transporte representaron la mayor proporción de los ingresos por impuestos relacionados con el medioambiente en el Caribe, próximo al 0.5% del PIB. En la mayoría de los países del Caribe, los ingresos procedentes de impuestos relacionados con el transporte procedían principalmente de los impuestos de viaje o salida, una importante fuente de ingresos en países que dependen del turismo.

Gráfico 1.18. Recaudación por impuestos relacionados con el medioambiente en la OCDE, ALC y subregiones, en promedio, por base imponible principal, 2023

Porcentaje del PIB

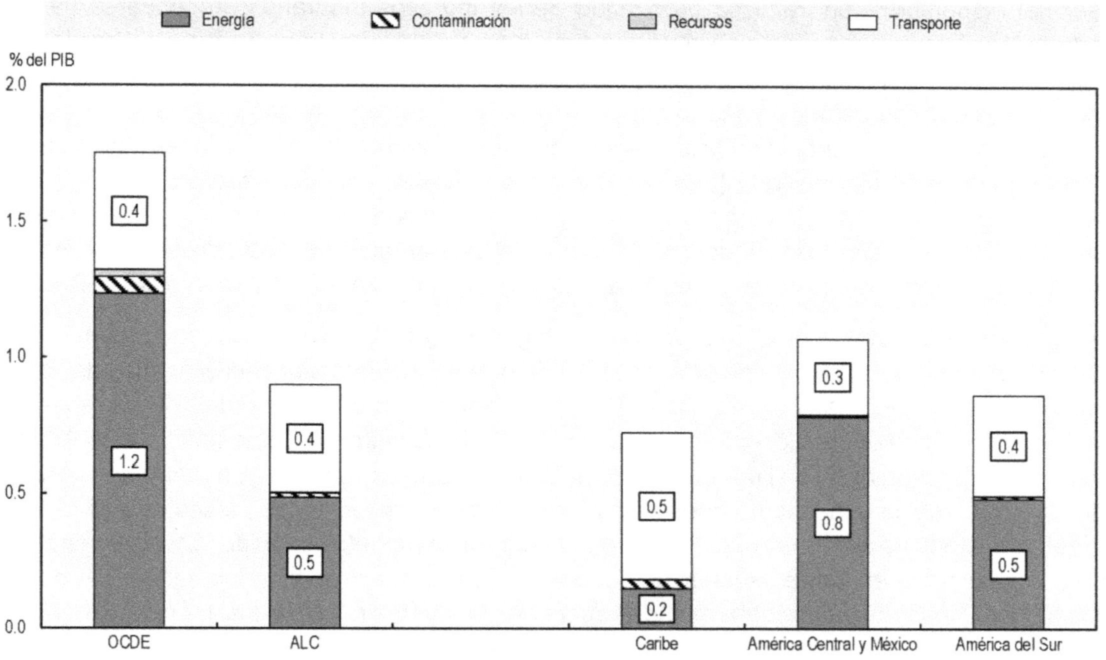

Nota: El promedio de ALC representa el promedio no ponderado de 25 países de la región incluidos en esta publicación, sin contar con, Cuba ni con Venezuela, debido a los problemas de disponibilidad de datos. El promedio de la OCDE representa el promedio no ponderado de los 38 países miembros de la OCDE. Costa Rica, Chile, Colombia y México también son países miembros de la OCDE y, por lo tanto, se incorporan en ambos promedios.
Fuente: Base de datos PINE para Chile, Colombia y México y cálculos propios para los demás países basados en OCDE *et al.* (2025[4]), Capítulo 5.

StatLink https://stat.link/d43g0t

Impuestos por nivel gubernamental

En los países de ALC, la recaudación de tributos está en manos mayoritariamente de la administración central o federal. El gasto público de las administraciones de ámbito inferior al nacional se financia mediante transferencias de los niveles gubernamentales superiores a los inferiores en mayor grado que en los países de la OCDE. Los países que abarca este informe presentan diferentes configuraciones estructurales: Argentina, Brasil, México y Venezuela son sistemas federales, mientras que los demás son estados unitarios.

En los casos en los que se disponen de datos a nivel subnacional de los países de ALC, estos arrojan que la recaudación de tributos por parte del gobierno central representaba más de dos tercios de la recaudación total, mientras que la cifra correspondiente de los países de la OCDE se situó cerca del 60%

(cifras de 2022). Brasil constituye una notoria excepción: la recaudación tributaria del Gobierno central supuso el 45.4% de la recaudación tributaria en 2023 (Cuadro 1.4).

Existen dos problemas estadísticos que deben tenerse en cuenta cuando se comparan la asignación de ingresos de los países de ALC y la de los miembros de la OCDE. En primer lugar, los ingresos de ambos grupos han sido asignados a diferentes niveles gubernamentales de acuerdo con las directrices establecidas en el Sistema de Cuentas Nacionales (SCN) de 2008[6]. En segundo lugar, algunos países de ALC no disponen de estadísticas tributarias relativas al nivel subnacional.

En relación con los 19 países de ALC de este informe sobre los que hay datos relativos al nivel subnacional disponibles, en 2023, la proporción de los ingresos tributarios procedentes de este nivel respecto del total de la recaudación se situó por debajo del 8.5%, excepto en Argentina, Brasil y Colombia. Los sistemas federales suelen contar con recaudaciones más sustanciales que las de los estados unitarios. En Brasil, los estados y los municipios recaudan aproximadamente un tercio del total de los ingresos tributarios, lo que indica un grado significativo de descentralización de la recaudación tributaria. Una buena parte del IVA brasileño (que, en Brasil, es el ICMS – *imposto sobre operações relativas à circulação de mercadorias e prestação de serviços de transporte interestadual e intermunicipal e de comunicação*) lo recaudan los estados. La reforma del IVA emprendida actualmente por Brasil tendrá importantes repercusiones en la recaudación de los ingresos por IVA en el futuro (véase el Recuadro 1.3)

La recaudación de tributos a nivel subnacional en Argentina y Colombia representa más del 15% de los ingresos tributarios totales. Argentina presenta una importante recaudación a nivel estatal, debido en parte al impuesto sobre los ingresos brutos, de ámbito provincial. Como porcentaje del PIB, la recaudación de impuestos subnacionales osciló entre menos del 0.1% de Guyana y Guatemala y el 9.9% de Brasil en 2023, y el valor mediano se situó en el 0.4% del PIB. La escasa recaudación tributaria subnacional en la región de ALC refleja el hecho de que los gobiernos subnacionales de los países de esa región suelen tener las competencias sobre un número de impuestos relativamente reducido. Los impuestos que más se suelen ceder a las entidades subnacionales son los impuestos sobre la propiedad, los permisos de circulación, los impuestos sobre determinados servicios y las tasas municipales. La capacidad de generar ingresos de estos instrumentos es relativamente limitada, en comparación con las bases imponibles que están en manos de la administración central, como el IVA y los impuestos sobre la renta.

En 2023, todos los ingresos tributarios recaudados a nivel subnacional en Belice, Guatemala y Jamaica y más del 50% de los ingresos tributarios recaudados a nivel subnacional en Perú, Uruguay, Ecuador y Paraguay provenían de impuestos sobre la propiedad (Gráfico 1.19). Todos los demás países de la región dependen principalmente de los impuestos sobre bienes y servicios. México es el único país que también recaudó ingresos de diferentes bases imponibles. En 2023, casi la mitad de los ingresos tributarios obtenidos a nivel subnacional en México provenían de los impuestos sobre las nóminas. En los países de la OCDE, las entidades subnacionales suelen contar con bases imponibles en potencia mucho más amplias. Una parte importante de la recaudación de impuestos que llevan a cabo las administraciones subnacionales en los países de la OCDE la generan los impuestos sobre la renta y las ganancias (que representan más de un tercio de la recaudación total, en promedio, que se obtiene en el nivel subnacional).

La crisis de la COVID-19 ha puesto de manifiesto la necesidad de llevar a cabo reformas estructurales encaminadas a mejorar la recaudación y las fuentes de ingresos en el ámbito subnacional. Entre las opciones para conseguirlo se incluye introducir mejoras en la información y las estadísticas relativas a los ingresos procedentes de estos impuestos, la capacidad recaudatoria de la administración local, la coordinación eficaz con las autoridades nacionales y la promoción de fuentes de ingresos impositivos sostenibles a este nivel (Nieto-Parra and Orozco, 2020[37]).

Gráfico 1.19. Estructura tributaria de los ingresos tributarios a nivel subnacional en los países de ALC, 2023

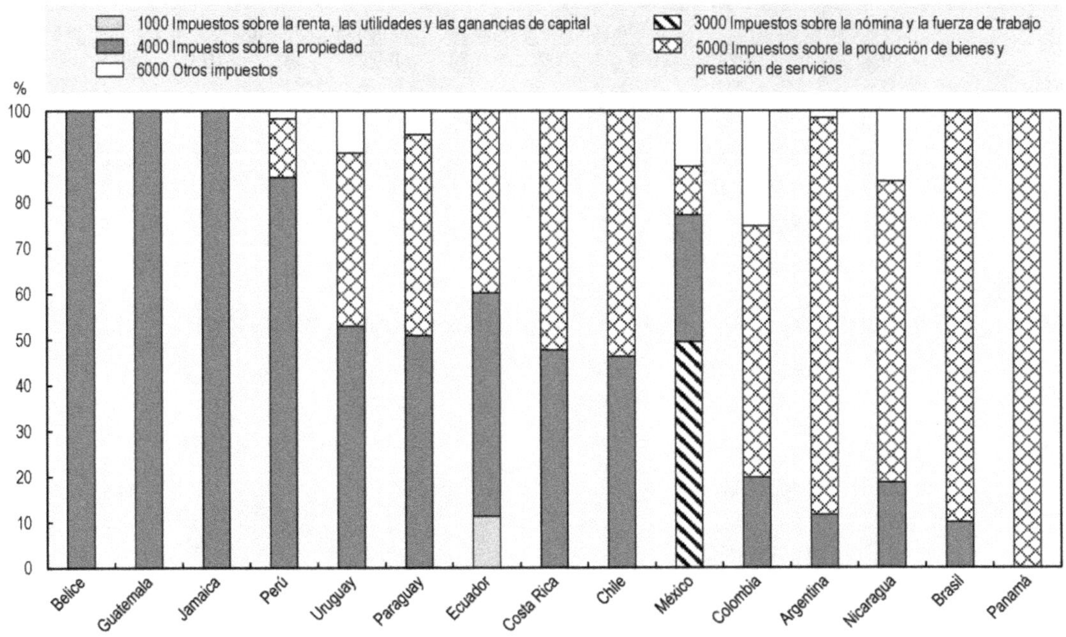

Nota: No se incluyen las cifras de Antigua y Barbuda, Bahamas, Barbados, Bolivia, Cuba, República Dominicana, El Salvador, Guyana, Honduras, Santa Lucía, Trinidad y Tobago y Venezuela por la falta de datos relativos a los ingresos tributarios a nivel subnacional o de datos sobre la composición de los ingresos tributarios a nivel subnacional por categoría impositiva principal. Las cifras no incluyen la recaudación local de Argentina, pero sí la de ámbito provincial. Los datos de Nicaragua, Panamá y Uruguay se estiman para 2023.
Fuente: Cálculos propios basados en OCDE *et al.* (2025[4]), Capítulo 6.

StatLink https://stat.link/lps36a

La escasa recaudación tributaria del nivel subnacional en los países de ALC puede deberse a una falta de capacidad administrativa y técnica. Los impuestos sobre la propiedad requieren una información y sistemas sofisticados, y recaudarlos es costoso. Muchos países no tienen registros de la propiedad adecuados y cuando existen no suelen estar actualizados (Canavire-Bacarreza, Martínez-Vázquez and Sepúlveda, 2012[38]); (OECD et al., 2023[39]). Por consiguiente, las autoridades tributarias no tienen acceso a valoraciones precisas de los terrenos y los edificios; y los registros de la propiedad suelen mostrarse reacios a comunicar esta información. Además, los impuestos sobre la propiedad también sufren los altos niveles de informalidad: se construyen edificios sin licencia, no se registran las propiedades y los precios que se comunican relativos a algunas de las operaciones con bienes raíces son falsos. Habida cuenta de que el impuesto sobre la propiedad es uno de los impuestos más polémicos entre la ciudadanía, al que se asocia un gran coste político, los políticos suelen ser reacios a invertir recursos suficientes para obtener ingresos a través de este instrumento.

Cuadro 1.4. Asignación de ingresos tributarios a los subsectores de la Administración general en los países de ALC

Porcentaje de los ingresos tributarios totales

	Gobierno central			Gobierno estatal o regional			Administraciones locales[1]			Fondos de seguridad social		
	1995	2000	2023	1995	2000	2023	1995	2000	2023	1995	2000	2023
Países federales												
Argentina	59.0	64.6	63.6	17.5	14.2	18.2	..	..	..	23.4	21.2	18.2
Brasil	44.8	45.8	45.4	26.5	23.8	23.0	3.7	4.8	6.4	25.0	25.6	25.2
México	73.9	78.7	80.4	2.8	3.4	4.5	1.5	1.7	1.6	21.8	16.2	13.5
Venezuela[3]	94.6	91.9	..	..	..	..	..	..	..	5.4	8.1	..
Países regionales												
Colombia[4]	63.2	72.4	76.9	5.5	4.9	4.3	8.6	11.1	11.5	22.7	11.7	7.3
Países unitarios												
Antigua y Barbuda[2]	100.0	87.4	81.9				..	..	..	..	12.6	18.1
Bahamas[2]	89.1	86.9	88.7				..	..	..	10.9	13.1	11.3
Barbados	85.6	79.4	83.2				..	..	..	14.4	20.6	16.8
Belice	93.2	91.0	88.6				0.5	0.9	0.5	6.3	8.2	10.9
Bolivia	94.3	78.9	71.4				5.7	4.4	4.5	..	16.7	24.1
Chile[3]	89.9	88.1	86.9				6.5	6.8	8.5	3.6	5.1	4.6
Costa Rica[3]	65.5	59.7	60.3				1.6	2.6	2.8	33.0	37.7	36.9
Cuba[5]	..	35.4	..				..	52.2	..	11.3	12.4	19.8
República Dominicana	99.3	99.2	99.6				..	..	..	0.7	0.8	0.4
Ecuador[2]	70.5	76.3	72.5				4.0	2.0	2.8	25.5	21.7	24.7
El Salvador	80.9	84.2	86.9				..	2.1	1.8	19.1	13.6	11.4
Guatemala	83.6	83.3	84.5				0.6	1.5	0.1	15.8	15.2	15.4
Guyana	92.6	90.9	91.2				..	0.1	0.0	7.4	9.0	8.8
Honduras	86.1	80.0	82.1				4.4	4.1	3.2	9.5	15.9	14.6
Jamaica	100.0	96.2	92.7				..	0.9	1.1	..	2.9	6.2
Nicaragua[2]	80.4	70.2	72.5				4.6	7.4	6.0	15.0	22.4	21.5
Panamá[2]	67.2	64.7	63.3				..	1.6	1.7	32.8	33.7	35.0
Paraguay	92.0	73.1	69.1				..	4.2	2.5	8.0	22.7	28.4
Perú	88.0	87.1	86.4				..	2.2	2.4	12.0	10.7	11.1
Santa Lucía[2]	100.0	88.9	88.5				..	..	..	..	11.1	11.5
Trinidad y Tobago	96.8	93.3	89.7				..	..	..	3.2	6.7	10.3
Uruguay[2]	61.7	71.1	67.4				8.8	5.6	6.0	29.5	23.4	26.6

1. Los datos no incluyen los ingresos de la administración local de Antigua y Barbuda, Argentina (aunque incluye los ingresos provinciales), Bahamas, Barbados, Cuba, la República Dominicana, Santa Lucía, Trinidad y Tobago y Venezuela porque no se dispone de dicha información. Los datos sobre la recaudación de la administración local están disponibles desde 1991, en el caso de Nicaragua; desde 1994, en el caso de Bolivia; desde 1995, en el caso de Guatemala; desde 1998, en el caso de Jamaica; desde 1999, en el caso de Panamá; desde 2000, en el caso de Perú; desde 2002, en el caso de El Salvador y Guyana; desde 2006, en el caso de Paraguay; y desde 1990, en el caso del resto de países.
2. Los datos incluyen las siguientes estimaciones: Antigua y Barbuda (contribuciones a la seguridad social de 2019-2023), Bahamas (contribuciones a la seguridad social de 2022 y 2023), Ecuador (recaudación local de 2021 a 2023), Nicaragua (recaudación local de 2022 y 2023), Panamá (recaudación de impuestos locales) y Santa Lucia (contribuciones a la seguridad social de 2021 a 2023). Para obtener más información, consulte los cuadros relativos a cada país.
3. No están disponibles el desglose de ingresos por el impuesto sobre la renta, las contribuciones a la seguridad social y la recaudación de impuestos al petróleo entre 2014 y 2017 ni ninguno de los datos relativos a 2018. No está disponible el desglose por subsectores de la Administración general correspondiente a estos años.
4. Colombia es constitucionalmente un estado unitario cuyas entidades territoriales gozan de una amplia autonomía.
5. Solo se dispone de datos correspondientes a los subsectores de la Administración general de Cuba relativos al período comprendido entre 2002 y 2012.

Fuente: OCDE *et al.* (2025[4]), Cuadro 4.11.

Referencias

Banco Central de Reserva de Perú (2024), "Peru's economic outcome in 2023", https://www.bcrp.gob.pe/docs/Publicaciones/presentaciones/2024/velarde-2024-03-04.pdf?form=MG0AV3. [9]

Barreix, A., J. Benítez and M. Pecho (2017), "Revisiting personal income tax in Latin America: Evolution and impact", *OECD Development Centre Working Papers*, No. 338, OECD Publishing, Paris, https://doi.org/10.1787/16d42b4a-en. [22]

BID (2013), *More than revenues, Taxation as a development tool*, Inter-American Development Bank, https://publications.iadb.org/en/publication/more-revenue-taxation-development-tool-executive-summary. [14]

Canavire-Bacarreza, G., J. Martínez-Vázquez and C. Sepúlveda (2012), *Sub-national Revenue Mobilization in Peru, IDB Working Paper Series No. 299*, IDB, https://publications.iadb.org/en/sub-national-revenue-mobilization-peru. [38]

CEPAL (2024), *Estudio Económico de América Latina y el Caribe, 2024: trampa de bajo crecimiento, cambio climático y dinámica del empleo*, CEPAL, https://www.cepal.org/es/publicaciones/80595-estudio-economico-america-latina-caribe-2024-trampa-crecimiento-cambio-climatico. [7]

CEPAL (2024), *Panorama Fiscal de América Latina y el Caribe 2024 : política fiscal para enfrentar los desafíos del cambio climático*, CEPAL, https://www.cepal.org/es/publicaciones/69216-panorama-fiscal-america-latina-caribe-2024-politica-fiscal-enfrentar-desafios. [6]

CEPAL (2023), *Panorama Fiscal de América Latina y el Caribe 2023: política fiscal para el crecimiento, la redistribución y la transformación productiva*, CEPAL, https://www.cepal.org/es/publicaciones/48899-panorama-fiscal-america-latina-caribe-2023-politica-fiscal-crecimiento-la. [23]

CEPAL (2020), *Fiscal Panorama of Latin America and the Caribbean 2020: Fiscal policy amid the crisis arising from the coronavirus disease (COVID-19) pandemic*, Economic Commission for Latin America and the Caribbean, https://www.un-ilibrary.org/content/books/9789210047401. [24]

CEPAL (2018), *Panorama Fiscal de América Latina y el Caribe 2018: los desafíos de las políticas públicas en el marco de la Agenda 2030*, United Nations, https://www.cepal.org/es/publicaciones/43405-panorama-fiscal-america-latina-caribe-2018-desafios-politicas-publicas-marco-la. [13]

CEPAL (2014), *Política tributaria en América Latina: agenda para una segunda generación de reformas*, United Nations, https://repositorio.cepal.org/entities/publication/df5482a6-39d0-41ce-a2c1-14c64f284616. [21]

CEPAL (2013), *Panorama fiscal de América Latina y el Caribe 2013: reformas tributarias y renovación del pacto fiscal*, United Nations, https://www.cepal.org/es/publicaciones/3097-panorama-fiscal-america-latina-caribe-2013-reformas-tributarias-renovacion-pacto. [15]

FMI (2024), *Chile: 2023 Article IV, Country Report No. 24/41*, https://www.elibrary.imf.org/view/journals/002/2024/041/002.2024.issue-041-en.pdf. [8]

FMI (2024), *Jamaica 2024 Article IV ; IMF Country Report No. 24/69*, FMI, https://www.imf.org/en/Publications/CR/Issues/2024/03/08/Jamaica-2024-Article-IV-Consultation-and-Second-Reviews-Under-the-Arrangement-Under-the-545715?form=MG0AV3&form=MG0AV3. [12]

FMI (2024), *World Economic Outlook Database, octubre de 2024*, https://www.imf.org/en/Publications/WEO/weo-database/2024/October (accessed on 14 May 2025). [5]

Keen, M. (2013), *The anatomy of VAT, WP/13/111*, FMI, https://www.imf.org/en/Publications/WP/Issues/2016/12/31/The-Anatomy-of-the-VAT-40543. [27]

KPMG (2019), *Mexico: Tax reform 2020, VAT on services provided from digital platforms*, https://home.kpmg/us/en/home/insights/2019/11/tnf-mexico-tax-reform-2020-vat-services-digital-platforms.html. [29]

Linton, L. (2023), *New Public-Sector Compensation System Implementation Continuing Until 2024/25*, https://jis.gov.jm/new-public-sector-compensation-system-implementation-continuing-until-2024-25/?form=MG0AV3. [11]

Lorenzo, F. (2016), *Inventario de instrumentos fiscales verdes en América Latina*, CEPAL, https://agua.org.mx/biblioteca/inventario-instrumentos-fiscales-verdes-en-america-latina-experiencias-efectos-alcances/. [33]

Nieto-Parra, S. and R. Orozco (2020), *Potencializar los impuestos subnacionales en América Latina y el Caribe en tiempos del Covid-19 in Los desafíos de las finanzas intergubernamentales ante el Covid-19*, AIFIL - Asociación Iberoamericana de Financiación, https://www.aifil-jifl.org/wp-content/uploads/2020/11/AIFIL-2.11.pdf. [37]

OECD (2024), *Consumption Tax Trends 2024: VAT/GST and Excise, Core Design Features and Trends*, OECD Publishing, Paris, https://doi.org/10.1787/dcd4dd36-en. [26]

OECD (2024), *PINE database*, OECD Publishing, Paris, http://www.oecd.org/environment/tools-evaluation/environmentaltaxation.htm. [35]

OECD (2024), *Revenue Statistics 2024: Health Taxes in OECD Countries*, OECD Publishing, Paris, https://doi.org/10.1787/c87a3da5-en. [16]

OECD (2023), *Environment at a Glance in Latin America and the Caribbean: Spotlight on Climate Change*, OECD Publishing, Paris, https://doi.org/10.1787/2431bd6c-en. [34]

OECD (2023), *Estudio multidimensional de la República Dominicana: Hacia un mayor bienestar*, Caminos de Desarrollo, OECD Publishing, Paris, https://doi.org/10.1787/8044a9c9-es. [31]

OECD (2021), *Environmental policy: Environmentally related tax revenue accounts, OECD Environment Statistics (database)*, https://stats.oecd.org/Index.aspx?DataSetCode=ERTR_ACC. [40]

OECD (2021), *Taxing Energy Use for Sustainable Development*, OECD Publishing, Paris, https://www.oecd.org/tax/tax-policy/taxing-energy-use-for-sustainable-development.htm. [36]

OECD (2019), *Tax Morale: What Drives People and Businesses to Pay Tax?*, OECD Publishing, Paris, https://doi.org/10.1787/f3d8ea10-en. [18]

OECD (2018), *Consumption Tax Trends 2018: VAT/GST and Excise Rates, Trends and Policy Issues*, OECD Publishing, Paris, https://doi.org/10.1787/ctt-2018-en. [28]

OECD (2014), *Development Co-operation Report 2014: Mobilising Resources for Sustainable Development*, OECD Publishing, Paris, https://doi.org/10.1787/dcr-2014-en. [17]

OECD (2005), *Glossary of statistical terms*, https://stats.oecd.org/glossary/detail.asp?ID=6437. [32]

OECD et al. (2025), *Estadísticas tributarias de América Latina y el Caribe*, OECD Publishing, Paris. [4]

OECD et al. (2015), *Estadísticas tributarias en América Latina y el Caribe 2015*, OECD Publishing, Paris, https://doi.org/10.1787/rev_lat-2015-en-fr. [19]

OECD et al. (2023), *Estadísticas tributarias en América Latina y el Caribe 2023*, OECD Publishing, Paris, https://doi.org/10.1787/5a7667d6-es. [39]

OECD et al. (2018), *Estadísticas tributarias en América Latina y el Caribe 2018*, OECD Publishing, Paris, https://doi.org/10.1787/rev_lat_car-2018-en-fr. [25]

OECD et al. (2024), *Perspectivas económicas de América Latina 2024: Financiando el desarrollo sostenible*, OECD Publishing, Paris, https://doi.org/10.1787/25aed2f5-es. [1]

OECD et al. (2021), *Perspectivas económicas de América Latina 2021: Avanzando juntos hacia una mejor recuperación*, OECD Publishing, Paris, https://doi.org/10.1787/2958a75d-es. [3]

OECD et al. (2022), *Perspectivas económicas de América Latina 2022: Hacia una transición verde y justa*, OECD Publishing, Paris, https://doi.org/10.1787/f2f0c189-es. [2]

OECD/IDB/The World Bank (2015), *Un Panorama de las Pensiones en America Latina y el Caribe*, Inter-American Development Bank, Washington, D.C., https://doi.org/10.1787/9789264233195-es. [20]

Pérez M. , Andrés; Ciongo, Diego (2024), *ARGENTINA – Primary fiscal deficit reached 2.9% of GDP in 2023*, https://www.itau.com.br/itaubba-pt/analises-economicas/latam/argentina-primary-fiscal-deficit-reached-2-9-of-gdp-in-2023?form=MG0AV3 (accessed on 14 mayo 2025). [10]

Schlotterbeck, S. (2017), *Tax Administration Reforms in the Caribbean, "Challenges, Achievements, and Next Steps"*, https://www.imf.org/en/Publications/WP/Issues/2017/04/04/Tax-Administration-Reforms-in-the-Caribbean-Challenges-Achievements-and-Next-Steps-44800 (accessed on 14 May 2025). [30]

Notas

[1] La cifra de la OCDE correspondiente a 2023 es provisional y se basa en datos preliminares relativos a (OECD, 2024[16]).

[2] El IVA se introdujo en Jamaica en 1991; en Barbados, en 1997; en Belice (el Impuesto General sobre las Ventas), en 2006; en Guyana y Antigua y Barbuda, en 2007; en Santa Lucía, en 2012; y en Bahamas, en 2014.

[3] El año de comparación es 2022 al no disponer de la información relativa a la estructura tributaria, en promedio, correspondiente a 2023 para los países de la OCDE en el momento de redacción de este documento.

[4] Pese a que en la clasificación normalizada de ingresos tributarios de la OCDE no se pueden identificar los ingresos tributarios relacionados con el medioambiente, estos sí aparecen identificados en la pormenorizada lista de impuestos específicos incluidos, en relación con la mayoría de los países, en esta clasificación general. En consecuencia, se incluyen en la base de datos de la OCDE de Instrumentos de Política Ambiental (PINE, por sus siglas en inglés) (OECD, 2024[35]). En 2020, la OCDE empezó la recopilación de las cuentas de los Ingresos Tributarios Medioambientales de conformidad con el Sistema de Contabilidad Ambiental y Económica Integrada y desglosa las cuentas de ingresos por impuestos medioambientales por sectores y hogares (OECD, 2021[40]).

[5] Tanto los datos de ALC como los de la OCDE aluden en este caso a promedios no ponderados de 26 países, en el caso de la región de ALC, y 38 países, en el caso de la OCDE.

[6] Esto significa que los ingresos se suelen asignar al nivel gubernamental que ostenta las potestades para imponer el impuesto o que tiene la facultad de decisión última para modificar el tipo impositivo. Esto tiene implicaciones en aquellos casos en los que un nivel gubernamental recauda tributos y los transfiere, total o parcialmente, a otros niveles. Los ejemplos regionales de este tipo de mecanismo los encontramos en la Ley de Coparticipación de Argentina, las participaciones federales de México (establecidas en la Ley de Coordinación Fiscal) y los fondos de participación de Brasil (definidos en el Artículo 159 de la Constitución).

2 Ingresos no tributarios en América Latina y el Caribe

Este artículo especial examina el nivel y la estructura de los ingresos no tributarios en 2023 de 22 países de América Latina y el Caribe. También analiza la variación de ese nivel y esa estructura entre 2019 y 2023 y compara los ingresos no tributarios de la región de ALC con los incluidos en los informes de otras regiones en relación con la iniciativa de estadísticas tributarias mundiales *Global Revenue Statistics*.

Introducción

La publicación *Estadísticas tributarias en América Latina y el Caribe* ofrece principalmente estadísticas sobre ingresos tributarios. Sin embargo, los impuestos no son la única fuente de ingresos públicos. Para obtener una imagen completa de las finanzas públicas de cualquier país, es necesario hacer un análisis que trasciende la tributación. Esto es especialmente importante en el caso de los países que obtienen ingresos importantes en concepto de regalías por recursos naturales, por ejemplo.

Los ingresos tributarios representan un flujo de recursos permanente que se puede destinar a financiar el desarrollo sostenible. En comparación, los ingresos no tributarios suelen ser volátiles y proceden de actividades que pueden ser de carácter finito, tales como la explotación de recursos naturales no renovables. Sin embargo, se pueden aprovechar los ingresos no tributarios para obtener flujos de financiamiento a largo plazo que puedan complementar las iniciativas de movilización de recursos internos.

Este capítulo constituye un intento inicial de la iniciativa *Estadísticas tributarias en América Latina y el Caribe* por recabar, clasificar y analizar los ingresos no tributarios en la región de ALC. Complementa el Capítulo 3[1] de esta publicación, que examina los ingresos tributarios procedentes de recursos minerales e hidrocarburos no renovables de la región.

Los ingresos no tributarios se definen como ingresos del Estado que no se ajustan a la definición de «impuesto» de la OCDE, la cual se limita a los pagos obligatorios sin contrapartida al gobierno central o a una autoridad supranacional. Los datos relativos a ingresos no tributarios suelen ser menos pormenorizados y completos que los relativos a ingresos tributarios; los ingresos tributarios de este capítulo son a título indicativo por ciertas cuestiones metodológicas (véase el Recuadro 2.1). El Anexo 2.A ofrece una descripción pormenorizada de las categorías de ingresos no tributarios que se examinan en este capítulo y sus criterios de clasificación.

Las categorías de ingresos no tributarios que se estudian en este capítulo son las siguientes:

- donaciones de gobiernos extranjeros u organizaciones internacionales (ayuda presupuestaria, ayuda alimentaria, transferencias de capital, transferencias corrientes, donaciones para proyectos, donaciones para programas, exoneración de la deuda internacional, etc.);
- arriendos y regalías (por ejemplo, regalías por actividades mineras o de hidrocarburos);
- otras rentas de la propiedad (intereses, dividendos y otros rendimientos por inversiones públicas);
- ventas de bienes y servicios (que incluyen algunos derechos administrativos);
- multas y sanciones pecuniarias (también las que se deben a incumplimientos tributarios);
- ingresos diversos y no identificados (ingresos no tributarios que no se pueden clasificar de acuerdo con el resto de categorías).

Este capítulo analiza datos sobre ingresos no tributarios de 22 de los 26 países de ALC abarcados por esta publicación, a excepción de los cuatro miembros de la OCDE (Chile, Colombia, Costa Rica y México)[2]. Los indicadores de ingresos no tributarios se extraen al nivel del gobierno central[3], por lo que no son directamente comparables con los indicadores de ingresos tributarios que aparecen en el Capítulo 1, que se han recabado al nivel de la administración general. Cabe tener esto en cuenta al considerar las comparaciones que se realizan en el presente capítulo entre las tendencias de los ingresos tributarios y no tributarios.

El alcance de los ingresos no tributarios que aparece en este capítulo es más amplio que el que figura en el capítulo 3, el cual se centra exclusivamente en las regalías, los dividendos y los intereses procedentes de recursos minerales e hidrocarburos no renovables. También es más amplio que el componente no tributario del indicador de presión tributaria equivalente (PTE)[4] presentado en la edición de 2024 de este informe (OECD et al., 2024[1]), el cual incluye las regalías, los dividendos y los intereses procedentes de la explotación de recursos naturales tanto renovables como no renovables. Además, otro componente de la PTE, las contribuciones a los sistemas de seguridad social privados obligatorias, queda fuera de la definición de impuesto y de ingresos no tributarios, ya que no se pagan a entidades públicas.

El capítulo se estructura como sigue. En la primera sección se examina el nivel de ingresos no tributarios de la región de ALC en 2023, mientras que, en la segunda, se examina la estructura de esos mismos ingresos durante ese mismo año. La tercera sección analiza la evolución del nivel y la estructura de los ingresos no tributarios en los últimos años, mientras que la cuarta sección compara los ingresos no tributarios de las regiones en desarrollo basándose en información que figura en la base de datos *Global Revenue Statistics*. En la quinta sección se incluyen las conclusiones.

Ingresos no tributarios como proporción del PIB

Los ingresos no tributarios del gobierno central ascendieron en promedio a un 3.1% del PIB en 2023 en relación con 22 de los 26 países de ALC analizados en esta publicación, a excepción de los cuatro miembros de la OCDE (Chile, Colombia, Costa Rica y México)[5]. Los ingresos no tributarios oscilaron entre el 11.6% del PIB en Cuba y el 0.4% en Perú (Gráfico 2.1). Los ingresos no tributarios fueron superiores a un 5% del PIB en cinco de estos países: Cuba (11.6%), Bolivia (7.3%), Trinidad y Tobago (6.5%), Guyana (6.3%) y Brasil (5.5%).

Gráfico 2.1. Ingresos no tributarios de los gobiernos centrales en los países de ALC, 2023

Porcentaje del PIB

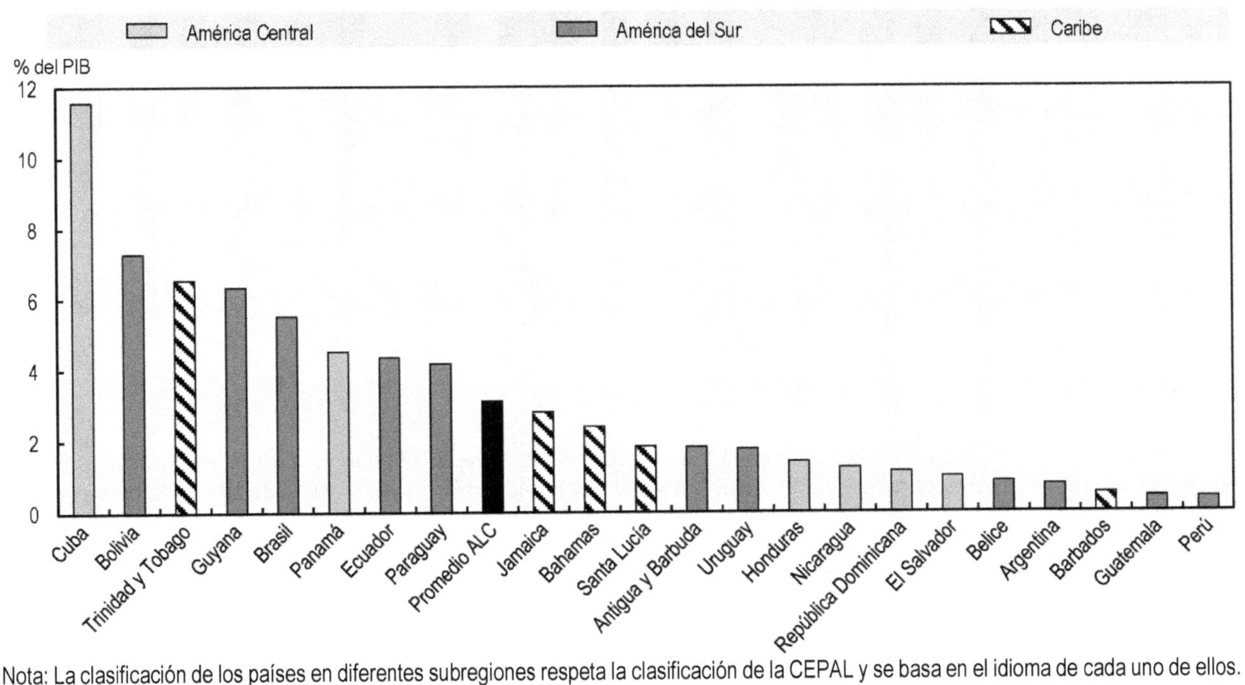

Nota: La clasificación de los países en diferentes subregiones respeta la clasificación de la CEPAL y se basa en el idioma de cada uno de ellos. En el «Caribe» se incluyen los países de habla inglesa y Guyana, mientras que «América Central» abarca países hispanohablantes, incluidos la República Dominicana y Cuba.

Las cifras de Belice, Bolivia, Cuba y Ecuador se refieren a los ingresos no tributarios de la administración general, ya que no se dispone de un desglose por niveles de gobierno, por lo que podrían no ser comparables con las de otros países. El promedio de ALC representa un promedio simple de 22 países con datos de ingresos no tributarios excluyendo a los cuatro miembros de la OCDE (Chile, Colombia, Costa Rica y México).

Fuente: Cálculo de los autores a partir de datos de fuentes nacionales (por ejemplo, el Ministerio de Economía, el Banco Central, la institución encargada de la Estadística, la Oficina de Presupuestos).

StatLink https://stat.link/zg2vs8

En la mayoría de los países de ALC, los ingresos no tributarios representaron un pequeño porcentaje de los ingresos totales recaudados por el gobierno central en 2023 (Gráfico 2.2). En siete países (Cuba, Guyana, Panamá, Paraguay, Brasil, Bolivia y Trinidad y Tobago), los ingresos no tributarios representaron más de un 20% de los ingresos totales en 2023. Cabe señalar que el nivel, la composición y los porcentajes de ingresos no tributarios pueden ser muy volátiles en los países de ALC, lo cual subraya la importancia que reviste darles seguimiento a lo largo del tiempo. Esta volatilidad puede ser especialmente pronunciada cuando los ingresos no tributarios proceden de arriendos o dividendos generados por recursos naturales no renovables, que son muy sensibles a las fluctuaciones de los precios de las materias primas (véase el Capítulo 3).

Gráfico 2.2. Ingresos tributarios y no tributarios de los gobiernos centrales en los países de ALC, 2023

Porcentaje de los ingresos totales

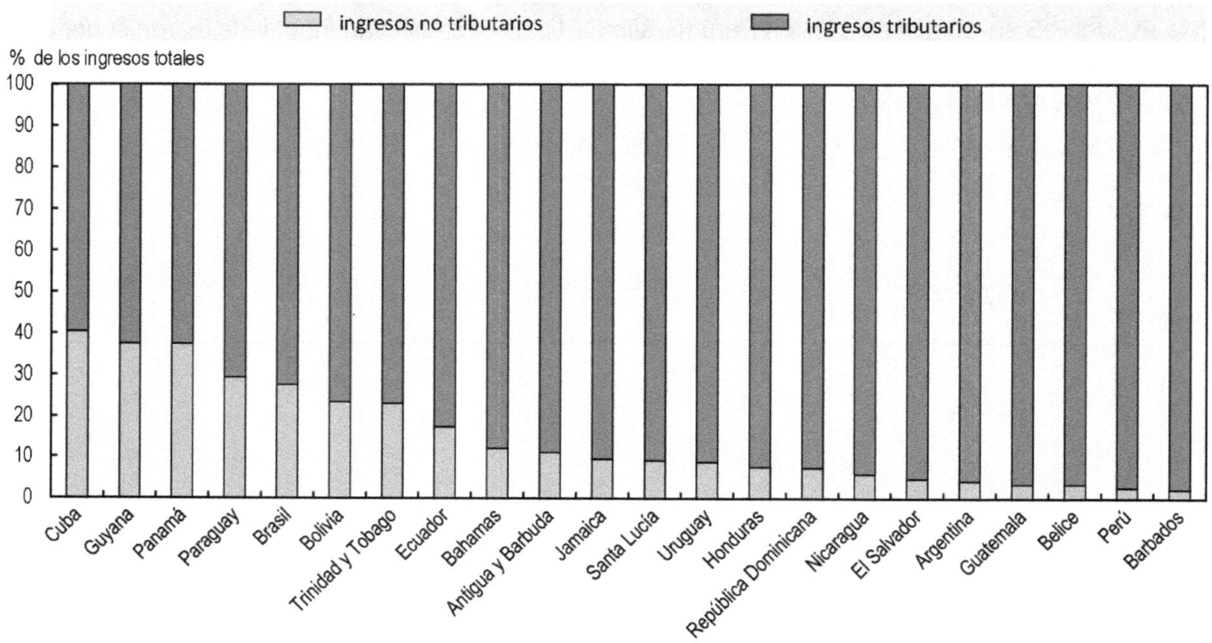

Nota: Las cifras correspondientes a Belice, Bolivia, Cuba y Ecuador se refieren a los ingresos de la administración general, ya que no se dispone de un desglose por niveles de gobierno de los ingresos no tributarios, por lo que podrían no ser comparables con los de otros países. Se excluyen de este análisis los cuatro países miembros de la OCDE (Chile, Colombia, Costa Rica y México).
Fuente: Cálculos propios basados en OCDE *et al.* (2025[2]) y a partir de datos de fuentes nacionales (por ejemplo, el Ministerio de Economía, el Banco Central, la institución encargada de la Estadística, la Oficina de Presupuestos).

StatLink https://stat.link/xndsg5

A modo de comparación, los ingresos no tributarios promedio de 35 países africanos ascendieron aproximadamente a un tercio de los ingresos totales y el 6.2% del PIB en 2022 (último año disponible) (OECD/AUC/ATAF, 2024[3]). Al mismo tiempo, los datos de 21 economías de Asia y el Pacífico facilitados por el informe *Estadísticas tributarias de Asia y el Pacífico* ascendieron a cerca de un 10% del PIB en promedio y casi un 40% de los ingresos totales en 2022 (último año disponible) (OECD, 2024[4]). A continuación, se incluye una comparación más pormenorizada entre los ingresos no tributarios de las diferentes regiones.

El nivel de los ingresos no tributarios del gobierno central difiere entre las distintas subregiones de la región de ALC. Los países de América Central, a excepción de Cuba y Panamá, declararon niveles relativamente bajos de ingresos no tributarios como proporción del PIB, mientras que el nivel presentó una distribución más pareja en los países del Caribe y de América del Sur. La gran proporción de los ingresos que corresponde a los ingresos no tributarios en Cuba se debe a la reforma monetaria de 2021, que provocó que los ingresos no tributarios aumentasen del 27.4% de los ingresos totales en 2020 al 62.7% en 2021 (OECD et al., 2023[5]).

Recuadro 2.1. Advertencias sobre el análisis de los datos relativos a los ingresos no tributarios

Puede resultar difícil obtener datos completos sobre ingresos no tributarios de los diferentes niveles de la administración, puesto que suelen ser responsabilidad de autoridades diferentes. Además, al considerar ingresos no tributarios que no necesariamente se aplican a datos sobre ingresos procedentes de impuestos, surgen varias cuestiones en relación con la metodología y los datos.

Por ejemplo, algunas fuentes de ingresos, tales como los derechos administrativos, pueden utilizarse como mecanismo de recuperación de costos y sustraerse de las cifras de costos en lugar de declararse como ingresos.

Las ventas de bienes y servicios podrían contabilizarse sin deducir los costos, lo que inflaría los ingresos de la administración.

Las donaciones, los arreglos jurídicos y los contratos relacionados con la minería o el petróleo comportan grandes pagos por parte de entidades externas, tales como corporaciones multinacionales y administraciones extranjeras que pueden estar sujetas a diferentes mecanismos de supervisión nacional. Algunos países ricos en recursos podrían negociar pagos de gran cuantía correspondientes a la extracción de recursos como una suma a tanto alzado que agrupe un amplio número de categorías de ingresos tanto tributarios como no tributarios, por lo que se reduce la posibilidad de hacer desgloses pormenorizados.

Los ingresos diversos o no identificados suelen representar una importante proporción de los ingresos no tributarios en comparación con los ingresos tributarios. En algunos países de ALC, más de la mitad de sus ingresos no tributarios no puede clasificarse en una categoría de ingresos no tributarios de la OCDE específica.

Por último, las categorías de ingresos no tributarios pueden tener denominaciones genéricas o presentarse en términos agregados, lo que dificulta su clasificación y la hace menos precisa que la de las estadísticas tributarias.

Estructura por fuente principal de los ingresos no tributarios

En 2023, las ventas de bienes y servicios fueron la fuente principal de ingresos no tributarios del gobierno central de 12 de los 22 países de ALC estudiados en este capítulo (Gráfico 2.3). La proporción de ingresos no tributarios totales de esta categoría superó el 50% en Barbados (98.6%), Santa Lucía (90.5%), Uruguay (79.1%), Belice (77.6%), Ecuador (71.4%), Argentina (71.0%), Antigua y Barbuda (66.7%), Guatemala (65.4%), Nicaragua (63.9%) y Bahamas (62.7%). Prácticamente en todos estos países, los mayores componentes de las ventas de bienes y servicios son los derechos por licencias y los cargos por servicios del gobierno.

En el caso de Guyana, Perú, Trinidad y Tobago, Bolivia, Panamá y Brasil, la mayor proporción de ingresos no tributarios procedió de la renta de la propiedad (arriendos, regalías, intereses y dividendos) en 2023. El Salvador obtuvo un 68.2% de los ingresos no tributarios de multas y sanciones pecuniarias[6], mientras que los ingresos diversos y no identificados fueron el mayor componente de Jamaica (89.9%), Cuba (66.8%)[7] y Paraguay (52.6%).

Gráfico 2.3. Estructuras de ingresos no tributarios de los gobiernos centrales en los países de ALC, 2023

Porcentaje de los ingresos no tributarios totales

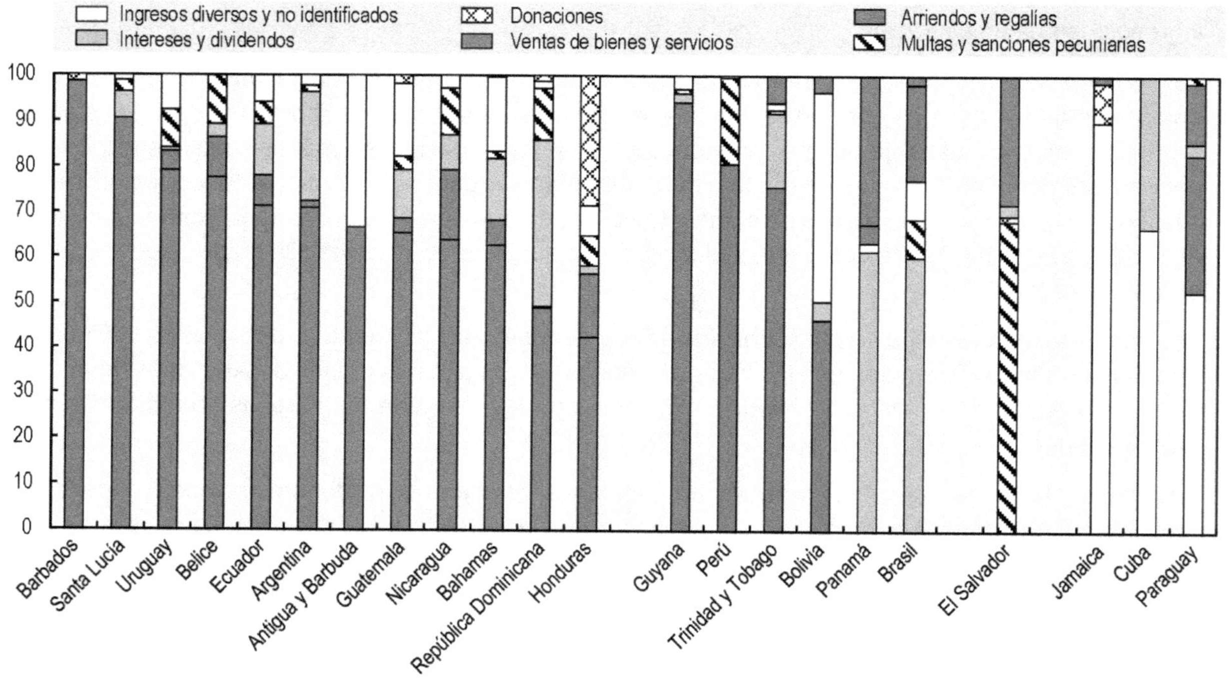

Nota: Las cifras de Belice, Bolivia, Cuba y Ecuador se refieren a los ingresos no tributarios de la administración general, ya que no se dispone de un desglose por niveles de gobierno, por lo que podrían no ser comparables con las de otros países. Se excluyen de este análisis los cuatro países miembros de la OCDE (Chile, Colombia, Costa Rica y México).

Fuente: Cálculo de los autores a partir de datos de fuentes nacionales (por ejemplo, el Ministerio de Economía, el Banco Central, la institución encargada de la Estadística, la Oficina de Presupuestos).

StatLink https://stat.link/myrkbs

Entre los cinco países en los que más contribuyó la renta de la propiedad a los ingresos no tributarios del gobierno central en 2023, los arriendos y las regalías por recursos naturales, en particular por petróleo, gas y minerales, conformaron la partida que más aportó en Guyana (94.3% de los ingresos no tributarios totales), Perú (80.8%), Trinidad y Tobago (75.6%) y Bolivia (46.4%). Al mismo tiempo, los intereses y los dividendos representaron el porcentaje más importante en Panamá (61.4%) y Brasil (60.0%). Los dividendos del Canal de Panamá aportaron más de un 80% a los ingresos de este país en concepto de intereses y dividendos.

Los ingresos procedentes de recursos naturales, en concreto las regalías por recursos naturales, fueron el mayor componente de la estructura de ingresos no tributarios en el caso de algunos de los países con el nivel más alto de ingresos no tributarios como proporción del PIB en 2023. En Trinidad y Tobago, más de un 75% de los ingresos no tributarios del gobierno central procedió de regalías por recursos naturales en 2023, incluidos ingresos extraordinarios procedentes de empresas de petróleo y gas. Ese mismo año, más de un 90% de los ingresos no tributarios de Guyana procedieron del Fondo de Recursos Naturales, que gestiona la riqueza obtenida con los recursos naturales del país, en especial la procedente de combustibles fósiles (véase el Capítulo 3).

Variación de los ingresos no tributarios en 2023 y a lo largo del tiempo

Entre 2022 y 2023, los ingresos no tributarios de los gobiernos centrales de la región de ALC descendieron 0.7 puntos porcentuales (p.p.) como proporción del PIB en promedio (Gráfico 2.4). Este descenso se debió principalmente a una reducción de 0.4 p.p. en los ingresos diversos y no identificados, mientras que el segundo mayor descenso (de 0.3 p.p.) lo registraron los ingresos en concepto de intereses y dividendos. Estas caídas se vieron compensadas en parte por un aumento de 0.1 p.p. en los arriendos y las regalías. Durante ese mismo período, los ingresos tributarios (al nivel de la administración general) de los 22 países descendieron 0.2 p.p. en promedio.

Los ingresos no tributarios aumentaron entre 2022 y 2023 en diez de los 22 países. Los mayores aumentos se produjeron en Guyana (1.9 p.p.), Trinidad y Tobago (1.1 p.p.) y Argentina (0.5 p.p.).

La variación de los precios de las materias primas internacionales suele provocar una volatilidad relativamente alta de los ingresos no tributarios de los países que dependen de los ingresos por recursos naturales. El incremento de los arriendos y las regalías impulsó prácticamente todos los cambios en los ingresos no tributarios de los gobiernos centrales de Guyana y Trinidad y Tobago, mientras que el incremento observado en Argentina se debió principalmente a un aumento de las ventas de bienes y servicios y, en menor medida, a un incremento de los intereses y los dividendos.

Gráfico 2.4. Variación de los ingresos no tributarios de los gobiernos centrales en los países de ALC, 2022-2023 y 2019-2023

Puntos porcentuales (p.p.)

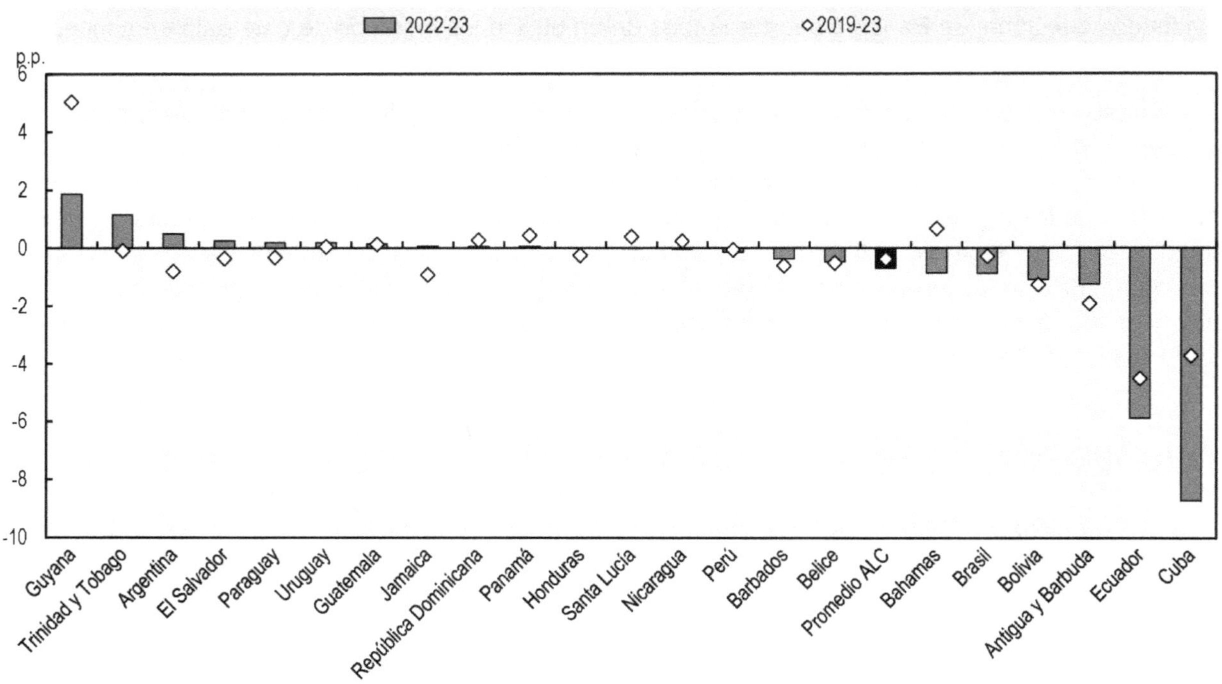

Nota: Las cifras de Belice, Bolivia, Cuba y Ecuador se refieren a los ingresos no tributarios de la administración general, ya que no se dispone de un desglose por niveles de gobierno, por lo que podrían no ser comparables con las de otros países. El promedio de ALC representa un promedio simple de 22 países excluyendo a los cuatro países miembros de la OCDE (Chile, Colombia, Costa Rica y México).
Fuente: Cálculo de los autores a partir de datos de fuentes nacionales (por ejemplo, el Ministerio de Economía, el Banco Central, la institución encargada de la Estadística, la Oficina de Presupuestos).

StatLink https://stat.link/3l56rz

Los otros 12 países experimentaron un descenso del nivel de ingresos no tributarios de los gobiernos centrales entre 2022 y 2023, con una caída superior al 1 p.p. en cuatro países: Cuba (8.7 p.p.), Ecuador (5.9 p.p.), Antigua y Barbuda (1.2 p.p.) y Bolivia (1.1 p.p.). El descenso de los ingresos no tributarios de Cuba fue ocasionado principalmente por una disminución de los ingresos diversos y no identificados de 8.3 p.p. Un descenso de 4.3 p.p. en los ingresos procedentes de intereses y dividendos y una bajada de 1.4 p.p. en los ingresos procedentes de la venta de bienes y servicios contribuyeron a la caída de los ingresos no tributarios en Ecuador. El descenso de los ingresos no tributarios de Antigua y Barbuda fue ocasionado por una disminución de las ventas de bienes y servicios, relacionada principalmente con una caída de las sumas recibidas de la ciudadanía por inversión y de los ingresos diversos.

Si nos retrotraemos aún más en el tiempo, los ingresos no tributarios descendieron un 0.4% del PIB entre 2019 (el año inmediatamente anterior a la pandemia del COVID-19) y 2023 en promedio en los 22 países de la región analizados en este capítulo. Esta caída se debió a descensos de los ingresos procedentes de intereses y dividendos y de la venta de bienes y servicios (0.3 p.p. y 0.2 p.p. respectivamente), aunque se vio compensada en parte por un aumento de 0.2 p.p. en los ingresos procedentes de arriendos y regalías. Entre 2019 y 2023, los ingresos tributarios de estos 22 países descendieron 0.5 p.p. en promedio.

Ocho países experimentaron un aumento de los ingresos no tributarios de los gobiernos centrales entre 2019 y 2023. Los mayores aumentos se produjeron en Guyana (5.0 p.p.) y Bahamas (0.7 p.p.). Los arriendos y las regalías impulsaron un aumento de los ingresos no tributarios de Guyana, mientras que los ingresos por intereses y dividendos, así como los ingresos diversos fueron responsables del incremento registrado en Bahamas.

En 14 países, los ingresos no tributarios de los gobiernos centrales descendieron entre 2019 y 2023. Ecuador (4.5 p.p.), Cuba (3.7 p.p.), Antigua y Barbuda (1.9 p.p.), Bolivia (1.3 p.p.) y Jamaica (0.9 p.p.) experimentaron las mayores caídas.

El descenso registrado en Ecuador se vio impulsado principalmente por una reducción de 4.1 p.p. en los ingresos por intereses y dividendos, mientras que una caída de 1.7 p.p. en las ventas de bienes y servicios fue el factor que contribuyó principalmente a la disminución de los ingresos en Antigua y Barbuda. Las caídas de los ingresos diversos y de los ingresos por intereses y dividendos (de 2.1 p.p. y 1.6 p.p. respectivamente) contribuyeron al descenso total de los ingresos no tributarios de Cuba durante el período. En Bolivia, el descenso se debió principalmente a una caída de 0.9 p.p. de las rentas y regalías. El descenso de los ingresos no tributarios de Jamaica fue ocasionado por una caída de 0.9 p.p. en los ingresos varios y una reducción de 0.1 p.p. en las donaciones.

Evolución de la estructura de ingresos no tributarios durante y después de la pandemia de COVID-19

La pandemia del COVID-19 tuvo un profundo impacto en los ingresos de las administraciones a nivel global, en particular en los países en desarrollo, con menos capacidad para introducir las fuertes medidas de apoyo observadas en las economías desarrolladas (OECD, 2021[6]). Los ingresos tributarios de los países considerados en este capítulo cayeron un 0.6% del PIB en promedio en 2020 con respecto a 2019[8] (OECD, 2025[7]). Los ingresos no tributarios recaudados por los gobiernos centrales también descendieron en 2020 (un 0.2% del PIB) debido a descensos en los ingresos por arriendos y regalías (0.2% del PIB) y por intereses y dividendos (0.1% del PIB) (Gráfico 2.5).

Al igual que ocurrió con los ingresos tributarios, los ingresos no tributarios de la región de ALC repuntaron con fuerza en 2021. Los ingresos no tributarios de los gobiernos centrales como proporción del PIB fueron 0.8 p.p. más elevados en 2021 que en 2020, debido en gran parte a un aumento de la misma magnitud de los ingresos diversos. Sin embargo, este repunte duró poco, pues los ingresos no tributarios descendieron como proporción del PIB entre 2021 y 2022, debido a una caída de 0.6 p.p. de los ingresos diversos, que compensó un aumento de los arriendos y las regalías relacionado con una subida de los precios de las materias primas y una mayor producción de hidrocarburos (OECD et al., 2024[1]).

La tendencia a la baja se mantuvo en 2023 debido a los importantes descensos interanuales de los ingresos diversos y a las caídas de los ingresos por intereses y dividendos y por ventas de bienes y servicios.

Gráfico 2.5. Estructura de los ingresos no tributarios de los gobiernos centrales en la región de ALC, 2019-2023

Porcentaje del PIB

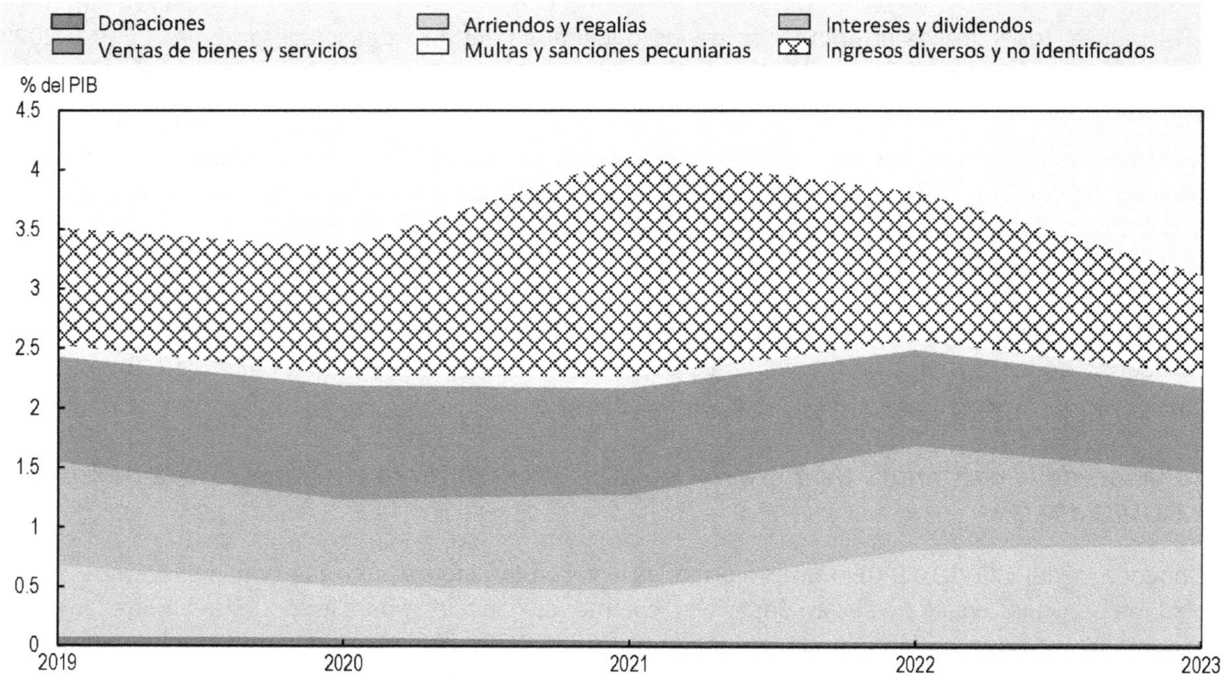

Nota: El promedio de ALC representa un promedio simple de 22 países excluyendo a los cuatro países miembros de la OCDE (Chile, Colombia, Costa Rica y México).
Fuente: Cálculo de los autores a partir de datos de fuentes nacionales (por ejemplo, el Ministerio de Economía, el Banco Central, la institución encargada de la Estadística, la Oficina de Presupuestos).

StatLink https://stat.link/sq5f6k

Comparación regional de los ingresos no tributarios

La base de datos *Global Revenue Statistics* de la OCDE ofrece actualmente datos comparables a nivel internacional sobre los ingresos no tributarios de 35 de los 36 países africanos y más de la mitad de las 36 economías de Asia-Pacífico hasta 2022. Se pueden observar varias distinciones importantes entre África, Asia y el Pacífico, y la región de ALC. Por coherencia con los datos de los países de ALC presentados en este capítulo, los datos analizados en esta sección son ingresos no tributarios de los gobiernos centrales cuando están disponibles.

En promedio, las economías de Asia-Pacífico declararon el mayor nivel de ingresos no tributarios de las tres regiones, por encima del 10% del PIB en promedio durante los cuatro años comprendidos entre 2019 y 2022 en las 21 economías[9]. Los ingresos no tributarios de las Islas Marshall y de Nauru ascendieron a más de un 50% del PIB en 2022. En comparación, los países africanos recaudaron cerca de un 6% del PIB en promedio durante el mismo período, mientras que los 22 países de ALC que se estudian aquí recaudaron menos de un 5% en promedio (Gráfico 2.6). Esto contrasta con la recaudación tributaria, que fue sistemáticamente más elevada como proporción del PIB en promedio en los diferentes países de ALC durante ese período, seguida de Asia-Pacífico (19.3% en 2022) y África (16.0% en 2022).

Los ingresos por la venta de bienes y servicios, en particular por derechos de licencia y cargos por servicios del gobierno, representaron la mayoría de los ingresos no tributarios de la región de ALC (36.8% de los ingresos no tributarios totales) y superaron el 50% en ocho de los 22 países en 2022. En promedio, el mayor componente de los ingresos no tributarios de África fue la renta de la propiedad (43.3%), dentro de la cual los arriendos y las regalías supusieron un 28.8% de los ingresos no tributarios totales.

Gráfico 2.6. Ingresos no tributarios de las diferentes regiones por nivel (2019-2022) y estructura (2022)

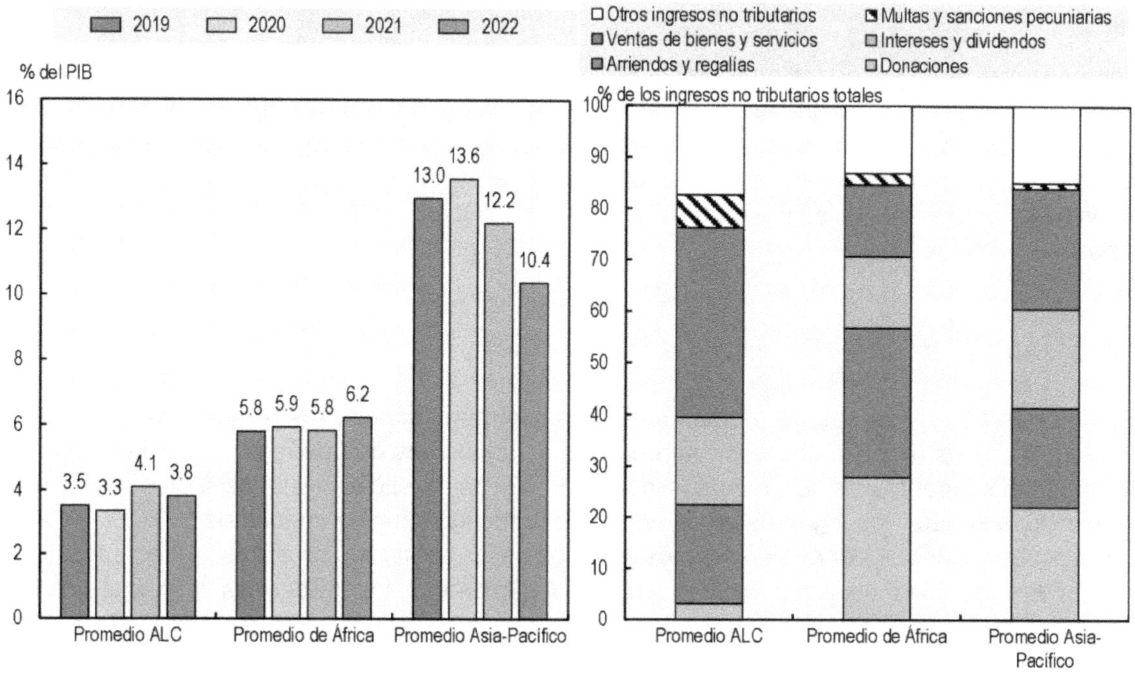

Nota: Los ingresos no tributarios utilizados en los cálculos se reciben al nivel del gobierno central cuando se encuentran disponibles. En las tres regiones, la mayoría de los países comunican datos sobre ingresos no tributarios del gobierno central, aunque un reducido porcentaje solo facilita datos de la administración general porque no está disponible un desglose por niveles administrativos. El promedio de ALC representa un promedio simple de 22 países excluyendo a los cuatro miembros de la OCDE (Chile, Colombia, Costa Rica y México). El promedio de África representa una media simple de 35 países africanos que reportan datos sobre ingresos no tributarios para las *Estadísticas tributarias de África*. El promedio de Asia-Pacífico representa una media simple de 21 economías de Asia-Pacífico que comunican datos sobre ingresos no tributarios para las *Estadísticas tributarias de Asia y el Pacífico* de la OCDE, a excepción de Tokelau por problemas con los datos.
Fuente: *OECD Global Revenue Statistics* (base de datos); Cálculo de los autores a partir de datos de fuentes nacionales (por ejemplo, el Ministerio de Economía, el Banco Central, la institución encargada de la Estadística, la Oficina de Presupuestos).

StatLink https://stat.link/1g4dxj

En el caso de un gran número de países africanos, la mayor parte de los ingresos no tributarios procedió de ingresos relacionados con los sectores extractivos (es decir, del petróleo, el gas, los minerales, la silvicultura y la pesca). En el caso de los nueve países africanos, los ingresos relacionados con las industrias extractivas representaron la mayoría de los ingresos no tributarios; en tres países africanos (Guinea Ecuatorial, Gabón y la República del Congo), representaron más del 95%. La práctica totalidad de los ingresos de las industrias extractivas de dichos países procedió del petróleo y el gas.

Las economías de la región de Asia-Pacífico obtuvieron además el mayor porcentaje de sus ingresos no tributarios de la renta de la propiedad en 2022 en promedio (40.6%), aunque esa cantidad se repartió de manera igualitaria entre arriendos y regalías e intereses y dividendos (cerca del 19% en cada caso). Los arriendos y las regalías procedentes de los recursos naturales se vieron impulsadas principalmente por las actividades de pesca en determinadas islas del Pacífico y los ingresos procedentes del petróleo y los minerales en Kazajstán y Mongolia. Los pagos de intereses y dividendos se produjeron principalmente en los centros financieros internacionales de Hong Kong (China) y Singapur, así como en Pakistán y (en menor medida) en Tailandia.

La otra diferencia estructural principal entre los ingresos no tributarios de estas tres regiones fue la menor contribución de las donaciones procedentes de gobiernos extranjeros y organizaciones internacionales a la región de ALC. Las donaciones externas que recibieron los países de ALC en 2022, con un 0.04% del PIB en promedio, fueron considerablemente inferiores a las incluidas en los informes de África y Asia-Pacífico.

Los ingresos promedio por donaciones de los 35 países africanos ascendieron a un 1.3% del PIB en 2022 en promedio. Dieciséis países africanos recibieron ingresos por donaciones que ascendieron a menos de un 0.5% del PIB en 2022 y nueve países recibieron más de la mitad de sus ingresos no tributarios en forma de donaciones. En Asia-Pacífico, las donaciones representaron una proporción significativa de los ingresos no tributarios totales en Bután, Camboya, las Islas Cook, las Islas Marshall, Papúa Nueva Guinea y Samoa.

Conclusión

Tener en cuenta los ingresos no tributarios es esencial para adquirir un conocimiento integral de las finanzas públicas de un país, sobre todo en el caso de los países que dependen considerablemente de los ingresos procedentes de los recursos naturales. En tales situaciones, los ingresos no tributarios podrían incluso superar los ingresos procedentes de la recaudación de impuestos (OECD, 2024[4]). Este capítulo recaba y clasifica por primera vez los ingresos de los gobiernos centrales procedentes de fuentes no tributarias tales como los arriendos, las regalías, los intereses, los dividendos, las ventas de bienes y servicios, las multas y sanciones pecuniarias, y las donaciones de los países de ALC. Se presentan y analizan las tendencias de las estructuras y los niveles de los ingresos no tributarios de 22 países entre 2019 y 2023.

En 2023, los ingresos no tributarios de los gobiernos centrales oscilaron entre el 11.6% del PIB en Cuba y el 0.4% en Perú. En 2023, el promedio de los ingresos no tributarios en ALC se situó en el 3.1% del PIB. Esta cifra es considerablemente inferior a la recaudación tributaria como proporción del PIB promedio de 21.2% en 2023 de los 22 países que se incluyen en este capítulo (que oscilan entre un 11.5% en Guyana y un 32.0% en Brasil). En 2023, las ventas de bienes y servicios fueron la fuente principal de ingresos no tributarios de la administración central de más de la mitad de los 22 países de ALC, seguidos de la renta de la propiedad, que engloba los arriendos, las regalías, los intereses y los dividendos.

Los ingresos no tributarios cayeron un 0.2% del PIB en 2020, primer año de la pandemia del COVID-19 Pese a que estas pérdidas se recuperaron por completo en 2021, los ingresos no tributarios descendieron de nuevo 0.3 p.p. en 2022 y 0.7 p.p. en 2023.

Esta sección especial allana el camino para realizar, en el futuro, un estudio en mayor profundidad de datos más detallados y pormenorizados. De cara al futuro, podrían realizarse estudios tales como análisis de datos sobre ingresos no tributarios subnacionales que suelen ser más difíciles de obtener; análisis de los datos no tributarios durante un horizonte cronológico más amplio; un estudio de información nacional específica para extraer más datos sobre las tendencias y la composición de los ingresos no tributarios; o estudios temáticos sobre los ingresos no tributarios procedentes de fuentes de especial interés.

Referencias

OECD (2025), *Global Revenue Statistics (database)*, OECD Publishing, Paris, https://www.oecd.org/en/data/datasets/global-revenue-statistics-database.html. [7]

OECD (2024), *Revenue Statistics in Asia and the Pacific 2024: Tax Revenue Buoyancy in Asia*, OECD Publishing, Paris, https://doi.org/10.1787/e4681bfa-en. [4]

OECD (2021), *Revenue Statistics 2021: The Initial Impact of COVID-19 on OECD Tax Revenues*, OECD Publishing, Paris, https://doi.org/10.1787/6e87f932-en. [6]

OECD et al. (2025), *Estadísticas tributarias en América Latina y el Caribe 2025*, OECD Publishing, Paris https://doi.org/10.1787/f0bee3b4-es. [2]

OECD/AUC/ATAF (2024), *Revenue Statistics in Africa 2024: Facilitation and Trust as Drivers of Voluntary Tax Compliance in Selected African Tax Administrations*, OECD Publishing, Paris, https://doi.org/10.1787/78e9af3a-en. [3]

OECD et al. (2023), *Estadísticas tributarias en América Latina y el Caribe 2023*, OECD Publishing, Paris, https://doi.org/10.1787/5a7667d6-es. [5]

OECD et al. (2024), *Estadísticas tributarias en América Latina y el Caribe 2024*, OECD Publishing, Paris, https://doi.org/10.1787/ec57392c-es. [1]

Anexo 2.A. Clasificación de los ingresos no tributarios

La definición de los ingresos no tributarios y de las subcategorías principales se corresponde en general con los conceptos recogidos en el Manual de Estadísticas de Finanzas Públicas de 2014 del FMI. Ingresos no tributarios se refiere a los incrementos del patrimonio neto público resultante de operaciones diferentes a la recaudación de impuestos. Excluyen fondos derivados de la amortización de préstamos previos por parte de las administraciones o créditos o ingresos obtenidos con ventas de activos de capital fijo, acciones, terrenos y activo intangible o regalos privados. Los ingresos no tributarios se componen de cinco elementos principales.

Donaciones

El Manual de Estadísticas de Finanzas Públicas de 2014 indica que «las donaciones son transferencias recibidas por las unidades del gobierno, de parte de otras unidades del gobierno residentes o no residentes o de organismos internacionales, sin recibir de parte de esta ningún bien, servicio ni activo como contrapartida directa. Por lo general, las donaciones se reciben en efectivo, pero también pueden darse en forma de bienes o servicios (en especie).» Estas transferencias no son reembolsables ni se recibe ninguna contrapartida por ellas.

Las donaciones engloban las reparaciones y los regalos realizados en relación con proyectos o programas particulares. El término «donaciones» no se utiliza para referirse a las transferencias a unidades no gubernamentales o procedentes de estas, y excluye las transferencias intergubernamentales. El reenvío de fondos cobrados por una administración en nombre de otra en calidad de mandataria no debería constar como recibo de una donación por parte de la administración beneficiaria sino como una recepción directa de ingresos.

Renta de la propiedad

En esta categoría se incluyen los ingresos de la administración derivados de su participación en propiedades, empresas, activos financieros o activos intangibles cuando las unidades de gobierno los ponen a disposición de otras unidades. Las ventas de activos no financieros, entre otras las ventas de terrenos, no se contabilizan como ingresos porque la enajenación de un activo de ese tipo no incrementa el patrimonio neto. De igual manera, las amortizaciones de préstamos y desembolsos de préstamos no son ingresos. La renta de la propiedad puede tomar la forma de dividendos, intereses, arriendos de terrenos, regalías o retiros de ingresos empresariales.

- Intereses y dividendos: Los intereses son los ingresos obtenidos por la unidad de gobierno a partir de un activo financiero al ponerlo a disposición de otra unidad institucional. Los dividendos son los ingresos obtenidos al poner los fondos de capital a disposición de una sociedad (sociedad residente o no residente). Esta categoría consta además de los beneficios de las empresas de propiedad estatal, salvo los clasificados como beneficios de monopolios fiscales, monopolios de exportación y monopolios importación o quienes prestan servicios públicos tales como el transporte ferroviario, la electricidad, las oficinas de correo postal y otras comunicaciones. En esta categoría se incluyen los ingresos de las instituciones financieras públicas, por ejemplo, los beneficios de los bancos centrales, los beneficios transferidos o distribuidos por el cumplimiento de las funciones de las autoridades monetarias, aparte del banco central, y los beneficios de las loterías del Estado transferidos al gobierno. Las transferencias procedentes de las empresas de servicios públicos se registran como ingresos no tributarios en concepto de «ventas de bienes y servicios», mientras que los beneficios de monopolios fiscales, de exportación o de importación se clasifican como ingresos tributarios.

- Arriendos o regalías: un arriendo es el ingreso generado a partir de recursos naturales, tales como los terrenos, los recursos mineros o petrolíferos, cuando una unidad del gobierno los pone a disposición de entidades privadas o extranjeras. Los arriendos recibidos están relacionados con un acuerdo por el que se otorga el arrendamiento de recursos para la explotación y extracción de un recurso natural por el arrendatario a cambio de un pago. Los pagos por derechos de exploración también se consideran un arriendo. Los arriendos no deberían confundirse con otros pagos que puede recibir un gobierno en relación con la explotación del subsuelo y activos similares, tales como indemnizaciones por despido, licencias de actividad u otros tributos (por ejemplo, impuestos sobre el valor agregado, impuestos especiales, impuestos a las exportaciones, etc.). Tampoco deberían interpretarse como ingresos procedentes del alquiler de edificios y equipos, que se consideran ventas de bienes y servicios. Los ingresos por arriendos y regalías son, en algunos casos, difíciles de establecer y dependen del acuerdo entre la unidad del gobierno y el arrendatario. Por ejemplo, los arriendos, las regalías y los impuestos, entre ellos los impuestos de sociedades y el IVA, se engloban en ocasiones en un único pago al gobierno general. En tales casos, los ingresos deberían clasificarse dentro de la categoría a la que pertenezcan la mayoría de los ingresos.
- Otra renta de la propiedad: Este concepto incluye ingresos obtenidos por una unidad del gobierno que pone fondos a disposición de cuasisociedades. Desde el punto de vista conceptual, esta fuente de ingresos equivale a la de los dividendos obtenidos de una sociedad, pero, por definición, las cuasisociedades no pueden repartir beneficios en forma de dividendos. Esta categoría de «otras rentas de la propiedad» también incluye las utilidades retenidas o reinvertidas, es decir, el porcentaje de ingresos distribuibles no pagados en forma de dividendos sino retenidos por la sociedad o cuasisociedad en inversión extranjera; rentas de la propiedad procedentes de desembolsos de rentas de inversiones y rentas de la propiedad no identificadas.

Ventas de bienes y servicios

Los ingresos de la categoría «ventas de bienes y servicios» se registran generalmente en términos brutos, sin deducir los costos. Puesto que estos costos pueden representar una proporción significativa de los ingresos, no se pueden considerar en su totalidad como fondos a disposición de las administraciones para financiar sus actividades generales. Esto contrasta con los ingresos tributarios, en los que los costos de la recaudación suelen ser un pequeño porcentaje de los mismos. Esta diferencia implica que puede no ser significativo sumar los ingresos tributarios y no tributarios al calcular los fondos generalmente disponibles.

Los ingresos por las ventas de activos no financieros, tales como la venta de edificios o terrenos, no se clasifican como ingresos porque su enajenación no incrementa el patrimonio neto. La venta de bienes y servicios consiste en la venta de bienes y servicios públicos por parte de establecimientos de mercado y no de mercado, derechos administrativos por la prestación de servicios del gobierno y el arrendamiento de edificios y equipos de la administración.

Multas, sanciones pecuniarias y depósitos en caución transferidos

El Manual de Estadísticas de Finanzas Públicas de 2014 indica que «las multas y sanciones pecuniarias son transferencias corrientes obligatorias impuestas a las unidades por los tribunales de justicia u órganos cuasijudiciales por violar leyes o normas administrativas. Los acuerdos extrajudiciales también están incluidos (...). Los depósitos en caución transferidos son montos que fueron depositados en una unidad del gobierno general, a la espera de la conclusión de un proceso legal o administrativo pendiente, y que serán transferidos a la unidad como parte de la resolución de dicho proceso pendiente». Las multas de tráfico, por ejemplo, se incluyen en esta categoría. Las multas y sanciones pecuniarias aplicadas por impuestos en mora o las sanciones pecuniarias por evasión de impuestos deben registrarse en esta categoría y no como impuestos. Sin embargo, si no es posible separar los pagos de impuestos y multas, debería registrarse el monto íntegro junto con el impuesto con el cual se relaciona.

Ingresos diversos y no identificados

Esta categoría consta de los ingresos no tributarios no identificados y aquellos que no encajan en ninguna de las demás categorías enumeradas anteriormente. Incluye ingresos tales como regalos y transferencias de personas, instituciones privadas sin ánimo de lucro, fundaciones no gubernamentales, sociedades o fuentes diferentes de las administraciones y las organizaciones internacionales. Los pagos no recurrentes principales que se reciben en compensación por daños y perjuicios generales o lesiones graves no cubiertos por pólizas de seguro también se incluyen, entre otros pagos de compensaciones por daños y perjuicios ocasionados por explosiones generalizadas; vertidos de petróleo o pagos recibidos por daños y perjuicios a la propiedad que no sean pagos procedentes de la liquidación de un seguro.

Esta categoría incluye también las contribuciones reales e imputadas a programas de seguro social implantados por las administraciones en calidad de empleadores en nombre de sus empleados, que no generan una obligación futura definida, así como la suma de las contribuciones voluntarias totales.

Notas

[1] Existe un solapamiento entre este capítulo y el Capítulo 3. Aunque los datos sobre ingresos mostrados en este capítulo coinciden en general con los presentados en el Capítulo 3, las cifras pueden ser inferiores en este capítulo. Las discrepancias pueden deberse a varias razones, relacionadas con la disponibilidad y la granularidad de los datos analizados en cada capítulo: diferencias en el nivel de gobierno cubierto (por ejemplo, Argentina), fuentes de datos (por ejemplo, Ecuador) o clasificación (por ejemplo, Guyana).

[2] Los datos de Belice, Bolivia, Cuba y Ecuador se refieren a los ingresos no tributarios de la administración general, ya que no se dispone de un desglose por niveles de gobierno. Se excluyen de este análisis los cuatro miembros de la OCDE (Chile, Colombia, Costa Rica y México) debido a los diferentes enfoques de recopilación de datos.

[3] Se analizan datos al nivel del gobierno central para lograr una cobertura nacional más amplia, puesto que es difícil obtener datos sobre ingresos a nivel subnacional en relación con algunos países. De acuerdo con la práctica internacional, el capítulo incluye transferencias de otras unidades de la administración general en los ingresos no tributarios de los gobiernos centrales dentro de la categoría de ingresos diversos y no identificados. Los ingresos no tributarios al nivel de la administración general no incluyen ese tipo de transferencias.

[4] La presión tributaria equivalente es un indicador complementario de la recaudación tributaria como proporción del PIB que incluye dos fuentes de ingresos adicionales: las contribuciones a los sistemas de seguridad social privados (pensiones y salud) y los ingresos no tributarios procedentes de la explotación de recursos naturales (OECD et al., 2024[1]).

[5] Representa un promedio simple de 22 países de ALC excluyendo a los cuatro países miembros de la OCDE de la región de ALC (Chile, Colombia, Costa Rica y México).

[6] Los datos de El Salvador no distinguen entre ingresos procedentes de multas y sanciones pecuniarias y otros ingresos no tributarios.

[7] Pese a que no se dispone del desglose de los ingresos diversos y no identificados de Cuba, estos ingresos podrían ser las ventas de bienes y servicios por parte de las empresas de propiedad estatal. Las empresas de propiedad estatal constituyen un elevado porcentaje de sectores clave, tales como el azucarero, el tabaquero, el farmacéutico, el energético, el turístico y el de telecomunicaciones, y contribuyen de manera importante a las ventas y exportaciones de Cuba.

[8] El promedio de ingresos tributarios de ALC representa el promedio no ponderado de 22 países de ALC incluidos en este capítulo sin contar con Cuba (hasta 2020), debido a los problemas con los datos: una reforma monetaria introducida en 2021 provocó un cambio sustancial de la recaudación tributaria como proporción del PIB entre 2020 y 2021 (OECD et al., 2023[5]).

[9] Veintidós economías de Asia y el Pacífico comunicaron datos de ingresos no tributarios para la edición de 2024 de las *Estadísticas tributarias de Asia y el Pacífico*. Sin embargo, se excluye Tokelau del cálculo del promedio regional porque su recaudación como proporción del PIB superó el 100% debido a un método de cálculo del PIB diferente.

3 Ingresos fiscales provenientes de recursos naturales no renovables en América Latina y el Caribe

Recuadro 3.1. Principales hallazgos

A pesar del papel clave que desempeñó América Latina y el Caribe (ALC) en el suministro mundial de petróleo crudo en 2023, los ingresos fiscales provenientes de la exploración y producción de petróleo y gas registraron una pronunciada caída como consecuencia de la disminución de los precios internacionales. Los ingresos totales se redujeron en un 22%, alcanzando los USD 90.9 mil millones, frente a los USD 115.4 mil millones presentados en 2022. Como resultado, los ingresos fiscales en la región descendieron a un promedio del 3.9% del PIB, desde el 4.4% registrado el año anterior. Esta disminución se debió principalmente a la contracción de los ingresos no tributarios, ya que los ingresos tributarios se mantuvieron relativamente estables, con un incremento en Colombia que compensó en gran medida la caída registrada en Trinidad y Tobago.

Los ingresos fiscales vinculados a la actividad minera también disminuyeron en 2023, reflejando el impacto de la baja de los precios sobre las utilidades. Los ingresos totales cayeron a USD 24.4 mil millones desde los USD 29.8 mil millones de 2022, lo que representa un promedio del 0.59% del PIB, frente al 0.74% del año anterior. Esta reducción se debió principalmente a una marcada caída en los pagos anuales por declaración del impuesto de sociedades (IS), también conocido como el impuesto sobre la renta de personas jurídicas, así como a menores pagos anticipados. Los ingresos no tributarios se mantuvieron estables como proporción del PIB, ya que los mayores volúmenes de producción en algunos países compensaron parcialmente el efecto de la disminución de los precios de los productos básicos.

En 2024, los ingresos provenientes de recursos naturales no renovables continuaron disminuyendo, en un contexto de débil actividad económica mundial y tensiones geopolíticas persistentes. Se estima que los ingresos por hidrocarburos se redujeron al 3.2% del PIB, a pesar de una caída moderada en los precios internacionales, impulsados principalmente por contracciones significativas en Colombia y Trinidad y Tobago. Los ingresos mineros también se debilitaron, descendiendo al 0.5% del PIB, debido en gran medida a disminuciones significativas en Colombia y Chile, este último como resultado de una marcada caída en los ingresos vinculados al litio.

Los ingresos por hidrocarburos disminuyeron en la región durante 2023

Los mercados mundiales de petróleo y gas continuaron siendo volátiles en 2023, tras un año de marcadas fluctuaciones en 2022. El crecimiento económico se desaceleró significativamente en la primera mitad del año, particularmente en Europa, donde los efectos persistentes del shock de precios energéticos de 2022 continuaron afectando la actividad económica. Si bien la inflación mostró una tendencia a la baja, se mantuvo en niveles elevados, mientras que las condiciones monetarias restrictivas comenzaron a ejercer una presión cada vez mayor sobre la actividad económica y los mercados financieros globales. En las economías en desarrollo, el crecimiento también fue débil, destacándose un desempeño inferior al esperado en China durante el segundo trimestre. En este contexto, los precios de referencia del crudo registraron una disminución, con caídas interanuales de 38% para el Brent y 39% para el West Texas Intermediate (WTI) en junio. Los precios del gas natural en Estados Unidos y Europa experimentaron descensos aún más pronunciados en el mismo período, de 72% y 69% respectivamente.

La caída de los precios de la energía también respondió a condiciones de sobreoferta en los mercados mundiales de petróleo, especialmente durante el primer trimestre del año, profundizando la tendencia iniciada en 2022. En este contexto, en abril de 2023, varios miembros de la Organización de Países Exportadores de Petróleo y países aliados (OPEP+) anunciaron recortes voluntarios de su producción equivalentes a 1.66 millones de barriles diarios, vigentes desde mayo hasta fin de año (OPEC, 2023[1]). Arabia Saudita adoptó medidas unilaterales adicionales, incluyendo un recorte voluntario adicional de 1 millón de barriles diarios en julio, que posteriormente fue prorrogado hasta fin de año. La Federación de Rusia también anunció su intención de reducir sus exportaciones de crudo.

Cuadro 3.1. América Latina y el Caribe y grupos de países seleccionados: producción y exportaciones de petróleo crudo y gas natural, 2022-2023

Miles de millones de barriles diarios y miles de millones de metros cúbicos estándar

Agrupaciones de países y países seleccionados	Petróleo crudo (miles de millones de barriles diarios)						Gas natural seco (miles de millones de metros cúbicos estándar)					
	Producción			Exportaciones			Producción			Exportaciones		
	2022	2023	2023-2022	2022	2023	2023-2022	2022	2023	2023-2022	2022	2023	2023-2022
América Latina y el Caribe	**7.9**	**8.6**	**0.7**	**4.1**	**4.6**	**0.5**	**189.9**	**189.8**	**-0.1**	**28.4**	**25.9**	**-2.4**
Argentina	0.6	0.6	0.1				44.0	43.7	-0.3	2.5	2.3	-0.1
Bolivia	0.0	0.02	0.0				14.1	12.3	-1.8	10.1	7.8	-2.3
Brasil	3.0	3.4	0.4	1.3	1.7	0.4	22.3	22.7	0.4			
Colombia	0.8	0.8	0.0	0.5	0.5	0.0	11.3	10.9	-0.4			
Ecuador	0.5	0.5	0.0	0.3	0.3	0.0	0.3	0.3	0.0			
Guatemala	0.0	0.01	0.0									
Guyana	0.3	0.4	0.1	0.3	0.4	0.1						
México	1.8	1.9	0.1	1	1.1	0.1	31.4	33.1	1.7			
Perú	0.0	0.04	0.0				13.7	14.6	1.0	4.6	4.9	0.3
Trinidad y Tobago	0.1	0.1	0.0	0.1	0.1	0.0	27.0	26.0	-1.0	11.1	10.7	-0.4
Venezuela	0.7	0.8	0.0	0.4	0.6	0.1	23.5	23.9	0.4			
Otros ALC	0.1	0.05	0.0	0.1	0	-0.1	2.2	2.2	0.0	0.1	0.2	0.1
Total Mundo	80.9	82	1.1	43.5	43.8	0.3	4134	4143	9.0	1285	1219	-65.4
OPEP	29.6	29	-0.5	20.3	19.7	-0.6	648	657	8.5	102	96	-6.7
Arabia Saudita	10.6	9.7	-0.9	7.4	6.7	-0.7	122	121	-0.7			
No-OPEP	51.3	52.9	1.6	23.2	24.1	0.9	3486	3486	0.5	1182	1124	-58.7
Federación de Rusia	10.3	10.3	0.0	4.8	4.6	-0.2	649	613	-35.5	178	124	-53.3
Estados Unidos	12.0	12.9	0.9	3.6	4.1	0.5	1029	1072	42.9	195	215	20.0

Fuente: Comisión Económica para América Latina y el Caribe (CEPAL), con base en datos de la Administración de Información Energética de Estados Unidos (EIA) y Boletín Estadístico Anual 2024, Organización de Países Exportadores de Petróleo (OPEP).

En la segunda mitad del año, los precios de referencia de la energía tendieron a la estabilidad, conforme el mercado mundial de petróleo recuperó su equilibrio. A pesar de los recortes voluntarios de producción por parte de algunos países de la OPEP+, la producción global de crudo aumentó en 2023. La fuerte contracción de la producción en Arabia Saudita, de -0.9 millones de barriles diarios, fue compensada en su totalidad por niveles récord de producción en Brasil y Estados Unidos, con aumentos de 0.4 y 0.9 millones de barriles diarios, respectivamente (véase Cuadro 3.1). A ello se sumó un repunte de las exportaciones de la República Islámica de Irán y la entrada en operación de nuevos yacimientos en Guyana.

Las exportaciones de la región de ALC crecieron en consonancia con el aumento de la producción. Paralelamente, la demanda mundial se intensificó, impulsada por el sólido crecimiento en Estados Unidos y el repunte de la actividad económica en China, tras el levantamiento de las restricciones por COVID-19 y el auge en la producción petroquímica. Los precios también registraron aumentos moderados como consecuencia del estallido del conflicto entre Israel y la Franja de Gaza, así como de los ataques perpetrados por los rebeldes hutíes en el mar Rojo, aunque dichos incrementos resultaron ser transitorios.

Si bien la región de ALC se consolidó durante el año como uno de los principales impulsores del suministro mundial de crudo, los ingresos fiscales provenientes de la exploración y producción de petróleo y gas se redujeron de forma pronunciada. Los ingresos totales alcanzaron los USD 90.9 mil millones en 2023, lo que representa una caída del 22% en comparación con los USD 115.4 mil millones registrados en 2022 (véase Cuadro 3.2). Esta evolución estuvo en gran medida alineada con la trayectoria de los precios de referencia del crudo, que registraron disminuciones de 17% para el Brent y 16% para el West Texas Intermediate (WTI) en el promedio para el año. En términos relativos, los ingresos totales promediaron el 3.9% del PIB en 2023, frente al 4.4% del PIB en 2022. Esta disminución se debió exclusivamente a una reducción de los ingresos no tributarios, mientras que los ingresos tributarios se mantuvieron estables en promedio. En algunos casos, esta dinámica se vi acentuada por la apreciación de las monedas locales, como ocurrió en Brasil y México, lo que provocó una disminución de los ingresos expresados en moneda nacional.

La relativa estabilidad de los ingresos tributarios en la región oculta una gran heterogeneidad a nivel país. La caída en los ingresos por el IS en países como Brasil y Perú fue consecuencia de menores pagos anuales por la declaración de impuestos (Receita Federal, 2024[2]; MEF, 2024[3]). Esto reflejó los elevados pagos anticipados realizados en 2022, los cuales se basaron en las obligaciones fiscales anuales canceladas durante dicho año correspondientes al año fiscal 2021. En un entorno de precios más bajos y menores ganancias, estos pagos anticipados realizados en 2022 cubrieron una parte sustancial de las obligaciones tributarias anuales por regularizar en 2023. La caída de los precios de referencia del petróleo y gas también afectó negativamente los ingresos tributarios en Trinidad y Tobago, aunque este efecto fue parcialmente compensado por ingresos extraordinarios derivados de una amnistía fiscal (MOF, 2023[4]).

La disminución de los ingresos tributarios en muchos países de la región fue contrarrestada por un aumento significativo en los pagos por IS en Colombia. La reforma tributaria estructural aprobada a fines de 2022 introdujo cambios sustanciales en el IS aplicado al sector extractivo, incluyendo una sobretasa aplicable a las empresas dedicadas a la extracción de crudo y carbón. Esta sobretasa, determinada en función del precio del Brent, contempla incrementos del 0%, 5%, 10% o 15%, que se suman a la tasa base del 35%. Para el ejercicio fiscal 2023, la sobretasa aplicable a las empresas del sector extractivo de crudo se estableció en 10% (Ecopetrol, 2024[5]).

La reforma también eliminó la deducibilidad de los pagos de regalías en el cálculo del IS, una medida que generó ingresos adicionales estimados en 0.2% del PIB en 2023 (Minhacienda, 2024[6]). No obstante, en noviembre de 2023, la Corte Constitucional declaró esta disposición inconstitucional (Juriscol, 2024[7]). En consecuencia, las empresas del sector acumularán importantes créditos fiscales que podrán ser utilizados para compensar sus declaraciones anuales del ejercicio 2024.

Cuadro 3.2. América Latina y el Caribe (10 países): Ingresos fiscales del gobierno general provenientes de la exploración y producción de petróleo y gas, por tipo de ingreso, 2022-2023

Miles de millones de dólares, porcentaje, porcentaje del PIB y puntos porcentuales del PIB

País	Miles de millones de dólares			Porcentajes del PIB								
	Ingresos totales			Ingresos totales			Ingresos tributarios			Ingresos no tributarios		
	2022	2023	2023/2022 (%)	2022	2023	2023/2022 (p.p del PIB)	2022	2023	2023/2022 (p.p del PIB)	2022	2023	2023/2022 (p.p del PIB)
Argentina	3.4	3.0	-12	0.5	0.5	-0.1	0.12	0.06	-0.1	0.4	0.4	0.0
Bolivia (Est. Plur. de)	1.7	1.3	-20	3.8	3.0	-0.9	0.1	0.1	0.0	3.7	2.8	-0.9
Brasil	49.9	37.5	-25	2.6	1.7	-0.8	0.71	0.57	-0.1	1.8	1.2	-0.7
Colombia	9.4	12.4	31	2.7	3.4	0.7	0.6	1.2	0.6	2.1	2.2	0.0
Ecuador	11.2	9.1	-19	9.6	7.6	-2.0				9.6	7.6	-2.0
Guatemala	0.1	0.0	-53	0.06	0.03	-0.04	0.02	0.02	-0.004	0.04	0.01	-0.03
Guyana	1.4	1.6	14	9.7	9.4	-0.3				9.7	9.4	-0.3
México	32.2	19.7	-39	2.2	1.1	-1.1	0.04	0.02	-0.01	2.2	1.1	-1.1
Perú	2.9	2.1	-30	1.2	0.8	-0.4	0.4	0.3	-0.1	0.8	0.5	-0.3
Trinidad y Tobago	3.2	3.3	4	11.2	11.7	0.5	7.2	6.7	-0.5	4.0	5.0	1.0
ALC	**115.4**	**90.0**	**-22**	**4.4**	**3.9**	**-0.4**	**0.9**	**0.9**	**0.0**	**3.4**	**3.0**	**-0.4**

Nota: Los datos de México corresponden a ingresos petroleros del gobierno federal; excluyen los ingresos propios de Pemex, el productor estatal de petróleo y gas. Los datos de Ecuador corresponden a los ingresos petroleros del sector público no financiero derivados de las exportaciones de petróleo crudo. Los datos de Guyana se refieren a los ingresos depositados en el Fondo de Recursos Naturales. Las ratios de ingresos fiscales/PIB de América Latina y el Caribe corresponden a un promedio simple de los países incluidos en la muestra. Es posible que las cifras no coincidan debido al redondeo.

Fuente: Comisión Económica para América Latina y el Caribe (CEPAL), sobre la base de datos de la base de datos de Ingresos Fiscales provenientes de Recursos Naturales No Renovables en América Latina y el Caribe de la CEPAL.

Los movimientos en los ingresos no tributarios derivados de la exploración y producción de petróleo y gas fueron impulsados principalmente por variaciones en los pagos de regalías y otras formas de participación estatal en el valor comercial de la producción. En muchos países, estos pagos disminuyeron en línea con la caída de los precios de referencia del crudo (véase Gráfico 3.1). Sin embargo, esta evolución no fue uniforme en toda la región.

En México, la caída fue amplificada por una apreciación del peso del 12% y por medidas de alivio fiscal que permitieron a Pemex postergar algunos pagos de octubre y noviembre hasta enero de 2024 (FMPED, 2024[8]; SHCP, 2024[9]). En Perú, los pagos por regalías de hidrocarburos se vieron fuertemente afectados por una caída del 44% en el precio unitario promedio anual del gas natural (Perúpetro, 2024[10]).

En contraste, los pagos al Fondo Nacional de Recursos de Guyana aumentaron, ya que el incremento en la producción compensó con creces la caída de precios. Los ingresos por regalías también aumentaron en Trinidad y Tobago, debido principalmente a pagos derivados de contratos de participación en las utilidades correspondientes al año anterior (MOF, 2023[4]).

Gráfico 3.1. América Latina y el Caribe (10 países): Variación interanual de los ingresos no tributarios del gobierno general por exploración y producción de petróleo y gas, 2022-2023

Porcentajes y porcentaje del PIB

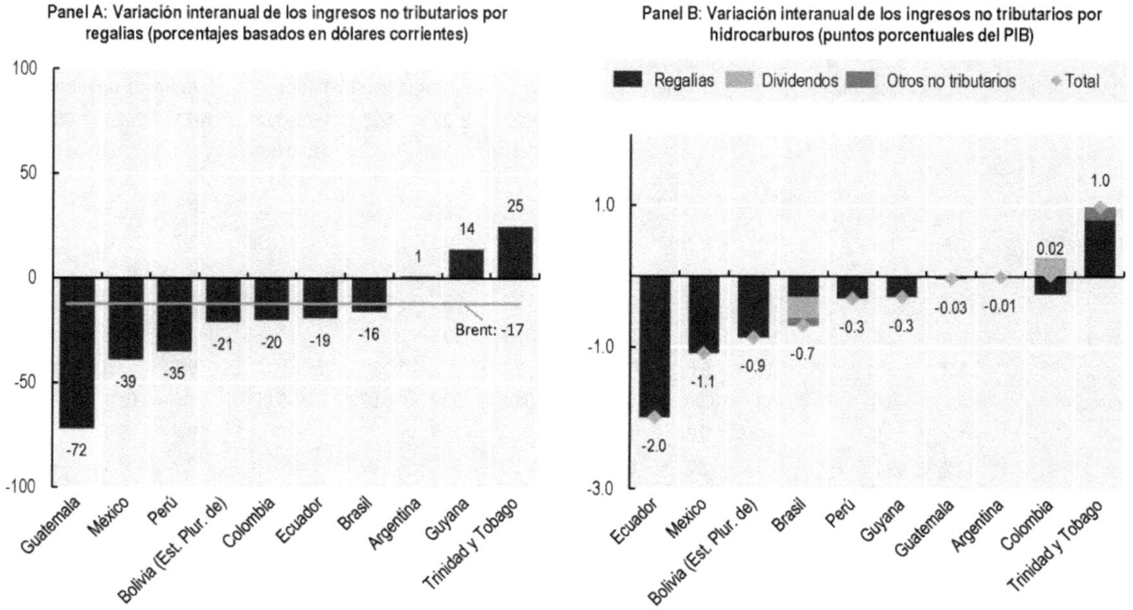

Nota: Los datos de México corresponden a los ingresos petroleros del gobierno federal, excluyen los ingresos propios de Pemex, el productor estatal de petróleo y gas. Los datos de Ecuador corresponden a los ingresos petroleros del sector público no financiero derivados de las exportaciones de petróleo crudo. Los datos de Guyana se refieren a los ingresos depositados en el Fondo de Recursos Naturales.
Fuente: Comisión Económica para América Latina y el Caribe (CEPAL), sobre la base de datos de la base de datos de Ingresos Fiscales provenientes de Recursos Naturales No Renovables en América Latina y el Caribe de la CEPAL.

StatLink https://stat.link/hk0lnr

Los ingresos fiscales provenientes de la minería disminuyeron en 2023

Los precios internacionales de minerales y metales también estuvieron fuertemente influenciados por las condiciones macroeconómicas globales en 2023. La desaceleración del crecimiento económico y la contracción de la producción industrial, en particular en las economías avanzadas, redujeron la demanda. La política monetaria restrictiva contribuyó además a frenar la actividad en el sector de la construcción.

En China, la construcción residencial se mantuvo débil, a pesar de las medidas adoptadas para estimular la confianza de los consumidores. La producción de acero – uno de los principales determinantes de la demanda de mineral de hierro y níquel – se estancó, con fuertes caídas en Europa y América del Norte. Paralelamente, el consumo de carbón térmico se redujo considerablemente, en un contexto de disminución de los precios de referencia del petróleo y el gas natural.

Si bien los precios promedio de muchos minerales y metales registraron caídas durante el año, algunos presentaron un punto de inflexión a mitad de año (véase Gráfico 3.2). La demanda de mineral de hierro y cobre repuntó en la segunda mitad de 2023, en parte debido a una fuerte recuperación de la producción de acero en China durante julio y al aumento de la producción de bienes de bajo contenido de carbono, como vehículos eléctricos e infraestructura para energías renovables (Banco Mundial, 2023[11]). Los precios de los metales preciosos también mostraron una tendencia al alza, reflejando el papel del oro como activo refugio.

Gráfico 3.2. Variación interanual de los precios spot internacionales de minerales y metales seleccionados, 2022-2023

Porcentajes, promedio móvil de 12-meses

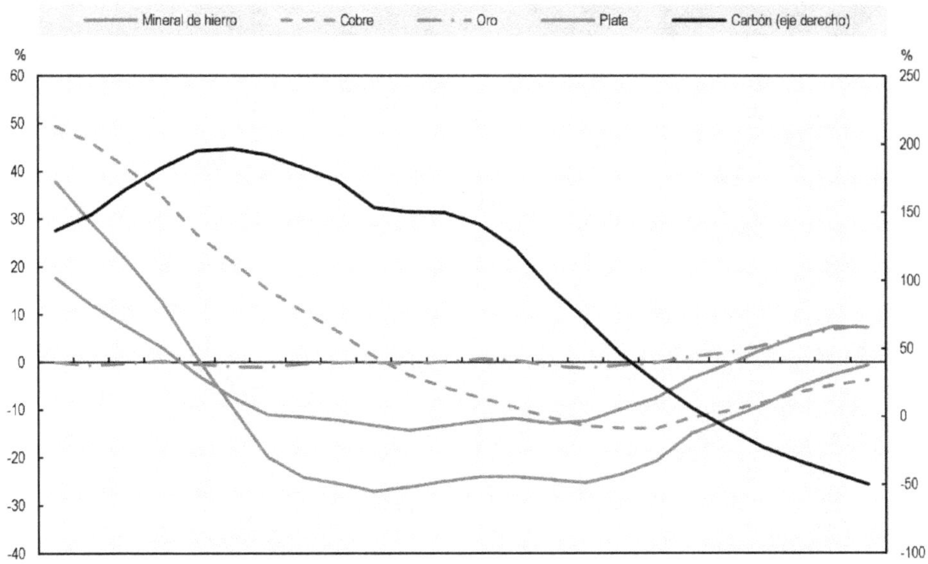

Fuente: Comisión Económica para América Latina y el Caribe (CEPAL), sobre la base de Commodity Price Data (The Pink Sheet) del Banco Mundial

StatLink https://stat.link/arv69i

La dinámica de los precios también respondió al crecimiento de la oferta mundial de minerales y metales. América Latina y el Caribe, que alberga a varios de los principales países productores a nivel global, contribuyó a esta tendencia. La producción de cobre aumentó un 3.9%, impulsada por un importante repunte en Perú, donde la producción continuó creciendo en la mina Quellaveco de Anglo American, que inició operaciones en la segunda mitad de 2022 (MINEM, 2024[12]).

En contraste, la producción de cobre en Chile se redujo, debido principalmente a una caída del 9% en la producción de Codelco, atribuida en parte a lluvias intensas en la primera mitad del año, así como a menores concentraciones de mineral y detenciones por mantenimiento en algunas plantas de procesamiento (Codelco, 2024[13]).

La producción también se incrementó en otros metales industriales clave, como el zinc, el plomo y el estaño, particularmente en Brasil, Perú y el Estado Plurinacional de Bolivia, que se encuentran entre los principales productores mundiales. La producción de mineral de hierro aumentó significativamente en Brasil, mientras que la producción de carbón se expandió en Colombia. La producción de litio creció un 15.8% en Chile. Por su parte, la evolución de la producción de metales preciosos, en particular el oro, mostró una amplia heterogeneidad entre países, aunque el volumen total de producción disminuyó, principalmente debido a caídas en Brasil, México y el Estado Plurinacional de Bolivia.

Cuadro 3.3. América Latina y el Caribe (11 países): Producción minera, por país y producto, 2022-2023

Miles de toneladas métricas y porcentajes

Metales y minerales	Año y cambio porcentual	Producción en miles de toneladas métricas a menos que se especifique lo contrario											
		ALC-11	Argentina	Bolivia (Est. Plur. de)	Brasil	Chile	Colombia	República Dominicana	Ecuador	Jamaica	México	Nicaragua	Perú
Cobre	2022	8575		4	298	5330	7	5			486		2445
	2023	8910		4	376	5250	6	10			509		2755
	% cambio	3.9		7.6	26.4	-1.5	-12.8	80.5			4.7		12.7
Zinc	2022	2368		518	155			5			319		1370
	2023	2449		492	194			11			283		1469
	% cambio	3.4		-5.2	25.0			97.6			-11.4		7.3
Plomo	2022	488		90							143		255
	2023	511		103							134		273
	% cambio	4.6		14.3							-5.9		7.0
Estaño	2022	62		18	16								28
	2023	70		19	25								26
	% cambio	12.9		5.5	56.2								-7.1
Níquel	2022	135			64		42	29					
	2023	129			72		39	18					
	% cambio	-4.5			13.0		-7.4	-38.8					
Mineral de hierro	2022	271256			251022		498				6800		12937
	2023	293284			274298		653				5347		12986
	% cambio	8.1			9.3		31.2				-21.4		0.4
Carbón	2022	71401					66768				4633		
	2023	68436					68017				419		
	% cambio	-4.2					1.9				-91.0		
Bauxita / alúmina	2022	20477			15478					4999			
	2023	22966			15577					7389			
	% cambio	12.2			0.6					47.8			
Litio	2022	58	6		3	49							
	2023	71	10		5	57							
	% cambio	22.8	50.5		86.3	15.8							
Oro (toneladas métricas)	2022	462	35	53	62	31	52	22	15		83	11	97
	2023	457	35	47	55	35	61	18	23		70	13	100
	% cambio	-1.1	0.0	-12.7	-11.5	14.2	18.5	-20.8	52.9		-16.1	16.2	3.0
Plata (toneladas métricas)	2022	10085	550	1219		1160	36	73			3941	22	3084
	2023	10188	691	1345		1378	52	52			3593	37	3040
	% cambio	1.0	25.7	10.3		18.8	44.4	-29.1			-8.8	71.5	-1.4

Fuente: Comisión Económica para América Latina y el Caribe (CEPAL), sobre la base de Instituto Nacional de Estadísticas del Estado Plurinacional de Bolivia; Agência Nacional de Mineração do Brasil; Comisión Chilena de Cobre (Cochilco); Agencia Nacional de Minería de Colombia; Oficina Nacional de Estadística de la República Dominicana; Banco Central del Ecuador; Instituto Nacional de Estadística y Geografía de México; Banco Central de Nicaragua, Ministerio de Energía y Minas de Perú; Energy Institute; y, United States Geological Survey, Mineral Commodities Summaries: Lithium, 2024.

Las dinámicas del mercado impactaron significativamente los ingresos fiscales provenientes de la minería en la región de ALC durante 2023. Estos ingresos totalizaron USD 24.4 mil millones, lo que representó un promedio de 0.59% del PIB, un descenso frente a los USD 29.8 mil millones registrados en 2022, equivalentes a 0.74% registrado en 2022 (véase Cuadro 3.4). Esta disminución se debió principalmente a una fuerte caída en los pagos de impuestos por parte de las empresas mineras. A diferencia del sector de exploración y producción de hidrocarburos, donde los ingresos fiscales provienen mayoritariamente de instrumentos no tributarios vinculados al valor de la producción, los ingresos mineros dependen en gran medida de la tributación.

Cuadro 3.4. América Latina y el Caribe (12 países): Ingresos del gobierno general provenientes de la minería, 2022-2023

Miles de millones de dólares corrientes, porcentaje, porcentaje del PIB y puntos porcentuales del PIB

País	Miles de millones de dólares			Porcentajes del PIB								
	Ingresos totales			Ingresos totales			Ingresos tributarios			Ingresos no tributarios		
	2022	2023	2023/2022 (%)	2022	2023	2023/2022 (p.p del PIB)	2022	2023	2023/2022 ((p.p del PIB)	2022	2023	2023/2022 (p.p del PIB)
Argentina	0.3	0.2	-20	0.04	0.03	-0.01	0.03	0.02	-0.01	0.01	0.01	0.00
Boliva (Est. Plur. de)	0.6	0.4	-22	1.27	0.97	-0.30	0.69	0.44	-0.25	0.58	0.54	-0.04
Brasil	7.5	4.1	-45	0.39	0.19	-0.20	0.29	0.10	-0.19	0.10	0.09	-0.01
Chile	9.8	7.8	-21	3.24	2.32	-0.92	1.78	0.90	-0.88	1.46	1.41	-0.05
Colombia	2.5	5.5	121	0.72	1.50	0.78	0.30	0.91	0.61	0.42	0.59	0.17
Ecuador	0.2	0.1	-53	0.15	0.07	-0.09	0.15	0.06	-0.08	0.01	0.00	0.00
Guatemala	0.4	0.4	3	0.33	0.33	0.00	0.17	0.17	0.00	0.16	0.16	0.00
Jamaica	0.0	0.0	-50	0.03	0.01	-0.01	0.02	0.01	-0.01	0.01	0.00	0.00
México	0.0	0.0	4	0.08	0.07	0.00	0.00	0.00	0.00	0.08	0.07	0.00
Nicaragua	4.2	3.5	-18	0.29	0.19	-0.10	0.29	0.19	-0.10	0.00	0.00	...
Perú	0.1	0.1	12	0.58	0.57	-0.01	0.42	0.39	-0.02	0.17	0.18	0.01
Rep. Dominicana	4.3	2.4	-45	1.74	0.88	-0.86	1.44	0.66	-0.78	0.31	0.23	-0.08
ALC	**29.8**	**24.4**	**-18**	**0.74**	**0.59**	**-0.14**	**0.46**	**0.32**	**-0.14**	**0.27**	**0.27**	**0.00**

Nota: En el caso de Chile, los ingresos por litio se refieren a rentas inmobiliarias que recibe el gobierno central por la participación del Estado en las ventas de litio según lo establecido en los contratos con SQM Salar S.A. y Albemarle Ltda. Las ratios de ingresos fiscales/PIB de América Latina y el Caribe corresponden a un promedio simple de los países incluidos en la muestra. Es posible que las cifras no coincidan debido al redondeo.

Fuente: Comisión Económica para América Latina y el Caribe (CEPAL), sobre la base de datos de la base de datos de Ingresos Fiscales provenientes de Recursos Naturales No Renovables en América Latina y el Caribe de la CEPAL.

Esta diferencia obedece a la estructura del sector: mientras que las empresas estatales predominan en el sector de hidrocarburos, en el sector minero son las empresas privadas – con pocas excepciones – las principales operadoras. Los ingresos no tributarios se mantuvieron estables como proporción del PIB. No obstante, en varios países, los mayores volúmenes de producción compensaron la caída de los precios, dando lugar a incrementos interanuales significativos en términos de dólares estadounidenses.

La caída de los ingresos fiscales mineros, principalmente provenientes del IS y otros tributos mineros basados en las utilidades, fue evidente en la mayoría de los países. Esta disminución obedeció a menores pagos por declaraciones anuales correspondientes al ejercicio fiscal 2022 y a una reducción en los pagos anticipados para 2023. Dado que el IS se basa en pagos a cuenta calculados en función de los resultados fiscales del año anterior, los pagos efectuados en 2022 – basados en las utilidades récord registradas en 2021 – cubrieron en gran medida las obligaciones fiscales correspondientes a ese ejercicio. En algunos casos, los pagos anticipados de 2022 superaron las obligaciones tributarias finales, dando lugar a devoluciones o generando créditos tributarios en 2023.

Como resultado de estos factores, los pagos finales en 2023, correspondientes al ejercicio fiscal 2022, se redujeron significativamente en Brasil, Chile y Perú (Dipres, 2024[14]; Receita Federal, 2024[2]; MEF, 2024[3]). Al mismo tiempo, la presión sobre las utilidades – producto de la caída de los precios internacionales, la reducción en los coeficientes de pago derivados de las declaraciones juradas anuales presentadas en 2023 y la utilización de créditos fiscales acumulados – provocó una importante disminución en los pagos anticipados durante el año (MEF, 2024[3]).

En contraste, los ingresos por IS aumentaron significativamente en Colombia, como resultado de los cambios introducidos por la reforma tributaria estructural aprobada en 2022, en particular la no deducibilidad de los pagos de regalías y la sobretasa del ISR para las empresas del sector, calculado en función de los precios.

Gráfico 3.3. América Latina y el Caribe: Variación interanual de los ingresos no tributarios del gobierno general provenientes de la minería, 2022-2023

Porcentaje y puntos porcentuales del PIB

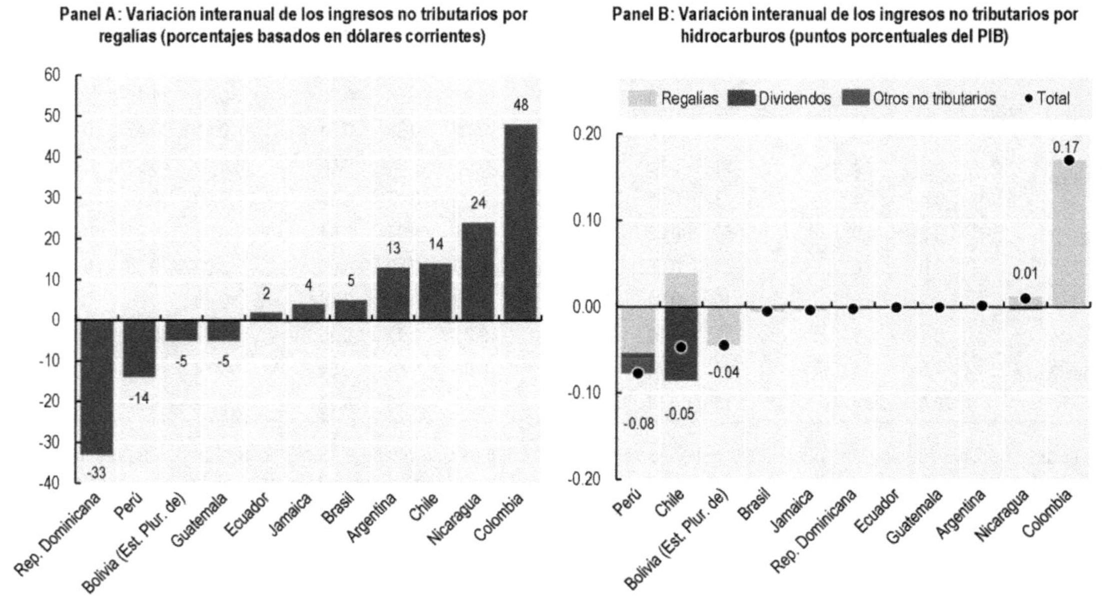

Fuente: Comisión Económica para América Latina y el Caribe (CEPAL), sobre la base de datos de la base de datos de Ingresos Fiscales provenientes de Recursos Naturales No Renovables en América Latina y el Caribe de la CEPAL.

StatLink https://stat.link/gpa4sf

El crecimiento de los ingresos no tributarios mineros en términos de dólares estadounidenses mostró variaciones significativas entre países, reflejando las diferencias en la composición de los portafolios minerales y metálicos, así como de las fluctuaciones en los niveles de producción. A pesar de estas variaciones, los ingresos no tributarios se mantuvieron relativamente estables como proporción del PIB entre 2022 y 2023 (véase Gráfico 3.3). Sin embargo, algunos países experimentaron cambios relevantes.

En Chile, la empresa estatal productora de cobre, Codelco, no distribuyó dividendos al gobierno central durante el año, y los ingresos derivados del impuesto sobre sus exportaciones se redujeron en línea con la caída en la producción (Dipres, 2024[14]). Esta disminución fue parcialmente compensada por mayores ingresos provenientes de las rentas de propiedad asociadas a la explotación del litio.

En Perú, si bien la producción de varios metales aumentó, los pagos por regalías se redujeron, en parte por la metodología de cálculo: dado que las regalías se basan en las utilidades operativas, son altamente sensibles a las variaciones en los precios internacionales. En contraste, las regalías por carbón en Colombia se dispararon, ya que el precio utilizado para su liquidación se basó en los altos valores registrados en 2022.

Los ingresos provenientes de recursos naturales no renovables continuaron su caída en 2024

En 2024, la volatilidad de los precios en los mercados internacionales de energía estuvo impulsada por la fragilidad de las condiciones económicas globales y las tensiones geopolíticas persistentes, en particular el conflicto en la Franja de Gaza (véase Gráfico 3.4). Durante el año, la actividad económica mundial se desaceleró en los mercados emergentes y las economías en desarrollo, especialmente en China e India, lo que ejerció una presión a la baja sobre la demanda de crudo.

A pesar de esta desaceleración, los mercados mundiales de petróleo crudo se mantuvieron en mayor medida en equilibrio, en parte debido a las sucesivas prórrogas – en junio, septiembre y noviembre – de los recortes voluntarios de producción adoptados por algunos países de la OPEP+ en 2023. No obstante, la producción de petróleo en países no pertenecientes a la OPEP+ continuó aumentando, en particular en Estados Unidos y Guyana, lo que compensó la caída de la producción en Brasil y México (IEA, 2024[15]). Como resultado de estas tendencias, el Brent y el WTI cerraron el año con disminuciones moderadas de 2.3% y 2.8%, respectivamente. Los precios del gas natural también descendieron durante el año, con caídas del 16% en Europa y del 14% en Estados Unidos.

Gráfico 3.4. Precios spot internacionales de bienes energéticos seleccionados, enero de 2022 – diciembre 2024

Dólares por barril y dólares por millón de BTU

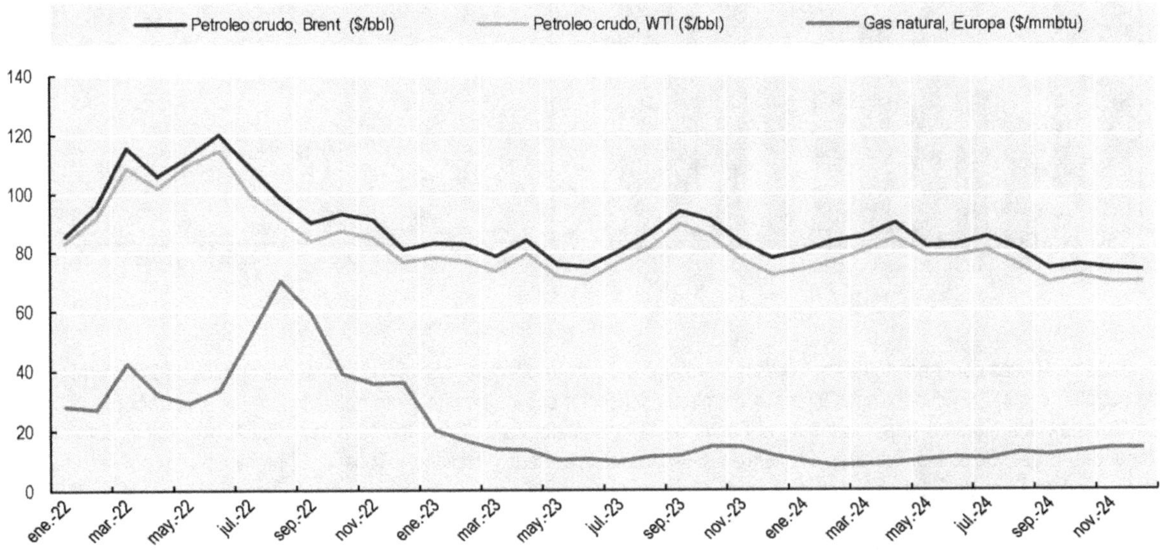

Fuente: Comisión Económica para América Latina y el Caribe (CEPAL), a partir de Commodity Price Data del Banco Mundial [en línea] https://www.worldbank.org/en/research/commodity-markets.

StatLink https://stat.link/2eo4t3

Los ingresos fiscales provenientes de la exploración de petróleo y gas disminuyeron drásticamente en 2024, a pesar de la modesta caída en los precios de referencia. Se estima que el promedio regional fue del 3.2 % del PIB, por debajo del 3.9% registrado en 2023 (Gráfico 3.5). Sin embargo, esta disminución se debió en gran medida a acontecimientos en algunos países clave.

En Trinidad y Tobago, los ingresos por hidrocarburos cayeron notablemente debido a la reducción en la producción de gas natural y al mayor uso de deducciones por gastos de capital en el cálculo del impuesto sobre la renta de sociedades (MOF, 2024[16]). Los cambios en el Impuesto Suplementario al Petróleo, destinados a incentivar la producción en yacimientos pequeños y maduros, también afectaron negativamente los ingresos. Además, un fuerte efecto base derivado de los ingresos extraordinarios generados bajo una amnistía fiscal el año anterior amplificó la contracción.

En Colombia, la caída se debió a menores beneficios, como resultado de una disminución en los ingresos por ventas debido a la baja de precios y a una apreciación significativa del peso (Ecopetrol, 2024[5]). En contraste, Guyana continuó registrando aumentos en sus ingresos, ya que la producción de petróleo se incrementó y entró en funcionamiento una nueva planta de producción (Bank of Guyana, 2024[17]).

Gráfico 3.5. América Latina y el Caribe (10 países): Ingresos del gobierno general por exploración y producción de petróleo y gas, 2011–2024

Porcentajes del PIB

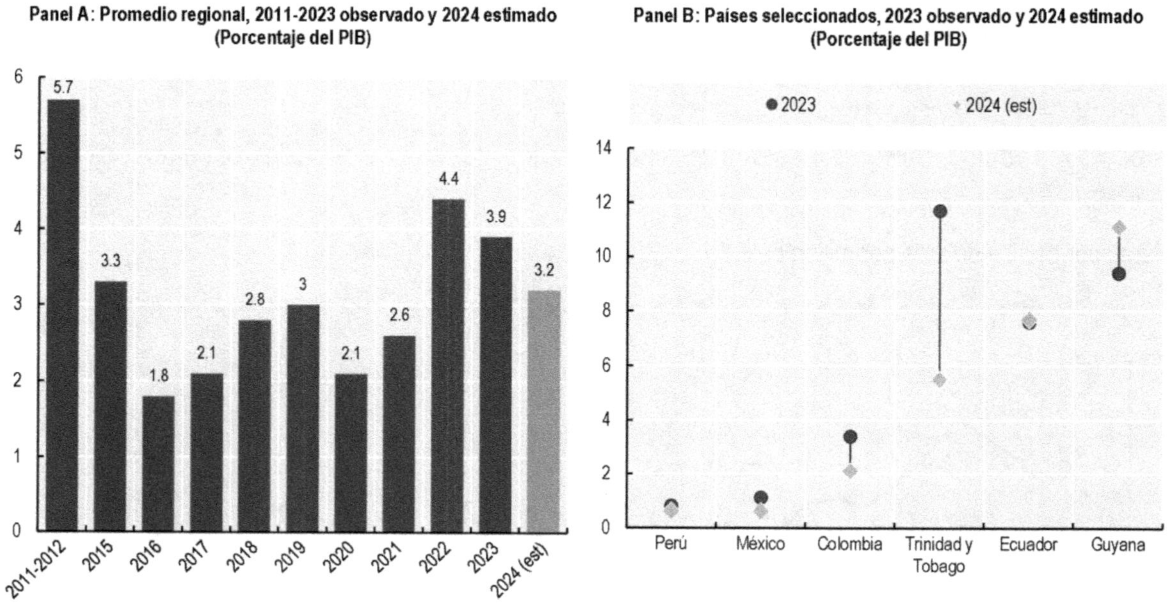

Nota: Los datos de México corresponden a los ingresos petroleros del gobierno federal, excluyen los ingresos propios de Pemex, el productor estatal de petróleo y gas. En Ecuador a los ingresos petroleros del sector público no financiero derivados de las exportaciones de petróleo crudo. En Guyana a los ingresos depositados en el Fondo de Recursos Naturales. Entre los 10 países figuran Argentina, Bolivia (Estado Plurinacional de), Brasil, Colombia, Ecuador, Guatemala, Guyana, México, Perú y Trinidad y Tobago. El promedio regional se refiere a un promedio simple. Las cifras de 2024 se basan en fuentes oficiales, previsiones y estimaciones basadas en la variación anual de 2024 de los precios de productos representativos aplicada a los ingresos de 2023.
Fuente: Comisión Económica para América Latina y el Caribe (CEPAL), sobre la base de datos de la base de datos de Ingresos Fiscales provenientes de Recursos Naturales No Renovables en América Latina y el Caribe de la CEPAL.

StatLink https://stat.link/qzkv6r

Los mercados de minerales y metales industriales se fortalecieron en 2024, a pesar de la persistente debilidad en la producción industrial de las economías avanzadas y la caída de la inversión en activos fijos en China. Los precios del cobre, estaño y zinc repuntaron durante el año, reflejando un cambio en el sentimiento del mercado y la aparición de restricciones por el lado de la oferta, en particular las perturbaciones asociadas con el cierre de la mina Cobre Panamá a finales de 2023 (Gráfico 3.6). Además, una fuerte aceleración del valor agregado industrial de China en abril brindó un apoyo adicional a los precios.

No obstante, en la segunda mitad del año, los precios de varios minerales y metales industriales estuvieron sometidos a presiones a la baja, a medida que la producción industrial de China se debilitó y la actividad en la construcción permaneció moderada. En ese período, las autoridades chinas anunciaron una serie de medidas monetarias, financieras y fiscales para estabilizar el sector de la construcción residencial y abordar las vulnerabilidades de deuda de los gobiernos locales; sin embargo, el impacto de estos anuncios en los precios fue mixto (Banco Mundial, 2024[18]). Los metales preciosos mantuvieron sus ganancias de 2023, con un aumento del precio del oro del 23%, en medio de una elevada incertidumbre macroeconómica y mayores tensiones geopolíticas.

Gráfico 3.6. Variación interanual de los precios spot internacionales de minerales y metales seleccionados, 2023-2024

Porcentaje

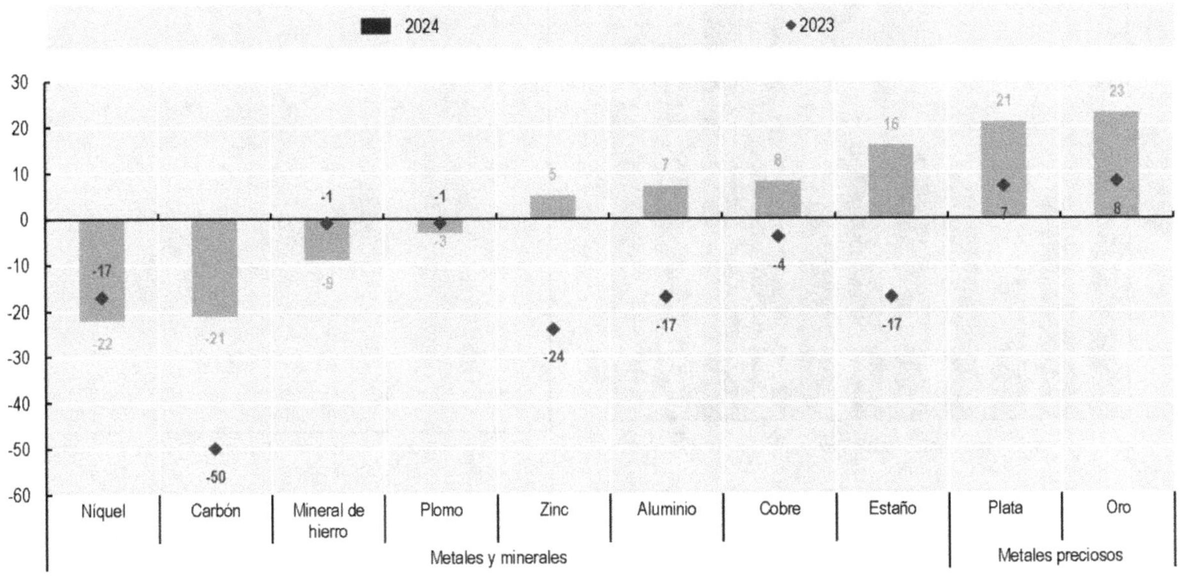

Fuente: Comisión Económica para América Latina y el Caribe (CEPAL), a partir de Commodity Price Data del Banco Mundial [en línea] https://www.worldbank.org/en/research/commodity-markets.

StatLink https://stat.link/8il5jy

Se proyecta que los ingresos mineros en la región disminuyeron en 2024, impulsados por fuertes contracciones en algunos países clave, a pesar de la dinámica de precios en los mercados globales. En promedio, se estima que los ingresos mineros representaron el 0.5% del PIB, por debajo del 0.59% registrado en 2023 (Gráfico 3.7). En Chile, la disminución se debió principalmente a una fuerte caída en las rentas de propiedad provenientes de contratos de litio (-0.8 puntos porcentuales del PIB), compensada parcialmente por los ingresos generados por la nueva ley de regalías mineras (Ley N.º 21.590) (Dipres, 2024[14]). Esta legislación reemplazó el impuesto específico a la minería con un nuevo marco que incluye un impuesto sobre las utilidades (que varía entre el 8 % y el 26 %) y una regalía ad-valorem del 1% sobre las ventas.

En Colombia, la caída en los ingresos se debió a la reducción en la recaudación del IS y a menores pagos de regalías. Un fallo de la Corte Constitucional determinó que la no deducibilidad de los pagos de regalías para efectos del IS era inconstitucional. Esta decisión tuvo un impacto fiscal significativo, ya que los pagos de regalías del carbón alcanzaron un nivel récord en 2023. Como resultado, se generaron créditos fiscales excepcionalmente altos que fueron utilizados para compensar obligaciones del IS en 2024. Al mismo tiempo, los propios pagos de regalías cayeron drásticamente en 2024, ya que su cálculo se basó en los precios de 2023, los cuales habían disminuido considerablemente respecto al nivel de 2022.

Gráfico 3.7. América Latina y el Caribe (12 países): Ingresos fiscales del gobierno general provenientes de la minería, 2011-2024

Porcentaje del PIB

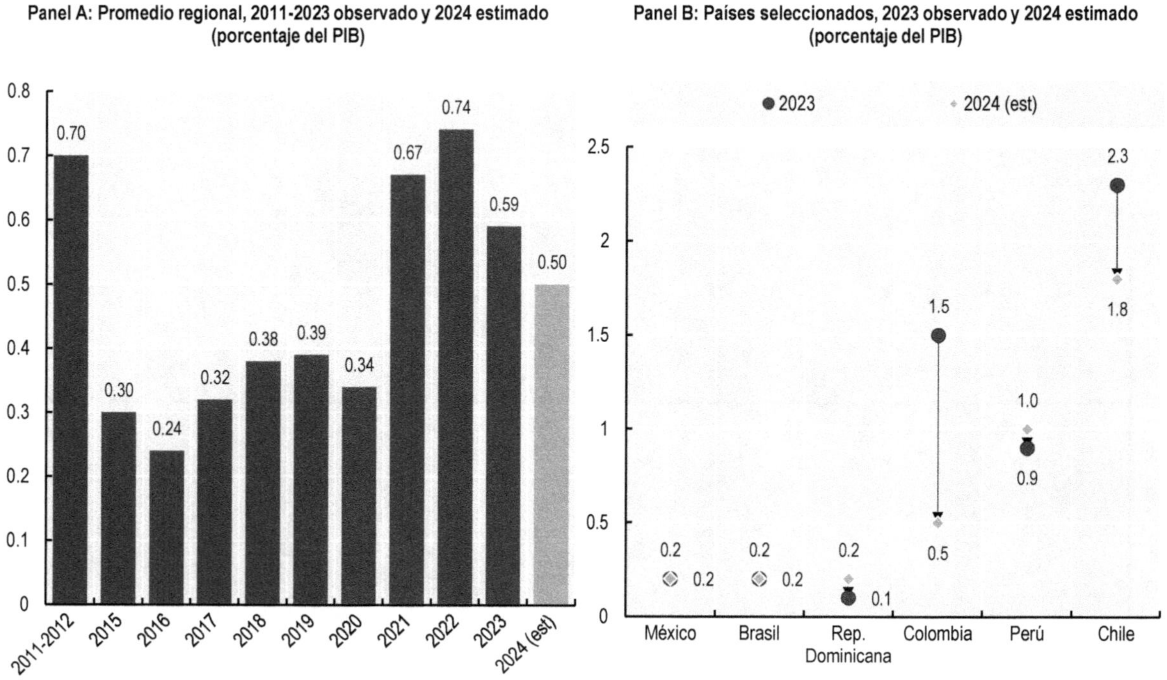

Nota: En el caso de Chile, los ingresos por litio se refieren a rentas inmobiliarias que recibe el gobierno central por la participación del Estado en las ventas de litio según lo establecido en los contratos con SQM Salar S.A. y Albemarle Ltda. Entre los 10 países figuran Argentina, Bolivia (Estado Plurinacional de), Brasil, Colombia, Ecuador, Guatemala, Guyana, México, Perú y Trinidad y Tobago. El promedio regional se refiere a un promedio simple. Las cifras de 2024 se basan en fuentes oficiales, previsiones y estimaciones basadas en la variación anual de 2024 de los precios de productos representativos aplicada a los ingresos de 2023.
Fuente: Comisión Económica para América Latina y el Caribe (CEPAL), sobre la base de datos de la base de datos de Ingresos Fiscales provenientes de Recursos Naturales No Renovables en América Latina y el Caribe de la CEPAL.

StatLink https://stat.link/a1mqdp

Referencias

Banco Mundial (2024), *Commodity Markets Outlook: October 2024*, https://openknowledge.worldbank.org/server/api/core/bitstreams/bbda9ad3-4f12-4626-ad4b-94a4d20fbd52/content (consultado el 14 mayo 2025). [18]

Banco Mundial (2023), *Commodity Markets Outlook: October 2023*, https://openknowledge.worldbank.org/server/api/core/bitstreams/27189ca2-d947-4ca2-8e3f-a36b3b5bf4ba/content (consultado el 14 mayo 2025). [11]

Bank of Guyana (2024), *Half Year Report 2024*, [online], https://bankofguyana.org.gy/bog/images/research/publications/Half%20Year%20Report%202024.pdf (consultado el 14 mayo 2025). [17]

Codelco (2024), *Annual Report 2023*, https://www.codelco.com/prontus_codelco/site/docs/20240404/20240404191040/24jun_codelco_annual_report.pdf (consultado el 14 mayo 2025). [13]

Dipres (2024), *Informe de Ejecución del Gobierno Central: Cuarto Trimestre 2023*, Dirección de Presupuestos de Chile, https://www.dipres.gob.cl/598/articles-309977_doc_pdf_Presentacion_IT.pdf (consultado el 14 mayo 2025). [14]

Ecopetrol (2024), *Resolución No. 0061 del 31-01-2024*, Agencia Nacional de Hidrocarburos de Colombia, https://legalytributarioenlinea.co.pwc.com/Repositorio%20PwC/PDF/Normas%20Nacionales/Resoluciones/Agencia%20Nacional%20de%20Hidrocarburos/2024/OTROS-000061-24.pdf (consultado el 14 mayo 2025). [5]

FMPED (2024), *SAT, Décima Resolución de Modificaciones a la Resolución Miscelánea Fiscal para 2023. Primera versión anticipada*, http://omawww.sat.gob.mx/normatividad_RMF_RGCE/Paginas/documentos/rmf/anticipadas/10a_RMRMF2023_primera_version_anticipada-26122023.pdf (consultado el 14 mayo 2025). [8]

IEA (2024), *Oil Market Report – December 2024*, https://www.iea.org/reports/oil-market-report-december-2024 (consultado el 14 mayo 2025). [15]

Juriscol (2024), *Sentencia C-489 de 2023*, Constitutional Court of Colombia SUIN-Juriscol, https://www.suin-juriscol.gov.co/viewDocument.asp?id=30050350 (consultado el 14 mayo 2025). [7]

MEF (2024), *Report fiscal trimestral: seguimiento de las reglas macrofiscales cuarto trimestre 2023*, Ministerio de Economía y Finanzas del Perú, https://cdn.www.gob.pe/uploads/document/file/5345014/4788217-informe-trimestral-de-reglas-fiscales-3t2023.pdf (consultado el 14 mayo 2025). [3]

MINEM (2024), *Anuario Minero 2023*, https://cdn.www.gob.pe/uploads/document/file/6682903/5804716-am-2023%282%29.pdf (consultado el 14 mayo 2025). [12]

Minhacienda (2024), *Cierre fiscal: gobierno nacional central 2023*, Ministerio de Hacienda y Crédito Público de Colombia, https://www.minhacienda.gov.co/documents/d/portal/cierre-fiscal-gnc-2024 (consultado el 14 mayo 2025). [6]

MOF (2024), *Review of the Economy 2024*, Ministry of Finance of Trinidad and Tobago, https://www.finance.gov.tt/wp-content/uploads/2024/09/WEB-%E2%80%A2-ROE-2024.pdf (consultado el 14 mayo 2025). [16]

MOF (2023), *Review of the Economy 2023*, Ministry of Finance of Trinidad and Tobago, https://www.finance.gov.tt/wp-content/uploads/2023/10/ROE-2023-Revised-5-8-24.pdf (consultado el 14 mayo 2025). [4]

OPEC (2023), *48th Meeting of the Joint Ministerial Monitoring Committee*, Organization of the Petroleum Exporting Countries, https://www.opec.org/opec_web/en/press_room/7120.htm (consultado el 14 mayo 2025). [1]

Perúpetro (2024), *Memoria Institucional 2023*, https://www.perupetro.com.pe/wps/wcm/connect/corporativo/31505b4f-f18a-4a30-a80c-7783875f4405/MEMORIA+INSTITUCIONAL+PERUPETRO+2023.pdf?MOD=AJPERES (consultado el 14 mayo 2025). [10]

Receita Federal (2024), *Análise da Arrecadação das Receitas Federais – Dezembro de 2023*, https://www.gov.br/receitafederal/pt-br/centrais-de-conteudo/publicacoes/relatorios/arrecadacao-federal/2023/analise-mensal-dez-2023.pdf (consultado el 14 mayo 2025). [2]

SHCP (2024), *Informes sobre la situación económica, las finanzas públicas y la deuda pública*, Secretaría de Hacienda y Crédito Público, https://www.finanzaspublicas.hacienda.gob.mx/work/models/Finanzas_Publicas/docs/congreso/infotrim/2023/ivt/01inf/itindc_202304.pdf (consultado el 14 mayo 2025). [9]

4 Niveles impositivos y estructuras tributarias, 1990-2023

En todos los cuadros siguientes, (..) indica dato indisponible. Las principales series de datos de esta sección cubren el periodo que va de 1990 a 2023.

Las cifras relativas a 1991-99, 2001-04, 2006-09, 2011-17 en Cuadros 4.1 hasta 4.2 y Cuadros 4.15 hasta 4.17 y las cifras relativas a 1991-99, 2001-09 y 2011-21 en Cuadros 4.5 hasta 4.10 y las cifras relativas a 1990-94, 1996-99 y 2001-22 en Cuadros 4.11 hasta 4.13 se han omitido por falta de espacio. Sin embargo, las series completas están disponibles en línea en https://oe.cd/globalrevstats y en la base de datos OCDE (2025), "Revenue Statistics in Latin America and the Caribbean: Comparative tables", *OECD Tax Statistics*, http://data-explorer.oecd.org/s/e1.

Cuadro 4.1. Total de ingresos tributarios en % del PIB, 1990-2023

	1990	2000	2005	2010	2018	2019	2020	2021	2022	2023
Antigua y Barbuda[1]	..	11.0	13.8	18.8	18.3	17.6	19.2	18.6	18.1	17.9
Argentina	13.3	19.2	24.5	29.1	28.5	28.5	29.7	29.1	29.6	27.8
Bahamas[1]	9.7	12.2	11.2	12.7	17.0	19.2	18.2	18.3	19.6	19.9
Barbados	24.5	28.6	28.3	26.4	30.3	29.2	31.0	28.7	29.0	28.1
Belice[1]	16.4	14.6	16.9	21.0	24.4	25.0	21.8	22.3	23.1	24.0
Bolivia	6.5	17.6	20.0	22.9	25.0	24.7	22.2	22.6	23.7	23.9
Brasil	27.8	29.4	32.7	31.8	32.0	31.9	30.5	32.1	32.5	32.0
Chile	16.8	18.7	20.8	19.7	21.3	21.0	19.3	22.3	23.8	20.6
Colombia	11.3	15.7	18.3	18.1	19.3	19.7	18.8	19.2	19.7	22.2
Costa Rica	22.4	21.1	21.8	22.1	23.2	23.4	22.6	24.8	25.2	24.9
Cuba[2]	31.9	37.2	41.1	37.2	42.3	42.1	37.5	17.7	18.3	17.0
República Dominicana	8.3	12.1	13.8	12.2	13.1	13.4	12.5	14.5	13.9	14.3
Ecuador[1]	7.1	11.6	13.8	16.8	21.1	19.9	18.7	19.4	20.9	20.6
El Salvador	11.3	14.2	17.0	18.7	21.3	21.0	21.7	23.1	23.3	22.8
Guatemala	7.9	11.7	13.1	12.5	13.2	13.0	12.4	14.1	14.3	14.0
Guyana	15.2	15.7	17.6	16.0	22.2	23.2	21.3	16.8	10.6	11.6
Honduras	12.4	17.2	17.9	18.2	21.9	21.6	19.6	21.5	21.6	21.0
Jamaica	20.3	22.2	23.3	24.9	27.4	28.4	27.9	26.5	27.9	29.0
México	11.5	10.9	10.9	12.3	15.7	15.9	17.2	16.7	16.8	17.7
Nicaragua[1]	..	14.3	17.4	19.3	23.2	25.5	25.4	27.0	27.8	27.5
Panamá[1]	16.6	15.5	13.6	16.3	13.5	12.6	12.0	11.7	11.9	11.9
Paraguay	8.5	11.6	10.7	12.1	13.9	13.9	13.5	13.9	14.6	14.5
Perú	11.3	15.1	16.4	17.5	16.3	16.5	15.2	18.0	19.1	17.0
Santa Lucía[1]	..	19.3	19.4	20.6	20.7	20.9	21.5	19.5	20.0	20.8
Trinidad y Tobago	23.3	21.9	28.3	28.7	22.2	23.7	21.5	21.8	24.8	24.2
Uruguay	18.3	21.3	22.9	24.2	26.6	26.1	26.6	25.9	27.0	27.4
Venezuela[3]	21.2	13.5	15.9	11.8	..	..	..	..	..	..
Promedio no ponderado										
ALC[4]	**14.6**	**16.9**	**18.6**	**19.7**	**21.3**	**21.4**	**20.8**	**21.0**	**21.4**	**21.3**
OCDE[5]	**30.9**	**32.9**	**32.6**	**31.5**	**33.5**	**33.4**	**33.5**	**34.1**	**34.0**	**33.9**

.. No disponible

Nota: Las cifras excluyen los ingresos subnacionales para Antigua y Barbuda, Argentina (pero se incluyen los ingresos de las provincias), Las Bahamas, Barbados, Cuba (excepto 2002-2012), República Dominicana, Santa Lucía, Trinidad y Tobago y Venezuela, dado que los datos no están disponibles. Los datos de ingresos subnacionales están disponibles desde 1991 para Nicaragua, desde 1994 para Bolivia, desde 1995 para Guatemala, desde 1998 para Jamaica, desde 1999 para Panamá, desde 2000 para Perú, desde 2002 para El Salvador y Guyana, desde 2006 para Paraguay y desde 1990 para todos los demás países.

1. Los datos incluyen las siguientes estimaciones: Antigua y Barbuda (cotizaciones a la seguridad social para 2019-2023), Bahamas (cotizaciones a la seguridad social para 2022 y 2023), Belice (cotizaciones a la seguridad social para 2023), Ecuador (ingresos tributarios locales para 2021-23), Nicaragua (ingresos tributarios locales para 2022 y 2023), Panamá (ingresos tributarios locales para 2023) y Santa Lucía (cotizaciones a la seguridad social para 2021-23). Consulte las tablas de países correspondientes para obtener más información.
2. Las cifras de 2021 y posteriores no son comparables con los datos de años anteriores debido a grandes cambios como consecuencia de la reforma monetaria de Cuba.
3. Algunos datos de ingresos tributarios no están disponibles entre 2014 y 2017 y, por lo tanto, no se han incluido las cifras totales. Los datos de 2018 y años posteriores no están disponibles.
4. Representa al grupo de 26 países de América Latina y el Caribe incluidos en esta publicación y excluye a Cuba (hasta 2020) y Venezuela debido a problemas de los datos. Chile, Colombia, Costa Rica y México también forman parte del grupo OCDE (38).
5. Calculado mediante la aplicación del cambio porcentual promedio no ponderado para 2023 en los 36 países que proporcionan datos para ese año al promedio de la recaudación tributaria sobre PIB en 2022.

Cuadro 4.2. Total de ingresos tributarios en millones de US dólares a tipos de cambio de mercado, 1990-2023

	1990	2000	2005	2010	2018	2019	2020	2021	2022	2023
Antigua y Barbuda[1]	..	99	158	244	305	304	271	298	338	358
Argentina	20 952	61 084	48 885	123 456	149 532	127 342	114 586	141 578	186 901	179 720
Bahamas[1]	505	965	1 060	1 277	2 120	2 486	2 076	1 869	2 437	2 789
Barbados	513	946	1 225	1 368	1 717	1 721	1 491	1 621	1 866	1 927
Belice[1]	89	159	247	370	565	577	467	564	667	752
Bolivia	317	1 478	1 910	4 527	10 136	10 173	8 176	9 213	10 498	10 848
Brasil	133077	192 661	291 345	701 456	613 148	598 172	449 511	536 248	635 124	695 635
Chile	5 828 792	14 644 516	25 484 269	42 754 388	62 866 294	58 366 571	48 974 473	70 443 317	72 026 127	69 168 776
Colombia	5 135 638	14 655 089	26 585 044	51 845 953	64 383 955	63 612 601	50 751 330	61 135 660	67 863 992	80 860 660
Costa Rica	1 285 347	3 173 773	4 363 692	8 334 202	14 454 745	15 079 119	14 080 212	16 139 676	17 439 874	21 564 689
Cuba[2]	6 870	11 367	17 528	23 949	42 307	43 504	40 263	4 022	2 578	2 005
República Dominicana	664	2 951	4 946	6 600	11 237	11 935	9 854	13 683	15 878	17 403
Ecuador[1]	1078	2 125	5 724	11 693	22 656	21 501	18 543	20 647	24 070	24 472
El Salvador	543	1 669	2 497	3 447	5 545	5 640	5 404	6 716	7 438	7 761
Guatemala	593	2 129	3 560	5 153	9 643	10 018	9 652	12 166	13 677	14 634
Guyana	104	234	302	549	1 061	1 200	1 168	1 355	1 556	1 961
Honduras	515	1 219	1 736	2 867	5 239	5 349	4 543	5 999	6 743	7 186
Jamaica	1 027	1 998	2 617	3 286	4 338	4 514	3 842	4 093	4 982	5 671
México	36 267 087	81 139 131	99 696 558	135 821 608	197 350 868	207 419 542	193 092 009	219 626 575	245 850 458	317 512 349
Nicaragua[1]	..	733	1 097	1 693	3 025	3 244	3 223	3 824	4 353	4 900
Panamá[1]	948	1 942	2 257	4 793	9 107	8 782	6 866	7 862	9 141	9 960
Paraguay	494	1 029	1 146	3 286	5 575	5 289	4 791	5 535	6 109	6 238
Perú	3198	7 604	12 181	26 116	37 063	38 502	31 417	40 737	46 618	45 309
Santa Lucía[1]	..	178	227	307	429	437	342	387	472	512
Trinidad y Tobago	1 158	1 746	4 414	6 261	5 449	5 686	4 630	5 142	7 098	6 919
Uruguay	2 051	5 303	4 351	10 618	17 404	16 273	14 288	15 725	18 951	21 173
Venezuela[3]	10 259	12 758	23 076	38 220	..	..	..	..	..	..

.. No disponible

Nota: Las cifras excluyen los ingresos subnacionales para Antigua y Barbuda, Argentina (pero se incluyen los ingresos de las provincias), Las Bahamas, Barbados, Cuba (excepto 2002-2012), República Dominicana, Santa Lucía, Trinidad y Tobago y Venezuela, dado que los datos no están disponibles. Los datos de ingresos subnacionales están disponibles desde 1991 para Nicaragua, desde 1994 para Bolivia, desde 1995 para Guatemala, desde 1998 para Jamaica, desde 1999 para Panamá, desde 2000 para Perú, desde 2002 para El Salvador y Guyana, desde 2006 para Paraguay y desde 1990 para todos los demás países.

1. Los datos incluyen las siguientes estimaciones: Antigua y Barbuda (cotizaciones a la seguridad social para 2019-23), Bahamas (cotizaciones a la seguridad social para 2022 y 2023), Belice (cotizaciones a la seguridad social para 2023), Ecuador (ingresos tributarios locales para 2021-23), Nicaragua (ingresos tributarios locales para 2022 y 2023), Panamá (ingresos tributarios locales para 2023) y Santa Lucía (cotizaciones a la seguridad social para 2021-23). Consulte las tablas de países correspondientes para obtener más información.
2. Las cifras de 2021 y posteriores no son comparables con los datos de años anteriores debido a grandes cambios como consecuencia de la reforma monetaria de Cuba.
3. Algunos datos de ingresos tributarios no están disponibles entre 2014 y 2017 y, por lo tanto, no se han incluido las cifras totales. Los datos de 2018 y años posteriores no están disponibles.

Cuadro 4.3. Ingresos tributarios en las principales partidas en % del PIB, 2023

	1000 Ingresos y utilidades	2000 Seguridad social	3000 Nómina	4000 Propiedad	5000 Bienes y servicios	6000 Otros
Antigua y Barbuda[1]	2.0	3.2	0.0	1.2	11.4	0.0
Argentina	4.6	5.1	0.0	2.8	15.2	0.1
Bahamas[1]	0.0	2.2	0.0	2.0	15.7	0.0
Barbados	8.1	4.7	0.0	1.7	13.6	0.0
Belice[1]	5.6	2.6	0.0	1.2	14.6	0.0
Bolivia	2.9	5.7	0.0	0.2	12.3	2.7
Brasil	8.7	8.1	0.6	1.5	13.0	0.1
Chile	7.2	1.2	0.0	1.3	11.2	-0.3
Colombia	8.9	1.6	0.3	1.6	8.8	1.0
Costa Rica	5.3	8.9	1.5	0.5	8.3	0.5
Cuba	8.0	3.4	0.8	0.0	2.5	2.3
República Dominicana	5.0	0.1	0.1	0.7	8.5	0.0
Ecuador[1]	4.8	5.1	0.0	0.6	10.1	-0.0
El Salvador	8.3	2.6	0.1	0.2	11.3	0.3
Guatemala	3.5	2.2	0.2	0.1	7.3	0.9
Guyana	6.1	1.0	0.0	0.2	4.2	0.1
Honduras	5.7	3.1	0.2	0.7	10.7	0.7
Jamaica	9.2	1.8	1.6	0.7	15.7	0.1
México	7.9	2.4	0.5	0.3	6.2	0.4
Nicaragua[1]	9.0	5.9	0.0	0.3	11.9	0.3
Panamá[1]	4.0	4.2	0.2	0.3	3.2	0.0
Paraguay	2.6	4.1	0.0	0.2	7.5	0.1
Perú	6.2	1.9	0.0	0.9	7.6	0.4
Santa Lucía[1]	4.6	2.4	0.0	0.5	13.2	0.0
Trinidad y Tobago	15.4	2.5	0.0	0.2	6.2	0.0
Uruguay	7.2	7.3	0.0	2.1	10.6	0.2
Venezuela[2]	..	..	..	..	..	..
Promedio no ponderado						
ALC[3]	**6.2**	**3.6**	**0.2**	**0.8**	**10.0**	**0.4**
OCDE[4]	**12.3**	**8.7**	**0.5**	**1.8**	**10.6**	**0.2**

.. No disponible

Nota: Las cifras excluyen los ingresos subnacionales para Antigua y Barbuda, Argentina (pero se incluyen los ingresos de las provincias), Las Bahamas, Barbados, Cuba (excepto 2002-2012), República Dominicana, Santa Lucía, Trinidad y Tobago y Venezuela, dado que los datos no están disponibles. Los datos de ingresos subnacionales están disponibles desde 1991 para Nicaragua, desde 1994 para Bolivia, desde 1995 para Guatemala, desde 1998 para Jamaica, desde 1999 para Panamá, desde 2000 para Perú, desde 2002 para El Salvador y Guyana, desde 2006 para Paraguay y desde 1990 para todos los demás países.

1. Los datos incluyen las siguientes estimaciones: Antigua y Barbuda (cotizaciones a la seguridad social para 2019-23), Bahamas (cotizaciones a la seguridad social para 2022 y 2023), Belice (cotizaciones a la seguridad social para 2023), Ecuador (ingresos tributarios locales para 2021-23), Nicaragua (ingresos tributarios locales para 2022 y 2023), Panamá (ingresos tributarios locales para 2023), y Santa Lucía (cotizaciones a la seguridad social para 2021-23). Consulte las tablas de países correspondientes para obtener más información.
2. Los datos de 2018 y años posteriores no están disponibles.
3. Representa al grupo de 26 países de América Latina y el Caribe incluidos en esta publicación y excluye a Cuba (hasta 2020) y Venezuela debido a problemas de los datos. Chile, Colombia, Costa Rica y México también forman parte del grupo OCDE (38).
4. Representa el promedio no ponderado de los países miembros de la OCDE. Se utilizan los datos de 2022 porque los datos de 2023 no estaban disponibles en el momento de la publicación.

Cuadro 4.4. Ingresos tributarios en las principales partidas en % del total de ingresos tributarios, 2023

	1000 Ingresos y utilidades	2000 Seguridad social	3000 Nómina	4000 Propiedad	5000 Bienes y servicios	6000 Otros
Antigua y Barbuda[1]	11.0	18.1	0.0	6.9	64.0	0.0
Argentina	16.5	18.2	0.0	10.0	54.8	0.5
Bahamas[1]	0.0	11.3	0.0	9.9	78.8	0.0
Barbados	28.7	16.8	0.0	6.1	48.3	0.0
Belice[1]	23.2	10.9	0.0	4.8	61.1	0.0
Bolivia	12.1	24.1	0.0	0.8	51.6	11.5
Brasil	27.1	25.2	1.8	4.8	40.7	0.4
Chile	35.2	5.6	0.0	6.5	54.2	-1.5
Colombia	40.1	7.3	1.4	7.4	39.5	4.3
Costa Rica	21.2	35.7	5.9	1.9	33.4	1.9
Cuba	47.2	19.8	4.5	0.0	14.7	13.7
República Dominicana	34.9	0.4	0.5	5.1	59.2	0.0
Ecuador[1]	23.3	24.7	0.0	3.0	48.9	-0.0
El Salvador	36.2	11.4	0.6	0.8	49.7	1.4
Guatemala	24.8	15.4	1.1	0.7	51.8	6.3
Guyana	52.3	8.8	0.0	1.9	36.5	0.5
Honduras	27.2	14.6	0.8	3.1	51.0	3.3
Jamaica	31.7	6.2	5.4	2.3	54.1	0.3
México	44.6	13.5	3.0	1.7	35.2	2.0
Nicaragua[1]	32.9	21.5	0.0	1.2	43.5	0.9
Panamá[1]	33.7	35.0	2.0	2.5	26.5	0.3
Paraguay	18.0	28.4	0.0	1.3	51.7	0.6
Perú	36.3	11.1	0.1	5.4	45.0	2.1
Santa Lucía[1]	22.2	11.5	0.0	2.6	63.8	0.0
Trinidad y Tobago	63.5	10.3	0.0	0.6	25.6	0.0
Uruguay	26.4	26.6	0.0	7.8	38.5	0.7
Venezuela[2]	..	..	..	..	..	..
Promedio no ponderado						
ALC[3]	**29.6**	**16.6**	**1.0**	**3.8**	**47.0**	**1.9**
OCDE[4]	**36.5**	**24.8**	**1.3**	**5.3**	**31.5**	**0.6**

.. No disponible

Nota: Las cifras excluyen los ingresos subnacionales para Antigua y Barbuda, Argentina (pero se incluyen los ingresos de las provincias), Las Bahamas, Barbados, Cuba (excepto 2002-2012), República Dominicana, Santa Lucía, Trinidad y Tobago y Venezuela, dado que los datos no están disponibles. Los datos de ingresos subnacionales están disponibles desde 1991 para Nicaragua, desde 1994 para Bolivia, desde 1995 para Guatemala, desde 1998 para Jamaica, desde 1999 para Panamá, desde 2000 para Perú, desde 2002 para El Salvador y Guyana, desde 2006 para Paraguay y desde 1990 para todos los demás países.

1. Los datos incluyen las siguientes estimaciones: Antigua y Barbuda (cotizaciones a la seguridad social para 2019-23), Bahamas (cotizaciones a la seguridad social para 2022 y 2023), Belice (cotizaciones a la seguridad social para 2023), Ecuador (ingresos tributarios locales para 2021-23), Nicaragua (ingresos tributarios locales para 2022 y 2023), Panamá (ingresos tributarios locales para 2023), y Santa Lucía (cotizaciones a la seguridad social para 2021-23). Consulte las tablas de países correspondientes para obtener más información.
2. Los datos de 2018 y años posteriores no están disponibles.
3. Representa al grupo de 26 países de América Latina y el Caribe incluidos en esta publicación y excluye a Cuba (hasta 2020) y Venezuela debido a problemas de los datos. Chile, Colombia, Costa Rica y México también forman parte del grupo OCDE (38).
4. Representa el promedio no ponderado de los países miembros de la OCDE. Se utilizan los datos de 2022 porque los datos de 2023 no estaban disponibles en el momento de la publicación.

Cuadro 4.5. Impuestos sobre la renta y las utilidades (1000) en % del PIB y del total de ingresos tributarios

	% del PIB					% del total de ingresos tributarios				
	1990	2000	2010	2022	2023	1990	2000	2010	2022	2023
Antigua y Barbuda	..	1.5	2.6	1.4	2.0	..	14.0	14.0	7.8	11.0
Argentina	0.7	3.6	4.7	5.7	4.6	5.3	18.5	16.2	19.4	16.5
Bahamas	0.0	0.0	0.0	0.0	0.0	0.0	0.0	0.0	0.0	0.0
Barbados	6.0	9.0	7.4	8.6	8.1	24.3	31.7	28.0	29.8	28.7
Belice	3.4	3.5	7.1	5.3	5.6	20.9	23.9	33.6	23.1	23.2
Bolivia	0.4	2.3	4.6	3.4	2.9	6.7	13.2	20.0	14.4	12.1
Brasil	5.1	5.7	6.7	9.0	8.7	18.3	19.5	21.0	27.7	27.1
Chile	3.9	4.4	7.5	10.4	7.2	23.2	23.3	38.2	43.7	35.2
Colombia	3.4	3.6	4.8	6.5	8.9	29.9	23.2	26.6	33.2	40.1
Costa Rica	2.3	2.8	3.8	5.4	5.3	10.0	13.2	17.1	21.5	21.2
Cuba[1]	0.1	6.0	5.6	8.6	8.0	0.2	16.1	15.0	46.8	47.2
República Dominicana	2.1	2.7	2.7	4.4	5.0	25.7	22.0	21.7	31.6	34.9
Ecuador	0.9	1.5	4.2	4.6	4.8	12.9	12.6	25.0	22.1	23.3
El Salvador	2.0	3.6	5.4	8.5	8.3	17.6	25.7	28.9	36.4	36.2
Guatemala	1.5	2.3	2.3	3.5	3.5	19.2	19.9	18.6	24.2	24.8
Guyana	5.1	5.9	5.7	5.4	6.1	33.5	37.8	35.4	50.8	52.3
Honduras	2.5	2.7	4.4	6.3	5.7	20.3	15.9	24.3	29.1	27.2
Jamaica	9.5	9.0	9.2	7.5	9.2	47.0	40.4	36.9	26.9	31.7
México	3.9	3.9	4.9	7.7	7.9	34.0	36.0	39.8	46.1	44.6
Nicaragua	..	1.8	4.5	9.0	9.0	..	12.3	23.1	32.5	32.9
Panamá	3.8	3.9	4.5	3.7	4.0	22.9	25.0	27.5	30.7	33.7
Paraguay	1.0	1.5	1.6	3.0	2.6	12.1	13.1	13.4	20.6	18.0
Perú	0.7	2.9	6.1	7.4	6.2	6.2	19.1	34.6	38.7	36.3
Santa Lucía	..	5.5	5.6	4.4	4.6	..	28.6	27.1	22.2	22.2
Trinidad y Tobago	12.3	12.4	19.6	16.9	15.4	52.7	56.8	68.5	68.1	63.5
Uruguay	0.9	2.9	4.8	7.2	7.2	4.7	13.6	20.0	26.6	26.4
Venezuela[2]	17.7	5.8	3.6	..	..	83.7	43.2	30.7	..	..
Promedio no ponderado										
ALC[3]	**3.2**	**4.0**	**5.4**	**6.3**	**6.2**	**20.3**	**22.4**	**26.4**	**29.8**	**29.6**
OCDE[4]	**11.5**	**11.4**	**10.2**	**12.3**	**..**	**36.2**	**33.9**	**32.2**	**36.5**	**..**

.. No disponible

Nota: Las cifras excluyen los ingresos subnacionales para Antigua y Barbuda, Argentina (pero se incluyen los ingresos de las provincias), Las Bahamas, Barbados, Cuba (excepto 2002-2012), República Dominicana, Santa Lucía, Trinidad y Tobago y Venezuela, dado que los datos no están disponibles. Los datos de ingresos subnacionales están disponibles desde 1991 para Nicaragua, desde 1994 para Bolivia, desde 1995 para Guatemala, desde 1998 para Jamaica, desde 1999 para Panamá, desde 2000 para Perú, desde 2002 para El Salvador y Guyana, desde 2006 para Paraguay y desde 1990 para todos los demás países.

1. Las cifras de 2021 y posteriores no son comparables con los datos de años anteriores debido a grandes cambios como consecuencia de la reforma monetaria de Cuba.
2. Algunos datos de ingresos tributarios entre 2014 y 2017 no están disponibles. Para esos años, no se pueden calcular los ingresos como porcentaje de los ingresos tributarios totales. Los datos de 2018 y años posteriores no están disponibles.
3. Representa al grupo de 26 países de América Latina y el Caribe incluidos en esta publicación y excluye a Cuba (hasta 2020) y Venezuela debido a problemas de los datos. Chile, Colombia, Costa Rica y México también forman parte del grupo OCDE (38).
4. Representa el promedio no ponderado para los países miembros de la OCDE.

Cuadro 4.6. Contribuciones a la seguridad social (2000) en % del PIB y del total de ingresos tributarios

	% del PIB					% del total de ingresos tributarios				
	1990	2000	2010	2022	2023	1990	2000	2010	2022	2023
Antigua y Barbuda[1]	..	..	2.4	3.2	3.2	..	..	12.6	17.5	18.1
Argentina	3.4	3.0	6.2	5.2	5.1	25.3	15.8	21.2	17.7	18.2
Bahamas[1]	1.3	1.5	1.7	2.2	2.2	13.2	11.9	13.1	11.4	11.3
Barbados	3.2	4.5	5.5	4.8	4.7	13.1	15.6	20.6	16.6	16.8
Belice[1]	0.9	0.8	1.7	2.5	2.6	5.7	5.8	8.2	10.8	10.9
Bolivia	0.0	1.3	3.8	5.7	5.7	0.0	7.3	16.7	24.1	24.1
Brasil	6.8	7.0	8.1	7.9	8.1	24.3	23.7	25.6	24.3	25.2
Chile	1.5	1.4	1.3	1.0	1.2	9.0	7.3	6.8	4.1	5.6
Colombia	0.9	2.6	2.1	1.6	1.6	7.9	16.3	11.7	8.3	7.3
Costa Rica	6.5	6.4	7.3	8.8	8.9	28.9	30.4	33.1	34.8	35.7
Cuba[2]	3.5	3.9	4.6	2.6	3.4	11.0	10.4	12.4	14.4	19.8
República Dominicana	0.1	0.1	0.1	0.1	0.1	0.8	1.0	0.8	0.6	0.4
Ecuador	1.6	1.2	3.7	5.0	5.1	22.5	10.7	21.7	24.0	24.7
El Salvador	2.2	2.8	2.5	2.6	2.6	19.2	19.5	13.6	11.2	11.4
Guatemala	1.3	1.8	1.9	2.1	2.2	16.5	15.5	15.2	14.7	15.4
Guyana	0.6	1.8	1.4	1.0	1.0	3.6	11.4	9.0	9.7	8.8
Honduras	1.0	1.6	2.9	3.3	3.1	8.5	9.4	15.9	15.2	14.6
Jamaica	..	..	0.7	1.5	1.8	..	..	2.9	5.5	6.2
México	1.9	2.0	2.0	2.3	2.4	16.8	18.0	16.2	13.8	13.5
Nicaragua	..	2.6	4.3	6.3	5.9	..	18.0	22.4	22.8	21.5
Panamá	5.7	5.9	5.5	4.3	4.2	34.2	38.2	33.7	36.2	35.0
Paraguay	0.4	3.0	2.8	4.0	4.1	4.8	25.6	22.7	27.7	28.4
Perú	0.9	1.8	1.9	1.9	1.9	8.3	12.0	10.7	10.0	11.1
Santa Lucía[1]	..	1.9	2.3	2.4	2.4	..	10.0	11.1	11.9	11.5
Trinidad y Tobago	0.9	1.4	1.9	2.3	2.5	3.7	6.4	6.7	9.4	10.3
Uruguay[3]	5.5	5.9	5.6	6.8	7.3	29.9	27.5	23.4	25.2	26.6
Venezuela[4]	1.0	0.7	1.0	..	..	4.9	5.4	8.1	..	..
Promedio no ponderado										
ALC[5]	**2.2**	**2.7**	**3.2**	**3.5**	**3.6**	**14.1**	**15.5**	**15.8**	**16.2**	**16.6**
OCDE[6]	**7.1**	**8.4**	**8.6**	**8.7**	**..**	**21.8**	**24.9**	**26.6**	**24.8**	**..**

.. No disponible

Nota: Las cifras excluyen los ingresos subnacionales para Antigua y Barbuda, Argentina (pero se incluyen los ingresos de las provincias), Las Bahamas, Barbados, Cuba (excepto 2002-2012), República Dominicana, Santa Lucía, Trinidad y Tobago y Venezuela, dado que los datos no están disponibles. Los datos de ingresos subnacionales están disponibles desde 1991 para Nicaragua, desde 1994 para Bolivia, desde 1995 para Guatemala, desde 1998 para Jamaica, desde 1999 para Panamá, desde 2000 para Perú, desde 2002 para El Salvador y Guyana, desde 2006 para Paraguay y desde 1990 para todos los demás países.

1. Los ingresos por las cotizaciones a la seguridad social se estiman en los siguientes países: Antigua y Barbuda (2019-23), Bahamas (2022 y 2023), Belice (2023) y Santa Lucía (2021-23).
2. Las cifras de 2021 y posteriores no son comparables con los datos de años anteriores debido a grandes cambios como consecuencia de la reforma monetaria de Cuba.
3. Las cifras de 1990-98 son estimaciones de la Dirección General de Impuestos dado que el empleo de la metodología actual utilizada para calcular las contribuciones a la seguridad social tuvo lugar en 1999.
4. Algunos datos de ingresos tributarios entre 2014 y 2017 no están disponibles. Para esos años, no se pueden calcular los ingresos como porcentaje de los ingresos tributarios totales. Los datos de 2018 y años posteriores no están disponibles.
5. Representa al grupo de 26 países de América Latina y el Caribe incluidos en esta publicación y excluye a Cuba (hasta 2020) y Venezuela debido a problemas de los datos. Chile, Colombia, Costa Rica y México también forman parte del grupo OCDE (38).
6. Representa el promedio no ponderado para los países miembros de la OCDE.

Cuadro 4.7. Impuestos sobre la nómina (3000) en % del PIB y del total de ingresos tributarios

	% del PIB					% del total de ingresos tributarios				
	1990	2000	2010	2022	2023	1990	2000	2010	2022	2023
Antigua y Barbuda	..	0.0	0.0	0.0	0.0	..	0.0	0.0	0.0	0.0
Argentina	0.0	0.0	0.0	0.0	0.0	0.0	0.0	0.0	0.0	0.0
Bahamas	0.0	0.0	0.0	0.0	0.0	0.0	0.0	0.0	0.0	0.0
Barbados	0.0	0.0	0.0	0.0	0.0	0.0	0.0	0.0	0.0	0.0
Belice	0.0	0.0	0.0	0.0	0.0	0.0	0.0	0.0	0.0	0.0
Bolivia	0.0	0.0	0.0	0.0	0.0	0.0	0.0	0.0	0.0	0.0
Brasil	0.4	0.5	0.5	0.5	0.6	1.6	1.5	1.7	1.7	1.8
Chile	0.0	0.0	0.0	0.0	0.0	0.0	0.0	0.0	0.0	0.0
Colombia	0.0	0.7	0.7	0.3	0.3	0.0	4.2	4.1	1.5	1.4
Costa Rica	1.4	1.3	1.3	1.4	1.5	6.4	6.3	5.9	5.7	5.9
Cuba[1]	0.0	3.2	6.9	1.0	0.8	0.0	8.5	18.4	5.4	4.5
República Dominicana	0.0	0.0	0.1	0.1	0.1	0.0	0.0	0.6	0.5	0.5
Ecuador	0.0	0.0	0.0	0.0	0.0	0.0	0.0	0.0	0.0	0.0
El Salvador	0.0	0.0	0.1	0.1	0.1	0.0	0.0	0.6	0.6	0.6
Guatemala	0.0	0.0	0.1	0.2	0.2	0.0	0.0	1.1	1.1	1.1
Guyana	0.0	0.0	0.0	0.0	0.0	0.0	0.0	0.0	0.0	0.0
Honduras	0.0	0.0	0.2	0.2	0.2	0.0	0.0	0.9	0.7	0.8
Jamaica	0.8	1.0	1.1	1.4	1.6	3.9	4.4	4.5	5.0	5.4
México	0.2	0.2	0.3	0.5	0.5	1.8	1.5	2.2	2.9	3.0
Nicaragua	..	0.0	0.0	0.0	0.0	..	0.0	0.0	0.0	0.0
Panamá	0.0	0.3	0.2	0.2	0.2	0.0	1.9	1.2	1.4	2.0
Paraguay	0.0	0.0	0.0	0.0	0.0	0.0	0.0	0.0	0.0	0.0
Perú	0.0	0.7	0.0	0.0	0.0	0.0	4.3	0.1	0.1	0.1
Santa Lucía	..	0.0	0.0	0.0	0.0	..	0.0	0.0	0.0	0.0
Trinidad y Tobago	0.0	0.0	0.0	0.0	0.0	0.0	0.0	0.0	0.0	0.0
Uruguay	0.0	0.0	0.0	0.0	0.0	0.0	0.0	0.0	0.0	0.0
Venezuela[2]	0.0	0.0	0.0	..	..	0.0	0.0	0.0	..	..
Promedio no ponderado										
ALC[3]	**0.1**	**0.2**	**0.2**	**0.2**	**0.2**	**0.6**	**1.0**	**0.9**	**1.0**	**1.0**
OCDE[4]	**0.4**	**0.4**	**0.4**	**0.5**	..	**1.2**	**1.2**	**1.2**	**1.3**	..

.. No disponible

Nota: Las cifras excluyen los ingresos subnacionales para Antigua y Barbuda, Argentina (pero se incluyen los ingresos de las provincias), Las Bahamas, Barbados, Cuba (excepto 2002-2012), República Dominicana, Santa Lucía, Trinidad y Tobago y Venezuela, dado que los datos no están disponibles. Los datos de ingresos subnacionales están disponibles desde 1991 para Nicaragua, desde 1994 para Bolivia, desde 1995 para Guatemala, desde 1998 para Jamaica, desde 1999 para Panamá, desde 2000 para Perú, desde 2002 para El Salvador y Guyana, desde 2006 para Paraguay y desde 1990 para todos los demás países.

1. Las cifras de 2021 y posteriores no son comparables con los datos de años anteriores debido a grandes cambios como consecuencia de la reforma monetaria de Cuba.
2. Algunos datos de ingresos tributarios entre 2014 y 2017 no están disponibles. Para esos años, no se pueden calcular los ingresos como porcentaje de los ingresos tributarios totales. Los datos de 2018 y años posteriores no están disponibles.
3. Representa al grupo de 26 países de América Latina y el Caribe incluidos en esta publicación y excluye a Cuba (hasta 2020) y Venezuela debido a problemas de los datos. Chile, Colombia, Costa Rica y México también forman parte del grupo OCDE (38).
4. Representa el promedio no ponderado para los países miembros de la OCDE.

Cuadro 4.8. Impuestos sobre la propiedad (4000) en % del PIB y del total de ingresos tributarios

	% del PIB					% del total de ingresos tributarios				
	1990	2000	2010	2022	2023	1990	2000	2010	2022	2023
Antigua y Barbuda	..	0.5	1.4	1.9	1.2	..	4.9	7.5	10.6	6.9
Argentina	1.5	1.2	2.6	2.9	2.8	11.4	6.3	9.0	9.8	10.0
Bahamas	1.1	2.6	2.7	1.9	2.0	11.2	21.6	21.1	9.9	9.9
Barbados	3.5	1.6	1.3	1.9	1.7	14.4	5.7	4.8	6.4	6.1
Belice	3.2	0.6	0.6	1.0	1.2	19.2	4.2	3.1	4.3	4.8
Bolivia	0.0	0.0	0.3	0.3	0.2	0.1	0.0	1.2	1.1	0.8
Brasil	1.6	2.0	1.4	1.5	1.5	5.9	6.7	4.3	4.8	4.8
Chile	1.0	1.3	0.8	1.3	1.3	6.2	7.0	4.0	5.5	6.5
Colombia	0.2	1.0	1.6	1.5	1.6	2.2	6.6	8.7	7.8	7.4
Costa Rica	0.3	0.2	0.3	0.5	0.5	1.3	0.9	1.5	2.0	1.9
Cuba	0.0	0.0	0.0	0.0	0.0	0.0	0.0	0.0	0.0	0.0
República Dominicana	0.1	0.2	0.6	0.7	0.7	1.2	1.3	5.1	5.2	5.1
Ecuador	0.1	0.1	0.2	0.9	0.6	1.5	0.8	1.4	4.1	3.0
El Salvador	0.5	0.1	0.1	0.2	0.2	4.8	0.7	0.6	0.8	0.8
Guatemala	0.4	0.2	0.4	0.2	0.1	5.6	2.1	2.9	1.5	0.7
Guyana	0.2	0.3	0.3	0.2	0.2	1.0	1.6	1.8	2.0	1.9
Honduras	0.1	0.2	0.3	0.6	0.7	0.7	1.5	1.8	2.9	3.1
Jamaica	2.5	1.1	0.9	0.8	0.7	12.5	4.9	3.5	2.7	2.3
México	0.2	0.2	0.3	0.4	0.3	1.9	1.8	2.3	2.1	1.7
Nicaragua	..	0.0	0.2	0.3	0.3	..	0.1	1.2	1.2	1.2
Panamá	0.6	0.3	0.5	0.3	0.3	3.4	2.2	2.9	2.3	2.5
Paraguay	0.2	0.2	0.2	0.2	0.2	2.8	2.0	1.8	1.3	1.3
Perú	1.9	0.2	0.9	0.9	0.9	16.4	1.2	5.2	4.7	5.4
Santa Lucía	..	0.4	0.5	0.6	0.5	..	2.2	2.3	2.8	2.6
Trinidad y Tobago	0.4	0.3	0.1	0.2	0.2	1.8	1.6	0.5	0.7	0.6
Uruguay	1.6	1.8	2.2	2.1	2.1	8.9	8.6	8.9	7.7	7.8
Venezuela[1]	0.1	0.5	0.0	..	..	0.3	3.7	0.2	..	..
Promedio no ponderado										
ALC[2]	**1.0**	**0.7**	**0.8**	**0.9**	**0.8**	**6.1**	**3.9**	**4.3**	**4.0**	**3.8**
OCDE[3]	**1.7**	**1.7**	**1.6**	**1.8**	**..**	**5.5**	**5.3**	**5.4**	**5.3**	**..**

.. No disponible

Nota: Las cifras excluyen los ingresos subnacionales para Antigua y Barbuda, Argentina (pero se incluyen los ingresos de las provincias), Las Bahamas, Barbados, Cuba (excepto 2002-2012), República Dominicana, Santa Lucía, Trinidad y Tobago y Venezuela, dado que los datos no están disponibles. Los datos de ingresos subnacionales están disponibles desde 1991 para Nicaragua, desde 1994 para Bolivia, desde 1995 para Guatemala, desde 1998 para Jamaica, desde 1999 para Panamá, desde 2000 para Perú, desde 2002 para El Salvador y Guyana, desde 2006 para Paraguay y desde 1990 para todos los demás países.

1. Algunos datos de ingresos tributarios entre 2014 y 2017 no están disponibles. Para esos años, no se pueden calcular los ingresos como porcentaje de los ingresos tributarios totales. Los datos de 2018 y años posteriores no están disponibles.
2. Representa al grupo de 26 países de América Latina y el Caribe incluidos en esta publicación y excluye a Cuba (hasta 2020) y Venezuela debido a problemas de los datos. Chile, Colombia, Costa Rica y México también forman parte del grupo OCDE (38).
3. Representa el promedio no ponderado para los países miembros de la OCDE.

Cuadro 4.9. Impuestos sobre bienes y servicios (5000) en % del PIB y del total de ingresos tributarios

	% del PIB					% del total de ingresos tributarios				
	1990	2000	2010	2022	2023	1990	2000	2010	2022	2023
Antigua y Barbuda	..	8.9	12.4	11.6	11.4	..	81.1	65.9	64.1	64.0
Argentina	7.3	10.9	15.2	15.5	15.2	55.2	56.5	52.4	52.6	54.8
Bahamas	7.4	7.9	7.8	15.4	15.7	76.4	64.3	61.1	78.7	78.8
Barbados	11.8	13.4	12.3	13.7	13.6	48.2	47.0	46.6	47.2	48.3
Belice	8.9	9.6	11.6	14.3	14.6	54.1	66.1	55.2	61.8	61.1
Bolivia	5.9	12.8	12.9	12.1	12.3	90.2	72.7	56.4	51.1	51.6
Brasil	13.5	14.1	15.0	13.5	13.0	48.7	48.0	47.3	41.5	40.7
Chile	10.6	11.9	10.1	11.4	11.2	62.9	63.8	51.3	47.8	54.2
Colombia	6.1	7.3	8.2	8.8	8.8	53.8	46.3	45.1	44.8	39.5
Costa Rica	10.2	9.9	8.9	8.2	8.3	45.5	46.7	40.3	32.6	33.4
Cuba[1]	27.7	22.0	19.1	2.0	2.5	86.9	59.2	51.3	10.9	14.7
República Dominicana	5.8	9.1	8.8	8.7	8.5	69.8	74.7	71.9	62.1	59.2
Ecuador	4.5	8.8	8.7	10.4	10.1	63.0	75.7	51.9	49.8	48.9
El Salvador	5.4	7.7	10.2	11.5	11.3	47.7	54.1	54.5	49.5	49.7
Guatemala	4.6	7.3	7.0	7.6	7.3	58.7	62.4	56.0	52.8	51.8
Guyana	6.4	7.6	8.5	3.9	4.2	42.0	48.6	53.0	36.9	36.5
Honduras	8.2	11.7	9.7	10.5	10.7	66.2	68.0	53.1	48.5	51.0
Jamaica	7.4	11.1	13.0	16.6	15.7	36.4	50.1	52.1	59.5	54.1
México	5.1	4.6	4.7	5.5	6.2	44.0	41.7	38.0	32.8	35.2
Nicaragua	..	8.6	10.1	11.9	11.9	..	60.0	52.4	42.7	43.5
Panamá	6.1	4.9	5.5	3.5	3.2	36.8	31.3	33.9	29.0	26.5
Paraguay	6.1	6.7	7.3	7.3	7.5	72.1	58.0	60.5	49.9	51.7
Perú	7.6	9.1	8.4	8.5	7.6	67.7	60.5	47.9	44.5	45.0
Santa Lucía	..	11.4	12.3	12.6	13.2	..	59.1	59.5	63.0	63.8
Trinidad y Tobago	9.7	7.7	7.0	5.4	6.2	41.7	35.2	24.3	21.7	25.6
Uruguay	10.4	10.7	11.4	10.8	10.6	56.6	50.1	47.1	39.9	38.5
Venezuela[2]	2.4	6.4	7.2	..	..	11.1	47.7	61.1	..	..
Promedio no ponderado										
ALC[3]	**7.7**	**9.3**	**9.9**	**10.0**	**10.0**	**56.3**	**56.9**	**51.1**	**46.8**	**47.0**
OCDE[4]	**9.9**	**10.8**	**10.5**	**10.6**	**..**	**33.7**	**33.9**	**34.0**	**31.5**	**..**

.. No disponible

Nota: Las cifras excluyen los ingresos subnacionales para Antigua y Barbuda, Argentina (pero se incluyen los ingresos de las provincias), Las Bahamas, Barbados, Cuba (excepto 2002-2012), República Dominicana, Santa Lucía, Trinidad y Tobago y Venezuela, dado que los datos no están disponibles. Los datos de ingresos subnacionales están disponibles desde 1991 para Nicaragua, desde 1994 para Bolivia, desde 1995 para Guatemala, desde 1998 para Jamaica, desde 1999 para Panamá, desde 2000 para Perú, desde 2002 para El Salvador y Guyana, desde 2006 para Paraguay y desde 1990 para todos los demás países.

1. Las cifras de 2021 y posteriores no son comparables con los datos de años anteriores debido a grandes cambios como consecuencia de la reforma monetaria de Cuba.
2. Algunos datos de ingresos tributarios entre 2014 y 2017 no están disponibles. Para esos años, no se pueden calcular los ingresos como porcentaje de los ingresos tributarios totales. Los datos de 2018 y años posteriores no están disponibles.
3. Representa al grupo de 26 países de América Latina y el Caribe incluidos en esta publicación y excluye a Cuba (hasta 2020) y Venezuela debido a problemas de los datos. Chile, Colombia, Costa Rica y México también forman parte del grupo OCDE (38).
4. Representa el promedio no ponderado para los países miembros de la OCDE.

Cuadro 4.10. Impuesto al valor agregado (5111) en % del PIB y del total de ingresos tributarios

	% del PIB					% del total de ingresos tributarios				
	1990	2000	2010	2022	2023	1990	2000	2010	2022	2023
Antigua y Barbuda	..	..	5.1	6.0	6.0	..	..	27.2	33.4	33.3
Argentina	2.1	6.0	7.0	7.1	7.7	15.6	31.1	24.1	23.9	27.8
Bahamas	0.0	0.0	0.0	9.2	8.9	0.0	0.0	0.0	46.6	44.9
Barbados	0.0	7.4	7.4	7.9	8.0	0.0	26.0	28.1	27.4	28.4
Belice	0.0	0.0	5.7	6.6	6.7	0.0	0.0	26.9	28.6	28.0
Bolivia	2.8	5.7	7.4	7.2	7.4	43.0	32.2	32.5	30.6	31.1
Brasil	8.0	6.9	6.9	6.8	6.5	28.7	23.3	21.7	21.0	20.2
Chile	6.3	7.8	7.6	9.3	8.6	37.4	41.8	38.5	39.0	41.6
Colombia	2.6	4.3	5.3	6.2	6.1	22.6	27.6	29.3	31.8	27.3
Costa Rica	4.1	4.8	4.6	4.9	4.9	18.1	22.8	21.0	19.4	19.5
Cuba	0.0	0.0	0.0	0.0	0.0	0.0	0.0	0.0	0.0	0.0
República Dominicana	1.3	2.5	4.1	5.0	4.9	15.1	20.8	33.5	35.6	34.5
Ecuador	2.0	5.0	5.4	6.8	6.8	28.0	43.5	32.1	32.6	33.1
El Salvador	0.0	6.1	7.8	9.2	9.0	0.0	42.8	41.6	39.6	39.6
Guatemala	2.3	4.4	5.1	5.9	5.6	28.8	37.9	40.9	41.0	39.9
Guyana	0.0	0.0	3.9	1.9	2.0	0.0	0.0	24.2	17.5	17.6
Honduras	2.0	4.8	5.4	7.3	7.6	16.2	28.1	29.4	33.7	36.3
Jamaica	0.8	5.7	7.1	9.0	8.8	3.8	25.5	28.7	32.1	30.2
México	3.0	2.7	3.6	4.1	4.3	26.1	24.7	29.4	24.7	24.2
Nicaragua	..	4.5	5.5	6.8	7.0	..	31.5	28.6	24.4	25.5
Panamá	1.4	0.6	2.6	1.9	1.7	8.5	3.6	16.0	15.6	14.4
Paraguay	0.0	3.7	4.6	5.2	5.4	0.0	32.1	38.3	35.5	37.5
Perú	2.1	5.5	6.9	7.3	6.5	18.2	36.4	39.4	38.3	38.4
Santa Lucía	..	0.0	0.0	6.0	6.1	..	0.0	0.0	30.0	29.2
Trinidad y Tobago	4.4	3.8	4.4	2.6	3.4	18.8	17.3	15.2	10.6	14.2
Uruguay	5.0	6.0	7.9	6.9	6.9	27.5	28.0	32.8	25.6	25.1
Venezuela[1]	0.0	4.1	5.5	..	..	0.0	30.2	46.7	..	..
Promedio no ponderado										
ALC[2]	**2.3**	**4.1**	**5.3**	**6.0**	**6.0**	**16.2**	**24.0**	**27.2**	**28.4**	**28.5**
OCDE[3]	**5.1**	**6.3**	**6.3**	**7.0**	**..**	**17.0**	**19.6**	**20.5**	**20.8**	**..**

.. No disponible

Nota: Las cifras excluyen los ingresos subnacionales para Antigua y Barbuda, Argentina (pero se incluyen los ingresos de las provincias), Las Bahamas, Barbados, Cuba (excepto 2002-2012), República Dominicana, Santa Lucía, Trinidad y Tobago y Venezuela, dado que los datos no están disponibles. Los datos de ingresos subnacionales están disponibles desde 1991 para Nicaragua, desde 1994 para Bolivia, desde 1995 para Guatemala, desde 1998 para Jamaica, desde 1999 para Panamá, desde 2000 para Perú, desde 2002 para El Salvador y Guyana, desde 2006 para Paraguay y desde 1990 para todos los demás países.

1. Algunos datos de ingresos tributarios entre 2014 y 2017 no están disponibles. Para esos años, no se pueden calcular los ingresos como porcentaje de los ingresos tributarios totales. Los datos de 2018 y años posteriores no están disponibles.
2. Representa al grupo de 26 países de América Latina y el Caribe incluidos en esta publicación y excluye a Cuba (hasta 2020) y Venezuela debido a problemas de los datos. Chile, Colombia, Costa Rica y México también forman parte del grupo OCDE (38).
3. Representa el promedio no ponderado para los países miembros de la OCDE.

Cuadro 4.11. Ingresos tributarios por subsector del gobierno general, en % del total de ingresos tributarios

	Gobierno central			Gobierno estatal o regional			Gobierno local			Fondos de seguridad social		
	1995	2000	2023	1995	2000	2023	1995	2000	2023	1995	2000	2023
Países federales												
Argentina	59.0	66.4	63.6	17.5	17.8	18.2	..	..	..	23.4	15.8	18.2
Brasil	44.8	47.9	45.4	26.5	25.0	23.0	3.7	3.4	6.4	25.0	23.7	25.2
México	73.9	78.3	80.4	2.8	2.7	4.5	1.5	1.0	1.6	21.8	18.0	13.5
Venezuela[1]	94.6	94.6	..	..	..	..	..	..	..	5.4	5.4	..
País régional												
Colombia	63.2	68.7	76.9	5.5	5.6	4.3	8.6	9.4	11.5	22.7	16.3	7.3
Países unitarios												
Antigua y Barbuda	100.0	100.0	81.9	..	..	..	..	..	..	..	..	18.1
Bahamas	89.1	88.1	88.7	..	..	..	..	..	..	10.9	11.9	11.3
Barbados	85.6	84.4	83.2	..	..	..	..	..	..	14.4	15.6	16.8
Belice	93.2	93.5	88.6	..	..	..	0.5	0.7	0.5	6.3	5.8	10.9
Bolivia	94.3	86.4	71.4	..	..	..	5.7	6.3	4.5	..	7.3	24.1
Chile	89.9	87.8	86.9	..	..	..	6.5	7.9	8.5	3.6	4.4	4.6
Costa Rica	65.5	63.3	60.3	..	..	..	1.6	1.9	2.8	33.0	34.8	36.9
Cuba[2]	..	..	..	..	..	..	..	..	..	11.3	10.4	19.8
República Dominicana	99.3	99.0	99.6	..	..	..	..	..	..	0.7	1.0	0.4
Ecuador[3]	70.5	87.7	72.5	..	..	..	4.0	1.6	2.8	25.5	10.7	24.7
El Salvador	80.9	80.5	86.9	..	..	..	..	..	1.8	19.1	19.5	11.4
Guatemala	83.6	83.6	84.5	..	..	..	0.6	0.9	0.1	15.8	15.5	15.4
Guyana	92.6	88.6	91.2	..	..	..	..	..	0.0	7.4	11.4	8.8
Honduras	86.1	85.3	82.1	..	..	..	4.4	5.2	3.2	9.5	9.4	14.6
Jamaica	100.0	99.3	92.7	..	..	..	0.0	0.7	1.1	..	..	6.2
Nicaragua[3]	80.4	72.5	72.5	..	..	..	4.6	9.5	6.0	15.0	18.0	21.5
Panamá[3]	67.2	59.6	63.3	..	..	..	..	2.2	1.7	32.8	38.2	35.0
Paraguay	92.0	74.4	69.1	..	..	..	..	..	2.5	8.0	25.6	28.4
Perú	88.0	86.4	86.4	..	..	..	..	1.6	2.4	12.0	12.0	11.1
Santa Lucía	100.0	90.0	88.5	..	..	..	..	..	..	..	10.0	11.5
Trinidad y Tobago	96.8	93.6	89.7	..	..	..	..	..	..	3.2	6.4	10.3
Uruguay	61.7	63.6	67.4	..	..	..	8.8	8.9	6.0	29.5	27.5	26.6

.. No disponible

Nota: Las cifras excluyen los ingresos subnacionales para Antigua y Barbuda, Argentina (pero se incluyen los ingresos de las provincias), Las Bahamas, Barbados, Cuba (excepto 2002-2012), República Dominicana, Santa Lucía, Trinidad y Tobago y Venezuela, dado que los datos no están disponibles. Los datos de ingresos subnacionales están disponibles desde 1991 para Nicaragua, desde 1994 para Bolivia, desde 1995 para Guatemala, desde 1998 para Jamaica, desde 1999 para Panamá, desde 2000 para Perú, desde 2002 para El Salvador y Guyana, desde 2006 para Paraguay y desde 1990 para todos los demás países.

1. Algunos datos de ingresos tributarios entre 2014 y 2017 y tos datos de 2018 y años posteriores no están disponibles. El desglose por subsectores del gobierno general no está disponible para esos años.
2. Las cifras de 2021 y posteriores no son comparables con los datos de años anteriores debido a grandes cambios como consecuencia de la reforma monetaria de Cuba.
3. Los ingresos de las administraciones locales se estiman en los siguientes países: Ecuador (ingresos tributarios locales para 2021-23), Nicaragua (ingresos tributarios locales para 2022 y 2023) y Panamá (ingresos tributarios locales para 2023). Consulte las tablas de países correspondientes para obtener más información.

Cuadro 4.12. Impuestos principales del gobierno central en % del total de ingresos tributarios del gobierno central, 2023

	Ingresos y utilidades	Seguridad social	Nómina	Propiedad	Bienes y servicios	Otros
Países federales						
Argentina	26.0	0.0	0.0	12.3	61.3	0.3
Brasil	59.6	0.0	3.9	4.1	31.5	0.9
México	55.5	0.0	0.0	0.0	42.9	1.6
Venezuela	0.0	0.0	0.0	0.0	0.0	0.0
País régional						
Colombia	52.1	0.0	1.9	5.5	40.0	0.4
Países unitarios						
Antigua y Barbuda	13.5	0.0	0.0	8.4	78.2	0.0
Bahamas	0.0	0.0	0.0	11.2	88.8	0.0
Barbados	34.6	0.0	0.0	7.4	58.1	0.0
Belice	26.2	0.0	0.0	4.9	68.9	0.0
Bolivia	17.0	0.0	0.0	1.1	72.2	9.7
Chile	40.5	1.2	0.0	2.9	57.1	-1.7
Costa Rica	35.1	7.8	0.0	0.9	53.0	3.1
Cuba	0.0	0.0	0.0	0.0	0.0	0.0
República Dominicana	35.0	0.0	0.5	5.1	59.4	0.0
Ecuador	31.7	0.0	0.0	2.3	66.0	-0.0
El Salvador	41.7	0.0	0.7	0.8	56.9	0.0
Guatemala	29.3	0.0	1.3	0.6	61.2	7.5
Guyana	57.4	0.0	0.0	2.1	40.0	0.5
Honduras	33.2	0.0	1.0	3.8	62.0	0.0
Jamaica	34.2	0.0	5.8	1.4	58.3	0.3
Nicaragua	45.4	0.0	0.0	0.1	54.6	0.0
Panamá	53.2	0.0	3.2	3.9	39.3	0.4
Paraguay	26.0	0.0	0.0	0.0	73.2	0.7
Perú	42.0	0.0	0.1	3.8	51.7	2.3
Santa Lucía	25.1	0.0	0.0	2.9	72.0	0.0
Trinidad y Tobago	70.8	0.0	0.0	0.7	28.5	0.0
Uruguay	39.2	0.0	0.0	6.8	53.8	0.2

.. No disponible
Nota: Se excluyen las contribuciones a la seguridad social recaudadas por los fondos de la seguridad social.

Cuadro 4.13. Impuestos principales del gobierno estatal en % del total de ingresos tributarios del gobierno estatal, 2023

	Ingresos y utilidades	Seguridad social	Nómina	Propiedad	Bienes y servicios	Otros
Países federales						
Argentina	0.0	0.0	0.0	11.6	86.9	1.5
Brasil	0.0	0.0	0.0	2.1	97.9	0.0
México	0.0	0.0	66.5	13.9	13.3	6.3
Venezuela	..	..	..	..	..	..
País régional						
Colombia	0.0	0.0	0.0	0.0	70.9	29.1
Países unitarios						
Antigua y Barbuda	..	..	..	..	..	..
Bahamas	..	..	..	..	..	..
Barbados	..	..	..	..	..	..
Belice	..	..	..	..	..	..
Bolivia	..	..	..	..	..	..
Chile	..	..	..	..	..	..
Costa Rica	..	..	..	..	..	..
Cuba	..	..	..	..	..	..
República Dominicana	..	..	..	..	..	..
Ecuador	..	..	..	..	..	..
El Salvador	..	..	..	..	..	..
Guatemala	..	..	..	..	..	..
Guyana	..	..	..	..	..	..
Honduras	..	..	..	..	..	..
Jamaica	..	..	..	..	..	..
Nicaragua	..	..	..	..	..	..
Panamá	..	..	..	..	..	..
Paraguay	..	..	..	..	..	..
Perú	..	..	..	..	..	..
Santa Lucía	..	..	..	..	..	..
Trinidad y Tobago	..	..	..	..	..	..
Uruguay	..	..	..	..	..	..

.. No disponible

Cuadro 4.14. Impuestos principales del gobierno local en % del total de ingresos tributarios del gobierno local, 2023

	Ingresos y utilidades	Seguridad social	Nómina	Propiedad	Bienes y servicios	Otros
Países federales						
Argentina	..	..	..	..	..	..
Brasil	0.0	0.0	0.0	39.1	60.7	0.2
México	0.0	0.0	0.0	68.0	2.6	29.4
Venezuela	..	..	..	..	..	..
País régional						
Colombia	0.0	0.0	0.0	27.3	49.0	23.7
Países unitarios						
Antigua y Barbuda	..	..	..	..	..	..
Bahamas	..	..	..	..	..	..
Barbados	..	..	..	..	..	..
Belice	0.0	0.0	0.0	100.0	0.0	0.0
Bolivia	0.0	0.0	0.0	0.0	0.0	100.0
Chile	0.0	0.0	0.0	46.3	53.7	0.0
Costa Rica	0.0	0.0	0.0	47.8	52.2	0.0
Cuba	..	..	..	..	..	..
República Dominicana	..	..	..	..	..	..
Ecuador	11.3	0.0	0.0	48.9	39.8	0.0
El Salvador	0.0	0.0	0.0	5.1	15.2	79.7
Guatemala	0.0	0.0	0.0	100.0	0.0	0.0
Guyana	0.0	0.0	0.0	0.0	0.0	100.0
Honduras	0.0	0.0	0.0	0.0	0.0	100.0
Jamaica	0.0	0.0	0.0	100.0	0.0	0.0
Nicaragua	0.0	0.0	0.0	18.7	65.8	15.4
Panamá	0.0	0.0	0.0	0.0	100.0	0.0
Paraguay	0.0	0.0	0.0	51.0	43.8	5.2
Perú	0.0	0.0	0.0	85.4	12.9	1.7
Santa Lucía	..	..	..	..	..	..
Trinidad y Tobago	..	..	..	..	..	..
Uruguay	0.0	0.0	0.0	53.0	37.7	9.3

.. No disponible

Cuadro 4.15. Producto interno bruto para los años fiscales a precios de mercado, en millones de moneda local

		1990	2000	2005	2010	2018	2019	2020	2021	2022	2023
Antigua y Barbuda	XCD	1 292	2 433	3 089	3 506	4 486	4 661	3 811	4 326	5 040	5 416
Argentina	ARS	77 060	317 759	582 538	1 661 721	14 744 811	21 558 444	27 209 814	46 219 084	82 652 824	191 404 997
Bahamas	BSD	5 218	7 880	9 446	10 039	12 474	12 949	11 377	10 198	12 410	14 029
Barbados	BBD	4 182	6 620	8 670	10 357	11 339	11 773	9 605	11 295	12 873	13 701
Belice	BZD	1089	2 189	2 932	3 518	4 633	4 604	4 284	5 052	5 780	6 274
Bolivia	BOB	15 443	51 928	77 024	137 876	278 388	282 587	253 112	279 206	304 097	311 886
Brasil	BRL	12	1 199 092	2 170 585	3 885 847	7 004 141	7 389 131	7 609 597	9 012 142	10 079 677	10 856 112
Chile	CLP	10 594 797	42 215 030	68 467 940	110 777 867	189 434 867	195 531 722	201 257 745	239 561 981	263 842 661	281 870 321
Colombia	COP	22 731 433	195 108 574	337 958 000	544 060 000	987 791 000	1060 068 000	998 471 000	1192 634 000	1469 791 000	1572 658 400
Costa Rica	CRC	525 310	4 627 051	9 577 022	19 802 011	36 014 719	37 832 150	36 495 246	40 326 626	44 810 031	47 059 272
Cuba	CUP	19 645	30 565	42 644	64 328	100 050	103 428	107 352	545 218	633 093	869 234
República Dominicana	DOP	77 344	393 303	1 083 445	1 983 202	4 235 847	4 562 235	4 456 657	5 392 714	6 260 564	6 820 019
Ecuador	USD	15 232	18 319	41 507	69 555	107 562	108 108	99 291	106 166	115 049	118 845
El Salvador	USD	4 818	11 785	14 698	18 448	26 021	26 881	24 921	29 043	31 989	34 016
Guatemala	GTQ	33 613	140 702	207 729	333 093	551 368	593 972	600 123	668 861	740 969	818 054
Guyana	GYD	34 523	273 054	342 157	699 064	994 472	1078 729	1140 757	1676 624	3068 784	3527 508
Honduras	HNL	17 141	106 654	183 747	299 286	575 285	609 827	574 042	675 933	769 494	846 309
Jamaica	JMD	38 145	395 009	700 275	1 152 780	2 053 279	2 121 087	1 948 842	2 322 193	2 753 530	3 029 090
México	MXN	885 513	7 016 604	9 999 599	13 968 150	24 176 670	25 143 108	24 081 766	26 619 086	29 452 832	31 768 335
Nicaragua	NIO		64 812	105 777	187 053	410 988	420 614	435 395	497 524	562 208	649 718
Panamá	PAB	5 723	12 502	16 638	29 440	67 294	69 722	57 087	67 407	76 523	83 382
Paraguay	PYG	7 147 738	30 874 088	66 335 828	129 092 883	230 576 477	236 681 497	239 914 729	270 633 896	292 946 789	313 094 928
Perú	PEN	5 322	175 862	244 652	421 582	748 095	777 524	721 692	878 373	936 622	999 195
Santa Lucía	XCD	1 587	2 489	3 154	4 021	5 588	5 657	4 296	5 362	6 384	6 655
Trinidad y Tobago	TTD	21 105	50 098	97 612	138 557	165 510	162 030	145 503	159 288	193 629	192 623
Uruguay	UYU	13 103	301 275	463 684	881 592	2007 722	2 193 673	2 254 794	2 646 326	2 888 512	2 998 593
Venezuela	VES	0	1	3	10	..	..	..	..	..	..

.. No disponible

Fuente: Datos de las Cuentas Nacionales de la OCDE para Chile, Colombia, Costa Rica y México, *Perspectivas de la Economía Mundial* (FMI) para Barbados, Belice, Santa Lucía, Trinidad y Tobago y Uruguay, y datos oficiales de las Cuentas Nacionales para Bolivia, Brasil, Ecuador, Paraguay, Perú y Venezuela. Para Antigua y Barbuda, Argentina, Bahamas, El Salvador, Guatemala, Guyana, Honduras, Jamaica, Nicaragua, Panamá y la República Dominicana, se utilizan fuentes nacionales oficiales donde los datos están disponibles, junto con datos del FMI. Para Cuba, las cifras desde 1996 provienen de la Oficina Nacional de Estadística e Información (ONEI), mientras que los datos anteriores a 1996 proceden de la CEPAL. Para Bahamas, Barbados, Belice, Santa Lucía y Trinidad y Tobago, las cifras del PIB se informan sobre la base del año fiscal. Para Jamaica, el PIB reportado para 1990-2003 se presenta sobre la base del año fiscal, mientras que en los demás años se presenta sobre la base del año civil.

Cuadro 4.16. Producto interno bruto para los años fiscales a precios de mercado, en millones de US dólares

	1990	2000	2005	2010	2018	2019	2020	2021	2022	2023
Antigua y Barbuda	479	902	1 144	1 298	1 662	1 726	1 412	1 602	1 867	2 006
Argentina	158 024	317 759	199 273	424 729	524 431	446 762	385 218	486 040	632 318	645 511
Bahamas	5 218	7 880	9 446	10 039	12 474	12 949	11 377	10 198	12 410	14 029
Barbados	2 091	3 310	4 335	5 179	5 670	5 887	4 803	5 648	6 437	6 851
Belice	544	1 094	1 466	1 759	2 317	2 302	2 142	2 526	2 890	3 137
Bolivia	4 868	8 385	9 573	19 786	40 581	41 193	36 897	40 701	44 329	45 464
Brasil	478 052	655 453	891 633	2 208 704	1 916 934	1 873 286	1 476 092	1 670 650	1 951 849	2 173 671
Chile	34 748	78 236	122 315	217 105	295 403	278 180	253 880	315 647	302 117	335 533
Colombia	45 258	93 446	145 601	286 499	334 198	323 032	270 348	318 525	345 330	363 540
Costa Rica	5 736	15 014	20 045	37 659	62 420	64 418	62 396	64 961	69 244	86 498
Cuba	21 541	30 565	42 644	64 328	100 050	103 428	107 352	22 717	14 064	11 768
República Dominicana	7 995	24 306	35 948	53 921	85 630	89 032	78 923	94 458	113 873	121 785
Ecuador	15 232	18 319	41 507	69 555	107 562	108 108	99 291	106 166	115 049	118 845
El Salvador	4 818	11 785	14 698	18 448	26 021	26 881	24 921	29 043	31 989	34 016
Guatemala	7 535	18 124	27 203	41 327	73 331	77 156	77 718	86 467	95 631	104 436
Guyana	685	1 497	1 712	3 432	4 788	5 174	5 471	8 042	14 718	16 919
Honduras	4 169	7 104	9 672	15 730	23 907	24 711	23 190	27 950	31 233	34 229
Jamaica	5 058	8 997	11 233	13 193	15 849	15 888	13 757	15 417	17 847	19 540
México	314 838	742 061	917 572	1 105 424	1 256 300	1 305 211	1 120 832	1 313 070	1 463 324	1 788 887
Nicaragua		5 109	6 321	8 759	13 025	12 713	12 682	14 145	15 671	17 843
Panamá	5 723	12 502	16 638	29 440	67 294	69 722	57 087	67 407	76 523	83 382
Paraguay	5 812	8 856	10 738	27 129	40 225	37 925	35 432	39 951	41 953	42 955
Perú	28 326	50 414	74 232	149 230	227 583	233 004	206 461	226 372	244 273	266 912
Santa Lucía	588	922	1 168	1 489	2 070	2 095	1 591	1 986	2 364	2 465
Trinidad y Tobago	4 966	7 986	15 573	21 841	24 497	23 982	21 553	23 575	28 659	28 536
Uruguay	11 204	24 892	18 986	43 967	65 370	62 230	53 666	60 762	70 165	77 241
Venezuela	48 391	94 665	145 343	323 200	..	..	..	..	..	..

.. No disponible

Fuente: Las cifras se obtienen de la división de los datos del PIB en el Cuadro 4.15 por el tipo de cambio en el Cuadro 4.17.

Cuadro 4.17. Tasas de cambio utilizadas, moneda local por US dólares a precios de mercado

		1990	2000	2005	2010	2018	2019	2020	2021	2022	2023
Antigua y Barbuda	XCD	2.697	2.698	2.699	2.700	2.699	2.700	2.700	2.701	2.700	2.700
Argentina	ARS	0.488	1.000	2.923	3.912	28.116	48.255	70.635	95.093	130.714	296.517
Bahamas	BSD	1.000	1.000	1.000	1.000	1.000	1.000	1.000	1.000	1.000	1.000
Barbados	BBD	2.000	2.000	2.000	2.000	2.000	2.000	2.000	2.000	2.000	2.000
Belice	BZD	2.000	2.000	2.000	2.000	2.000	2.000	2.000	2.000	2.000	2.000
Bolivia	BOB	3.172	6.193	8.046	6.968	6.860	6.860	6.860	6.860	6.860	6.860
Brasil	BRL	0.000	1.829	2.434	1.759	3.654	3.944	5.155	5.394	5.164	4.994
Chile	CLP	304.903	539.588	559.768	510.249	641.277	702.897	792.727	758.955	873.314	840.067
Colombia	COP	502.260	2 087.918	2 321.132	1 898.998	2 955.704	3 281.622	3 693.276	3 744.244	4 256.194	4 325.955
Costa Rica	CRC	91.579	308.187	477.787	525.829	576.973	587.295	584.901	620.785	647.136	544.051
Cuba	CUP	0.912	1.000	1.000	1.000	1.000	1.000	1.000	24.000	45.015	73.865
República Dominicana	DOP	9.674	16.181	30.139	36.780	49.467	51.243	56.468	57.091	54.978	56.000
Ecuador	USD	1.000	1.000	1.000	1.000	1.000	1.000	1.000	1.000	1.000	1.000
El Salvador	USD	1.000	1.000	1.000	1.000	1.000	1.000	1.000	1.000	1.000	1.000
Guatemala	GTQ	4.461	7.763	7.636	8.060	7.519	7.698	7.722	7.735	7.748	7.833
Guyana	GYD	50.399	182.401	199.858	203.670	207.701	208.490	208.510	208.489	208.505	208.496
Honduras	HNL	4.112	15.013	18.998	19.026	24.063	24.678	24.754	24.184	24.637	24.725
Jamaica	JMD	7.541	43.907	62.341	87.378	129.553	133.504	141.658	150.621	154.282	155.024
México	MXN	2.813	9.456	10.898	12.636	19.244	19.264	21.486	20.272	20.127	17.759
Nicaragua	NIO		12.686	16.734	21.356	31.554	33.085	34.332	35.173	35.876	36.413
Panamá	PAB	1.000	1.000	1.000	1.000	1.000	1.000	1.000	1.000	1.000	1.000
Paraguay	PYG	1 229.845	3 486.234	6 177.671	4 758.483	5 732.168	6 240.778	6 771.131	6 774.146	6 982.738	7 288.905
Perú	PEN	0.188	3.488	3.296	2.825	3.287	3.337	3.496	3.880	3.834	3.744
Santa Lucía	XCD	2.700	2.700	2.700	2.700	2.700	2.700	2.700	2.700	2.700	2.700
Trinidad y Tobago	TTD	4.250	6.273	6.268	6.344	6.756	6.756	6.751	6.757	6.756	6.750
Uruguay	UYU	1.169	12.103	24.422	20.051	30.713	35.251	42.015	43.552	41.167	38.821
Venezuela	VES	0.000	0.000	0.000	0.000	..	..	..	..	..	..

.. No disponible

Nota: Se utilizan tasas de cambio de promedio anual de mercados.

Fuente: *Perspectivas de la economía mundial* (FMI), octubre de 2024.

5 Cuadros país, 1990-2023 – Ingresos tributarios

En todos los cuadros siguientes un ("..") indica no disponible. Las principales series de este volumen abarcan los años 1990 a 2023.

Las cifras referidas a 1991-99, 2001-04, 2006-09 y 2011-17 de los cuadros 5.1 a 5.27 se han omitido por falta de espacio. Se puede acceder a las series cronológicas completas en línea en http://data-explorer.oecd.org/s/e1.

Considere por favor que en esta edición se han mantenido algunos elementos en inglés en los cuadros.

Cuadro 5.1. Antigua y Barbuda

Ingresos tributarios detallados
Millones XCD

	1990	2000	2005	2010	2018	2019	2020	2021	2022	2023
Total de ingresos tributarios	..	**268**	**426**	**660**	**823**	**820**	**731**	**804**	**912**	**967**
1000 Imp. renta, utilidades y ganancias de capital	..	**38**	**62**	**92**	**78**	**79**	**87**	**83**	**71**	**107**
1100 De personas físicas	..	0	23	33	0	1	0	0	0	0
1110 Renta y utilidades	..	0	23	33	0	1	0	0	0	0
1120 Ganancias de capital	..	..	..	..	..	..	..	..	..	..
1200 De sociedades	..	37	38	59	78	79	87	83	71	106
1210 Renta y utilidades	..	37	38	59	78	79	87	83	71	106
1220 Ganancias de capital de sociedades	..	..	..	..	..	..	..	..	..	..
1300 No clasificables entre 1100 y 1200	..	0	0	0	0	0	0	0	0	0
2000 Contribuciones a la seguridad social	..	..	..	**83**	**143**	**148**	**121**	**137**	**160**	**175**
2100 Empleados	..	..	..	..	..	..	..	..	..	..
2110 Sobre la base de la nómina	..	..	..	..	..	..	..	..	..	..
2120 Sobre la base del impuesto sobre la renta	..	..	..	..	..	..	..	..	..	..
2200 Empleadores	..	..	..	..	..	..	..	..	..	..
2210 Sobre la base de la nómina	..	..	..	..	..	..	..	..	..	..
2220 Sobre la base del impuesto sobre la renta	..	..	..	..	..	..	..	..	..	..
2300 Trabajadores por cuenta propia o no empleados	..	..	..	..	..	..	..	..	..	..
2310 Sobre la base de la nómina	..	..	..	..	..	..	..	..	..	..
2320 Sobre la base del impuesto sobre la renta	..	..	..	..	..	..	..	..	..	..
2400 No clasificables entre 2100, 2200 y 2300	..	..	..	83	143	148	121	137	160	175
2410 Sobre la base de la nómina	..	..	..	83	143	148	121	137	160	175
2420 Sobre la base del impuesto sobre la renta	..	..	..	0	0	0	0	0	0	0
3000 Impuestos sobre la nómina y la fuerza de trabajo	..	**0**	**0**	**0**	**0**	**0**	**0**	**0**	**0**	**0**
4000 Impuestos sobre la propiedad	..	**13**	**36**	**49**	**62**	**72**	**56**	**93**	**96**	**66**
4100 Impuestos recurrentes sobre la propiedad inmueble	..	0	0	18	21	29	18	24	32	25
4110 Hogares	..	..	..	18	21	29	18	24	32	25
Property tax	..	..	..	18	20	24	18	23	30	24
Land tax	..	..	..	0	1	2	0	0	2	1
Non-Citizens Undeveloped Land Tax	..	..	..	0	0	3	0	0	1	0
4120 Otros	..	..	..	0	0	0	0	0	0	0
4200 Impuestos recurrentes sobre la riqueza neta	..	0	0	0	0	0	0	0	0	0
4210 Personas físicas	..	..	..	..	..	..	..	..	..	..
4220 Sociedades	..	..	..	..	..	..	..	..	..	..
4300 Impuestos sobre sucesiones y donaciones	..	0	0	0	0	0	0	0	0	0
4310 Impuestos sobre sucesiones y herencias	..	..	..	..	..	..	..	..	..	..
4320 Impuestos sobre donaciones	..	..	..	..	..	..	..	..	..	..
4400 Imp. sobre transacciones financieras y de capital	..	13	36	32	41	43	38	69	64	41
Stamp duties	..	13	36	31	41	43	38	69	64	41
Other taxes on transactions	..	0	0	0	0	0	0	0	0	0
4500 Otros impuestos no recurrentes sobre la propiedad	..	0	0	0	0	0	0	0	0	0
4510 Otros impuestos sobre la riqueza neta	..	..	..	..	..	..	..	..	..	..
4520 Otros impuestos no recurrentes	..	..	..	..	..	..	..	..	..	..
4600 Otros impuestos recurrentes sobre la propiedad	..	0	0	0	0	0	0	0	0	0
5000 Impuestos sobre los bienes y servicios	..	**217**	**328**	**435**	**539**	**521**	**467**	**490**	**585**	**619**
5100 Imp. sobre la producción, venta, etc.	..	217	328	429	535	517	464	487	581	587
5110 Impuestos generales	..	0	0	179	362	333	273	315	396	398
5111 Impuestos sobre el valor agregado	..	..	..	179	278	253	207	242	305	322
5112 Impuestos sobre las ventas	..	..	..	0	84	80	66	74	91	76
5113 Otros impuestos generales	..	..	..	0	0	0	0	0	0	0
5120 Impuestos sobre bienes y servicios específicos	..	217	328	250	173	185	191	171	186	189
5121 Impuestos selectivos	..	72	111	34	56	67	83	52	39	56
Consumption duties	..	72	103	31	53	64	79	48	35	46
Environmental tax	..	0	8	3	3	3	4	5	4	10
5122 Utilidades de los monopolios fiscales	..	0	0	0	0	0	0	0	0	0
5123 Derechos de aduanas y de importación	..	83	137	96	101	102	86	97	113	91
Import duties	..	57	71	79	97	98	82	93	110	88
Throughput Levy on Fuel Products	..	0	0	12	4	4	4	4	4	3
Other customs charges	..	26	66	5	0	0	0	0	0	0
5124 Impuestos sobre las exportaciones	..	0	0	0	0	0	0	0	0	0
5125 Impuestos sobre los bienes de inversión	..	0	0	0	0	0	0	0	0	0

	1990	2000	2005	2010	2018	2019	2020	2021	2022	2023
5126 Impuestos sobre servicios específicos	..	53	78	54	16	15	22	22	33	42
Travel tax	..	4	5	4	7	7	3	3	7	1
Insurance levy	..	0	0	4	5	5	7	8	6	8
Money transfer levy	..	0	1	1	2	1	1	1	1	4
Other taxes on hospitality, transport and telecommunication services	..	49	73	44	2	2	11	9	20	29
5127 Otros imp. sobre el comercio y transacciones intern.	..	9	1	66	0	0	0	0	0	0
5128 Otros impuestos sobre bienes y servicios específicos	..	0	0	0	0	0	0	0	0	0
5130 No clasificables entre 5110 y 5120	..	0	0	0	0	0	0	0	0	0
5200 Sobre el uso de bienes y permiso para actividades	..	0	0	6	3	4	3	3	4	31
5210 Impuestos recurrentes	..	..	..	6	3	4	3	3	4	31
5211 Por los hogares sobre vehículos automotores	..	..	..	0	0	0	0	0	0	0
5212 Por otros sobre vehículos automotores	..	..	..	3	2	2	2	2	2	2
5213 Otros impuestos recurrentes	..	..	..	2	1	2	1	1	2	29
5220 Impuestos no recurrentes	..	..	..	0	0	0	0	0	0	0
5300 No clasificables entre 5100 y 5200	..	0	0	0	0	0	0	1	0	0
6000 Otros impuestos	**..**	**0**	**0**	**0**	**0**	**0**	**0**	**0**	**0**	**0**
6100 Pagados únicamente por empresas	..	..	..	..	..	..	..	..	..	..
6200 Pagados por otros o no identificables	..	..	..	..	..	..	..	..	..	..

.. No disponible

Nota: Ejercicio cerrado a 31 de diciembre.

Los datos siguen el criterio de caja.

Las cifras no incluyen los ingresos tributarios locales porque no hay datos disponibles.

Partida 2000: Las contribuciones a la seguridad social del período se han estimado desde 2019.

Partida 5112: El gravamen de recuperación fiscal impuesto a todos los bienes que se importan a Antigua y Barbuda o se fabrican en este país se incluye dentro de esta partida de acuerdo con la clasificación de la OCDE descrita en la Guía de interpretación.

Partida 5121: El impuesto ambiental que se aplica a bienes específicos importados a Antigua y Barbuda o fabricados en este país se incluye dentro de esta partida de acuerdo con la clasificación de la OCDE descrita en la Guía de interpretación.

Partida 5126: En esta partida se incluye la tasa a los alojamientos turísticos introducida en 2021.

Fuente: Fuente: Ministerio de Finanzas; Junta de Gobierno Corporativo y Seguridad Social.

Cuadro 5.2. Argentina

Ingresos tributarios detallados
Millones ARS

	1990	2000	2005	2010	2018	2019	2020	2021	2022	2023
Total de ingresos tributarios	**10 217**	**61 084**	**142 906**	**483 014**	**4 204 218**	**6 144 864**	**8 093 732**	**13 463 078**	**24 430 536**	**53 290 137**
1000 Imp. renta, utilidades y ganancias de capital	**542**	**11 303**	**29 203**	**78 427**	**746 994**	**1 102 982**	**1 470 348**	**2 351 998**	**4 727 878**	**8 815 183**
1100 De personas físicas	141	3 937	8 192	23 980	297 200	433 621	639 749	1 020 223	2 091 474	4 143 024
1110 Renta y utilidades	130	3 854	8 151	23 858	294 320	429 882	637 599	1014 929	2079 588	4 111 605
1120 Ganancias de capital	11	82	41	122	2 880	3 739	2 150	5 295	11 886	31 420
1200 De sociedades	357	6 575	19 602	50 664	401 270	589 993	751 117	1 136 121	2 390 528	4 205 785
1210 Renta y utilidades	357	6 575	19 602	50 664	401 270	589 993	751 117	1 136 121	2 390 528	4 205 785
Corporate income taxes	198	5 956	18 494	49 012	399 210	587 272	750 222	1 136 067	2 389 953	4 204 681
Tax on assets	160	19	5	4	5	5	2	3	9	25
Tax on assumed minimum income	0	600	1 102	1 648	2 055	2 716	893	51	565	1 079
1220 Ganancias de capital de sociedades	..	..	..	..	..	..	..	..	..	..
1300 No clasificables entre 1100 y 1200	43	792	1 409	3 783	48 524	79 367	79 483	195 654	245 876	466 374
Non resident taxpayers	11	792	1 409	3 783	48 524	79 367	79 483	195 654	245 876	466 374
Other	33	-0	0	-0	0	0	0	0	0	0
2000 Contribuciones a la seguridad social	**2 583**	**9 670**	**17 400**	**102 460**	**914 436**	**1 225 664**	**1 548 052**	**2 398 126**	**4 331 972**	**9 723 087**
2100 Empleados	..	2 486	3 690	37 990	364 291	481 007	626 316	967 217	1 719 052	3 786 892
2110 Sobre la base de la nómina	..	2 486	3 690	37 990	364 291	481 007	626 316	967 217	1 719 052	3 786 892
2120 Sobre la base del impuesto sobre la renta	..	0	0	0	0	0	0	0	0	0
2200 Empleadores	..	6 069	12 557	54 713	512 615	699 601	864 073	1 356 161	2 492 899	5 718 848
2210 Sobre la base de la nómina	..	6 069	12 557	54 713	512 615	699 601	864 073	1 356 161	2 492 899	5 718 848
2220 Sobre la base del impuesto sobre la renta	..	0	0	0	0	0	0	0	0	0
2300 Trabajadores por cuenta propia o no empleados	98	1 115	1 153	9 757	37 529	45 056	57 663	74 748	120 021	217 347
2310 Sobre la base de la nómina	98	1 115	1 153	9 757	37 529	45 056	57 663	74 748	120 021	217 347
2320 Sobre la base del impuesto sobre la renta	0	0	0	0	0	0	0	0	0	0
2400 No clasificables entre 2100, 2200 y 2300	2 485	0	0	0	0	0	0	0	0	0
2410 Sobre la base de la nómina	2 485	..	..	..	..	..	..	..	..	..
2420 Sobre la base del impuesto sobre la renta	0	..	..	..	..	..	..	..	..	..
3000 Impuestos sobre la nómina y la fuerza de trabajo	**0**	**0**	**0**	**0**	**0**	**0**	**0**	**0**	**0**	**0**
4000 Impuestos sobre la propiedad	**1 164**	**3 867**	**15 997**	**43 538**	**395 484**	**562 785**	**883 844**	**1 418 779**	**2 401 021**	**5 306 332**
4100 Impuestos recurrentes sobre la propiedad inmueble	419	1 809	2 837	5 035	66 035	87 589	113 268	171 394	262 053	434 854
4110 Hogares	0	0	0	0	0	0	0	0	0	0
4120 Otros	419	1 809	2 837	5 035	66 035	87 589	113 268	171 394	262 053	434 854
4200 Impuestos recurrentes sobre la riqueza neta	246	1 084	1 867	5 248	15 296	32 383	209 929	283 469	428 916	1 002 323
4210 Personas físicas	3	1 024	1 813	5 147	14 517	31 184	207 382	278 770	421 969	987 942
Personal assets	0	1 024	1 813	5 147	14 517	31 184	207 382	278 770	421 969	987 942
Recurrent taxes on net wealth	3	0	0	0	0	0	0	0	0	0
4220 Sociedades	242	60	55	101	778	1199	2547	4699	6947	14381
4300 Impuestos sobre sucesiones y donaciones	0	0	0	0	0	0	0	0	0	0
4310 Impuestos sobre sucesiones y herencias	..	..	..	..	..	..	..	..	..	..
4320 Impuestos sobre donaciones	..	..	..	..	..	..	..	..	..	..
4400 Imp. sobre transacciones financieras y de capital	459	904	11 272	33 252	314 153	442 812	560 648	963 915	1 710 052	3 869 155
Immovable property transfers	0	54	116	539	5 935	5 575	4 958	9 796	14 368	31 718
Movable property transfers	44	0	0	0	0	0	0	0	0	0
Bank accounts' credits and debits	205	0	9 434	26 885	234 300	349 559	452 459	750 414	1 343 374	3 146 166
Stamp taxes	211	850	1 722	5 829	73 918	87 678	103 231	203 706	352 310	691 270
4500 Otros impuestos no recurrentes sobre la propiedad	40	70	21	3	0	0	0	0	0	0
4510 Otros impuestos sobre la riqueza neta	0	0	0	0	..	..	..	..	..	..
4520 Otros impuestos no recurrentes	40	70	21	3	..	..	..	..	..	..
4600 Otros impuestos recurrentes sobre la propiedad	0	0	0	0	0	0	0	0	0	0
5000 Impuestos sobre los bienes y servicios	**5 636**	**34 539**	**77 959**	**253 092**	**2 119 852**	**3 209 278**	**4 132 017**	**7 213 563**	**12 839 427**	**29 184 375**
5100 Imp. sobre la producción, venta, etc.	5 462	34 288	78 555	252 550	2 112 824	3 181 178	4 088 862	7 157 143	12 759 421	29 099 843
5110 Impuestos generales	2 384	25 123	51 467	167 534	1 671 105	2 317 817	2 957 036	5 024 240	9 143 893	22 886 057
5111 Impuestos sobre el valor agregado	1 594	19 009	36 853	116 386	1 104 580	1 532 597	1 905 385	3 243 608	5 831 330	14 791 510
5112 Impuestos sobre las ventas	0	0	0	0	0	0	0	0	0	0
5113 Otros impuestos generales	791	6 114	14 613	51 148	566 524	785 220	1 051 651	1 780 632	3 312 564	8 094 547
5120 Impuestos sobre bienes y servicios específicos	3 077	9 166	27 088	85 016	441 719	863 362	1 131 826	2 132 902	3 615 528	6 213 786

	1990	2000	2005	2010	2018	2019	2020	2021	2022	2023
5121 Impuestos selectivos	1 866	5 850	10 609	26 208	204 903	282 001	394 311	665 896	931 669	1 707 484
Alcoholic beverages	25	36	73	238	2 186	4 571	5 779	10 862	22 140	53 719
Non alcoholic beverages	25	90	189	501	3 700	6 415	8 520	15 274	28 044	63 319
Beers	0	50	131	212	4 626	1 695	15 523	27 401	43 535	102 664
Tobacco products	425	1 875	3 460	6 884	67 264	90 857	132 703	188 239	275 753	571 142
Liquid fuels and gas	1 073	3 478	6 017	15 269	116 409	161 666	195 659	356 273	431 487	526 432
Electricity	72	205	283	591	2 174	7 818	7 139	13 507	19 294	59 905
Motor vehicles	59	20	0	27	342	242	3 616	10 156	39 383	128 002
Other	189	96	456	2 485	8 202	8 736	25 372	44 185	72 033	202 300
5122 Utilidades de los monopolios fiscales	0	0	0	0	0	0	0	0	0	0
5123 Derechos de aduanas y de importación	219	1 976	3 877	11 428	107 178	163 076	199 737	371 011	639 130	1 343 737
Import duties	166	1 938	3 780	11 183	104 991	132 405	164 888	305 698	531 892	1 131 876
Import fees	53	38	96	246	2 187	30 671	34 848	65 312	107 238	211 861
5124 Impuestos sobre las exportaciones	724	32	12 323	45 547	114 160	398 312	387 643	963 117	1649 418	1544 729
5125 Impuestos sobre los bienes de inversión	0	0	0	0	0	0	0	0	0	0
5126 Impuestos sobre servicios específicos	163	1 233	150	1 429	9 389	10 692	11 683	16 556	23 919	45 484
Insurance services	42	194	8	21	198	289	376	590	930	2 056
Financial services	32	855	2	0	0	0	0	0	0	0
Telephone services	82	33	110	936	4 722	4 312	4 497	5 910	7 498	13 409
Other specific services	7	151	31	472	4 469	6 090	6 809	10 055	15 491	30 019
5127 Otros imp. sobre el comercio y transacciones intern.	98	74	129	404	6 089	9 281	138 453	116 322	371 392	1572 353
5128 Otros impuestos sobre bienes y servicios específicos	8	0	0	0	0	0	0	0	0	0
5130 No clasificables entre 5110 y 5120	0	0	0	0	0	0	0	0	0	0
5200 Sobre el uso de bienes y permiso para actividades	177	833	1 289	3 598	41 628	57 370	75 337	122 371	189 977	318 481
5210 Impuestos recurrentes	177	833	1 289	3 598	41 628	57 370	75 337	122 371	189 977	318 481
5211 Por los hogares sobre vehículos automotores	177	833	1 289	3 598	41 628	57 370	75 337	122 371	189 977	318 481
5212 Por otros sobre vehículos automotores	0	0	0	0	0	0	0	0	0	0
5213 Otros impuestos recurrentes	0	0	0	0	0	0	0	0	0	0
5220 Impuestos no recurrentes	0	0	0	0	0	0	0	0	0	0
5300 No clasificables entre 5100 y 5200	-3	-583	-1 885	-3 056	-34 600	-29 270	-32 182	-65 950	-109 970	-233 950
6000 Otros impuestos	**292**	**1 704**	**2 347**	**5 497**	**27 452**	**44 156**	**59 470**	**80 613**	**130 238**	**261 160**
6100 Pagados únicamente por empresas	0	354	757	2 093	16 052	20 635	29 169	31 500	39 721	68 791
Simplified system for small taxpayers		354	757	2 093	16 052	20 635	29 169	31 500	39 721	68 791
6200 Pagados por otros o no identificables	292	1 351	1 590	3 404	11 399	23 521	30 301	49 113	90 517	192 369
Tax debt payments	135	24	112	293	-8 646	-1 070	6 215	5 262	18 284	46 176
Special payments	79	6	1	0	0	0	0	0	0	0
Other national level	0	12	7	0	0	0	0	0	0	6
Other provincial level	78	1 309	1 469	3 110	20 045	24 591	24 086	43 851	72 233	146 186

.. No disponible

Nota: Ejercicio cerrado a 31 de diciembre.

Los datos siguen el criterio de caja.

Las cifras no incluyen los ingresos tributarios de las administraciones locales, porque no hay datos disponibles (pero sí incluyen los ingresos provinciales).

Partida 2000: Es posible que se hayan infraestimado las cifras, porque excluyen determinados tipos de contribuciones a la seguridad social a cuyos datos no es fácil acceder.

Partida 5212: En los datos de la CEPAL, el impuesto a la propiedad de vehículos automotores se clasifica en la categoría 4000.

Partida 5300: Las cifras son negativas porque representan reembolsos generales de impuestos a las exportaciones e impuestos específicos sobre bienes y servicios.

Partida 6200: Los pagos de deudas tributarias de 2016 incluyen la recaudación tras la aplicación de un nuevo régimen de declaración de información voluntario en julio de 2016 (Ley 27260).

Fuente: Subsecretaría de Ingresos Públicos, Dirección Nacional de Investigaciones y Análisis Fiscal, Ministerio de Hacienda.

Cuadro 5.3. Bahamas

Ingresos tributarios detallados
Millones BSD

	1990	2000	2005	2010	2018	2019	2020	2021	2022	2023
Total de ingresos tributarios	**505**	**965**	**1 060**	**1 277**	**2 120**	**2 486**	**2 076**	**1 869**	**2 437**	**2 789**
1000 Imp. renta, utilidades y ganancias de capital	**0**	**0**	**0**	**0**	**0**	**0**	**0**	**0**	**0**	**0**
1100 De personas físicas	0	0	0	0	0	0	0	0	0	0
1110 Renta y utilidades	..	..	..	..	..	..	..	..	..	..
1120 Ganancias de capital	..	..	..	..	..	..	..	..	..	..
1200 De sociedades	0	0	0	0	0	0	0	0	0	0
1210 Renta y utilidades	..	..	..	..	..	..	..	..	..	..
1220 Ganancias de capital de sociedades	..	..	..	..	..	..	..	..	..	..
1300 No clasificables entre 1100 y 1200	0	0	0	0	0	0	0	0	0	0
2000 Contribuciones a la seguridad social	**66**	**115**	**136**	**167**	**284**	**287**	**226**	**258**	**278**	**315**
2100 Empleados	..	..	..	60	111	115	89	101	..	..
2110 Sobre la base de la nómina	..	..	..	..	..	..	..	..	..	..
2120 Sobre la base del impuesto sobre la renta	..	..	..	..	..	..	..	..	..	..
2200 Empleadores	..	..	..	104	166	166	132	151	..	..
2210 Sobre la base de la nómina	..	..	..	..	..	..	..	..	..	..
2220 Sobre la base del impuesto sobre la renta	..	..	..	..	..	..	..	..	..	..
2300 Trabajadores por cuenta propia o no empleados	..	..	..	3	8	7	5	6	..	..
2310 Sobre la base de la nómina	..	..	..	..	..	..	..	..	..	..
2320 Sobre la base del impuesto sobre la renta	..	..	..	..	..	..	..	..	..	..
2400 No clasificables entre 2100, 2200 y 2300	66	115	136	0	-1	-1	0	0	278	315
2410 Sobre la base de la nómina	..	..	..	..	..	..	..	..	..	..
2420 Sobre la base del impuesto sobre la renta	..	..	..	..	..	..	..	..	..	..
3000 Impuestos sobre la nómina y la fuerza de trabajo	**0**	**0**	**0**	**0**	**0**	**0**	**0**	**0**	**0**	**0**
4000 Impuestos sobre la propiedad	**56**	**208**	**302**	**269**	**237**	**345**	**174**	**203**	**241**	**276**
4100 Impuestos recurrentes sobre la propiedad inmueble	19	32	54	92	124	109	100	143	147	162
4110 Hogares	0	0	0	0	0	0	0	0	0	0
4120 Otros	19	32	54	92	124	109	100	143	147	162
4200 Impuestos recurrentes sobre la riqueza neta	0	0	0	0	0	0	0	0	0	0
4210 Personas físicas	..	..	..	..	..	..	..	..	..	..
4220 Sociedades	..	..	..	..	..	..	..	..	..	..
4300 Impuestos sobre sucesiones y donaciones	0	0	0	0	0	0	0	0	0	0
4310 Impuestos sobre sucesiones y herencias	..	..	..	..	..	..	..	..	..	..
4320 Impuestos sobre donaciones	..	..	..	..	..	..	..	..	..	..
4400 Imp. sobre transacciones financieras y de capital	37	176	248	177	114	235	74	60	94	115
Stamp Tax from Imports	0	102	112	15	0	0	0	0	0	0
Stamp Tax from Exports	0	0	0	0	0	0	0	0	0	0
All Other Stamp Tax	37	74	135	162	114	235	74	60	94	115
4500 Otros impuestos no recurrentes sobre la propiedad	0	0	0	0	0	0	0	0	0	0
4510 Otros impuestos sobre la riqueza neta	..	..	..	..	..	..	..	..	..	..
4520 Otros impuestos no recurrentes	..	..	..	..	..	..	..	..	..	..
4600 Otros impuestos recurrentes sobre la propiedad	0	0	0	0	0	0	0	0	0	0
5000 Impuestos sobre los bienes y servicios	**386**	**620**	**623**	**780**	**1 598**	**1 854**	**1 676**	**1 408**	**1 917**	**2 198**
5100 Imp. sobre la producción, venta, etc.	354	552	545	657	1 407	1 623	1 524	1 253	1 745	1 994
5110 Impuestos generales	0	0	0	0	681	897	876	740	1 136	1 252
5111 Impuestos sobre el valor agregado	0	0	0	0	681	897	876	740	1 136	1 252
5112 Impuestos sobre las ventas	..	..	..	..	0	0	0	0	0	0
5113 Otros impuestos generales	..	..	..	..	0	0	0	0	0	0
5120 Impuestos sobre bienes y servicios específicos	354	552	545	657	726	727	649	513	609	742
5121 Impuestos selectivos	0	0	0	188	257	242	206	176	47	3
Fuel surcharges	..	..	..	..	1	1	1	1	1	1
Other excises	..	..	..	..	255	241	205	175	45	1
5122 Utilidades de los monopolios fiscales	0	0	0	0	0	0	0	0	0	0
5123 Derechos de aduanas y de importación	289	435	413	348	270	284	224	192	249	249
5124 Impuestos sobre las exportaciones	6	13	13	14	18	13	53	96	177	253
5125 Impuestos sobre los bienes de inversión	0	0	0	0	0	0	0	0	0	0
5126 Impuestos sobre servicios específicos	59	104	119	106	180	187	165	49	137	237
Departure tax	27	64	69	70	143	147	125	11	85	172
Gaming tax	27	20	25	10	37	40	40	38	51	64
Hotel occupancy tax	5	20	25	25	0	0	0	0	1	1
5127 Otros imp. sobre el comercio y transacciones intern.	0	0	0	0	0	0	0	0	0	0
5128 Otros impuestos sobre bienes y servicios específicos	0	0	0	0	0	0	0	0	0	0
5130 No clasificables entre 5110 y 5120	0	0	0	0	0	0	0	0	0	0

	1990	2000	2005	2010	2018	2019	2020	2021	2022	2023
5200 Sobre el uso de bienes y permiso para actividades	32	69	78	123	192	231	152	155	172	204
5210 Impuestos recurrentes	32	69	78	123	192	231	152	155	172	204
Motor vehicle tax	10	14	18	21	37	35	31	32	34	35
5211 Por los hogares sobre vehículos automotores	..	..	..	..	..	..	..	..	..	..
5212 Por otros sobre vehículos automotores	..	..	..	..	..	..	..	..	..	..
5213 Otros impuestos recurrentes	22	55	61	102	155	195	122	123	138	169
Company fees and registration	0	5	5	5	0	0	0	0	0	0
International business companies	0	17	15	19	0	0	0	0	0	0
Others	22	33	40	78	155	195	122	123	138	169
5220 Impuestos no recurrentes	0	0	0	0	0	0	0	0	0	0
5300 No clasificables entre 5100 y 5200	0	0	0	0	0	0	0	0	0	0
6000 Otros impuestos	**-4**	**21**	**-1**	**60**	**0**	**0**	**0**	**0**	**0**	**0**
6100 Pagados únicamente por empresas	0	0	0	0	..	..	..	..	..	..
6200 Pagados por otros o no identificables	-4	21	-1	60	..	..	..	..	..	..
Incentive acts and other refunds	-8	14	-15	11	..	..	..	..	..	..
Other taxes	4	7	15	49	..	..	..	..	..	..

.. No disponible

Nota: Ejercicio fiscal cerrado a 30 de junio. Por ejemplo, los datos de 2023 corresponden a los datos de julio de 2022 a junio de 2023.

Los datos siguen el criterio de caja.

Las cifras no incluyen los ingresos tributarios de las administraciones locales, porque no hay datos disponibles. Los datos de ingresos tributarios de la administración central correspondientes al periodo 2020-23 son preliminares.

Partida 2000: Los datos de 2022 y 2023 son una estimación.

Partida 2400: En esta partida se incluyen reembolsos de las contribuciones a la seguridad social declarados por el Consejo de Seguro Nacional (National Insurance Board) antes de 2020.

Partida 4400: En esta partida se incluyen todos los impuestos de timbre.

Partida 5111: El 1 de enero de 2015 entró en vigor un impuesto sobre el valor agregado.

Fuente: Banco Central de Bahamas; Ministerio de Finanzas de Bahamas; Consejo del Seguro Nacional de Bahamas (Central Bank of The Bahamas; Ministry of Finance of The Bahamas; National Insurance Board of The Bahamas); Centro Interamericano de Administraciones Tributarias.

Cuadro 5.4. Barbados

Ingresos tributarios detallados
Millones BBD

	1990	2000	2005	2010	2018	2019	2020	2021	2022	2023
Total de ingresos tributarios	**1 026**	**1 892**	**2 450**	**2 736**	**3 434**	**3 442**	**2 982**	**3 241**	**3 732**	**3 855**
1000 Imp. renta, utilidades y ganancias de capital	**250**	**599**	**722**	**766**	**921**	**823**	**976**	**897**	**1 111**	**1 108**
1100 De personas físicas	140	293	306	395	482	455	308	385	407	447
1110 Renta y utilidades	140	293	306	395	482	455	308	385	407	447
Personal income tax	140	293	306	395	482	455	308	385	407	447
Consolidation tax	0	0	0	0	0	0	0	0	0	0
1120 Ganancias de capital	..	..	..	..	..	..	..	..	..	..
1200 De sociedades	95	269	360	294	355	309	613	451	624	563
1210 Renta y utilidades	95	269	360	294	355	309	613	451	624	563
1220 Ganancias de capital de sociedades	..	..	..	..	..	..	..	..	..	..
1300 No clasificables entre 1100 y 1200	15	37	56	76	83	59	55	61	81	97
2000 Contribuciones a la seguridad social	**134**	**295**	**408**	**565**	**621**	**671**	**595**	**595**	**621**	**649**
2100 Empleados	..	..	..	..	..	..	..	..	..	..
2110 Sobre la base de la nómina	..	..	..	..	..	..	..	..	..	..
2120 Sobre la base del impuesto sobre la renta	..	..	..	..	..	..	..	..	..	..
2200 Empleadores	..	..	..	..	..	..	..	..	..	..
2210 Sobre la base de la nómina	..	..	..	..	..	..	..	..	..	..
2220 Sobre la base del impuesto sobre la renta	..	..	..	..	..	..	..	..	..	..
2300 Trabajadores por cuenta propia o no empleados	..	..	..	..	..	..	..	..	..	..
2310 Sobre la base de la nómina	..	..	..	..	..	..	..	..	..	..
2320 Sobre la base del impuesto sobre la renta	..	..	..	..	..	..	..	..	..	..
2400 No clasificables entre 2100, 2200 y 2300	134	295	408	565	621	671	595	595	621	649
2410 Sobre la base de la nómina	..	..	..	..	..	..	..	..	..	..
2420 Sobre la base del impuesto sobre la renta	..	..	..	..	..	..	..	..	..	..
3000 Impuestos sobre la nómina y la fuerza de trabajo	**0**	**0**	**0**	**0**	**0**	**0**	**0**	**0**	**0**	**0**
4000 Impuestos sobre la propiedad	**147**	**108**	**159**	**130**	**172**	**226**	**189**	**219**	**239**	**237**
4100 Impuestos recurrentes sobre la propiedad inmueble	46	95	137	118	161	215	182	205	217	219
Property tax	46	95	137	118	161	215	182	205	217	219
Municipal solid waste tax	0	0	0	0	0	0	0	0	0	0
4110 Hogares	..	..	..	..	..	..	..	..	..	..
4120 Otros	..	..	..	..	..	..	..	..	..	..
4200 Impuestos recurrentes sobre la riqueza neta	0	0	0	0	0	0	0	0	0	0
4210 Personas físicas	..	..	..	..	..	..	..	..	..	..
4220 Sociedades	..	..	..	..	..	..	..	..	..	..
4300 Impuestos sobre sucesiones y donaciones	0	0	0	0	0	0	0	0	0	0
4310 Impuestos sobre sucesiones y herencias	..	..	..	..	..	..	..	..	..	..
4320 Impuestos sobre donaciones	..	..	..	..	..	..	..	..	..	..
4400 Imp. sobre transacciones financieras y de capital	101	13	22	12	11	11	8	13	22	18
Stamp duties	101	13	22	12	11	11	8	13	22	18
4500 Otros impuestos no recurrentes sobre la propiedad	0	0	0	0	0	0	0	0	0	0
4510 Otros impuestos sobre la riqueza neta	..	..	..	..	..	..	..	..	..	..
4520 Otros impuestos no recurrentes	..	..	..	..	..	..	..	..	..	..
4600 Otros impuestos recurrentes sobre la propiedad	0	0	0	0	0	0	0	0	0	0
5000 Impuestos sobre los bienes y servicios	**495**	**889**	**1 161**	**1 276**	**1 719**	**1 723**	**1 223**	**1 531**	**1 761**	**1 861**
5100 Imp. sobre la producción, venta, etc.	424	788	1 035	1 105	1 599	1 607	1 171	1 459	1 686	1 754
5110 Impuestos generales	197	492	683	768	990	967	706	885	1 023	1 096
5111 Impuestos sobre el valor agregado	0	492	683	768	941	967	706	885	1 023	1 096
5112 Impuestos sobre las ventas	197	0	0	0	49	0	0	0	0	0
Social responsibility levy	0	0	..	..	49	0	..	..	..	..
Consumption tax	197	0	..	..	0	0	..	..	..	..
5113 Otros impuestos generales	0	0	0	0	0	0	0	0	0	0
5120 Impuestos sobre bienes y servicios específicos	227	296	353	337	608	640	465	575	663	659
5121 Impuestos selectivos	91	175	172	146	271	251	154	212	247	229
Excises	0	160	172	146	271	251	154	212	247	229
Levies	91	15	0	0	0	0	0	0	0	0
5122 Utilidades de los monopolios fiscales	0	0	0	0	0	0	0	0	0	0
5123 Derechos de aduanas y de importación	118	121	180	191	282	314	256	291	323	334
Import duties	118	121	180	191	214	232	192	221	242	257
Fuel tax	0	0	0	0	69	82	64	70	81	77
5124 Impuestos sobre las exportaciones	0	0	0	0	0	0	0	0	0	0
5125 Impuestos sobre los bienes de inversión	0	0	0	0	0	0	0	0	0	0

	1990	2000	2005	2010	2018	2019	2020	2021	2022	2023
5126 Impuestos sobre servicios específicos	17	1	0	0	55	76	55	71	93	96
Hotel and restaurant tax	17	1	..	..	0	0	0	0	0	0
Banks and other asset tax	0	0	..	..	45	47	46	46	53	54
Room rate levy	0	0	..	..	10	28	10	25	40	42
5127 Otros imp. sobre el comercio y transacciones intern.	0	0	0	0	0	0	0	0	0	0
5128 Otros impuestos sobre bienes y servicios específicos	0	0	0	0	0	0	0	0	0	0
5130 No clasificables entre 5110 y 5120	0	0	0	0	0	0	0	0	0	0
5200 Sobre el uso de bienes y permiso para actividades	71	101	126	171	121	115	52	72	75	107
5210 Impuestos recurrentes	71	101	126	171	121	115	52	72	75	107
5211 Por los hogares sobre vehículos automotores	0	0	0	0	0	0	0	0	0	0
5212 Por otros sobre vehículos automotores	0	0	0	0	0	0	0	0	0	0
5213 Otros impuestos recurrentes	71	101	126	171	121	115	52	72	75	107
5220 Impuestos no recurrentes	0	0	0	0	0	0	0	0	0	0
5300 No clasificables entre 5100 y 5200	0	0	0	0	0	0	0	0	0	0
6000 Otros impuestos	**0**	**0**	**0**	**0**	**0**	**0**	**0**	**0**	**0**	**0**
6100 Pagados únicamente por empresas	..	..	..	..	..	..	..	..	..	..
6200 Pagados por otros o no identificables	..	..	..	..	..	..	..	..	..	..

.. No disponible

Nota: Ejercicio cerrado a 31 de marzo, a excepción de las contribuciones a la seguridad social, para las que se utiliza el año natural. Por ejemplo, los datos de 2023 corresponden al período comprendido entre abril de 2023 y marzo de 2024.

Los datos siguen el criterio de caja, salvo las contribuciones a la seguridad social que siguen el criterio de devengo.

Las cifras no incluyen los ingresos tributarios de las administraciones locales, porque no hay datos disponibles.

Partida 1300: En esta partida se incluyen los impuestos de retención aplicados a personas físicas y jurídicas.

Partida 2000: Las contribuciones a la seguridad social se refieren a los ingresos por contribuciones del Régimen de Seguro Nacional. Los valores de 2021-2023 son proyecciones de la administración en el marco de un escenario con las mejores estimaciones del 17ª Evaluación Actuarial del Fondo de Seguro Nacional.

Partida 5213: Esta partida incluye varios impuestos indirectos que se gravan de manera recurrente, por ejemplo, ingresos procedentes de varias licencias.

Fuente: Banco Central de Barbados; Consejo de Seguro Nacional de Barbados (The Central Bank of Barbados; National Insurance Board of Barbados).

Cuadro 5.5. Belice

Ingresos tributarios detallados
Millones BZD

	1990	2000	2005	2010	2018	2019	2020	2021	2022	2023
Total de ingresos tributarios	**178**	**318**	**495**	**740**	**1 129**	**1 153**	**935**	**1 128**	**1 334**	**1 504**
1000 Imp. renta, utilidades y ganancias de capital	**37**	**76**	**129**	**248**	**286**	**291**	**237**	**224**	**308**	**349**
1100 De personas físicas	21	19	35	52	101	105	92	78	111	126
1110 Renta y utilidades	21	19	35	52	101	105	92	78	111	126
Income tax (PAYE)	20	19	35	52	101	105	92	78	111	126
Income tax on individuals	1	0	0	0	0	0	0	0	0	0
1120 Ganancias de capital	..	..	..	..	..	..	..	..	..	..
1200 De sociedades	12	51	90	189	173	174	134	126	178	209
Income tax (companies)	12	1	0	51	3	3	1	0	7	0
Income tax (business tax)	0	51	90	138	170	171	133	126	171	209
Income tax (supplemental petroleum tax)	0	0	0	0	0	0	0	0	0	0
1210 Renta y utilidades	..	..	..	..	..	..	..	..	..	..
1220 Ganancias de capital de sociedades	..	..	..	..	..	..	..	..	..	..
1300 No clasificables entre 1100 y 1200	4	6	4	7	12	12	11	20	18	13
Income tax (arrears)	4	3	1	1	3	2	2	2	2	1
Income tax (withholding)	0	3	2	6	10	10	9	18	16	12
2000 Contribuciones a la seguridad social	**10**	**18**	**50**	**60**	**87**	**100**	**110**	**117**	**144**	**164**
2100 Empleados	..	..	..	..	..	..	..	..	..	..
2110 Sobre la base de la nómina	..	..	..	..	..	..	..	..	..	..
2120 Sobre la base del impuesto sobre la renta	..	..	..	..	..	..	..	..	..	..
2200 Empleadores	..	..	..	..	..	..	..	..	..	..
2210 Sobre la base de la nómina	..	..	..	..	..	..	..	..	..	..
2220 Sobre la base del impuesto sobre la renta	..	..	..	..	..	..	..	..	..	..
2300 Trabajadores por cuenta propia o no empleados	..	..	..	..	..	..	..	..	..	..
2310 Sobre la base de la nómina	..	..	..	..	..	..	..	..	..	..
2320 Sobre la base del impuesto sobre la renta	..	..	..	..	..	..	..	..	..	..
2400 No clasificables entre 2100, 2200 y 2300	10	18	50	60	87	100	110	117	144	164
2410 Sobre la base de la nómina	..	..	..	..	..	..	..	..	..	..
2420 Sobre la base del impuesto sobre la renta	..	..	..	..	..	..	..	..	..	..
3000 Impuestos sobre la nómina y la fuerza de trabajo	**0**	**0**	**0**	**0**	**0**	**0**	**0**	**0**	**0**	**0**
4000 Impuestos sobre la propiedad	**34**	**13**	**27**	**23**	**49**	**39**	**34**	**63**	**57**	**73**
4100 Impuestos recurrentes sobre la propiedad inmueble	1	2	6	7	6	7	7	9	8	7
4110 Hogares	1	2	6	7	6	7	7	9	8	7
4120 Otros	0	0	0	0	0	0	0	0	0	0
4200 Impuestos recurrentes sobre la riqueza neta	0	0	0	0	0	0	0	0	0	0
4210 Personas físicas	..	..	..	..	..	..	..	..	..	..
4220 Sociedades	..	..	..	..	..	..	..	..	..	..
4300 Impuestos sobre sucesiones y donaciones	0	0	0	0	0	0	0	0	0	0
4310 Impuestos sobre sucesiones y herencias	..	0	0	0	0	0	0	0	0	0
4320 Impuestos sobre donaciones	..	0	0	0	0	0	0	0	0	0
4400 Imp. sobre transacciones financieras y de capital	33	11	22	16	44	32	27	54	50	66
Stamp duties on customs	28	0	0	0	0	0	0	0	0	0
Stamp duties (other departments)	5	11	22	16	44	14	3	8	3	2
Stamp duties (land transactions)	0	0	0	0	0	18	24	46	47	64
4500 Otros impuestos no recurrentes sobre la propiedad	0	0	0	0	0	0	0	0	0	0
4510 Otros impuestos sobre la riqueza neta	..	..	..	..	..	..	..	..	..	..
4520 Otros impuestos no recurrentes	..	..	..	..	..	..	..	..	..	..
4600 Otros impuestos recurrentes sobre la propiedad	0	0	0	0	0	0	0	0	0	0
5000 Impuestos sobre los bienes y servicios	**97**	**211**	**288**	**409**	**707**	**723**	**553**	**724**	**825**	**918**
5100 Imp. sobre la producción, venta, etc..	94	207	282	400	696	712	546	715	815	910
5110 Impuestos generales	0	82	131	199	317	323	244	306	381	421
5111 Impuestos sobre el valor agregado	0	0	0	199	317	323	244	306	381	421
5112 Impuestos sobre las ventas	..	82	131	0	0	0	0	0	0	0
5113 Otros impuestos generales	..	0	0	0	0	0	0	0	0	0
5120 Impuestos sobre bienes y servicios específicos	94	125	151	200	379	389	302	409	433	488
5121 Impuestos selectivos	35	47	57	31	193	194	155	192	169	229
Revenue replacement duty	18	39	57	7	1	1	1	1	1	1
Excise duties	17	8	0	22	191	192	151	191	168	227
Excise on locally refined petroleum products	0	0	0	0	1	0	3	0	0	0
Excise on locally extracted crude oil	0	0	0	1	1	1	0	0	0	0
5122 Utilidades de los monopolios fiscales	0	0	0	0	0	0	0	0	0	0

	1990	2000	2005	2010	2018	2019	2020	2021	2022	2023
5123 Derechos de aduanas y de importación	50	64	80	144	139	137	105	159	192	187
Import duties	50	64	80	123	98	95	71	109	132	128
Environmental tax	0	0	0	21	41	42	34	49	60	58
Imports into EPZs	0	0	0	0	0	0	0	0	0	0
5124 Impuestos sobre las exportaciones	0	0	0	0	0	0	2	0	0	1
5125 Impuestos sobre los bienes de inversión	0	0	0	0	0	0	0	0	0	0
5126 Impuestos sobre servicios específicos	0	0	0	0	0	0	0	1	0	0
5127 Otros imp. sobre el comercio y transacciones intern.	8	14	15	25	47	59	40	57	72	72
Goods in transit - administration charge	3	1	1	1	1	1	1	1	2	3
Goods in transit - social fee	0	5	4	8	23	22	17	23	29	24
Taxes on foreign currency transactions	6	8	9	16	23	35	21	33	41	46
5128 Otros impuestos sobre bienes y servicios específicos	0	0	0	0	0	0	0	0	0	0
5130 No clasificables entre 5110 y 5120	0	0	0	0	0	0	0	0	0	0
5200 Sobre el uso de bienes y permiso para actividades	3	4	6	9	11	11	7	9	11	9
5210 Impuestos recurrentes	3	4	6	9	11	11	7	9	11	9
5211 Por los hogares sobre vehículos automotores	2	3	5	3	5	5	5	6	6	6
5212 Por otros sobre vehículos automotores	0	0	0	0	0	0	0	0	0	0
5213 Otros impuestos recurrentes	1	1	1	6	6	5	2	3	4	3
5220 Impuestos no recurrentes	0	0	0	0	0	0	0	0	0	0
5300 No clasificables entre 5100 y 5200	0	0	0	0	0	0	0	0	0	0
6000 Otros impuestos	**0**	**0**	**0**	**0**	**0**	**0**	**0**	**0**	**0**	**0**
6100 Pagados únicamente por empresas	..	..	..	..	..	..	..	..	..	..
6200 Pagados por otros o no identificables	..	..	..	..	..	..	..	..	..	..

.. No disponible

Nota: Ejercicio cerrado a 31 de marzo. Por ejemplo, los datos de 2023 corresponden al período comprendido entre abril de 2023 y marzo de 2024.

Los datos siguen el criterio de caja.

Los datos de ingresos tributarios de 2023 corresponden a estimaciones revisadas de la administración para el ejercicio fiscal 2023/2024, declaradas en las Estimaciones Aprobadas de Ingresos y Gastos del Ejercicio Fiscal 2023/2024.

Partida 2000: Las contribuciones a la seguridad social corresponden al Fondo de la Seguridad Social, sin incluir las contribuciones de la administración al fondo del Seguro Nacional de Salud. Las contribuciones de la administración son ayudas públicas al sistema de la seguridad social, por lo que no se consideran ingresos tributarios de acuerdo con la clasificación de la OCDE descrita en la Guía de interpretación. La cifra para 2023 es estimada.

Partida 4400: Esta partida incluye todos los impuestos de timbre.

Fuente: Ministerio de Finanzas de Belice; Consejo de Seguridad Social de Belice (Ministry of Finance of Belize; Social Security Board Belize).

Cuadro 5.6. Bolivia

Ingresos tributarios detallados
Millones BOB

	1990	2000	2005	2010	2018	2019	2020	2021	2022	2023
Total de ingresos tributarios	**1 005**	**9 151**	**15 370**	**31 549**	**69 535**	**69 785**	**56 088**	**63 203**	**72 013**	**74 419**
1000 Imp. renta, utilidades y ganancias de capital	**68**	**1 209**	**2 383**	**6 294**	**10 591**	**11 356**	**7 402**	**7 644**	**10 397**	**9 008**
1100 De personas físicas	68	214	214	263	525	518	470	457	502	883
1110 Renta y utilidades	68	214	214	263	525	518	470	457	502	883
Value added supplementary scheme	62	161	187	237	475	464	426	423	476	844
Fiscal notes on value added supplementary scheme	6	52	27	26	50	53	44	33	25	40
1120 Ganancias de capital	..	..	..	..	..	..	..	..	..	..
1200 De sociedades	0	995	2 169	6 031	10 066	10 838	6 931	7 187	9 896	8 124
1210 Renta y utilidades	..	995	2 169	6 031	10 066	10 838	6 931	7 187	9 896	8 124
Corporate tax	..	804	1 872	5 089	9 165	9 724	6 465	6 986	9 209	7 778
Fiscal notes on corporate tax	..	191	297	942	901	1 115	467	201	686	346
1220 Ganancias de capital de sociedades	..	..	..	..	..	..	..	..	..	..
1300 No clasificables entre 1100 y 1200	0	0	0	0	0	0	0	0	0	0
2000 Contribuciones a la seguridad social	**0**	**666**	**936**	**5 265**	**16 767**	**17 500**	**16 494**	**16 814**	**17 351**	**17 908**
2100 Empleados	..	..	..	..	..	..	..	..	..	..
2110 Sobre la base de la nómina	..	..	..	..	..	..	..	..	..	..
2120 Sobre la base del impuesto sobre la renta	..	..	..	..	..	..	..	..	..	..
2200 Empleadores	..	..	..	..	..	..	..	..	..	..
2210 Sobre la base de la nómina	..	..	..	..	..	..	..	..	..	..
2220 Sobre la base del impuesto sobre la renta	..	..	..	..	..	..	..	..	..	..
2300 Trabajadores por cuenta propia o no empleados	..	..	..	..	..	..	..	..	..	..
2310 Sobre la base de la nómina	..	..	..	..	..	..	..	..	..	..
2320 Sobre la base del impuesto sobre la renta	..	..	..	..	..	..	..	..	..	..
2400 No clasificables entre 2100, 2200 y 2300	..	666	936	5 265	16 767	17 500	16 494	16 814	17 351	17 908
2410 Sobre la base de la nómina	..	666	936	5 265	16 767	17 500	16 494	16 814	17 351	17 908
2420 Sobre la base del impuesto sobre la renta	..	0	0	0	0	0	0	0	0	0
3000 Impuestos sobre la nómina y la fuerza de trabajo	**0**	**0**	**0**	**0**	**0**	**0**	**0**	**0**	**0**	**0**
4000 Impuestos sobre la propiedad	**1**	**3**	**640**	**367**	**543**	**522**	**421**	**743**	**767**	**570**
4100 Impuestos recurrentes sobre la propiedad inmueble	0	0	0	0	0	0	0	0	0	0
4110 Hogares	..	..	..	..	..	..	..	..	..	..
4120 Otros	..	..	..	..	..	..	..	..	..	..
4200 Impuestos recurrentes sobre la riqueza neta	0	0	0	0	0	0	0	241	205	180
4210 Personas físicas	..	..	..	..	..	..	..	241	205	180
4220 Sociedades	..	..	..	..	..	..	..	0	0	0
4300 Impuestos sobre sucesiones y donaciones	1	3	7	20	0	0	0	0	0	0
4310 Impuestos sobre sucesiones y herencias	1	3	7	20	0	0	..	..	..	..
4320 Impuestos sobre donaciones	0	0	0	0	0	0	..	..	..	..
4400 Imp. sobre transacciones financieras y de capital	0	0	633	347	543	522	421	502	561	389
4500 Otros impuestos no recurrentes sobre la propiedad	0	0	0	0	0	0	0	0	0	0
4510 Otros impuestos sobre la riqueza neta	..	..	..	..	..	..	..	..	..	..
4520 Otros impuestos no recurrentes	..	..	..	..	..	..	..	..	..	..
4600 Otros impuestos recurrentes sobre la propiedad	0	0	0	0	0	0	0	0	0	0
5000 Impuestos sobre los bienes y servicios	**907**	**6 656**	**10 457**	**17 791**	**35 215**	**34 187**	**25 866**	**32 190**	**36 806**	**38 386**
5100 Imp. sobre la producción, venta, etc..	907	6 656	10 457	17 791	35 215	34 187	25 866	32 190	36 806	38 386
5110 Impuestos generales	584	3 953	7 018	12 541	25 615	25 405	19 124	24 307	27 953	29 137
5111 Impuestos sobre el valor agregado	432	2 949	5 314	10 259	20 977	20 391	15 146	19 237	22 027	23 155
VAT (internal market)	178	1 204	1 937	4 100	10 155	10 000	7 692	9 452	9 608	9 389
VAT (imports)	178	1 445	2 637	5 193	9 387	8 594	6 522	7 950	8 983	8 752
VAT fiscal notes (internal market)	56	223	584	581	411	271	336	417	659	643
VAT fiscal notes (imports)	20	76	156	385	1 024	1 526	596	1 418	2 776	4 372
5112 Impuestos sobre las ventas	0	0	0	0	0	0	0	0	0	0
5113 Otros impuestos generales	151	1 005	1 704	2 282	4 638	5 014	3 978	5 070	5 926	5 982
Transactions tax	136	943	1 455	2 174	4 547	4 652	3 446	4 309	4 804	4 804
Fiscal note on transactions tax	15	62	250	107	92	362	531	761	1 122	1 178
5120 Impuestos sobre bienes y servicios específicos	324	2 702	3 439	5 250	9 600	8 782	6 742	7 883	8 853	9 249
5121 Impuestos selectivos	118	2 047	2 604	3 658	6 191	5 187	4 563	4 820	4 807	4 808
Excises (internal market)	61	244	209	933	1 649	1 456	1 225	1 359	1 234	1 470
Excises (Imports)	22	298	208	379	1 091	785	561	699	803	917
Special tax on hydrocarbons and derivatives	0	1 348	1 529	1 070	3 076	1 911	1 697	1 977	800	288
Fiscal notes on excises	35	118	309	155	272	442	315	328	571	435
Fiscal notes on special tax on hydrocarb. and deriv.	0	40	350	1 121	103	594	765	456	1 400	1 699
5122 Utilidades de los monopolios fiscales	0	0	0	0	0	0	0	0	0	0

	1990	2000	2005	2010	2018	2019	2020	2021	2022	2023
5123 Derechos de aduanas y de importación	204	640	803	1 545	3 185	3 376	2 091	3 004	3 934	4 314
Customs and import duties	163	616	777	1 504	2 937	2 976	1 998	2 567	2 936	3 195
Fiscal notes on customs and import duties	41	24	26	41	248	399	93	437	999	1 119
5124 Impuestos sobre las exportaciones	0	0	0	0	0	0	0	0	0	0
5125 Impuestos sobre los bienes de inversión	0	0	0	0	0	0	0	0	0	0
5126 Impuestos sobre servicios específicos	2	15	32	47	224	218	89	60	112	126
Air departure tax	2	15	32	47	128	130	42	30	69	84
Tax on gambling	0	0	0	0	96	88	47	30	42	42
5127 Otros imp. sobre el comercio y transacciones intern.	0	0	0	0	0	0	0	0	0	0
5128 Otros impuestos sobre bienes y servicios específicos	0	0	0	0	0	0	0	0	0	0
5130 No clasificables entre 5110 y 5120	0	0	0	0	0	0	0	0	0	0
5200 Sobre el uso de bienes y permiso para actividades	0	0	0	0	0	0	0	0	0	0
5210 Impuestos recurrentes	..	..	..	..	..	..	..	..	..	..
5211 Por los hogares sobre vehículos automotores	..	..	..	..	..	..	..	..	..	..
5212 Por otros sobre vehículos automotores	..	..	..	..	..	..	..	..	..	..
5213 Otros impuestos recurrentes	..	..	..	..	..	..	..	..	..	..
5220 Impuestos no recurrentes	..	..	..	..	..	..	..	..	..	..
5300 No clasificables entre 5100 y 5200	0	0	0	0	0	0	0	0	0	0
6000 Otros impuestos	**30**	**617**	**954**	**1 832**	**6 419**	**6 220**	**5 905**	**5 812**	**6 692**	**8 548**
6100 Pagados únicamente por empresas	4	6	4	12	33	36	25	29	30	40
Simplified tax regime	3	6	4	12	33	36	25	29	30	40
Integrated tax system	1	0	0	0	0	0	0	0	0	0
6200 Pagados por otros o no identificables	26	611	949	1 819	6 386	6 184	5 880	5 783	6 662	8 508
Municipal taxes	0	575	762	1 381	3 561	3 203	2 715	2 815	3 166	3 378
Other taxes	20	35	178	422	2 784	2 866	3 107	2 923	3 442	4 948
Fiscal notes on other taxes	3	0	5	3	9	88	32	11	21	146
Unified agricultural regime	2	1	5	14	32	28	27	34	33	36

.. No disponible

Nota: Ejercicio cerrado a 31 de diciembre.

Los datos siguen el criterio de caja.

Las cifras no incluyen los ingresos tributarios de las administraciones locales en relación con el período comprendido entre 1990 y 1993, porque no hay datos disponibles. Los datos de ingresos tributarios al período 2021-20232 son preliminares.

Partida 1210: El impuesto de sociedades de la partida 1210 incluye la recaudación del IUE (impuesto de sociedades), el IUE-RE (remesas del impuesto de sociedades) y el IUM (beneficios de actividades mineras). Las notas fiscales sobre el impuesto de sociedades incluyen las notas tributarias sobre el IUE y el IUM.

Partida 2000: Las cifras incluyen las contribuciones a la seguridad social destinadas al sistema de pensiones y los fondos relacionados con la sanidad de Bolivia. Se han excluido las contribuciones al sistema de pensiones entre 1997 y 2009 porque, durante este período, el sistema de pensiones de Bolivia era privado.

Partida 4210: Esta partida incluye el impuesto a las grandes fortunas (IGF). Este impuesto se aplica al patrimonio neto de las personas físicas y se introdujo en 2020.

Partida 5113: Esta partida incluye el IT (impuesto a las transacciones), sus notas fiscales y también el Sistema Integrado Especial de Transición para Emprendedores (SIETE-RG).

Partida 5127: En esta partida se incluye el IVME (impuesto a la venta de moneda extranjera).

Partida 6200: Otros impuestos incluye los ingresos por conceptos varios, el programa transitorio y otros ingresos en efectivo. Las notas fiscales sobre otros impuestos incluyen las notas fiscales sobre conceptos varios.

Fuente: Ministerio de Economía y Finanzas Públicas de Bolivia; Servicio de Impuestos Nacionales; Aduana Nacional de Bolivia; Caja Nacional de Salud.

Cuadro 5.7. Brasil

Ingresos tributarios detallados
Millones BRL

	1990	2000	2005	2010	2018	2019	2020	2021	2022	2023
Total de ingresos tributarios	**3**	**352 456**	**709 249**	**1 234 095**	**2 240 335**	**2 359 475**	**2 317 334**	**2 892 731**	**3 279 885**	**3 474 257**
1000 Imp. renta, utilidades y ganancias de capital	**1**	**68 667**	**149 063**	**258 738**	**490 734**	**537 894**	**525 627**	**698 098**	**908 977**	**940 529**
1100 De personas físicas	0	3 406	46 766	87 828	196 255	221 730	225 912	262 008	303 926	331 196
1110 Renta y utilidades	0	3 406	46 766	87 828	196 255	221 730	225 912	262 008	303 926	331 196
Withholding income tax (IRRF)	0	0	39 870	71 579	163 742	184 030	186 211	208 219	248 866	275 818
Other personal income taxes	0	3 406	6 896	16 248	32 513	37 700	39 701	53 788	55 059	55 378
1120 Ganancias de capital	..	..	..	..	..	..	..	..	..	..
1200 De sociedades	0	25 430	72 455	128 255	194 814	207 505	200 032	322 527	437 358	399 090
1210 Renta y utilidades	0	25 430	72 455	128 255	194 814	207 505	200 032	322 527	437 358	399 090
Corporate income tax	0	16 680	47 455	82 474	119 063	127 130	122 679	210 058	281 264	254 087
Social contribution on net profits (CSLL)	0	8 750	25 001	45 780	75 751	80 374	77 352	112 469	156 093	145 003
1220 Ganancias de capital de sociedades	..	..	..	..	..	..	..	..	..	..
1300 No clasificables entre 1100 y 1200	0	39 831	29 842	42 656	99 666	108 659	99 684	113 564	167 693	210 244
Withholding tax on non-resident income (remittances abroad)	..	..	6 183	11 537	35 331	39 293	39 602	44 400	55 493	66 718
Withholding tax on capital income	..	..	19 976	24 887	53 585	57 184	48 346	55 576	97 047	123 816
Withholding tax on other income	..	..	3 682	6 232	10 749	12 182	11 736	13 588	15 154	19 710
2000 Contribuciones a la seguridad social	**1**	**83 469**	**168 298**	**316 530**	**584 640**	**616 961**	**610 312**	**694 877**	**797 991**	**874 486**
2100 Empleados	..	..	39 070	75 509	139 610	147 749	151 462	172 434	196 952	..
2110 Sobre la base de la nómina	..	..	39 070	75 509	139 610	147 749	151 462	172 434	196 952	..
2120 Sobre la base del impuesto sobre la renta	..	..	0	0	0	0	0	0	0	..
2200 Empleadores	0	18 709	128 843	240 280	429 838	457 463	447 791	508 937	585 739	175 433
2210 Sobre la base de la nómina	0	18 709	128 843	240 280	429 838	457 463	447 791	508 937	585 739	175 433
2220 Sobre la base del impuesto sobre la renta	0	0	0	0	0	0	0	0	0	0
2300 Trabajadores por cuenta propia o no empleados	..	..	..	..	..	..	..	..	..	..
2310 Sobre la base de la nómina	..	..	..	..	..	..	..	..	..	..
2320 Sobre la base del impuesto sobre la renta	..	..	..	..	..	..	..	..	..	..
2400 No clasificables entre 2100, 2200 y 2300	1	64 760	385	741	15 192	11 749	11 059	13 505	15 300	699 053
2410 Sobre la base de la nómina	1	64 760	385	741	15 192	11 749	11 059	13 505	15 300	699 053
2420 Sobre la base del impuesto sobre la renta	0	0	0	0	0	0	0	0	0	0
3000 Impuestos sobre la nómina y la fuerza de trabajo	**0**	**5 437**	**10 417**	**21 348**	**42 223**	**42 907**	**40 397**	**47 320**	**54 762**	**61 267**
Payroll-based contribution to education	0	2 791	5 762	11 049	21 979	21 977	21 086	23 833	27 024	30 441
"S" System contributions	0	2 646	4 470	9 925	19 820	20 549	18 970	23 103	27 273	30 826
Other payroll taxes	0	0	185	374	423	381	340	384	465	0
4000 Impuestos sobre la propiedad	**0**	**23 524**	**49 011**	**53 495**	**101 560**	**112 641**	**92 120**	**141 844**	**155 806**	**167 650**
4100 Impuestos recurrentes sobre la propiedad inmueble	0	4 753	11 026	18 367	46 187	50 386	47 830	59 286	64 501	69 559
Tax on rural land property (ITR)	0	234	273	485	1 419	1 630	1 761	2 167	2 594	3 041
Tax on urban land property (IPTU)	0	4 519	10 753	17 882	44 769	48 756	46 069	57 119	61 907	66 518
4110 Hogares	..	..	..	..	..	..	..	..	..	..
4120 Otros	..	..	..	..	..	..	..	..	..	..
4200 Impuestos recurrentes sobre la riqueza neta	0	0	0	0	0	0	0	0	0	0
4210 Personas físicas	..	..	..	..	..	..	..	..	..	..
4220 Sociedades	..	..	..	..	..	..	..	..	..	..
4300 Impuestos sobre sucesiones y donaciones	0	329	816	2 518	7 330	8 582	8 521	12 330	12 874	14 714
4310 Impuestos sobre sucesiones y herencias	..	..	..	..	..	..	..	..	..	..
4320 Impuestos sobre donaciones	..	..	..	..	..	..	..	..	..	..
4400 Imp. sobre transacciones financieras y de capital	0	18 442	37 169	32 610	48 042	53 673	35 769	70 228	78 432	83 377
Tax on financial operations (IOF)	0	3 096	5 966	26 571	36 615	40 945	21 949	49 024	58 989	61 716
Tax on real estate property transfers (ITBI)	0	950	2 201	6 050	11 424	12 762	13 820	21 227	19 442	21 660
Other	0	14 396	29 001	-12	3	-34	-1	-23	0	0
4500 Otros impuestos no recurrentes sobre la propiedad	0	0	0	0	0	0	0	0	0	0
4510 Otros impuestos sobre la riqueza neta	..	..	..	..	..	..	..	..	..	..
4520 Otros impuestos no recurrentes	..	..	..	..	..	..	..	..	..	..
4600 Otros impuestos recurrentes sobre la propiedad	0	0	0	0	0	0	0	0	0	0
5000 Impuestos sobre los bienes y servicios	**2**	**169 181**	**331 777**	**583 504**	**1 020 915**	**1 049 071**	**1 048 885**	**1 310 448**	**1 362 256**	**1 415 025**
5100 Imp. sobre la producción, venta, etc.	2	163 887	319 259	556 739	968 526	997 208	994 090	1 244 306	1 288 939	1 335 278
5110 Impuestos generales	1	136 743	277 011	484 000	854 955	881 936	872 412	1 088 855	1 146 720	1 193 321
5111 Impuestos sobre el valor agregado	1	82 279	153 976	268 117	479 310	507 053	522 690	652 284	688 854	700 396
Tax on the circulation of goods and services (ICMS)	1	82 279	153 976	268 117	479 310	507 053	522 690	652 284	688 854	700 396
5112 Impuestos sobre las ventas	0	0	0	0	0	0	0	0	0	0

	1990	2000	2005	2010	2018	2019	2020	2021	2022	2023
5113 Otros impuestos generales	0	54 464	123 035	215 883	375 644	374 883	349 722	436 572	457 867	492 925
Contribution to COFINS	0	38 707	86 678	140 939	244 287	237 372	218 602	269 705	271 315	286 870
Contribution to PIS	0	8 339	18 478	30 714	54 461	51 390	46 626	57 614	58 683	61 573
Contribution to PASEP	0	1 312	2 863	9 880	12 066	12 626	14 686	16 871	19 610	21 225
Tax on general services (ISS)	0	6 106	14 817	33 696	63 792	72 428	68 688	90 900	106 849	123 257
Others	0	0	201	656	1 038	1 067	1 119	1 483	1 410	0
5120 Impuestos sobre bienes y servicios específicos	0	27 144	42 248	72 739	113 571	115 272	121 678	155 451	142 218	141 956
5121 Impuestos selectivos	0	18 699	31 760	48 254	67 121	65 626	68 467	84 242	73 607	73 578
Vehicles	..	..	3 744	5 787	5 713	5 639	3 446	3 447	4 048	6 918
Beverages	..	..	2 359	2 431	2 768	3 641	2 985	2 687	2 513	2 954
Tobacco	..	..	2 300	3 704	5 208	5 559	5 975	5 577	6 732	3 824
Fuels	..	..	7 681	7 759	3 928	2 776	1 986	1 924	1 660	1 195
Other excises	..	..	15 676	28 573	49 504	48 011	54 075	70 607	58 653	58 686
5122 Utilidades de los monopolios fiscales	0	0	0	0	0	0	0	0	0	0
5123 Derechos de aduanas y de importación	0	8 445	8 895	21 072	40 575	42 842	45 671	61 876	58 981	54 074
5124 Impuestos sobre las exportaciones	0	0	48	47	129	91	51	160	53	4 440
5125 Impuestos sobre los bienes de inversión	0	0	46	868	26	26	24	20	20	0
5126 Impuestos sobre servicios específicos	0	0	867	1 286	1 623	1 561	1 565	1 568	1 632	0
Contribution on revenues of telecom companies	..	..	795	1 186	1 440	1 392	1 357	1 340	1 333	..
Contribution on billing of IT companies	..	..	71	100	182	168	208	228	298	..
Other taxes on specific services	..	..	1	1	1	1	0	1	0	..
5127 Otros imp. sobre el comercio y transacciones intern.	0	0	633	1 212	4 097	5 127	5 900	7 585	7 925	9 865
CIDE on remittances abroad	..	..	633	1 212	4 097	5 127	5 900	7 585	7 925	9 865
5128 Otros impuestos sobre bienes y servicios específicos	0	0	0	0	0	0	0	0	0	0
5130 No clasificables entre 5110 y 5120	0	0	0	0	0	0	0	0	0	0
5200 Sobre el uso de bienes y permiso para actividades	0	5 294	12 519	26 765	52 389	51 862	54 795	66 142	73 318	79 747
5210 Impuestos recurrentes	0	5 294	11 535	24 417	48 668	48 632	49 587	53 070	65 422	79 747
5211 Por los hogares sobre vehículos automotores	0	5 294	11 401	24 197	45 432	47 169	48 351	51 775	63 928	79 747
Motor vehicle property tax (IPVA)	0	5 294	10 406	21 367	43 120	46 141	48 178	51 762	63 925	79 746
Contributions to DPVAT	0	0	995	2 830	2 312	1 027	173	13	3	1
5212 Por otros sobre vehículos automotores	0	0	0	0	0	0	0	0	0	0
5213 Otros impuestos recurrentes	0	0	134	220	3 235	1 463	1 235	1 296	1 494	0
CONDECINE	..	..	36	49	1 084	1 061	885	974	1 145	..
Others	..	..	98	170	2 151	402	350	321	349	..
5220 Impuestos no recurrentes	0	0	984	2 349	3 722	3 231	5 208	13 072	7 896	0
AFRMM	..	..	984	2 349	3 722	3 231	5 208	13 072	7 896	..
5300 No clasificables entre 5100 y 5200	0	0	0	0	0	0	0	0	0	0
6000 Otros impuestos	**0**	**2 178**	**682**	**480**	**263**	**1**	**-7**	**144**	**92**	**15 300**
6100 Pagados únicamente por empresas	0	0	0	0	0	0	0	0	0	0
6200 Pagados por otros o no identificables	0	2 178	682	480	263	1	-7	144	92	15 300

.. No disponible

Nota: Ejercicio cerrado a 31 de diciembre.

Los datos siguen el criterio de caja.

Los datos de 2022 han sido actualizados con información pormenorizada de la Carga Tributária no Brasil por parte de la Secretaria da Receita Federal do Brasil. Los datos de 2023 se han extraído de los últimos informes de la Secretaria do Tesouro Nacional y podrían cambiar el próximo año.

Partida 2000: Las contribuciones a la seguridad social incluyen las contribuciones al Régimen General de Protección Social (RGPS), las contribuciones a Regímenes Propios de Protección Social (RPPS), las contribuciones al Fondo de Garantía del Tiempo de Servicio (FGTS) y las contribuciones al fondo sanitario para el departamento de policía y bomberos militares.

Partida 4400: Esta partida incluye el impuesto a las transacciones de bienes inmuebles intervivos (ITBI) que aplican el Gobierno central y las administraciones estatales.

Partida 5113: Las contribuciones al PASEP se incluyen en las contribuciones al PIS con anterioridad al año 2000, ya que no se pueden distinguir.

Partida 5123: Esta partida incluye el impuesto a las exportaciones antes de 2002.

Fuente: Secretaría de la Administración Tributaria de Brasil; Secretaría del Tesoro Nacional, Ministerio de Economía (Secretaria da Receita Federal do Brasil, Ministério da Economia; Secretaria do Tesouro Nacional, Ministério da Economia).

Cuadro 5.8. Chile

Ingresos tributarios detallados
Millones CLP

	1990	2000	2005	2010	2018	2019	2020	2021	2022	2023
Total de ingresos tributarios	**1 777 218**	**7 901 998**	**14 265 265**	**21 815 391**	**40 314 697**	**41 025 712**	**38 823 397**	**53 463 334**	**62 901 438**	**58 106 374**
1000 Imp. renta, utilidades y ganancias de capital	**412 974**	**1 841 630**	**5 171 293**	**8 329 058**	**14 418 859**	**14 283 184**	**12 540 342**	**20 456 920**	**27 491 879**	**20 433 071**
1100 De personas físicas	99 155	604 100	738 620	1 492 837	2 701 416	2 937 532	3 976 009	5 780 432	6 626 617	5 424 215
Second category tax	65 552	490 980	700 150	1 449 099	2 848 205	3 015 794	3 051 177	3 442 651	3 914 343	4 312 742
Global complementary tax	33 603	113 120	38 470	43 738	-146 789	-78 261	132 551	620 904	1 087 034	1 111 474
Others	0	0	0	0	0	0	792 281	1 716 877	1 625 240	0
1110 Renta y utilidades	..	..	..	..	..	..	..	..	..	..
1120 Ganancias de capital	..	..	..	..	..	..	..	..	..	..
1200 De sociedades	219 586	882 896	3 155 480	4 448 745	8 920 497	9 597 472	9 429 787	9 145 873	14 900 568	14 707 116
First category tax	200 891	815 747	3 040 875	3 913 870	7 836 379	8 880 080	8 745 612	8 360 928	13 034 540	12 723 900
Surtax on state owned enterprises	16 074	47 634	78 267	194 203	184 442	122 054	203 416	249 073	475 034	405 009
Mining tax	0	0	0	298 558	184 382	277 861	267 544	393 548	1 223 807	1 364 685
Other	2 621	19 516	36 338	42 114	715 293	317 477	213 216	142 323	167 188	213 521
1210 Renta y utilidades	..	..	..	..	..	..	..	..	..	..
1220 Ganancias de capital de sociedades	..	..	..	..	..	..	..	..	..	..
1300 No clasificables entre 1100 y 1200	94 233	354 634	1 277 193	2 387 477	2 796 947	1 748 180	-865 454	5 530 616	5 964 694	301 739
Additional tax	59 082	350 301	799 648	1 414 057	2 127 948	1 902 585	2 063 149	2 534 906	2 731 170	2 828 942
Other	35 151	4 332	477 545	973 420	668 998	-154 405	-2 928 603	2 995 710	3 233 524	-2 527 203
2000 Contribuciones a la seguridad social	**159 559**	**576 758**	**931 717**	**1 493 987**	**2 786 173**	**2 994 906**	**3 104 866**	**2 815 090**	**2 585 421**	**3 281 979**
2100 Empleados	154 021	553 937	893 821	1 433 159	2 703 261	2 894 725	2 994 036	2 686 021	2 435 398	3 124 716
2110 Sobre la base de la nómina	154 021	553 937	893 821	1 433 159	2 703 261	2 894 725	2 994 036	2 686 021	2 435 398	3 124 716
2120 Sobre la base del impuesto sobre la renta	0	0	0	0	0	0	0	0	0	0
2200 Empleadores	5 538	22 821	37 896	60 828	82 912	100 181	110 830	129 068	150 023	157 262
2210 Sobre la base de la nómina	5 538	22 821	37 896	60 828	82 912	100 181	110 830	129 068	150 023	157 262
2220 Sobre la base del impuesto sobre la renta	0	0	0	0	0	0	0	0	0	0
2300 Trabajadores por cuenta propia o no empleados	0	0	0	0	0	0	0	0	0	0
2310 Sobre la base de la nómina	..	..	..	..	..	..	..	..	..	..
2320 Sobre la base del impuesto sobre la renta	..	..	..	..	..	..	..	..	..	..
2400 No clasificables entre 2100, 2200 y 2300	0	0	0	0	0	0	0	0	0	0
2410 Sobre la base de la nómina	..	..	..	..	..	..	..	..	..	..
2420 Sobre la base del impuesto sobre la renta	..	..	..	..	..	..	..	..	..	..
3000 Impuestos sobre la nómina y la fuerza de trabajo	**0**	**0**	**0**	**0**	**0**	**0**	**0**	**0**	**0**	**0**
4000 Impuestos sobre la propiedad	**109 319**	**554 037**	**901 776**	**867 908**	**2 084 034**	**2 239 771**	**2 262 822**	**2 885 059**	**3 466 181**	**3 752 210**
4100 Impuestos recurrentes sobre la propiedad inmueble	59 968	302 244	416 565	631 669	1 370 664	1 504 392	1 753 218	2 002 413	2 284 253	2 765 479
4110 Hogares	..	..	..	..	..	..	..	..	..	..
4120 Otros	..	..	..	..	..	..	..	..	..	..
4200 Impuestos recurrentes sobre la riqueza neta	0	0	0	0	0	0	0	0	0	0
4210 Personas físicas	..	..	..	..	..	..	..	..	..	..
4220 Sociedades	..	..	..	..	..	..	..	..	..	..
4300 Impuestos sobre sucesiones y donaciones	3 444	10 906	23 184	39 338	125 649	62 824	155 433	291 830	416 219	240 541
4310 Impuestos sobre sucesiones y herencias	..	..	..	..	..	..	..	..	..	..
4320 Impuestos sobre donaciones	..	..	..	..	..	..	..	..	..	..
4400 Imp. sobre transacciones financieras y de capital	45 907	240 886	462 027	196 901	587 721	672 555	354 171	590 816	765 709	746 189
4500 Otros impuestos no recurrentes sobre la propiedad	0	0	0	0	0	0	0	0	0	0
4510 Otros impuestos sobre la riqueza neta	..	..	..	..	..	..	..	..	..	..
4520 Otros impuestos no recurrentes	..	..	..	..	..	..	..	..	..	..
4600 Otros impuestos recurrentes sobre la propiedad	0	0	0	0	0	0	0	0	0	0
5000 Impuestos sobre los bienes y servicios	**1 118 722**	**5 041 769**	**7 346 434**	**11 185 157**	**21 467 817**	**21 752 890**	**21 275 452**	**28 368 617**	**30 080 511**	**31 493 642**
5100 Imp. sobre la producción, venta, etc.	1 074 009	4 789 827	6 952 092	10 532 905	19 950 355	20 164 514	19 613 567	26 628 027	28 078 680	29 242 775
5110 Impuestos generales	664 421	3 306 350	5 391 285	8 399 927	16 211 646	16 348 944	15 963 032	22 785 935	24 515 246	24 179 491
5111 Impuestos sobre el valor agregado	664 421	3 306 350	5 391 285	8 399 927	16 211 646	16 348 944	15 963 032	22 785 935	24 515 246	24 179 491
5112 Impuestos sobre las ventas	0	0	0	0	0	0	0	0	0	0
5113 Otros impuestos generales	0	0	0	0	0	0	0	0	0	0
5120 Impuestos sobre bienes y servicios específicos	409 588	1 483 477	1 560 807	2 132 978	3 738 709	3 815 570	3 650 535	3 842 092	3 563 434	5 063 285
5121 Impuestos selectivos	166 050	816 160	1 107 703	1 561 205	2 793 352	2 859 814	2 899 252	2 799 017	2 331 072	3 826 127
Cigarettes and tobacco	60 604	283 275	382 690	647 637	981 456	973 335	1 021 917	1 201 968	1 171 382	1 092 381
Gasoline and diesel	105 445	532 885	724 803	913 568	1 727 392	1 811 132	1 799 846	1 507 872	1 028 982	2 604 565
Oil stabilisation fund	0	0	210	0	0	0	0	0	1 547	0
Fisheries Law Extraction Rights	0	0	0	0	19 623	17 662	33 104	8 967	21 566	20 995
Additional tax on new motor vehicles	0	0	0	0	64 880	57 684	44 385	80 210	107 596	108 186

	1990	2000	2005	2010	2018	2019	2020	2021	2022	2023
5122 Utilidades de los monopolios fiscales	0	0	0	0	0	0	0	0	0	0
5123 Derechos de aduanas y de importación	222 486	548 571	286 044	267 331	347 555	331 846	294 204	468 128	555 863	481 396
5124 Impuestos sobre las exportaciones	0	0	0	0	0	0	0	0	0	0
5125 Impuestos sobre los bienes de inversión	0	0	0	0	0	0	0	0	0	0
5126 Impuestos sobre servicios específicos	21 052	118 746	167 060	304 442	597 802	623 910	457 079	574 947	676 499	755 762
5127 Otros imp. sobre el comercio y transacciones intern.	0	0	0	0	0	0	0	0	0	0
5128 Otros impuestos sobre bienes y servicios específicos	0	0	0	0	0	0	0	0	0	0
5130 No clasificables entre 5110 y 5120	0	0	0	0	0	0	0	0	0	0
5200 Sobre el uso de bienes y permiso para actividades	44 714	251 942	394 343	652 252	1 517 462	1 588 376	1 661 885	1 740 590	2 001 831	2 250 867
5210 Impuestos recurrentes	44 714	251 942	394 343	652 252	1 402 110	1 461 693	1 504 291	1 617 710	1 855 378	2 129 286
Motor vehicles	24 469	93 880	139 174	218 219	539 918	592 332	585 651	671 258	821 559	938 072
5211 Por los hogares sobre vehículos automotores	0	0	0	0	0	0	0	0	0	0
5212 Por otros sobre vehículos automotores	0	0	0	0	0	0	0	0	0	0
5213 Otros impuestos recurrentes	20 245	158 062	255 169	434 033	862 192	869 360	918 640	946 452	1 033 819	1 191 214
Municipal permits	18 401	136 138	234 460	396 944	806 734	813 161	862 685	885 324	967 043	1 117 704
Mining patents	3 374	34 730	20 094	36 213	53 854	54 696	54 932	59 801	65 122	71 215
Other	-1 530	-12 806	615	876	1 604	1 504	1 023	1 327	1 653	2 295
5220 Impuestos no recurrentes	0	0	0	0	115 352	126 683	157 594	122 880	146 453	121 580
Tax on polluting fixed sources	..	..	..	..	115 352	126 683	157 594	122 880	146 453	121 580
5300 No clasificables entre 5100 y 5200	0	0	0	0	0	0	0	0	0	0
6000 Otros impuestos	**-23 356**	**-112 195**	**-85 954**	**-60 720**	**-442 186**	**-245 038**	**-360 084**	**-1 062 352**	**-722 555**	**-854 528**
6100 Pagados únicamente por empresas	0	0	0	0	0	0	0	0	0	0
6200 Pagados por otros o no identificables	-23 356	-112 195	-85 954	-60 720	-442 186	-245 038	-360 084	-1 062 352	-722 555	-854 528

.. No disponible

Nota: Ejercicio cerrado a 31 de diciembre.

Los datos siguen el criterio de caja.

Partida 5121: En los datos de la CEPAL, las cifras del Fondo de Estabilización de Precios del Petróleo (FEPP) se consideran ingresos no tributarios.

Fuente: Servicio de Impuestos Internos de Chile.

Cuadro 5.9. Colombia

Ingresos tributarios detallados
Millones COP

	1990	2000	2005	2010	2018	2019	2020	2021	2022	2023
Total de ingresos tributarios	**2 579 426**	**30 598 630**	**61 707 388**	**98 455 335**	**190 299 911**	**208 752 525**	**187 438 661**	**228 906 840**	**288 842 327**	**349 799 577**
1000 Imp. renta, utilidades y ganancias de capital	**771 694**	**7 103 525**	**17 348 618**	**26 218 852**	**64 043 928**	**67 519 599**	**61 812 525**	**73 222 876**	**95 911 106**	**140 176 582**
1100 De personas físicas	47 210	1 499 345	3 594 441	5 192 384	12 267 760	14 232 191	14 340 067	15 825 275	20 356 452	25 786 518
1110 Renta y utilidades	47 210	1 499 345	3 594 441	5 192 384	12 267 760	14 232 191	14 340 067	15 825 275	20 356 452	25 786 518
Income tax	47 210	1 499 345	3 594 441	5 192 384	12 267 760	14 225 643	14 304 469	15 754 931	20 224 214	25 600 664
Simple tax regime	0	0	0	0	0	6 549	35 598	70 344	132 238	185 854
1120 Ganancias de capital	..	..	..	..	..	..	..	..	..	..
1200 De sociedades	359 758	5 119 828	13 044 361	20 405 209	48 648 948	50 283 837	43 257 502	54 442 473	73 300 918	113 032 346
1210 Renta y utilidades	359 758	5 119 828	13 044 361	20 405 209	48 648 948	50 283 837	43 257 502	54 442 473	73 300 918	113 032 346
Income tax	359 758	5 119 828	13 044 361	20 405 209	48 516 225	50 167 971	43 131 163	54 248 966	72 907 780	112 549 305
Pro Equity Income Tax - CREE	0	0	0	0	132 723	99 798	39 871	28 428	56 854	105 458
Simple tax regime	0	0	0	0	0	16 068	86 469	165 079	336 285	377 583
1220 Ganancias de capital de sociedades	..	..	..	..	..	..	..	..	..	..
1300 No clasificables entre 1100 y 1200	364 726	484 352	709 816	621 258	3 127 220	3 003 570	4 214 956	2 955 127	2 253 735	1 357 718
Income tax	364 726	484 352	709 816	621 258	3 127 220	3 003 570	4 214 956	2 955 127	2 253 735	1 357 718
Pro Equity Income Tax - CREE	0	0	0	0	0	0	0	0	0	0
2000 Contribuciones a la seguridad social	**203 596**	**4 989 000**	**7 845 000**	**11 478 085**	**18 192 049**	**19 556 608**	**18 389 481**	**21 673 981**	**23 908 538**	**25 378 236**
2100 Empleados	..	..	..	..	..	..	..	..	..	..
2110 Sobre la base de la nómina	..	..	..	..	..	..	..	..	..	..
2120 Sobre la base del impuesto sobre la renta	..	..	..	..	..	..	..	..	..	..
2200 Empleadores	..	..	..	..	..	..	..	..	..	..
2210 Sobre la base de la nómina	..	..	..	..	..	..	..	..	..	..
2220 Sobre la base del impuesto sobre la renta	..	..	..	..	..	..	..	..	..	..
2300 Trabajadores por cuenta propia o no empleados	..	..	..	..	..	..	..	..	..	..
2310 Sobre la base de la nómina	..	..	..	..	..	..	..	..	..	..
2320 Sobre la base del impuesto sobre la renta	..	..	..	..	..	..	..	..	..	..
2400 No clasificables entre 2100, 2200 y 2300	203 596	4 989 000	7 845 000	11 478 085	18 192 049	19 556 608	18 389 481	21 673 981	23 908 538	25 378 236
2410 Sobre la base de la nómina	203 596	4 989 000	7 845 000	11 478 085	18 192 049	19 556 608	18 389 481	21 673 981	23 908 538	25 378 236
2420 Sobre la base del impuesto sobre la renta	0	0	0	0	0	0	0	0	0	0
3000 Impuestos sobre la nómina y la fuerza de trabajo	**0**	**1 286 803**	**2 179 842**	**4 022 503**	**3 461 352**	**3 604 071**	**3 670 490**	**3 927 070**	**4 421 997**	**5 025 164**
4000 Impuestos sobre la propiedad	**56 160**	**2 027 654**	**4 838 158**	**8 535 238**	**15 265 472**	**18 984 414**	**18 167 358**	**20 652 565**	**22 525 146**	**25 902 169**
4100 Impuestos recurrentes sobre la propiedad inmueble	56 160	991 070	1 974 213	3 338 935	7 981 989	8 743 115	9 109 598	9 643 729	9 937 041	11 007 128
4110 Hogares	0	0	0	0	0	0	0	0	0	0
4120 Otros	56 160	991 070	1 974 213	3 338 935	7 981 989	8 743 115	9 109 598	9 643 729	9 937 041	11 007 128
4200 Impuestos recurrentes sobre la riqueza neta	0	0	462 720	1 970 530	467 925	923 255	957 137	1 032 058	73 113	1 221 366
4210 Personas físicas	..	..	..	..	..	..	..	..	..	..
4220 Sociedades	..	..	..	..	..	..	..	..	..	..
4300 Impuestos sobre sucesiones y donaciones	0	0	0	0	0	0	0	0	0	0
4310 Impuestos sobre sucesiones y herencias	..	..	..	..	..	..	..	..	..	..
4320 Impuestos sobre donaciones	..	..	..	..	..	..	..	..	..	..
4400 Imp. sobre transacciones financieras y de capital	0	1 036 584	2 401 226	3 225 773	6 815 558	8 190 516	7 476 295	9 831 204	12 281 751	13 668 690
4500 Otros impuestos no recurrentes sobre la propiedad	0	0	0	0	0	1 127 528	624 327	145 573	233 241	4 986
4510 Otros impuestos sobre la riqueza neta	..	..	..	..	..	0	0	0	0	0
4520 Otros impuestos no recurrentes	..	..	..	..	..	1 127 528	624 327	145 573	233 241	4 986
4600 Otros impuestos recurrentes sobre la propiedad	0	0	0	0	0	0	0	0	0	0
5000 Impuestos sobre los bienes y servicios	**1 388 653**	**14 180 450**	**27 649 152**	**44 411 642**	**81 408 789**	**89 797 927**	**77 752 543**	**99 258 009**	**129 331 933**	**138 176 864**
5100 Imp. sobre la producción, venta, etc.	1 388 653	14 048 655	27 370 638	44 038 074	79 935 336	88 064 087	75 960 351	97 214 920	127 046 376	135 352 010
5110 Impuestos generales	672 368	9 585 866	19 934 400	33 333 802	64 316 019	71 235 138	62 866 653	80 093 904	105 084 119	111 920 967
5111 Impuestos sobre el valor agregado	583 078	8 445 776	17 427 948	28 811 682	55 879 110	61 936 282	53 912 648	69 883 378	91 723 278	95 426 768
5112 Impuestos sobre las ventas	89 290	1 140 090	2 506 452	4 522 121	8 436 909	9 298 856	8 954 004	10 210 526	13 360 841	16 494 199
Industry and commerce tax (State)	89 290	1 140 090	2 506 452	4 522 121	8 436 909	9 298 856	8 954 004	10 210 526	13 360 841	16 494 199
5113 Otros impuestos generales	0	0	0	0	0	0	0	0	0	0

	1990	2000	2005	2010	2018	2019	2020	2021	2022	2023
5120 Impuestos sobre bienes y servicios específicos	716 285	4 462 789	7 436 239	10 704 271	15 619 317	16 828 948	13 093 698	17 121 016	21 962 257	23 431 043
5121 Impuestos selectivos	404 699	2 718 692	4 613 718	6 052 273	12 061 132	12 995 955	10 159 930	12 906 426	15 703 712	18 002 110
Oil	141 270	833 004	1 143 308	1 418 766	1 517 546	1 585 141	1 205 806	1 732 540	1 650 801	2 172 914
Tobacco (State)	52 898	213 412	287 379	390 472	1 145 879	1 278 561	1 239 269	1 451 431	1 638 694	1 788 807
Beer (State)	85 722	471 135	867 569	1 432 453	2 637 674	2 611 466	2 243 811	2 723 800	3 049 682	3 259 342
Liquors (State)	124 808	520 394	811 377	929 328	1 800 605	2 146 818	1 675 472	2 503 248	3 075 170	3 231 445
Restaurant, vehicles sale and mobile telephony	0	0	0	0	2 047 419	2 208 669	1 226 863	1 279 312	2 531 110	3 253 362
Carbon	0	0	0	0	288 373	436 914	281 911	330 567	361 899	555 037
Plastic bags	0	0	0	0	28 099	37 331	43 777	48 079	49 697	53 188
Medicinal cannabis	0	0	0	0	3	145	972	993	921	383
Diesel surcharge	0	85 716	251 542	500 405	579 613	599 600	505 000	570 600	655 000	754 000
Petrol surcharge	0	595 031	1 252 543	1 380 848	2 015 922	2 091 310	1 737 050	2 265 855	2 690 737	2 896 198
Sugar-sweetened ultra-processed beverages	0	0	0	0	0	0	0	0	0	10 234
Ultra-processed foods and/or with high content of added sugars, sodium or saturated fats	0	0	0	0	0	0	0	0	0	27 202
5122 Utilidades de los monopolios fiscales	0	0	0	0	0	0	0	0	0	0
5123 Derechos de aduanas y de importación	311 586	1 744 097	2 822 520	4 651 999	3 558 185	3 832 994	2 933 768	4 214 590	6 258 546	5 428 933
Custom duties	180 989	1 744 097	2 822 520	4 651 999	3 558 185	3 832 994	2 933 768	4 214 590	6 258 546	5 428 933
Imports surcharge	130 597	0	0	0	0	0	0	0	0	0
5124 Impuestos sobre las exportaciones	0	0	0	0	0	0	0	0	0	0
5125 Impuestos sobre los bienes de inversión	0	0	0	0	0	0	0	0	0	0
5126 Impuestos sobre servicios específicos	0	0	0	0	0	0	0	0	0	0
5127 Otros imp. sobre el comercio y transacciones intern.	0	0	0	0	0	0	0	0	0	0
5128 Otros impuestos sobre bienes y servicios específicos	0	0	0	0	0	0	0	0	0	0
5130 No clasificables entre 5110 y 5120	0	0	0	0	0	0	0	0	0	0
5200 Sobre el uso de bienes y permiso para actividades	0	131 795	278 514	373 568	1 473 453	1 733 840	1 792 192	2 043 090	2 285 557	2 824 854
5210 Impuestos recurrentes	..	131 795	278 514	373 568	1 473 453	1 733 840	1 792 192	2 043 090	2 285 557	2 824 854
5211 Por los hogares sobre vehículos automotores	..	131 795	278 514	373 568	1 473 453	1 733 840	1 792 192	2 043 090	2 285 557	2 824 854
Tax on motor vehicle ownership	..	131 795	278 514	373 568	1 473 453	1 733 840	1 792 192	2 043 090	2 285 557	2 824 854
5212 Por otros sobre vehículos automotores	..	..	..	..	..	..	..	..	..	..
5213 Otros impuestos recurrentes	..	..	..	..	..	..	..	..	..	..
5220 Impuestos no recurrentes	..	..	..	..	..	..	..	..	..	..
5300 No clasificables entre 5100 y 5200	0	0	0	0	0	0	0	0	0	0
6000 Otros impuestos	**159 323**	**1 011 197**	**1 846 617**	**3 789 014**	**7 928 320**	**9 289 906**	**7 646 264**	**10 172 339**	**12 743 607**	**15 140 562**
6100 Pagados únicamente por empresas	0	0	0	0	0	0	0	0	0	0
6200 Pagados por otros o no identificables	159 323	1 011 197	1 846 617	3 789 014	7 928 320	9 289 906	7 646 264	10 172 339	12 743 607	15 140 562
Stamp tax	0	401 497	633 586	357 160	79 868	85 799	41 373	83 115	134 457	215 515
Other	78 306	79 287	48 498	126 602	461 160	533 852	245 541	423 822	788 653	974 781
Other (sub-national)	81 017	530 413	1 164 533	3 305 252	7 387 293	8 670 255	7 359 350	9 665 402	11 820 497	13 950 266

.. No disponible

Nota: Ejercicio cerrado a 31 de diciembre.

Los datos siguen el criterio de caja.

Incluye los ingresos consolidados declarados de las entidades territoriales (departamentos y municipios).

Partida 1000: Las cifras del impuesto sobre la renta de 2022 de las partidas 1100, 1200 y 1300 son estimaciones.

Partida 2000: Antes de 2013, las contribuciones a la seguridad social no incluían todas las contribuciones al FOSYGA (Fondo de Solidaridad y Garantía). Solo se incluía la parte de las contribuciones utilizada para financiar el régimen subvencionado (hasta 1.5 pp del 12.5%) del salario mensual que pagan empleadores y empleados como contribución obligatoria al sistema de salud). La parte de las contribuciones que se ingresan en el FOSYGA para financiar el régimen contributivo se ha clasificado en el sector de la seguridad social como "otros ingresos". A partir del año 2013, todas las contribuciones al sistema de salud que se ingresan en el FOSYGA se clasifican como contribuciones a la seguridad social. El porcentaje de las contribuciones que no se ingresan en el FOSYGA y que recaudan y gastan los seguros de salud – EPS – no forma parte de las cuentas tributarias.

Fuente: Dirección de Impuestos y Aduanas Nacionales de Colombia, Ministerio de Hacienda y Crédito Público y Banco Central de Colombia.

Cuadro 5.10. Costa Rica

Ingresos tributarios detallados
Millones CRC

	1990	2000	2005	2010	2018	2019	2020	2021	2022	2023
Total de ingresos tributarios	**117 711**	**978 114**	**2 084 914**	**4 382 367**	**8 339 991**	**8 855 885**	**8 235 528**	**10 019 264**	**11 285 967**	**11 732 286**
1000 Imp. renta, utilidades y ganancias de capital	**11 820**	**128 805**	**324 224**	**748 093**	**1 699 258**	**1 854 866**	**1 651 249**	**2 063 810**	**2 430 200**	**2 486 519**
1100 De personas físicas	..	..	16 438	202 849	483 645	540 954	556 084	622 772	691 305	670 835
1110 Renta y utilidades	..	..	16 438	202 849	483 645	535 412	554 486	618 550	682 875	666 509
1120 Ganancias de capital	..	..	0	0	0	5 542	1 598	4 222	8 430	4 326
1200 De sociedades	..	..	288 355	450 312	915 284	1 058 086	692 551	970 546	1 188 835	1 244 931
1210 Renta y utilidades	..	..	288 355	450 312	915 284	955 908	685 470	952 951	1 162 697	1 229 138
1220 Ganancias de capital de sociedades	..	..	0	0	0	102 177	7 081	17 595	26 138	15 793
1300 No clasificables entre 1100 y 1200	11 820	128 805	19 430	94 932	300 330	255 827	402 613	470 492	550 059	570 753
2000 Contribuciones a la seguridad social	**33 990**	**297 069**	**617 683**	**1 450 531**	**2 859 467**	**3 026 691**	**2 971 589**	**3 605 731**	**3 925 692**	**4 192 080**
2100 Empleados	..	..	..	..	..	..	..	..	..	..
2110 Sobre la base de la nómina	..	..	..	..	..	..	..	..	..	..
2120 Sobre la base del impuesto sobre la renta	..	..	..	..	..	..	..	..	..	..
2200 Empleadores	3 447	37 313	84 988	207 206	368 865	381 940	387 840	389 183	412 852	430 510
Government contributions	3 447	37 313	84 988	207 206	368 865	381 940	387 840	389 183	412 852	430 510
2210 Sobre la base de la nómina	..	..	..	..	..	..	..	..	..	..
2220 Sobre la base del impuesto sobre la renta	..	..	..	..	..	..	..	..	..	..
2300 Trabajadores por cuenta propia o no empleados	..	..	..	..	..	..	..	..	..	..
2310 Sobre la base de la nómina	..	..	..	..	..	..	..	..	..	..
2320 Sobre la base del impuesto sobre la renta	..	..	..	..	..	..	..	..	..	..
2400 No clasificables entre 2100, 2200 y 2300	30 543	259 756	532 695	1 243 325	2 490 602	2 644 751	2 583 749	3 216 548	3 512 840	3 761 571
Contributions by employees and non-government employers	30 543	249 182	497 341	1 139 265	2 157 256	2 274 644	2 212 249	2 447 640	2 697 026	2 882 725
Contributions for the special regimes	0	10 574	35 354	104 060	247 939	292 634	292 072	299 713	300 083	324 603
2410 Sobre la base de la nómina	..	..	..	..	..	..	..	..	..	..
2420 Sobre la base del impuesto sobre la renta	..	..	..	..	..	..	..	..	..	..
3000 Impuestos sobre la nómina y la fuerza de trabajo	**7 575**	**61 796**	**115 730**	**260 664**	**498 577**	**522 529**	**537 654**	**569 339**	**639 737**	**693 618**
Contributions by non-government employers	7 484	59 129	112 082	248 259	478 523	501 734	515 624	546 262	616 504	670 501
Contributions by government employers	91	2 666	3 648	12 405	20 054	20 795	22 030	23 077	23 233	23 117
4000 Impuestos sobre la propiedad	**1 566**	**8 396**	**25 110**	**63 706**	**149 310**	**167 952**	**162 950**	**208 531**	**220 741**	**220 798**
4100 Impuestos recurrentes sobre la propiedad inmueble	1 200	5 390	14 264	48 963	113 586	125 398	127 625	150 279	154 930	160 818
Land tax	0	0	0	0	0	0	0	0	0	0
Additional land tax	0	0	0	0	0	0	0	0	0	0
Tax on sumptuary constructions	0	0	0	0	0	0	0	0	0	0
Immovable property tax	0	0	0	3 527	4 468	4 699	4 655	5 108	5 206	5 424
Municipal immovable property tax	1 200	5 390	14 264	45 436	109 119	120 698	122 970	145 171	149 724	155 395
4110 Hogares	..	..	..	..	..	..	..	..	..	..
4120 Otros	..	..	..	..	..	..	..	..	..	..
4200 Impuestos recurrentes sobre la riqueza neta	0	0	0	0	0	0	0	0	0	0
4210 Personas físicas	..	..	..	..	..	..	..	..	..	..
4220 Sociedades	..	..	..	..	..	..	..	..	..	..
4300 Impuestos sobre sucesiones y donaciones	0	0	0	0	0	0	0	0	0	0
4310 Impuestos sobre sucesiones y herencias	..	..	..	..	..	..	..	..	..	..
4320 Impuestos sobre donaciones	..	..	..	..	..	..	..	..	..	..
4400 Imp. sobre transacciones financieras y de capital	366	3 007	10 846	14 743	35 724	42 554	35 300	58 206	65 802	59 970
4500 Otros impuestos no recurrentes sobre la propiedad	0	0	0	0	0	0	24	46	8	10
4510 Otros impuestos sobre la riqueza neta	..	..	..	..	..	..	0	0	0	0
4520 Otros impuestos no recurrentes	..	..	..	..	..	..	24	46	8	10
4600 Otros impuestos recurrentes sobre la propiedad	0	0	0	0	0	0	0	0	0	0
5000 Impuestos sobre los bienes y servicios	**53 509**	**456 851**	**944 623**	**1 766 914**	**2 918 471**	**3 081 941**	**2 745 118**	**3 488 535**	**3 674 723**	**3 916 652**
5100 Imp. sobre la producción, venta, etc.	49 867	425 713	884 453	1 600 302	2 608 864	2 756 759	2 500 510	3 150 398	3 330 772	3 545 078
5110 Impuestos generales	21 326	222 775	485 168	920 298	1 513 677	1 662 503	1 649 531	2 065 623	2 217 743	2 312 188
5111 Impuestos sobre el valor agregado	21 326	222 775	485 168	920 298	1 487 620	1 634 986	1 623 695	2 039 997	2 193 160	2 285 858
5112 Impuestos sobre las ventas	0	0	0	0	0	0	0	0	0	0
5113 Otros impuestos generales	0	0	0	0	26 057	27 517	25 836	25 626	24 583	26 330
5120 Impuestos sobre bienes y servicios específicos	28 541	202 939	399 286	680 004	1 095 187	1 094 256	850 979	1 084 775	1 113 029	1 232 890

	1990	2000	2005	2010	2018	2019	2020	2021	2022	2023
5121 Impuestos selectivos	11 096	157 204	296 222	523 617	858 424	864 985	688 784	863 133	883 105	1 001 152
Fuels and energy	0	0	172 028	320 638	517 666	552 017	436 384	522 063	530 195	576 175
Alcoholic beverages	0	8 229	20 219	28 035	45 610	43 849	44 373	53 118	55 539	56 478
Non alcoholic beverages	0	0	12 491	26 566	40 182	41 247	38 510	43 234	49 556	57 399
Soaps	0	0	573	1 317	2 712	3 020	3 052	3 200	2 810	3 260
Cement	0	0	0	227	289	216	123	0	5 358	5 488
Tobacco	0	0	0	0	30 766	27 185	23 896	27 019	22 336	27 959
Abolished specific taxes on production and consumption	0	0	0	0	0	0	0	0	0	0
Other specific taxes on consumption	11 096	148 975	90 913	146 834	221 200	197 452	142 447	214 499	217 311	274 395
5122 Utilidades de los monopolios fiscales	0	0	0	0	0	0	0	0	0	0
5123 Derechos de aduanas y de importación	15 052	40 485	82 446	126 134	175 368	164 224	133 733	177 948	164 137	165 189
Import duties	13 977	32 336	66 598	103 851	149 017	140 919	114 777	152 133	137 668	138 487
Custom duties	1 075	8 149	15 848	22 284	26 351	23 305	18 956	25 815	26 469	26 701
Import duties on animals	0	0	0	0	0	0	0	0	0	0
5124 Impuestos sobre las exportaciones	2 113	2 238	969	3 973	5 468	5 412	5 471	6 274	4 842	5 398
Export duties	2 113	2 088	830	3 816	3 594	3 502	3 777	4 064	3 100	3 492
Export duties Law 133	0	0	0	0	0	0	0	0	0	0
Export duties Law 5519	0	0	0	0	0	0	0	0	0	0
Tax on banana exports	0	150	139	157	193	184	199	203	150	198
Export duties on ground transportation	0	0	0	0	1 682	1 726	1 494	2 007	1 593	1 707
5125 Impuestos sobre los bienes de inversión	0	0	0	0	0	0	0	0	0	0
5126 Impuestos sobre servicios específicos	280	2 929	19 555	24 767	50 554	54 556	18 463	31 742	55 167	55 991
Casinos and gambling	0	225	519	445	1 060	1 241	378	431	455	553
Port cargo movements	0	6	13	0	0	0	0	0	0	0
Overseas departure tax	0	0	19 022	24 322	49 494	53 315	18 085	31 311	54 711	55 438
10% on public shows	0	0	0	0	0	0	0	0	0	0
Pro-national airport's stamp tax	0	0	0	0	0	0	0	0	0	0
Stamp tax on the use of borders and ports	280	2 697	0	0	0	0	0	0	0	0
5127 Otros imp. sobre el comercio y transacciones intern.	0	83	94	1 513	3 785	3 841	3 304	3 916	3 919	3 877
5128 Otros impuestos sobre bienes y servicios específicos	0	0	0	0	1 589	1 238	1 225	1 761	1 860	1 282
5130 No clasificables entre 5110 y 5120	0	0	0	0	0	0	0	0	0	0
5200 Sobre el uso de bienes y permiso para actividades	3 642	31 138	60 170	166 612	309 607	325 182	244 608	338 138	343 951	371 574
5210 Impuestos recurrentes	3 642	31 138	60 170	166 612	309 607	325 182	244 608	338 138	343 951	371 574
5211 Por los hogares sobre vehículos automotores	0	0	0	0	0	0	0	0	0	0
5212 Por otros sobre vehículos automotores	1 425	15 374	30 918	94 102	171 523	181 198	108 198	183 368	186 226	196 614
Property tax on vehicles, aircraft and boats	1 425	15 374	30 918	94 102	171 523	181 198	108 198	183 368	186 226	196 614
5213 Otros impuestos recurrentes	2 217	15 763	29 252	72 510	138 084	143 984	136 410	154 769	157 725	174 960
Local taxes	1 262	11 898	27 411	68 808	132 514	137 979	130 332	147 349	151 320	166 070
Hunting and fishing licences	0	0	0	0	0	0	0	0	0	0
Spirits licence	0	0	0	0	0	0	0	0	0	0
Revenue stamps	955	3 866	1 841	3 702	5 571	6 004	6 078	7 421	6 405	8 890
Sport stamp tax	0	0	0	0	0	0	0	0	0	0
5220 Impuestos no recurrentes	0	0	0	0	0	0	0	0	0	0
5300 No clasificables entre 5100 y 5200	0	0	0	0	0	0	0	0	0	0
6000 Otros impuestos	**9 251**	**25 198**	**57 545**	**92 460**	**214 908**	**201 906**	**166 969**	**83 319**	**394 874**	**222 619**
6100 Pagados únicamente por empresas	0	0	0	0	0	0	0	0	0	0
6200 Pagados por otros o no identificables	9 251	25 198	57 545	92 460	214 908	201 906	166 969	83 319	394 874	222 619
Transfers of vehicles, aircraft and boats	497	2 530	6 357	12 311	22 265	23 223	22 593	28 064	27 597	29 487
Tax revenue from decentralised units	2 764	15 048	11 985	29 969	63 329	67 968	60 054	0	0	0
Other taxes	5 990	7 620	39 203	50 180	129 268	110 654	84 266	55 122	367 079	193 054

.. No disponible

Nota: Ejercicio cerrado a 31 de diciembre.

Los datos siguen el criterio de caja.

Partida 2000: Los datos incluyen las contribuciones a la seguridad social que paga la administración por sus empleados, así como las contribuciones destinadas a regímenes especiales (profesorado y magistratura). En los datos de la CEPAL, las contribuciones a la seguridad social también incluyen el INA (Instituto Nacional de Aprendizaje), el IMAS (Instituto Mixto de Ayuda Social) y el FODESAF (Fondo de Desarrollo Social y Asignaciones Familiares).

Partida 3000: En Costa Rica y también para la CEPAL, las contribuciones a la seguridad social procedentes de instituciones descentralizadas se clasifican en la partida 2000.

Partida 5212: En los datos de la CEPAL, los impuestos a la propiedad de vehículos, aeronaves y embarcaciones se clasifican en la categoría 4000.

Partida 6200: Las cifras incluyen la recaudación de impuestos de órganos descentralizados (distinta de las contribuciones a la seguridad social). Los ingresos tributarios de órganos descentralizados se clasifican dentro del Gobierno central. En Costa Rica, estos ingresos se clasifican dentro de una unidad aparte (descentralizada) que se considera separada del Gobierno central.

En los datos de la CEPAL, el impuesto a la transferencia de vehículos usados, Ley n.º 7088 de 30/11/87, se clasifica como un impuesto a la propiedad.

Fuente: Secretaría Técnica de la Autoridad Presupuestaria, Ministerio de Finanzas y Contraloría General de la República.

Cuadro 5.11. Cuba

Ingresos tributarios detallados
Millones CUP

	1990	2000	2005	2010	2018	2019	2020	2021	2022	2023
Total de ingresos tributarios	**6 265**	**11 367**	**17 528**	**23 949**	**42 307**	**43 504**	**40 263**	**96 521**	**116 046**	**148 072**
1000 Imp. renta, utilidades y ganancias de capital	**14**	**1 826**	**2 451**	**3 603**	**11 094**	**12 257**	**11 383**	**44 545**	**54 354**	**69 852**
1100 De personas físicas	14	291	326	554	4 002	4 762	4 586	7 383	7 501	10 516
1110 Renta y utilidades	..	..	..	..	..	..	..	..	..	..
1120 Ganancias de capital	..	..	..	..	..	..	..	..	..	..
1200 De sociedades	0	1 535	2 126	3 049	7 092	7 495	6 796	37 162	46 853	59 336
1210 Renta y utilidades	..	..	..	..	..	..	..	..	..	..
1220 Ganancias de capital de sociedades	..	..	..	..	..	..	..	..	..	..
1300 No clasificables entre 1100 y 1200	0	0	0	0	0	0	0	0	0	0
2000 Contribuciones a la seguridad social	**691**	**1 181**	**1 778**	**2 974**	**5 206**	**5 727**	**6 433**	**24 155**	**16 727**	**29 368**
2100 Empleados	..	..	..	..	..	..	..	..	..	..
2110 Sobre la base de la nómina	..	..	..	..	..	..	..	..	..	..
2120 Sobre la base del impuesto sobre la renta	..	..	..	..	..	..	..	..	..	..
2200 Empleadores	..	..	..	..	..	..	..	..	..	..
2210 Sobre la base de la nómina	..	..	..	..	..	..	..	..	..	..
2220 Sobre la base del impuesto sobre la renta	..	..	..	..	..	..	..	..	..	..
2300 Trabajadores por cuenta propia o no empleados	..	..	..	..	..	..	..	..	..	..
2310 Sobre la base de la nómina	..	..	..	..	..	..	..	..	..	..
2320 Sobre la base del impuesto sobre la renta	..	..	..	..	..	..	..	..	..	..
2400 No clasificables entre 2100, 2200 y 2300	691	1 181	1 778	2 974	5 206	5 727	6 433	24 155	16 727	29 368
2410 Sobre la base de la nómina	691	1 181	1 778	2 974	5 206	5 727	6 433	24 155	16 727	29 368
2420 Sobre la base del impuesto sobre la renta	0	0	0	0	0	0	0	0	0	0
3000 Impuestos sobre la nómina y la fuerza de trabajo	**0**	**970**	**2 962**	**4 414**	**1 273**	**1 415**	**1 605**	**5 947**	**6 239**	**6 714**
4000 Impuestos sobre la propiedad	**0**	**0**	**0**	**0**	**0**	**0**	**0**	**0**	**0**	**0**
4100 Impuestos recurrentes sobre la propiedad inmueble	..	..	..	..	..	..	..	..	..	..
4110 Hogares	..	..	..	..	..	..	..	..	..	..
4120 Otros	..	..	..	..	..	..	..	..	..	..
4200 Impuestos recurrentes sobre la riqueza neta	..	..	..	..	..	..	..	..	..	..
4210 Personas físicas	..	..	..	..	..	..	..	..	..	..
4220 Sociedades	..	..	..	..	..	..	..	..	..	..
4300 Impuestos sobre sucesiones y donaciones	..	..	..	..	..	..	..	..	..	..
4310 Impuestos sobre sucesiones y herencias	..	..	..	..	..	..	..	..	..	..
4320 Impuestos sobre donaciones	..	..	..	..	..	..	..	..	..	..
4400 Imp. sobre transacciones financieras y de capital	..	..	..	..	..	..	..	..	..	..
4500 Otros impuestos no recurrentes sobre la propiedad	..	..	..	..	..	..	..	..	..	..
4510 Otros impuestos sobre la riqueza neta	..	..	..	..	..	..	..	..	..	..
4520 Otros impuestos no recurrentes	..	..	..	..	..	..	..	..	..	..
4600 Otros impuestos recurrentes sobre la propiedad	..	..	..	..	..	..	..	..	..	..
5000 Impuestos sobre los bienes y servicios	**5 443**	**6 732**	**9 844**	**12 283**	**21 969**	**20 995**	**18 673**	**10 582**	**12 657**	**21 779**
5100 Imp. sobre la producción, venta, etc.	5 443	6 732	9 844	12 283	21 969	20 995	18 673	10 582	12 657	21 779
5110 Impuestos generales	5 017	6 131	9 036	10 525	17 623	16 619	14 498	6 489	8 029	15 931
5111 Impuestos sobre el valor agregado	0	0	0	0	0	0	0	0	0	0
5112 Impuestos sobre las ventas	5 017	6 131	9 036	10 525	17 623	16 619	14 498	6 489	8 029	15 931
5113 Otros impuestos generales	0	0	0	0	0	0	0	0	0	0
5120 Impuestos sobre bienes y servicios específicos	426	602	808	1 758	4 346	4 376	4 175	4 093	4 628	5 847
5121 Impuestos selectivos	..	..	..	..	..	..	..	..	..	..
5122 Utilidades de los monopolios fiscales	..	..	..	..	..	..	..	..	..	..
5123 Derechos de aduanas y de importación	..	..	..	..	..	..	..	..	..	..
5124 Impuestos sobre las exportaciones	..	..	..	..	..	..	..	..	..	..
5125 Impuestos sobre los bienes de inversión	..	..	..	..	..	..	..	..	..	..
5126 Impuestos sobre servicios específicos	..	..	..	..	..	..	..	..	..	..
5127 Otros imp. sobre el comercio y transacciones intern.	..	..	..	..	..	..	..	..	..	..
5128 Otros impuestos sobre bienes y servicios específicos	..	..	..	..	..	..	..	..	..	..
5130 No clasificables entre 5110 y 5120	0	0	0	0	0	0	0	0	0	0
5200 Sobre el uso de bienes y permiso para actividades	0	0	0	0	0	0	0	0	0	0
5210 Impuestos recurrentes	..	..	..	..	..	..	..	..	..	..
5211 Por los hogares sobre vehículos automotores	..	..	..	..	..	..	..	..	..	..
5212 Por otros sobre vehículos automotores	..	..	..	..	..	..	..	..	..	..
5213 Otros impuestos recurrentes	..	..	..	..	..	..	..	..	..	..
5220 Impuestos no recurrentes	..	..	..	..	..	..	..	..	..	..
5300 No clasificables entre 5100 y 5200	0	0	0	0	0	0	0	0	0	0
6000 Otros impuestos	**117**	**657**	**493**	**675**	**2 766**	**3 110**	**2 169**	**11 293**	**26 069**	**20 359**

	1990	2000	2005	2010	2018	2019	2020	2021	2022	2023
6100 Pagados únicamente por empresas	..	..	..	..	..	..	..	..	..	..
6200 Pagados por otros o no identificables	..	..	..	..	..	..	..	..	..	..

.. No disponible

Nota: Ejercicio cerrado a 31 de diciembre.

Los datos siguen el criterio de caja.

Las cifras correspondientes a las subcategorías de la partida 5120 no se encuentran disponibles.

Los ingresos tributarios del Gobierno central y las administraciones locales solo están disponibles entre 2002 y 2012.

Las cifras posteriores a 2021 no son comparables con los datos de años anteriores por los enormes ajustes derivados de la reforma de Cuba en materia de divisas.

Fuente: Ministerio de Finanzas y Precios de la República de Cuba; Oficina Nacional de Estadísticas de Cuba; Comisión Económica para América Latina y el Caribe.

Cuadro 5.12. República Dominicana

Ingresos tributarios detallados
Millones DOP

	1990	2000	2005	2010	2018	2019	2020	2021	2022	2023
Total de ingresos tributarios	**6 420**	**47 753**	**149 063**	**242 756**	**555 857**	**611 573**	**556 425**	**781 183**	**872 960**	**974 564**
1000 Imp. renta, utilidades y ganancias de capital	**1 650**	**10 517**	**29 374**	**52 653**	**168 485**	**191 771**	**187 108**	**263 082**	**276 183**	**339 646**
1100 De personas físicas	..	4 088	7 588	17 088	51 425	59 448	58 747	69 026	87 200	103 150
1110 Renta y utilidades	..	4 070	7 509	16 901	51 031	58 842	58 355	68 593	86 504	102 566
1120 Ganancias de capital	..	18	79	187	394	606	392	433	696	584
1200 De sociedades	..	4 605	16 147	21 325	87 822	95 928	90 340	150 695	140 603	179 748
1210 Renta y utilidades	..	4 605	16 147	21 325	87 822	95 928	90 340	150 695	140 603	179 748
1220 Ganancias de capital de sociedades	..	..	..	..	..	..	..	..	..	..
1300 No clasificables entre 1100 y 1200	1 650	1 824	5 639	14 241	29 238	36 395	38 021	43 361	48 380	56 748
2000 Contribuciones a la seguridad social	**53**	**490**	**35**	**1 845**	**2 514**	**2 553**	**2 661**	**3 420**	**4 923**	**4 221**
2100 Empleados	..	..	..	1 720	..	..	..	..	..	..
2110 Sobre la base de la nómina	..	..	..	..	..	..	..	..	..	..
2120 Sobre la base del impuesto sobre la renta	..	..	..	..	..	..	..	..	..	..
2200 Empleadores	..	..	..	125	..	..	..	..	..	..
2210 Sobre la base de la nómina	..	..	..	..	..	..	..	..	..	..
2220 Sobre la base del impuesto sobre la renta	..	..	..	..	..	..	..	..	..	..
2300 Trabajadores por cuenta propia o no empleados	..	..	..	0	..	..	..	..	..	..
2310 Sobre la base de la nómina	..	..	..	..	..	..	..	..	..	..
2320 Sobre la base del impuesto sobre la renta	..	..	..	..	..	..	..	..	..	..
2400 No clasificables entre 2100, 2200 y 2300	53	490	35	0	2 514	2 553	2 661	3 420	4 923	4 221
2410 Sobre la base de la nómina	53	490	35	..	2 514	2 553	2 661	3 420	4 923	4 221
2420 Sobre la base del impuesto sobre la renta	0	0	0	..	0	0	0	0	0	0
3000 Impuestos sobre la nómina y la fuerza de trabajo	**0**	**0**	**671**	**1 385**	**3 282**	**3 502**	**3 141**	**3 810**	**4 347**	**4 991**
4000 Impuestos sobre la propiedad	**74**	**644**	**6 622**	**12 416**	**23 955**	**27 374**	**24 367**	**45 798**	**45 061**	**49 224**
4100 Impuestos recurrentes sobre la propiedad inmueble	9	115	1 710	555	2 527	2 904	2 857	4 171	4 438	5 105
4110 Hogares	9	115	1 710	555	2 527	2 904	2 857	4 171	4 438	5 105
4120 Otros	0	0	0	0	0	0	0	0	0	0
4200 Impuestos recurrentes sobre la riqueza neta	0	0	0	2 449	4 609	5 155	4 522	8 396	8 615	9 401
Tax on assets	..	..	..	2 449	4 609	5 155	4 522	8 396	8 615	9 401
4210 Personas físicas	..	..	..	..	..	..	..	..	..	..
4220 Sociedades	..	..	..	..	..	..	..	..	..	..
4300 Impuestos sobre sucesiones y donaciones	11	96	84	231	526	715	522	1 308	1 389	1 158
4310 Impuestos sobre sucesiones y herencias	..	..	..	..	..	..	..	..	..	..
4320 Impuestos sobre donaciones	..	..	..	..	..	..	..	..	..	..
4400 Imp. sobre transacciones financieras y de capital	40	377	4 716	8 658	15 675	17 594	15 635	30 206	28 611	30 737
Tax on checks	0	0	3 133	4 262	8 139	8 646	8 644	11 231	13 547	15 506
Real estate operations	22	217	1 413	3 864	6 320	7 526	5 910	17 068	13 015	13 132
Tax on the transfer of immovable property	18	160	170	533	1 215	1 422	1 080	1 907	2 048	2 099
4500 Otros impuestos no recurrentes sobre la propiedad	3	32	89	488	553	931	779	1 642	1 929	2 746
4510 Otros impuestos sobre la riqueza neta	3	32	89	488	553	931	779	1 642	1 929	2 746
4520 Otros impuestos no recurrentes	0	0	0	0	0	0	0	0	0	0
4600 Otros impuestos recurrentes sobre la propiedad	11	25	24	35	66	75	52	76	81	77
5000 Impuestos sobre los bienes y servicios	**4 484**	**35 672**	**110 758**	**174 457**	**357 620**	**386 372**	**339 147**	**465 072**	**542 443**	**576 480**
5100 Imp. sobre la producción, venta, etc.	4 418	34 962	109 050	167 983	343 479	369 238	327 400	444 248	519 450	551 102
5110 Impuestos generales	970	9 912	40 983	81 226	194 725	214 324	194 408	261 207	310 788	336 694
5111 Impuestos sobre el valor agregado	970	9 912	40 983	81 226	194 725	214 324	194 408	261 207	310 788	336 694
5112 Impuestos sobre las ventas	0	0	0	0	0	0	0	0	0	0
5113 Otros impuestos generales	0	0	0	0	0	0	0	0	0	0
5120 Impuestos sobre bienes y servicios específicos	3 449	25 051	68 067	86 757	148 754	154 914	132 993	183 041	208 662	214 408
5121 Impuestos selectivos	495	6 320	26 923	55 224	95 912	100 396	85 534	117 330	130 628	132 688
Alcoholic beverages	251	2 455	8 142	15 054	28 882	30 610	29 336	39 822	42 492	43 905
Tobacco products	102	469	2 879	4 529	4 355	3 923	3 507	3 747	3 310	3 088
Petroleum products	89	3 143	14 712	34 598	57 053	60 828	47 854	67 823	78 575	79 414
Other excises	52	252	1 190	1 043	5 622	5 035	4 836	5 938	6 252	6 281
5122 Utilidades de los monopolios fiscales	0	0	0	0	0	0	0	0	0	0
5123 Derechos de aduanas y de importación	1 548	13 459	14 400	19 455	32 096	32 478	29 630	42 638	50 635	50 795
Import duties	615	13 456	14 394	19 455	30 931	32 478	29 630	42 638	50 635	50 795
Others	933	3	6	0	1 165	0	0	0	0	0
5124 Impuestos sobre las exportaciones	6	4	46	146	0	0	0	0	0	0
5125 Impuestos sobre los bienes de inversión	0	0	0	0	0	0	0	0	0	0

	1990	2000	2005	2010	2018	2019	2020	2021	2022	2023
5126 Impuestos sobre servicios específicos	364	1 662	5 681	11 553	20 311	21 529	17 618	22 727	26 993	30 539
Telecommunications	85	5	3 193	4 886	7 146	7 313	7 494	8 117	8 716	9 036
Insurance premiums	33	584	0	3 088	5 976	6 782	7 128	8 560	9 567	11 491
Departure tax	204	809	2 413	3 428	6 933	7 180	2 894	5 870	8 428	9 685
Hotels	22	191	0	0	0	0	0	0	0	0
Casinos	16	59	73	151	228	225	77	131	208	246
Racetracks	4	15	2	0	0	0	0	0	0	0
Phone gaming	0	0	0	0	30	28	25	49	74	82
Others	0	0	0	0	0	0	0	0	0	0
5127 Otros imp. sobre el comercio y transacciones intern.	1 037	3 606	21 017	379	435	511	211	346	407	386
Exchange commission	857	3 412	19 998	0	0	0	0	0	0	0
Consular fees	77	32	271	132	153	156	72	65	133	178
Others	103	162	748	247	281	355	139	282	274	208
5128 Otros impuestos sobre bienes y servicios específicos	0	0	0	0	0	0	0	0	0	0
5130 No clasificables entre 5110 y 5120	0	0	0	0	0	0	0	0	0	0
5200 Sobre el uso de bienes y permiso para actividades	65	710	1 708	6 475	14 141	17 134	11 747	20 824	22 993	25 379
5210 Impuestos recurrentes	65	710	1 708	2 241	3 763	4 857	2 235	4 534	4 725	4 648
5211 Por los hogares sobre vehículos automotores	45	268	977	1 277	2 310	3 407	1 189	2 991	3 023	2 766
5212 Por otros sobre vehículos automotores	0	0	0	0	0	0	0	0	0	0
5213 Otros impuestos recurrentes	21	442	731	964	1 454	1 450	1 046	1 543	1 703	1 883
Licences to carry firearms	17	237	244	296	192	182	162	169	276	274
Licences to operate gambling houses	0	114	155	211	1 262	1 268	885	1 374	1 427	1 609
Licences to operate slot machines	4	60	102	458	0	0	0	0	0	0
Others	0	30	230	0	0	0	0	0	0	0
5220 Impuestos no recurrentes	0	0	0	4 234	10 378	12 277	9 511	16 290	18 268	20 731
Vehicle property registration	..	..	..	4 234	9 667	11 442	8 882	15 188	17 059	19 329
Ecological taxes	..	..	..	0	711	835	629	1 102	1 209	1 401
5300 No clasificables entre 5100 y 5200	0	0	0	0	0	0	0	0	0	0
6000 Otros impuestos	**159**	**429**	**1 603**	**0**	**1**	**2**	**1**	**2**	**3**	**3**
6100 Pagados únicamente por empresas	0	0	0	..	0	0	0	0	0	0
6200 Pagados por otros o no identificables	159	429	1 603	..	1	2	1	2	3	3

.. No disponible

Nota: Ejercicio cerrado a 31 de diciembre.

Los datos siguen el criterio de caja.

Las cifras no incluyen los ingresos tributarios de las administraciones locales, porque no hay datos disponibles.

Las multas se han identificado y excluido de los impuestos sobre la renta y los impuestos a la propiedad desde el año 1995 y de los impuestos sobre bienes y servicios, desde 1990.

Partida 2000: Los datos excluyen contribuciones a la seguridad social destinadas a la administración central gestionadas por el sector privado. Entre 2006 y 2017, está disponible un desglose adicional para distinguir entre las contribuciones a la seguridad social que pagan los empleados y las que pagan los empleadores.

Partida 3000: Esta partida incluye las contribuciones obligatorias no destinadas a las pensiones al Instituto de Formación Técnico Profesional (INFOTEP). Los ingresos tributarios se clasifican dentro del Gobierno central. En la República Dominicana esos ingresos se clasifican en una unidad aparte (descentralizada) que se considera diferente del Gobierno central.

Partida 5211: En los datos de la CEPAL, el impuesto a la transferencia de vehículos se clasifica como un impuesto a la propiedad (4000).

Fuente: Ministerio de Hacienda; Instituto Nacional de Formación Técnico Profesional.

Cuadro 5.13. Ecuador

Ingresos tributarios detallados
Millones USD

	1990	2000	2005	2010	2018	2019	2020	2021	2022	2023
Total de ingresos tributarios	**1 078**	**2 125**	**5 724**	**11 693**	**22 656**	**21 501**	**18 543**	**20 647**	**24 070**	**24 472**
1000 Imp. renta, utilidades y ganancias de capital	**139**	**268**	**1 248**	**2 924**	**5 246**	**4 669**	**4 503**	**4 444**	**5 315**	**5 705**
1100 De personas físicas	..	10	27	80	193	197	155	143	181	293
1110 Renta y utilidades	..	10	27	80	193	197	155	143	181	293
Personal income tax	..	10	27	80	193	197	155	143	181	293
Solidarity contribution on remuneration	..	0	0	0	0	0	0	0	0	0
1120 Ganancias de capital	..	..	..	0	0	0	0	0	0	0
1200 De sociedades	..	53	362	1 046	1 894	1 308	1 333	899	1 350	1 317
1210 Renta y utilidades	..	53	362	1 046	1 894	1 308	1 333	899	1 350	1 317
Corporate income tax	..	53	342	474	1 808	1 232	1 276	832	1 284	1 259
Income tax on oil companies and others	..	0	20	572	81	75	57	67	65	58
Solidarity contribution on profits	..	0	0	0	4	0	0	0	0	0
1220 Ganancias de capital de sociedades	..	..	..	..	..	..	..	..	..	..
1300 No clasificables entre 1100 y 1200	139	206	859	1 798	3 159	3 164	3 015	3 402	3 784	4 095
Withholding tax	0	190	683	1 560	2 858	2 847	2 787	3 416	3 886	4 011
Income tax advances	0	14	170	298	353	394	290	15	4	178
Income tax refunds	0	0	0	-75	-132	-151	-112	-98	-180	-170
Other income taxes (local)	1	2	6	15	81	74	50	69	74	77
2000 Contribuciones a la seguridad social	**243**	**228**	**1 109**	**2 541**	**5 909**	**5 704**	**5 079**	**5 305**	**5 773**	**6 051**
2100 Empleados	..	..	..	..	..	..	..	..	..	..
2110 Sobre la base de la nómina	..	..	..	..	..	..	..	..	..	..
2120 Sobre la base del impuesto sobre la renta	..	..	..	..	..	..	..	..	..	..
2200 Empleadores	..	..	..	..	..	..	..	..	..	..
2210 Sobre la base de la nómina	..	..	..	..	..	..	..	..	..	..
2220 Sobre la base del impuesto sobre la renta	..	..	..	..	..	..	..	..	..	..
2300 Trabajadores por cuenta propia o no empleados	..	..	..	..	..	..	..	..	..	..
2310 Sobre la base de la nómina	..	..	..	..	..	..	..	..	..	..
2320 Sobre la base del impuesto sobre la renta	..	..	..	..	..	..	..	..	..	..
2400 No clasificables entre 2100, 2200 y 2300	243	228	1 109	2 541	5 909	5 704	5 079	5 305	5 773	6 051
2410 Sobre la base de la nómina	..	..	..	..	..	..	..	..	..	..
2420 Sobre la base del impuesto sobre la renta	..	..	..	..	..	..	..	..	..	..
3000 Impuestos sobre la nómina y la fuerza de trabajo	**0**	**0**	**0**	**0**	**0**	**0**	**0**	**0**	**0**	**0**
4000 Impuestos sobre la propiedad	**16**	**17**	**71**	**159**	**372**	**353**	**334**	**360**	**986**	**741**
4100 Impuestos recurrentes sobre la propiedad inmueble	13	8	37	68	192	186	172	184	200	206
Rural land tax	0	0	0	3	2	0	0	0	0	0
4110 Hogares	0	0	0	0	0	0	0	0	0	0
4120 Otros	13	8	37	66	190	185	172	184	200	206
Tax on urban properties	12	7	32	55	162	158	145	157	170	176
Tax on rural properties	1	1	6	10	27	27	27	27	30	31
4200 Impuestos recurrentes sobre la riqueza neta	0	0	0	35	30	35	31	24	19	19
4210 Personas físicas	..	..	..	0	0	0	0	0	0	0
4220 Sociedades	..	..	..	35	30	35	31	24	19	19
Tax on foreign assets	..	..	..	35	30	35	31	24	19	19
4300 Impuestos sobre sucesiones y donaciones	0	0	1	5	27	24	24	40	11	17
4310 Impuestos sobre sucesiones y herencias	..	..	1	5	27	24	24	40	11	17
4320 Impuestos sobre donaciones	..	..	0	0	0	0	0	0	0	0
4400 Imp. sobre transacciones financieras y de capital	0	0	0	0	0	0	0	0	0	0
4500 Otros impuestos no recurrentes sobre la propiedad	0	0	0	0	7	0	0	0	635	374
4510 Otros impuestos sobre la riqueza neta	..	..	..	..	7	..	..	..	635	374
Solidarity contribution on equity	..	..	..	..	6	..	..	..	0	0
Solidarity contribution on foreign assets	..	..	..	..	1	..	..	..	0	0
Regularisation of assets abroad	..	..	..	..	0	..	..	..	88	4
Post-COVID contributions	..	..	..	..	0	..	..	..	547	370
4520 Otros impuestos no recurrentes	..	..	..	..	0	..	..	..	0	0
4600 Otros impuestos recurrentes sobre la propiedad	3	9	33	50	116	108	107	112	121	125
5000 Impuestos sobre los bienes y servicios	**679**	**1 609**	**3 244**	**6 066**	**11 108**	**10 755**	**8 608**	**10 516**	**11 994**	**11 974**
5100 Imp. sobre la producción, venta, etc.	671	1 580	3 140	5 863	10 615	10 248	8 266	10 133	11 586	11 538
5110 Impuestos generales	306	928	2 211	3 801	6 716	6 622	5 459	6 658	7 937	8 184
5111 Impuestos sobre el valor agregado	302	923	2 194	3 759	6 630	6 539	5 398	6 581	7 854	8 097
VAT (internal operations)	..	557	1 239	2 506	4 789	4 885	4 093	4 765	5 783	6 307
VAT (imports)	..	381	1 105	1 668	1 947	1 800	1 413	1 961	2 350	2 137
2% contribution on VAT	..	0	0	0	4	0	0	0	0	0
VAT refunds	..	-14	-149	-416	-109	-146	-108	-146	-279	-347
Other VATs (local)	..	0	0	0	0	0	0	0	0	0

	1990	2000	2005	2010	2018	2019	2020	2021	2022	2023
5112 Impuestos sobre las ventas	0	0	0	0	0	0	0	0	0	0
5113 Otros impuestos generales	4	5	16	41	85	83	61	77	84	86
5120 Impuestos sobre bienes y servicios específicos	365	652	929	2 062	3 900	3 627	2 807	3 475	3 648	3 355
5121 Impuestos selectivos	90	89	237	508	955	885	715	821	865	846
Beer	..	29	62	119	239	246	209	234	274	281
Cigarettes	..	30	72	117	112	103	71	42	0	0
Fizzy drinks	..	9	15	40	94	93	79	81	79	76
Vehicles	..	6	17	55	63	42	25	31	38	43
Alcohol and alcoholic products	..	4	11	23	43	40	28	36	43	42
Non-returnable plastic bottles	..	0	0	0	35	36	29	34	40	44
Telephone	..	0	0	0	32	29	84	75	4	0
Water heaters	..	0	0	0	26	2	1	2	0	0
Perfumes	..	0	0	17	25	21	13	14	15	16
Non-alcoholic drinks	..	0	0	0	11	11	11	14	16	18
Other excises (internal operations)	..	0	0	0	5	5	4	5	6	6
Excises on imports	..	10	60	138	271	257	162	253	351	319
5122 Utilidades de los monopolios fiscales	0	0	0	0	0	0	0	0	0	0
5123 Derechos de aduanas y de importación	227	217	547	1 153	1 559	1 414	944	1 207	1 267	1 180
5124 Impuestos sobre las exportaciones	0	0	0	0	0	0	0	0	0	0
5125 Impuestos sobre los bienes de inversión	0	0	0	0	0	0	0	0	0	0
5126 Impuestos sobre servicios específicos	26	343	145	30	179	188	183	235	243	240
Contribution to comprehensive cancer care	0	0	0	0	104	116	125	184	202	206
Prepaid television services	0	0	0	14	64	60	54	43	32	25
Club membership fees	0	0	0	0	1	1	0	0	0	0
Casino services	0	0	0	8	0	0	0	0	0	0
Telecommunications	0	0	142	0	0	0	0	0	0	0
Capital circulation tax	0	322	0	0	0	0	0	0	0	0
Departure tax	7	16	0	0	0	0	0	0	0	0
Tax on credit operations	18	2	0	1	0	0	0	0	0	0
Other service taxes (local)	1	2	3	7	10	11	3	8	9	9
5127 Otros imp. sobre el comercio y transacciones intern.	22	4	0	371	1 206	1 140	964	1 212	1 274	1 088
Foreign Currency Exit Tax (ISD)	0	0	..	371	1 206	1 140	964	1 212	1 274	1 088
Tax on purchase of foreign currency	22	4	..	0	0	0	0	0	0	0
5128 Otros impuestos sobre bienes y servicios específicos	0	0	0	0	0	0	0	0	0	0
5130 No clasificables entre 5110 y 5120	0	0	0	0	0	0	0	0	0	0
5200 Sobre el uso de bienes y permiso para actividades	8	29	105	203	493	507	342	382	409	436
5210 Impuestos recurrentes	5	28	104	203	477	491	330	368	393	420
5211 Por los hogares sobre vehículos automotores	5	23	78	168	354	364	215	245	260	282
Motor vehicle tax	5	23	78	168	234	242	208	236	250	278
Environmental tax on vehicle pollution	0	0	0	0	119	122	7	9	9	4
5212 Por otros sobre vehículos automotores	0	0	0	0	0	0	0	0	0	0
5213 Otros impuestos recurrentes	1	5	26	35	123	127	115	123	134	138
5220 Impuestos no recurrentes	2	1	0	0	16	16	11	14	16	16
5300 No clasificables entre 5100 y 5200	0	0	0	0	0	0	0	0	0	0
6000 Otros impuestos	**2**	**2**	**52**	**4**	**21**	**20**	**20**	**22**	**2**	**0**
6100 Pagados únicamente por empresas	0	0	0	0	0	0	0	0	0	0
6200 Pagados por otros o no identificables	2	2	52	4	21	20	20	22	2	0
Simplified taxation system of Ecuador (RISE)	0	0	0	6	23	22	20	23	5	1
Other tax refunds	0	0	0	-2	-2	-2	-1	-1	-3	-2
Other taxes (local)	2	2	52	1	0	0	0	0	0	0

.. No disponible

Nota: Ejercicio cerrado a 31 de diciembre.

Los datos siguen el criterio de caja, salvo del Banco Central de Ecuador, que siguen el criterio de devengo.

Los ingresos tributarios del Gobierno central proceden principalmente del Servicio de Rentas Internas, aunque parte de ellos provienen del Banco del Ecuador (véanse los pormenores más adelante). Los ingresos tributarios de las administraciones locales provienen del Banco de Desarrollo del Ecuador. Los ingresos tributarios de las administraciones locales de 2021-23 son una estimación.

Partida 2000: Los datos se recaban de las operaciones del sector público no financiero publicadas por el Banco Central del Ecuador.

Partida 5123: Los datos se recaban del presupuesto general de la administración estatal consolidada publicado por el Banco Central del Ecuador.

Partida 5126: Esta partida incluye el impuesto a las operaciones de crédito del presupuesto general de la administración estatal consolidada publicado por el Banco Central del Ecuador.

Partida 5127: Esta partida incluye el impuesto a la compra de divisas del presupuesto general de la administración estatal consolidada publicado por el Banco Central del Ecuador.

Fuente: Servicio de Rentas Internas; Banco Central del Ecuador; Banco de Desarrollo de Ecuador.

Cuadro 5.14. El Salvador

Ingresos tributarios detallados
Millones USD

	1990	2000	2005	2010	2018	2019	2020	2021	2022	2023
Total de ingresos tributarios	**543**	**1 669**	**2 497**	**3 447**	**5 545**	**5 640**	**5 404**	**6 716**	**7 438**	**7 761**
1000 Imp. renta, utilidades y ganancias de capital	**95**	**429**	**637**	**996**	**1 889**	**1 959**	**1 954**	**2 259**	**2 707**	**2 809**
1100 De personas físicas	..	..	312	590	795	836	820	923	1 060	1 172
1110 Renta y utilidades	..	..	312	590	795	836	820	923	1 060	1 172
1120 Ganancias de capital	..	..	..	..	..	..	..	..	..	..
1200 De sociedades	..	..	356	420	914	922	934	1 078	1 334	1 310
1210 Renta y utilidades	..	..	356	420	914	922	934	1 078	1 334	1 310
Corporate income tax	..	..	356	420	845	848	848	1 004	1 334	1 310
Special Contribution - Public security (large taxpayers)	..	..	0	0	70	74	85	74	0	0
1220 Ganancias de capital de sociedades	..	..	..	..	..	..	..	..	..	..
1300 No clasificables entre 1100 y 1200	95	429	-31	-14	180	201	201	258	313	328
Withholding income tax	..	..	0	41	220	249	239	299	387	396
Income tax refunds	..	..	-31	-55	-40	-48	-38	-41	-74	-68
2000 Contribuciones a la seguridad social	**104**	**325**	**339**	**470**	**705**	**722**	**700**	**771**	**834**	**881**
2100 Empleados	..	75	126	165	246	251	246	271	293	318
2110 Sobre la base de la nómina	..	75	126	165	246	251	246	271	293	318
2120 Sobre la base del impuesto sobre la renta	..	0	0	0	0	0	0	0	0	0
2200 Empleadores	..	176	213	306	459	471	454	500	541	564
2210 Sobre la base de la nómina	..	176	213	306	459	471	454	500	541	564
2220 Sobre la base del impuesto sobre la renta	..	0	0	0	0	0	0	0	0	0
2300 Trabajadores por cuenta propia o no empleados	..	13	0	0	0	0	0	0	0	0
2310 Sobre la base de la nómina	..	13	..	..	..	..	..	..	..	..
2320 Sobre la base del impuesto sobre la renta	..	0	..	..	..	..	..	..	..	..
2400 No clasificables entre 2100, 2200 y 2300	104	62	0	0	0	0	0	0	0	0
2410 Sobre la base de la nómina	104	62	..	..	..	..	..	..	..	..
2420 Sobre la base del impuesto sobre la renta	0	0	..	..	..	..	..	..	..	..
3000 Impuestos sobre la nómina y la fuerza de trabajo	**0**	**0**	**16**	**21**	**37**	**38**	**36**	**40**	**42**	**45**
4000 Impuestos sobre la propiedad	**26**	**12**	**18**	**19**	**119**	**44**	**27**	**47**	**58**	**61**
4100 Impuestos recurrentes sobre la propiedad inmueble	0	0	2	3	6	7	6	8	11	7
4110 Hogares	..	..	..	..	..	..	..	..	..	..
4120 Otros	..	..	..	..	..	..	..	..	..	..
4200 Impuestos recurrentes sobre la riqueza neta	16	0	0	0	0	0	0	0	0	0
4210 Personas físicas	..	..	..	..	..	..	..	..	..	..
4220 Sociedades	..	..	..	..	..	..	..	..	..	..
4300 Impuestos sobre sucesiones y donaciones	0	0	0	0	0	0	0	0	0	0
4310 Impuestos sobre sucesiones y herencias	..	..	..	..	..	..	..	..	..	..
4320 Impuestos sobre donaciones	..	..	..	..	..	..	..	..	..	..
4400 Imp. sobre transacciones financieras y de capital	10	12	16	16	113	37	21	39	47	54
Property transfers	10	12	16	16	24	29	21	39	47	54
Checks and electronic transfers of funds	0	0	0	0	56	5	0	0	0	0
Withholding for liquidity control	0	0	0	0	34	3	0	0	0	0
4500 Otros impuestos no recurrentes sobre la propiedad	0	0	0	0	0	0	0	0	0	0
4510 Otros impuestos sobre la riqueza neta	..	..	..	..	..	..	..	..	..	..
4520 Otros impuestos no recurrentes	..	..	..	..	..	..	..	..	..	..
4600 Otros impuestos recurrentes sobre la propiedad	0	0	0	0	0	0	0	0	0	0
5000 Impuestos sobre los bienes y servicios	**259**	**903**	**1 450**	**1 878**	**2 694**	**2 778**	**2 585**	**3 494**	**3 684**	**3 857**
5100 Imp. sobre la producción, venta, etc.	259	903	1 447	1 863	2 663	2 747	2 561	3 453	3 637	3 811
5110 Impuestos generales	133	714	1 104	1 433	2 054	2 109	2 033	2 771	2 944	3 072
5111 Impuestos sobre el valor agregado	0	714	1 104	1 433	2 054	2 109	2 033	2 771	2 944	3 072
5112 Impuestos sobre las ventas	0	0	0	0	0	0	0	0	0	0
5113 Otros impuestos generales	133	0	0	0	0	0	0	0	0	0
5120 Impuestos sobre bienes y servicios específicos	127	189	343	431	608	638	528	682	694	738
5121 Impuestos selectivos	65	49	162	224	367	393	336	379	361	398
Alcoholic beverages	..	..	14	22	24	25	34	40	33	34
Cigarettes	..	..	23	38	24	24	25	27	27	27
Soft drinks	..	..	33	31	49	52	50	62	64	69
Beer	..	..	26	29	73	82	67	92	101	102
Weapons, ammunition and explosives	..	..	1	1	1	1	1	1	2	1
Ad-valorem on fuels	..	..	0	0	7	8	7	5	0	0
Special contribution- Sugar	..	..	1	1	1	1	1	1	1	1
Special contribution- Public transportation	..	..	0	35	47	48	23	49	25	55
Special contribution- FOVIAL	..	..	66	69	93	96	83	104	108	110
Special contribution- Public security	..	..	0	0	48	55	43	1	0	0

	1990	2000	2005	2010	2018	2019	2020	2021	2022	2023
5122 Utilidades de los monopolios fiscales	0	0	0	0	0	0	0	0	0	0
5123 Derechos de aduanas y de importación	61	141	181	151	227	232	187	291	319	322
5124 Impuestos sobre las exportaciones	0	0	0	0	0	0	0	0	0	0
5125 Impuestos sobre los bienes de inversión	0	0	0	0	0	0	0	0	0	0
5126 Impuestos sobre servicios específicos	0	0	0	56	14	13	5	11	14	18
5127 Otros imp. sobre el comercio y transacciones intern.	0	0	0	0	0	0	0	0	0	0
5128 Otros impuestos sobre bienes y servicios específicos	0	0	0	0	0	0	0	0	0	0
5130 No clasificables entre 5110 y 5120	0	0	0	0	0	0	0	0	0	0
5200 Sobre el uso de bienes y permiso para actividades	0	0	3	15	32	31	24	40	47	47
5210 Impuestos recurrentes	..	..	3	7	17	15	12	17	23	21
5211 Por los hogares sobre vehículos automotores	..	..	0	0	0	0	0	0	0	0
5212 Por otros sobre vehículos automotores	..	..	0	0	0	0	0	0	0	0
5213 Otros impuestos recurrentes	..	..	3	7	17	15	12	17	23	21
5220 Impuestos no recurrentes	..	..	0	7	15	16	12	23	24	26
5300 No clasificables entre 5100 y 5200	0	0	0	0	0	0	0	0	0	0
6000 Otros impuestos	**58**	**0**	**37**	**63**	**101**	**98**	**102**	**105**	**114**	**108**
6100 Pagados únicamente por empresas	0	0	0	0	0	0	0	0	0	0
6200 Pagados por otros o no identificables	58	0	37	63	101	98	102	105	114	108

.. No disponible

Nota: Ejercicio cerrado a 31 de diciembre.

Los datos siguen el criterio de caja.

Los datos de ingresos tributarios del Gobierno central correspondientes a 2022 y 2023 son preliminares.

Partida 1000: Antes de 2002 no hay impuestos sobre la renta de las personas físicas ni impuestos de sociedades desagregados disponibles.

Partida 2000: Las cifras incluyen las contribuciones a la seguridad social abonadas al Instituto Salvadoreño del Seguro Social (ISSS), el Instituto Nacional de Pensiones de los Empleados Públicos (INPEP), el Instituto de Previsión Social de la Fuerza Armada (IPSFA) y el Instituto Salvadoreño de Bienestar Magisterial (ISBM). Las cifras no incluyen los pagos a fondos de pensiones de gestión privada, pero pueden incluir una pequeña cantidad de contribuciones voluntarias, que no se puede distinguir de los datos de contribuciones al sistema público de seguridad social.

Partida 3000: Las contribuciones a la formación profesional realizadas al Instituto Salvadoreño de Formación Profesional (INSAFORP) se incluyen en la partida 3000. Los ingresos tributarios se clasifican dentro del Gobierno central. En El Salvador, estos ingresos se clasifican en una unidad aparte que se considera diferente del Gobierno central.

Fuente: Dirección General de Tesorería en Ministerio de Hacienda; Dirección General de Contabilidad Gubernamental en Ministerio de Hacienda; División de Análisis Financiero y Estadístico en Ministerio de Hacienda; Instituto Salvadoreño del Seguro Social; Centro Interamericano de Administraciones Tributarias.

Cuadro 5.15. Guatemala

Ingresos tributarios detallados
Millones GTQ

	1990	2000	2005	2010	2018	2019	2020	2021	2022	2023
Total de ingresos tributarios	**2 646**	**16 531**	**27 187**	**41 537**	**72 505**	**77 121**	**74 529**	**94 113**	**105 970**	**114 631**
1000 Imp. renta, utilidades y ganancias de capital	**507**	**3 293**	**4 401**	**7 745**	**16 236**	**17 100**	**16 751**	**23 291**	**25 658**	**28 391**
1100 De personas físicas	25	143	645	1 225	2 603	2 813	2 816	4 769	3 892	4 205
1110 Renta y utilidades	25	143	645	1 225	2 603	2 813	2 816	4 769	3 892	4 205
1120 Ganancias de capital	..	..	..	..	..	..	..	..	..	..
1200 De sociedades	482	3 149	3 756	6 520	13 633	14 287	13 935	18 522	21 765	24 186
1210 Renta y utilidades	482	3 149	3 756	6 520	13 633	14 287	13 935	18 522	21 765	24 186
Corporate income tax	482	1 858	3 730	6 518	13 633	14 285	13 933	18 519	21 763	24 185
Commercial and agricultural enterprises	0	1 291	26	2	0	2	2	3	2	1
1220 Ganancias de capital de sociedades	..	..	..	..	..	..	..	..	..	..
1300 No clasificables entre 1100 y 1200	0	0	0	0	0	0	0	0	0	0
2000 Contribuciones a la seguridad social	**436**	**2 569**	**4 072**	**6 312**	**12 102**	**12 957**	**12 742**	**14 314**	**15 539**	**17 613**
2100 Empleados	..	..	..	..	..	..	..	..	..	..
2110 Sobre la base de la nómina	..	..	..	..	..	..	..	..	..	..
2120 Sobre la base del impuesto sobre la renta	..	..	..	..	..	..	..	..	..	..
2200 Empleadores	..	..	..	..	..	..	..	..	..	..
2210 Sobre la base de la nómina	..	..	..	..	..	..	..	..	..	..
2220 Sobre la base del impuesto sobre la renta	..	..	..	..	..	..	..	..	..	..
2300 Trabajadores por cuenta propia o no empleados	..	..	..	..	..	..	..	..	..	..
2310 Sobre la base de la nómina	..	..	..	..	..	..	..	..	..	..
2320 Sobre la base del impuesto sobre la renta	..	..	..	..	..	..	..	..	..	..
2400 No clasificables entre 2100, 2200 y 2300	436	2 569	4 072	6 312	12 102	12 957	12 742	14 314	15 539	17 613
2410 Sobre la base de la nómina	436	2 569	4 072	6 312	12 102	12 957	12 742	14 314	15 539	17 613
2420 Sobre la base del impuesto sobre la renta	0	0	0	0	0	0	0	0	0	0
3000 Impuestos sobre la nómina y la fuerza de trabajo	**0**	**0**	**0**	**447**	**903**	**933**	**859**	**1 038**	**1 130**	**1 249**
Contributions to INTECAP	..	..	..	233	469	484	448	537	586	644
Contributions to IRTRA	..	..	..	214	434	449	411	501	544	604
4000 Impuestos sobre la propiedad	**149**	**347**	**663**	**1 202**	**1 354**	**1 177**	**1 115**	**1 405**	**1 537**	**785**
4100 Impuestos recurrentes sobre la propiedad inmueble	0	153	342	621	865	685	712	839	915	157
4110 Hogares	..	0	0	0	0	0	0	0	0	0
4120 Otros	..	153	342	621	865	685	712	839	915	157
Property tax	..	6	1	1	2	2	1	2	1	1
Property tax (municipal)	..	147	341	620	863	683	711	837	914	156
4200 Impuestos recurrentes sobre la riqueza neta	0	0	0	0	0	0	0	0	0	0
4210 Personas físicas	..	..	..	..	..	..	..	..	..	..
4220 Sociedades	..	..	..	..	..	..	..	..	..	..
4300 Impuestos sobre sucesiones y donaciones	0	0	0	0	0	0	0	0	0	0
4310 Impuestos sobre sucesiones y herencias	..	..	..	..	..	..	..	..	..	..
4320 Impuestos sobre donaciones	..	..	..	..	..	..	..	..	..	..
4400 Imp. sobre transacciones financieras y de capital	149	194	321	581	489	492	403	567	622	628
Stamp duty	104	182	313	572	463	451	392	542	586	588
Tax on property transfer	45	12	8	10	26	40	11	25	36	39
4500 Otros impuestos no recurrentes sobre la propiedad	0	0	0	0	0	0	0	0	0	0
4510 Otros impuestos sobre la riqueza neta	..	..	..	..	..	..	..	..	..	..
4520 Otros impuestos no recurrentes	..	..	..	..	..	..	..	..	..	..
4600 Otros impuestos recurrentes sobre la propiedad	0	0	0	0	0	0	0	0	0	0
5000 Impuestos sobre los bienes y servicios	**1 554**	**10 317**	**16 402**	**23 255**	**37 253**	**40 124**	**37 993**	**48 666**	**55 975**	**59 325**
5100 Imp. sobre la producción, venta, etc.	1 526	10 131	16 083	22 750	36 372	39 215	37 090	47 655	54 905	58 165
5110 Impuestos generales	762	6 259	10 753	16 980	27 733	29 920	28 760	36 985	43 404	45 770
5111 Impuestos sobre el valor agregado	762	6 259	10 753	16 980	27 733	29 920	28 760	36 985	43 404	45 770
VAT domestic	361	2 903	4 250	7 995	14 573	15 897	15 992	18 226	20 215	22 998
VAT imports	401	4 189	7 953	11 127	15 560	16 331	14 955	21 461	26 131	25 925
Tax credit refunds	0	-834	-1 450	-2 142	-2 401	-2 307	-2 187	-2 702	-2 941	-3 153
5112 Impuestos sobre las ventas	0	0	0	0	0	0	0	0	0	0
5113 Otros impuestos generales	0	0	0	0	0	0	0	0	0	0
5120 Impuestos sobre bienes y servicios específicos	764	3 872	5 330	5 770	8 640	9 294	8 330	10 670	11 500	12 395

	1990	2000	2005	2010	2018	2019	2020	2021	2022	2023
5121 Impuestos selectivos	258	1 797	1 262	3 101	5 621	6 106	5 662	6 879	7 132	7 712
Tobacco and derivatives	76	205	312	347	337	363	299	333	346	316
Beer	0	97	122	159	322	365	387	471	526	580
Alcoholic beverages	0	77	76	97	103	109	104	130	154	156
Soft drinks	0	15	172	220	365	396	405	458	479	512
Other beverages	77	12	2	2	0	0	0	0	1	0
Cement	0	0	93	99	123	131	147	183	186	201
Oil and derivatives	105	1 389	485	2 179	3 417	3 743	3 485	4 066	4 039	4 270
IPRIMA	0	0	0	0	953	999	836	1 238	1 402	1 676
5122 Utilidades de los monopolios fiscales	0	0	0	0	0	0	0	0	0	0
5123 Derechos de aduanas y de importación	506	1 806	3 715	2 368	2 576	2 712	2 487	3 485	3 903	4 087
5124 Impuestos sobre las exportaciones	0	0	0	0	0	0	0	0	0	0
5125 Impuestos sobre los bienes de inversión	0	0	0	0	0	0	0	0	0	0
5126 Impuestos sobre servicios específicos	0	269	354	301	443	477	181	305	466	595
Departure tax	..	135	197	224	312	338	117	214	323	421
INGUATE	..	40	56	73	125	132	57	83	134	166
Transportation and communications	..	94	100	3	6	7	7	8	9	9
5127 Otros imp. sobre el comercio y transacciones intern.	0	0	0	0	0	0	0	0	0	0
5128 Otros impuestos sobre bienes y servicios específicos	0	0	0	0	0	0	0	0	0	0
5130 No clasificables entre 5110 y 5120	0	0	0	0	0	0	0	0	0	0
5200 Sobre el uso de bienes y permiso para actividades	28	186	319	505	881	909	903	1 011	1 071	1 160
5210 Impuestos recurrentes	28	186	319	505	881	909	903	1 011	1 071	1 160
5211 Por los hogares sobre vehículos automotores	0	0	0	0	0	0	0	0	0	0
5212 Por otros sobre vehículos automotores	28	186	319	505	881	909	903	1 011	1 071	1 160
5213 Otros impuestos recurrentes	0	0	0	0	0	0	0	0	0	0
5220 Impuestos no recurrentes	0	0	0	0	0	0	0	0	0	0
5300 No clasificables entre 5100 y 5200	0	0	0	0	0	0	0	0	0	0
6000 Otros impuestos	**0**	**7**	**1 649**	**2 575**	**4 656**	**4 830**	**5 070**	**5 399**	**6 130**	**7 268**
6100 Pagados únicamente por empresas	..	0	0	0	0	0	0	0	0	0
6200 Pagados por otros o no identificables	..	7	1 649	2 575	4 656	4 830	5 070	5 399	6 130	7 268
Extraordinary and temporary solidarity tax in support of peace agreements	..	0	1 647	44	10	63	3	9	11	8
Solidarity tax	..	0	0	2 530	4 646	4 766	5 067	5 389	6 119	7 259
Extraordinary and temporary solidarity tax	..	2	0	0	0	0	0	0	0	0
Other indirect taxes	..	4	1	1	0	0	0	0	1	1

.. No disponible

Nota: Ejercicio cerrado a 31 de diciembre.

Los datos siguen el criterio de caja.

Los ingresos tributarios de las administraciones locales incluyen ingresos procedentes del impuesto municipal sobre inmuebles (IUSI).

Partida 1000: Los impuestos sobre la renta de las personas físicas y de sociedades también incluyen los impuestos sobre ingresos obtenidos a partir de productos financieros.

Partida 2000: Las cifras incluyen las contribuciones al Instituto Guatemalteco de Seguridad Social (IGSS) y los pagos de los empleados públicos al fondo de pensiones del Gobierno.

Partida 3000: Las contribuciones al INTECAP y al IRTRA se incluyen en la partida 3000. Los ingresos tributarios se clasifican dentro del Gobierno central. En Guatemala, estos ingresos se clasifican en una unidad aparte considerada diferente de la administración central.

Partida 4400: Antes de 2000, el impuesto a la transferencia de propiedades de la partida 4400 incluye también el impuesto a la propiedad de la administración central de la partida 4120, porque no se puede distinguir.

Fuente: Superintendencia de Administración Tributaria; Ministerio de Finanzas Públicas; Contraloría General de Cuentas.

Cuadro 5.16. Guyana

Ingresos tributarios detallados
Millones GYD

	1990	2000	2005	2010	2018	2019	2020	2021	2022	2023
Total de ingresos tributarios	**5 232**	**42 750**	**60 319**	**111 906**	**220 421**	**250 240**	**243 507**	**282 401**	**324 376**	**408 949**
1000 Imp. renta, utilidades y ganancias de capital	**1 752**	**16 179**	**23 843**	**39 561**	**78 956**	**94 504**	**105 756**	**124 088**	**164 802**	**213 899**
1100 De personas físicas	333	7 734	11 139	17 816	32 037	35 249	39 711	46 962	58 903	72 423
1110 Renta y utilidades	333	7 734	11 139	17 816	32 037	35 249	39 711	46 962	58 903	72 423
Personal	306	7 157	11 139	15 419	25 808	29 213	34 688	42 907	54 881	67 833
Self-employed	27	577	0	2 397	6 229	6 036	5 024	4 054	4 022	4 590
1120 Ganancias de capital	..	..	..	..	..	..	..	..	..	..
1200 De sociedades	1 375	8 266	12 555	21 427	46 198	58 346	64 992	75 897	104 581	139 404
1210 Renta y utilidades	1 375	8 266	12 555	21 427	46 198	58 346	64 992	75 897	104 581	139 404
1220 Ganancias de capital de sociedades	..	..	..	..	..	..	..	..	..	..
1300 No clasificables entre 1100 y 1200	43	179	149	317	721	908	1 053	1 229	1 318	2 072
2000 Contribuciones a la seguridad social	**191**	**4 868**	**6 670**	**10 047**	**21 178**	**23 728**	**24 706**	**26 725**	**31 353**	**36 077**
2100 Empleados	..	..	..	..	..	..	..	..	..	..
2110 Sobre la base de la nómina	..	..	..	..	..	..	..	..	..	..
2120 Sobre la base del impuesto sobre la renta	..	..	..	..	..	..	..	..	..	..
2200 Empleadores	..	..	..	..	..	..	..	..	..	..
2210 Sobre la base de la nómina	..	..	..	..	..	..	..	..	..	..
2220 Sobre la base del impuesto sobre la renta	..	..	..	..	..	..	..	..	..	..
2300 Trabajadores por cuenta propia o no empleados	..	..	..	..	..	..	..	..	..	..
2310 Sobre la base de la nómina	..	..	..	..	..	..	..	..	..	..
2320 Sobre la base del impuesto sobre la renta	..	..	..	..	..	..	..	..	..	..
2400 No clasificables entre 2100, 2200 y 2300	191	4 868	6 670	10 047	21 178	23 728	24 706	26 725	31 353	36 077
2410 Sobre la base de la nómina	..	..	..	..	..	..	..	..	..	..
2420 Sobre la base del impuesto sobre la renta	..	..	..	..	..	..	..	..	..	..
3000 Impuestos sobre la nómina y la fuerza de trabajo	**0**	**0**	**0**	**0**	**0**	**0**	**0**	**0**	**0**	**0**
4000 Impuestos sobre la propiedad	**53**	**701**	**828**	**2 068**	**4 875**	**4 917**	**4 390**	**5 581**	**6 543**	**7 668**
4100 Impuestos recurrentes sobre la propiedad inmueble	40	681	807	1 562	4 377	4 312	3 847	4 907	5 853	7 065
4110 Hogares	0	0	0	0	1 016	933	892	1 030	1 235	1 366
4120 Otros	40	681	807	1 562	3 361	3 379	2 956	3 877	4 619	5 699
4200 Impuestos recurrentes sobre la riqueza neta	0	0	0	0	0	0	0	0	0	0
4210 Personas físicas	..	..	..	..	..	..	..	..	..	..
4220 Sociedades	..	..	..	..	..	..	..	..	..	..
4300 Impuestos sobre sucesiones y donaciones	13	20	21	31	44	41	44	67	91	99
4310 Impuestos sobre sucesiones y herencias	13	20	21	31	44	41	44	67	91	99
4320 Impuestos sobre donaciones	0	0	0	0	0	0	0	0	0	0
4400 Imp. sobre transacciones financieras y de capital	0	0	0	476	454	565	499	607	598	505
Stamp duties	..	..	..	476	454	565	499	607	598	505
4500 Otros impuestos no recurrentes sobre la propiedad	0	0	0	0	0	0	0	0	0	0
4510 Otros impuestos sobre la riqueza neta	..	..	..	..	..	..	..	..	..	..
4520 Otros impuestos no recurrentes	..	..	..	..	..	..	..	..	..	..
4600 Otros impuestos recurrentes sobre la propiedad	0	0	0	0	0	0	0	0	0	0
5000 Impuestos sobre los bienes y servicios	**2 200**	**20 798**	**27 940**	**59 360**	**113 216**	**124 952**	**106 683**	**124 040**	**119 641**	**149 202**
5100 Imp. sobre la producción, venta, etc.	2 162	20 530	27 414	58 846	111 770	123 710	105 489	122 857	118 411	141 976
5110 Impuestos generales	1 399	14 861	21 396	27 044	48 155	52 735	49 907	48 452	56 998	72 535
5111 Impuestos sobre el valor agregado	0	0	0	27 044	48 036	52 676	49 844	48 363	56 830	72 043
Imports	..	..	..	14 877	27 819	29 302	22 934	21 134	23 255	28 671
Domestic supply	..	..	..	12 168	20 216	23 374	26 910	27 228	33 575	43 372
5112 Impuestos sobre las ventas	0	0	0	0	0	0	0	0	0	0
5113 Otros impuestos generales	1 399	14 861	21 396	0	119	60	63	90	168	493
5120 Impuestos sobre bienes y servicios específicos	763	5 669	6 019	31 802	63 615	70 975	55 582	74 404	61 413	69 441
5121 Impuestos selectivos	32	609	1 211	22 070	41 659	45 979	35 941	48 793	31 139	34 686
Motor vehicle (imports)	..	..	..	7 702	6 781	7 977	8 188	14 917	13 708	20 456
Petroleum products (imports)	..	..	..	9 437	26 359	29 124	19 290	24 019	6 801	3 542
Tobacco (imports)	..	..	..	1 077	1 204	1 427	1 256	1 179	1 314	1 121
Alcoholic beverages (imports)	..	..	..	719	867	785	589	1 010	1 175	1 068
Alcoholic beverages (domestic)	..	..	..	2 358	4 468	4 486	4 599	5 275	5 394	5 557
Purchase tax - motor cars	..	..	..	0	0	0	0	0	0	0
Environmental tax	..	..	..	777	1 979	2 179	2 019	2 392	2 747	2 941
5122 Utilidades de los monopolios fiscales	0	0	0	0	0	0	0	0	0	0
5123 Derechos de aduanas y de importación	544	3 943	3 635	8 302	19 321	22 140	18 624	23 737	27 125	30 410
5124 Impuestos sobre las exportaciones	94	7	7	7	33	29	27	29	84	135
5125 Impuestos sobre los bienes de inversión	0	0	0	0	0	0	0	0	0	0

	1990	2000	2005	2010	2018	2019	2020	2021	2022	2023
5126 Impuestos sobre servicios específicos	92	1 110	1 166	1 423	2 603	2 827	990	1 845	3 064	4 211
Entertainment tax	12	27	2	0	0	0	0	0	0	0
Travel tax	80	1 084	1 164	1 423	2 603	2 827	990	1 845	3 064	4 211
5127 Otros imp. sobre el comercio y transacciones intern.	0	0	0	0	0	0	0	0	0	0
5128 Otros impuestos sobre bienes y servicios específicos	0	0	0	0	0	0	0	0	0	0
5130 No clasificables entre 5110 y 5120	0	0	0	0	0	0	0	0	0	0
5200 Sobre el uso de bienes y permiso para actividades	38	268	525	514	1 446	1 242	1 194	1 183	1 230	7 226
5210 Impuestos recurrentes	38	268	525	514	1 446	1 242	1 194	1 183	1 230	1 441
5211 Por los hogares sobre vehículos automotores	27	239	274	475	1 095	1 150	1 135	1 112	1 165	1 368
5212 Por otros sobre vehículos automotores	0	0	0	0	0	0	0	0	0	0
5213 Otros impuestos recurrentes	12	29	251	39	352	92	60	70	65	73
Other licences	12	29	251	39	352	92	60	70	65	73
5220 Impuestos no recurrentes	0	0	0	0	0	0	0	0	0	5 786
5300 No clasificables entre 5100 y 5200	0	0	0	0	0	0	0	0	0	0
6000 Otros impuestos	**1 037**	**204**	**1 039**	**870**	**2 196**	**2 139**	**1 972**	**1 968**	**2 037**	**2 103**
6100 Pagados únicamente por empresas	0	0	0	0	0	0	0	0	0	0
6200 Pagados por otros o no identificables	1 037	204	1 039	870	2 196	2 139	1 972	1 968	2 037	2 103

.. No disponible

Nota: Ejercicio cerrado a 31 de diciembre.

Los datos siguen el criterio de caja.

Los datos sobre los ingresos tributarios de las administraciones locales incluyen los pagos de los impuestos locales por parte de las corporaciones públicas.

Los datos de ingresos tributarios de 2023 son estimaciones revisadas por la administración.

Partida 2000: Las cifras incluyen contribuciones al Sistema de Seguro Social.

Partida 5220: Las cifras incluyen las entradas de créditos de carbono.

Fuente: Ministerio de Finanzas; Banco de la Guyana; Sistema de Seguro Social (Ministry of Finance; Bank of Guyana; National Insurance Scheme).

Cuadro 5.17. Honduras

Ingresos tributarios detallados
Millones HNL

	1990	2000	2005	2010	2018	2019	2020	2021	2022	2023
Total de ingresos tributarios	**2 118**	**18 299**	**32 974**	**54 544**	**126 062**	**131 995**	**112 448**	**145 066**	**166 126**	**177 685**
1000 Imp. renta, utilidades y ganancias de capital	**431**	**2 907**	**7 037**	**13 232**	**36 071**	**34 533**	**25 587**	**35 209**	**48 289**	**48 397**
1100 De personas físicas	157	992	2 312	4 528	11 368	11 365	11 214	14 258	17 478	18 570
1110 Renta y utilidades	157	992	2 312	4 528	11 368	11 365	11 214	14 258	17 478	18 570
1120 Ganancias de capital	..	..	..	..	..	..	..	..	..	..
1200 De sociedades	274	1 916	4 725	8 705	24 702	23 167	14 373	20 951	30 811	29 828
1210 Renta y utilidades	274	1 916	4 725	8 705	24 702	23 167	14 373	20 951	30 811	29 828
Corporate income tax	274	1 916	4 121	7 400	22 082	20 538	12 731	18 286	26 509	25 441
Income tax surcharge	0	0	604	1 305	2 601	2 612	1 620	2 646	4 277	4 362
Special contribution of the cooperative sector	0	0	0	0	19	17	21	19	25	25
1220 Ganancias de capital de sociedades	..	..	..	..	..	..	..	..	..	..
1300 No clasificables entre 1100 y 1200	0	0	0	0	0	0	0	0	0	0
2000 Contribuciones a la seguridad social	**179**	**1 727**	**4 416**	**8 671**	**19 302**	**21 068**	**23 138**	**23 994**	**25 284**	**25 949**
2100 Empleados	..	..	..	..	..	..	..	..	..	..
2110 Sobre la base de la nómina	..	..	..	..	..	..	..	..	..	..
2120 Sobre la base del impuesto sobre la renta	..	..	..	..	..	..	..	..	..	..
2200 Empleadores	..	..	..	..	..	..	..	..	..	..
2210 Sobre la base de la nómina	..	..	..	..	..	..	..	..	..	..
2220 Sobre la base del impuesto sobre la renta	..	..	..	..	..	..	..	..	..	..
2300 Trabajadores por cuenta propia o no empleados	..	..	..	..	..	..	..	..	..	..
2310 Sobre la base de la nómina	..	..	..	..	..	..	..	..	..	..
2320 Sobre la base del impuesto sobre la renta	..	..	..	..	..	..	..	..	..	..
2400 No clasificables entre 2100, 2200 y 2300	179	1 727	4 416	8 671	19 302	21 068	23 138	23 994	25 284	25 949
2410 Sobre la base de la nómina	179	1 727	4 416	8 671	19 302	21 068	23 138	23 994	25 284	25 949
2420 Sobre la base del impuesto sobre la renta	0	0	0	0	0	0	0	0	0	0
3000 Impuestos sobre la nómina y la fuerza de trabajo	**0**	**0**	**0**	**485**	**1 025**	**1 005**	**935**	**1 081**	**1 215**	**1 459**
4000 Impuestos sobre la propiedad	**16**	**266**	**631**	**994**	**3 243**	**3 428**	**2 954**	**4 119**	**4 881**	**5 562**
4100 Impuestos recurrentes sobre la propiedad inmueble	16	189	170	254	435	446	282	586	720	910
4110 Hogares	..	..	..	..	..	..	..	..	..	..
4120 Otros	..	..	..	..	..	..	..	..	..	..
4200 Impuestos recurrentes sobre la riqueza neta	0	78	144	359	278	341	328	469	439	429
4210 Personas físicas	..	..	..	..	..	..	..	..	..	..
4220 Sociedades	..	..	..	..	..	..	..	..	..	..
4300 Impuestos sobre sucesiones y donaciones	0	0	0	0	0	0	0	0	0	0
4310 Impuestos sobre sucesiones y herencias	..	..	..	..	..	..	..	..	..	..
4320 Impuestos sobre donaciones	..	..	..	..	..	..	..	..	..	..
4400 Imp. sobre transacciones financieras y de capital	0	0	0	0	2 531	2 641	2 344	3 064	3 722	4 222
4500 Otros impuestos no recurrentes sobre la propiedad	0	0	316	380	0	0	0	0	0	0
4510 Otros impuestos sobre la riqueza neta	..	..	0	0	..	..	..	..	..	..
4520 Otros impuestos no recurrentes	..	..	316	380	..	..	..	..	..	..
4600 Otros impuestos recurrentes sobre la propiedad	0	0	0	0	0	0	0	0	0	0
5000 Impuestos sobre los bienes y servicios	**1 401**	**12 436**	**19 032**	**28 937**	**64 017**	**66 742**	**55 520**	**75 817**	**80 525**	**90 535**
5100 Imp. sobre la producción, venta, etc.	1 401	12 436	19 032	28 937	64 017	66 742	55 520	75 817	80 525	90 535
5110 Impuestos generales	344	5 146	9 565	16 050	41 562	42 891	35 815	49 264	56 067	64 421
5111 Impuestos sobre el valor agregado	344	5 146	9 565	16 050	41 562	42 891	35 815	49 264	56 067	64 421
5112 Impuestos sobre las ventas	0	0	0	0	0	0	0	0	0	0
5113 Otros impuestos generales	0	0	0	0	0	0	0	0	0	0
5120 Impuestos sobre bienes y servicios específicos	1 057	7 290	9 468	12 887	22 454	23 851	19 705	26 553	24 458	26 114
5121 Impuestos selectivos	256	4 592	6 322	8 458	17 011	18 285	15 598	20 048	16 664	17 284
Beer	70	376	338	376	1 150	1 339	1 164	1 754	1 766	1 806
Soft drinks	25	240	268	514	979	1 075	1 073	1 332	1 351	1 495
Liquors	32	48	69	121	227	217	206	297	318	351
Petroleum products	43	347	0	0	0	0	0	0	0	0
Cigarettes	57	369	437	607	565	514	471	531	647	575
Fuel tax	0	2 954	4 916	6 288	13 061	14 131	11 951	14 919	11 004	11 101
Other	28	258	295	551	1 028	1 010	733	1 215	1 578	1 957
5122 Utilidades de los monopolios fiscales	0	0	0	0	0	0	0	0	0	0
5123 Derechos de aduanas y de importación	498	2 083	2 174	2 505	4 485	4 474	3 282	5 288	6 501	7 490
Petroleum	0	297	0	0	0	0	0	0	0	0
Other	498	1 786	2 174	2 505	4 485	4 474	3 282	5 288	6 501	7 490

	1990	2000	2005	2010	2018	2019	2020	2021	2022	2023
5124 Impuestos sobre las exportaciones	217	6	0	0	90	18	10	76	21	67
Bananas	39	5	..	..	0	0	0	0	0	0
Coffee	1	0	..	..	0	0	0	0	0	0
Temporary export tax	163	0	..	..	0	0	0	0	0	0
Special contribution of the mining sector	0	0	..	..	90	18	10	76	21	67
Other	15	1	..	..	0	0	0	0	0	0
5125 Impuestos sobre los bienes de inversión	0	0	0	0	0	0	0	0	0	0
5126 Impuestos sobre servicios específicos	0	0	0	0	80	49	41	44	42	42
Special contribution of mobile services	..	..	..	..	49	35	36	36	35	36
Special contribution of the food and services sector	..	..	..	..	26	9	3	5	2	0
Special contribution of casino games and slot machines	..	..	..	..	4	5	2	3	5	6
5127 Otros imp. sobre el comercio y transacciones intern.	0	0	0	0	0	0	0	0	0	0
5128 Otros impuestos sobre bienes y servicios específicos	87	610	971	1 924	789	1 025	774	1 097	1 230	1 231
5130 No clasificables entre 5110 y 5120	0	0	0	0	0	0	0	0	0	0
5200 Sobre el uso de bienes y permiso para actividades	0	0	0	0	0	0	0	0	0	0
5210 Impuestos recurrentes	..	..	..	..	..	..	..	..	..	..
5211 Por los hogares sobre vehículos automotores	..	..	..	..	..	..	..	..	..	..
5212 Por otros sobre vehículos automotores	..	..	..	..	..	..	..	..	..	..
5213 Otros impuestos recurrentes	..	..	..	..	..	..	..	..	..	..
5220 Impuestos no recurrentes	..	..	..	..	..	..	..	..	..	..
5300 No clasificables entre 5100 y 5200	0	0	0	0	0	0	0	0	0	0
6000 Otros impuestos	**91**	**962**	**1 858**	**2 225**	**2 404**	**5 220**	**4 315**	**4 847**	**5 931**	**5 783**
6100 Pagados únicamente por empresas	0	0	0	0	0	0	0	0	0	0
6200 Pagados por otros o no identificables	91	962	1 858	2 225	2 404	5 220	4 315	4 847	5 931	5 783

.. No disponible

Nota: Ejercicio cerrado a 31 de diciembre.

Los datos siguen el criterio de caja.

Las cifras de ingresos tributarios locales pueden incluir ingresos no tributarios y transferencias del Gobierno central que no se consideran ingresos tributarios según la clasificación de la OCDE, descritas en la Guía de interpretación, aunque no ha sido posible distinguir los diferentes componentes dentro de los datos agregados.

Partida 3000: Las contribuciones de los empleadores al Instituto Nacional de Formación Profesional (INFOP) se incluyen en la partida 3000. Los ingresos tributarios se clasifican dentro del Gobierno central. En Honduras, estos ingresos se clasifican en una unidad aparte que se considera diferente del Gobierno central.

Fuente: Servicio de Administración de Rentas; Secretaría de Finanzas.

Cuadro 5.18. Jamaica

Ingresos tributarios detallados
Millones JMD

	1990	2000	2005	2010	2018	2019	2020	2021	2022	2023
Total de ingresos tributarios	**7 748**	**87 713**	**163 154**	**287 139**	**562 009**	**602 592**	**544 211**	**616 467**	**768 574**	**879 171**
1000 Imp. renta, utilidades y ganancias de capital	**3 639**	**35 457**	**62 702**	**105 917**	**144 581**	**155 140**	**155 632**	**167 112**	**206 743**	**278 663**
1100 De personas físicas	1 687	17 441	36 043	54 798	62 644	69 323	72 692	77 756	96 902	143 758
1110 Renta y utilidades	1 687	17 441	36 043	54 798	62 644	69 323	72 692	77 756	96 902	143 758
PAYE	1 489	16 515	34 223	50 828	57 472	63 716	67 228	72 416	90 077	136 491
Other individuals	198	926	1 820	3 969	5 173	5 607	5 464	5 340	6 825	7 267
1120 Ganancias de capital	..	..	..	..	..	..	..	..	..	..
1200 De sociedades	1 280	7 627	13 134	33 091	62 504	67 623	61 823	68 791	79 485	100 539
1210 Renta y utilidades	1 280	7 627	13 134	33 091	62 504	67 623	61 823	68 791	79 485	100 539
Bauxite/alumina	134	430	446	866	0	0	0	0	0	0
Other companies	1 146	7 197	12 688	32 224	61 427	67 251	61 665	68 646	79 355	100 431
Minimum business tax	0	0	0	0	1 077	372	159	145	129	108
1220 Ganancias de capital de sociedades	..	..	..	..	..	..	..	..	..	..
1300 No clasificables entre 1100 y 1200	672	10 389	13 525	18 028	19 433	18 194	21 117	20 565	30 356	34 366
Tax on dividends	68	854	248	1 059	1 987	2 368	2 757	2 536	3 379	3 011
Tax on interests	605	9 535	13 277	16 970	17 446	15 827	18 360	18 029	26 977	31 354
2000 Contribuciones a la seguridad social	**..**	**..**	**4 924**	**8 199**	**21 033**	**24 569**	**25 076**	**31 671**	**42 531**	**54 449**
2100 Empleados	..	..	..	..	..	..	..	..	..	..
2110 Sobre la base de la nómina	..	..	..	..	..	..	..	..	..	..
2120 Sobre la base del impuesto sobre la renta	..	..	..	..	..	..	..	..	..	..
2200 Empleadores	..	..	..	..	..	..	..	..	..	..
2210 Sobre la base de la nómina	..	..	..	..	..	..	..	..	..	..
2220 Sobre la base del impuesto sobre la renta	..	..	..	..	..	..	..	..	..	..
2300 Trabajadores por cuenta propia o no empleados	..	..	..	..	..	..	..	..	..	..
2310 Sobre la base de la nómina	..	..	..	..	..	..	..	..	..	..
2320 Sobre la base del impuesto sobre la renta	..	..	..	..	..	..	..	..	..	..
2400 No clasificables entre 2100, 2200 y 2300	..	..	4 924	8 199	21 033	24 569	25 076	31 671	42 531	54 449
2410 Sobre la base de la nómina	..	..	..	..	..	..	..	..	..	..
2420 Sobre la base del impuesto sobre la renta	..	..	..	..	..	..	..	..	..	..
3000 Impuestos sobre la nómina y la fuerza de trabajo	**305**	**3 821**	**7 193**	**12 792**	**28 541**	**31 294**	**30 813**	**32 063**	**38 188**	**47 305**
4000 Impuestos sobre la propiedad	**965**	**4 262**	**10 796**	**9 939**	**24 793**	**19 117**	**15 600**	**18 155**	**21 115**	**20 595**
4100 Impuestos recurrentes sobre la propiedad inmueble	67	639	1 455	2 600	8 478	9 020	7 996	9 546	9 716	9 449
4110 Hogares	67	639	1 455	2 600	8 478	9 020	7 996	9 546	9 716	9 449
Municipal property tax	0	639	1 455	2 600	8 478	9 020	7 996	9 546	9 716	9 449
Other property taxes	67	0	0	0	0	0	0	0	0	0
4120 Otros	0	0	0	0	0	0	0	0	0	0
4200 Impuestos recurrentes sobre la riqueza neta	0	0	0	0	0	0	0	0	0	0
4210 Personas físicas	..	..	..	..	..	..	..	..	..	..
4220 Sociedades	..	..	..	..	..	..	..	..	..	..
4300 Impuestos sobre sucesiones y donaciones	0	0	0	0	0	0	0	0	0	0
4310 Impuestos sobre sucesiones y herencias	..	..	..	..	..	..	..	..	..	..
4320 Impuestos sobre donaciones	..	..	..	..	..	..	..	..	..	..
4400 Imp. sobre transacciones financieras y de capital	898	3 623	9 341	7 339	16 315	10 097	7 603	8 609	11 399	11 146
Stamp duty	898	3 623	9 341	7 339	16 315	10 097	7 603	8 609	11 399	11 146
4500 Otros impuestos no recurrentes sobre la propiedad	0	0	0	0	0	0	0	0	0	0
4510 Otros impuestos sobre la riqueza neta	..	..	..	..	..	..	..	..	..	..
4520 Otros impuestos no recurrentes	..	..	..	..	..	..	..	..	..	..
4600 Otros impuestos recurrentes sobre la propiedad	0	0	0	0	0	0	0	0	0	0
5000 Impuestos sobre los bienes y servicios	**2 824**	**43 907**	**77 065**	**149 544**	**340 651**	**370 321**	**315 268**	**365 499**	**457 446**	**475 406**
5100 Imp. sobre la producción, venta, etc.	2 760	43 107	75 954	147 500	335 189	363 429	308 011	357 080	448 649	468 632
5110 Impuestos generales	297	22 356	45 602	84 409	187 576	203 297	177 354	199 638	253 358	271 437
5111 Impuestos sobre el valor agregado	293	22 356	45 602	82 407	183 646	199 150	173 480	194 725	246 993	265 092
General consumption tax	293	22 356	45 602	82 407	183 646	199 150	173 480	194 725	246 993	265 092
5112 Impuestos sobre las ventas	4	0	0	0	0	0	0	0	0	0
Sales tax on used cars	4	..	..	..	..	..	..	..	..	..
5113 Otros impuestos generales	0	0	0	2 002	3 930	4 147	3 873	4 913	6 364	6 345
Environmental levy	..	..	..	2 002	3 930	4 147	3 873	4 913	6 364	6 345
5120 Impuestos sobre bienes y servicios específicos	2 463	20 752	30 352	63 091	147 613	160 133	130 658	157 442	195 291	197 195
5121 Impuestos selectivos	1 158	9 751	12 387	38 112	75 169	80 773	69 949	84 782	96 588	93 120
Special consumption tax	1 115	9 751	12 387	38 112	75 103	80 693	69 852	84 704	96 475	93 066
Quarry tax	0	0	0	0	66	80	97	78	113	54
Other excises	44	0	0	0	0	0	0	0	0	0
5122 Utilidades de los monopolios fiscales	0	0	0	0	0	0	0	0	0	0
5123 Derechos de aduanas y de importación	782	8 498	14 999	19 959	41 243	44 809	40 420	47 762	60 695	61 628

	1990	2000	2005	2010	2018	2019	2020	2021	2022	2023
5124 Impuestos sobre las exportaciones	0	0	0	0	0	0	0	0	0	0
5125 Impuestos sobre los bienes de inversión	0	0	0	0	0	0	0	0	0	0
5126 Impuestos sobre servicios específicos	523	2 503	2 966	5 020	31 202	34 550	20 289	24 898	38 009	42 447
Travel tax	86	1 999	1 914	3 512	20 114	21 954	9 108	12 624	23 274	27 974
Telephone call tax	86	0	0	0	3 247	3 568	3 619	3 414	3 252	2 919
Betting, gaming and lottery	50	504	1 052	1 508	5 205	6 152	6 163	7 229	8 401	8 048
Accommodation tax	87	0	0	0	2 636	2 877	1 400	1 631	3 082	3 506
Bank and trust	204	0	0	0	0	0	0	0	0	0
Entertainment tax	11	0	0	0	0	0	0	0	0	0
5127 Otros imp. sobre el comercio y transacciones intern.	0	0	0	0	0	0	0	0	0	0
5128 Otros impuestos sobre bienes y servicios específicos	0	0	0	0	0	0	0	0	0	0
5130 No clasificables entre 5110 y 5120	0	0	0	0	0	0	0	0	0	0
5200 Sobre el uso de bienes y permiso para actividades	64	800	1 111	2 045	5 463	6 892	7 257	8 419	8 797	6 774
5210 Impuestos recurrentes	64	800	1 111	2 045	5 463	6 892	7 257	8 419	8 797	6 774
5211 Por los hogares sobre vehículos automotores	47	751	935	1 775	4 334	4 863	4 528	4 864	5 668	4 733
5212 Por otros sobre vehículos automotores	0	0	0	0	0	0	0	0	0	0
5213 Otros impuestos recurrentes	17	49	176	270	1 129	2 029	2 728	3 555	3 129	2 041
5220 Impuestos no recurrentes	0	0	0	0	0	0	0	0	0	0
5300 No clasificables entre 5100 y 5200	0	0	0	0	0	0	0	0	0	0
6000 Otros impuestos	**16**	**266**	**475**	**748**	**2 410**	**2 151**	**1 824**	**1 967**	**2 551**	**2 752**
6100 Pagados únicamente por empresas	0	0	0	0	0	0	0	0	0	0
6200 Pagados por otros o no identificables	16	266	475	748	2 410	2 151	1 824	1 967	2 551	2 752
Contractors levy	16	266	475	748	2 410	2 151	1 824	1 967	2 551	2 752

.. No disponible

Nota: Ejercicio cerrado a 31 de diciembre, a excepción del período 1990-2003 que se refiere al ejercicio fiscal cerrado a 31 de marzo debido a la disponibilidad de los datos.

Los datos siguen el criterio de caja.

Partida 2000: Las cifras incluyen las contribuciones al Sistema de Seguro Nacional (NIS).

Partida 3000: El impuesto a la educación de Jamaica incluye las contribuciones de empleados, empleadores y empleados por cuenta propia, calculadas en función de sus emolumentos. Las contribuciones de los empleadores representan la mayoría de las contribuciones totales.

Fuente: Ministerio de Finanzas y Servicio Público; Administración Tributaria de Jamaica (Ministry of Finance and the Public Service; Tax Administration Jamaica).

Cuadro 5.19. México

Ingresos tributarios detallados
Millones MXN

	1990	2000	2005	2010	2018	2019	2020	2021	2022	2023
Total de ingresos tributarios	**102 005**	**767 216**	**1 086 482**	**1 716 243**	**3 797 888**	**3 995 654**	**4 148 699**	**4 452 360**	**4 948 318**	**5 638 612**
1000 Imp. renta, utilidades y ganancias de capital	**34 673**	**276 548**	**402 036**	**683 604**	**1 671 513**	**1 694 143**	**1 768 161**	**1 903 047**	**2 280 791**	**2 514 390**
1100 De personas físicas	..	..	195 869	313 473	804 236	829 501	872 598	938 623	1 066 965	1 190 186
Tax on income of individuals	..	..	195 869	313 473	804 236	829 501	872 598	938 623	1 066 965	1 190 186
1110 Renta y utilidades	..	..	..	..	..	..	..	..	..	..
1120 Ganancias de capital	..	..	..	..	..	..	..	..	..	..
1200 De sociedades	..	..	135 840	246 745	809 834	803 643	832 120	898 767	1 136 636	1 243 430
Tax on income of corporations	..	..	135 840	246 745	809 834	803 643	832 120	898 767	1 136 636	1 243 430
1210 Renta y utilidades	..	..	..	..	..	..	..	..	..	..
1220 Ganancias de capital de sociedades	..	..	..	..	..	..	..	..	..	..
1300 No clasificables entre 1100 y 1200	34 673	276 548	70 327	123 386	57 443	60 999	63 443	65 657	77 190	80 774
Tax on income of other individuals and corporations	..	244 841	40 780	66 937	50 878	54 686	58 196	58 306	70 239	73 615
Tax on asset	..	13 913	12 033	(625)	(396)	(585)	(1 245)	(380)	31	(153)
Credit on salary	..	17 794	17 514	9 708	1 172	1 290	479	512	107	175
Oil yields tax	..	0	0	2 296	0	0	0	0	0	0
IETU	..	0	0	45 069	319	(195)	(888)	200	(346)	(23)
Imposed by Activity Exploration and extraction of hydrocarbon	..	0	0	0	5 470	5 803	6 902	7 019	7 160	7 160
2000 Contribuciones a la seguridad social	**17 165**	**138 223**	**206 551**	**277 459**	**509 087**	**552 058**	**576 019**	**612 175**	**681 672**	**761 511**
2100 Empleados	..	..	..	..	..	..	..	..	..	..
2110 Sobre la base de la nómina	..	..	..	..	..	..	..	..	..	..
2120 Sobre la base del impuesto sobre la renta	..	..	..	..	..	..	..	..	..	..
2200 Empleadores	..	..	..	..	..	..	..	..	..	..
2210 Sobre la base de la nómina	..	..	..	..	..	..	..	..	..	..
2220 Sobre la base del impuesto sobre la renta	..	..	..	..	..	..	..	..	..	..
2300 Trabajadores por cuenta propia o no empleados	..	..	..	..	..	..	..	..	..	..
2310 Sobre la base de la nómina	..	..	..	..	..	..	..	..	..	..
2320 Sobre la base del impuesto sobre la renta	..	..	..	..	..	..	..	..	..	..
2400 No clasificables entre 2100, 2200 y 2300	17 165	138 223	206 551	277 459	509 087	552 058	576 019	612 175	681 672	761 511
2410 Sobre la base de la nómina	..	138 223	206 551	277 459	509 087	552 058	576 019	612 175	681 672	761 511
2420 Sobre la base del impuesto sobre la renta	..	0	0	0	0	0	0	0	0	0
3000 Impuestos sobre la nómina y la fuerza de trabajo	**1 797**	**11 217**	**20 461**	**36 911**	**93 303**	**101 284**	**105 456**	**116 910**	**141 161**	**170 429**
Substitute tax on salary	..	0	0	0	0	0	0	0	0	0
Payroll tax	..	11 101	15 746	27 813	92 833	100 798	104 825	115 974	139 977	169 037
Tax on remuneration to the personal work	..	65	4 562	8 841	270	298	407	579	837	989
Tax on professions and fees	..	36	53	71	111	121	177	235	263	320
Tax on operations by contract	..	15	100	186	90	67	47	121	84	84
4000 Impuestos sobre la propiedad	**1 914**	**13 964**	**26 796**	**38 955**	**77 110**	**79 262**	**79 237**	**90 206**	**105 244**	**95 499**
4100 Impuestos recurrentes sobre la propiedad inmueble	1 036	9 948	16 641	25 724	49 445	50 540	52 728	56 148	64 903	60 538
4110 Hogares	0	0	0	0	0	0	0	0	0	0
4120 Otros	1 036	9 948	16 641	25 724	49 445	50 540	52 728	56 148	64 903	60 538
Property tax	..	9 948	16 641	25 724	49 445	50 540	52 728	56 148	64 903	60 538
4200 Impuestos recurrentes sobre la riqueza neta	0	0	0	0	0	0	0	0	0	0
4210 Personas físicas	..	..	..	..	..	..	..	..	..	..
4220 Sociedades	..	..	..	..	..	..	..	..	..	..
4300 Impuestos sobre sucesiones y donaciones	8	0	0	0	0	0	0	0	0	0
4310 Impuestos sobre sucesiones y herencias	8	..	..	..	..	..	..	..	..	..
4320 Impuestos sobre donaciones	0	..	..	..	..	..	..	..	..	..
4400 Imp. sobre transacciones financieras y de capital	870	4 017	10 155	13 231	27 665	28 722	26 509	34 058	40 341	34 961
Alienation of immovable property	..	1 763	984	1 122	1 823	1 939	1 982	2 486	2 837	2 903
Transfer of ownership of real estate	..	2 236	5 528	5 027	8 658	8 385	12 072	11 394	16 705	14 461
Purchasing property	..	18	3 643	7 082	17 184	18 397	12 456	20 177	20 799	17 596
4500 Otros impuestos no recurrentes sobre la propiedad	0	0	0	0	0	0	0	0	0	0
4510 Otros impuestos sobre la riqueza neta	..	..	..	..	..	..	..	..	..	..
4520 Otros impuestos no recurrentes	..	..	..	..	..	..	..	..	..	..
4600 Otros impuestos recurrentes sobre la propiedad	0	0	0	0	0	0	0	0	0	0
5000 Impuestos sobre los bienes y servicios	**44 837**	**319 613**	**418 945**	**651 915**	**1 381 659**	**1 504 252**	**1 544 156**	**1 647 927**	**1 623 605**	**1 982 475**
5100 Imp. sobre la producción, venta, etc.	44 171	310 326	403 158	630 123	1 364 208	1 486 758	1 527 674	1 630 616	1 606 144	1 962 769
5110 Impuestos generales	26 635	189 606	318 432	504 509	922 238	933 327	987 525	1 123 699	1 221 803	1 366 583
5111 Impuestos sobre el valor agregado	26 635	189 606	318 432	504 509	922 238	933 327	987 525	1 123 699	1 221 803	1 366 583
5112 Impuestos sobre las ventas	0	0	0	0	0	0	0	0	0	0
5113 Otros impuestos generales	0	0	0	0	0	0	0	0	0	0
5120 Impuestos sobre bienes y servicios específicos	17 519	120 720	84 726	125 614	441 970	553 432	540 149	506 917	384 341	596 187

	1990	2000	2005	2010	2018	2019	2020	2021	2022	2023
5121 Impuestos selectivos	10 072	86 163	55 286	86 098	358 577	470 993	469 040	410 450	259 306	464 008
Special tax on production and services on tobacco	..	8 083	15 492	26 925	41 452	42 484	43 848	45 657	47 948	48 156
Special tax on production and services on alcohol and beer	..	7 250	18 119	25 152	53 604	57 361	52 312	57 395	68 050	73 687
Special tax on production and services on sugar-sweetened beverages	..	0	829	0	25 916	27 260	29 124	30 478	34 247	37 963
Special tax on production and services on no staple foods with high caloric density	0	0	0	0	23 112	21 422	21 049	25 590	30 333	35 140
Other special tax on production and services	0	66 211	15 186	29 349	203 351	311 968	314 340	240 034	63 668	250 156
Tax on new automobiles	0	4 619	5 659	4 671	11 142	10 497	8 366	11 296	15 060	18 906
Tax on luxury goods and services	0	0	0	0	0	0	0	0	0	0
5122 Utilidades de los monopolios fiscales	0	0	0	0	0	0	0	0	0	0
5123 Derechos de aduanas y de importación	6 998	33 285	27 512	26 602	67 232	66 295	59 247	77 236	95 901	102 735
Step customs officer	..	423	692	2 071	1 690	1 554	1 309	1 697	2 229	2 025
Import taxes	..	32 861	26 820	24 531	65 543	64 741	57 938	75 539	93 672	100 710
5124 Impuestos sobre las exportaciones	75	4	0	0	0	0	0	0	0	0
Tax on exports	..	4	0	0	0	0	0	0	0	0
5125 Impuestos sobre los bienes de inversión	0	0	0	0	0	0	0	0	0	0
5126 Impuestos sobre servicios específicos	132	1 042	1 578	10 958	8 692	9 196	5 625	9 265	13 863	17 527
IDE	..	0	0	8 022	(629)	(405)	(252)	(135)	(152)	(174)
Tax on lodging	..	504	798	1 384	3 945	4 254	2 500	4 119	6 411	8 198
Public entertainment tax	..	240	349	462	909	924	467	393	1 225	1 848
Tax on lotteries, raffles and gambling	..	267	417	923	2 947	3 403	2 114	3 799	5 055	4 352
Tax on commercials	..	4	15	166	1 231	376	0	0	0	0
Various indirect taxes	..	28	0	1	288	644	795	1 089	1 324	3 304
5127 Otros imp. sobre el comercio y transacciones intern.	0	0	0	0	0	0	0	0	0	0
5128 Otros impuestos sobre bienes y servicios específicos	242	226	350	1 956	7 468	6 947	6 238	9 966	15 271	11 917
Mining fees	..	226	350	1 956	7 468	6 947	6 238	9 966	15 271	11 917
5130 No clasificables entre 5110 y 5120	17	0	0	0	0	0	0	0	0	0
5200 Sobre el uso de bienes y permiso para actividades	666	9 287	15 787	21 793	17 451	17 494	16 482	17 311	17 461	19 706
5210 Impuestos recurrentes	666	9 287	15 787	21 793	17 451	17 494	16 482	17 311	17 461	19 706
5211 Por los hogares sobre vehículos automotores	567	8 878	15 237	21 319	16 533	16 624	15 699	16 422	16 311	17 869
Tax on motor vehicules	..	8 878	15 237	21 319	16 533	16 624	15 699	16 422	16 311	17 869
5212 Por otros sobre vehículos automotores	0	301	357	281	640	645	437	605	705	911
Tax on federal auto transport	..	301	357	281	640	645	437	605	705	911
5213 Otros impuestos recurrentes	99	108	193	193	278	225	347	285	445	925
Sport fishing	..	40	80	59	73	73	55	69	87	79
Sport hunting	..	3	0	0	0	0	0	0	0	0
Tax on commercial activities	..	63	113	50	115	41	159	39	112	629
Trade in books and magazines	..	0	0	0	0	0	0	0	1	1
Tax on industrial activities	..	2	0	82	73	92	113	113	51	0
Mining	..	0	0	1	17	17	19	64	196	217
5220 Impuestos no recurrentes	0	0	0	0	0	0	0	0	0	0
5300 No clasificables entre 5100 y 5200	0	0	0	0	0	0	0	0	0	0
6000 Otros impuestos	**1 619**	**7 651**	**11 693**	**27 398**	**65 217**	**64 654**	**75 671**	**82 094**	**115 845**	**114 309**
6100 Pagados únicamente por empresas	0	0	0	0	0	0	0	0	0	0
6200 Pagados por otros o no identificables	1 619	7 651	11 693	27 398	65 217	64 654	75 671	82 094	115 845	114 309
Accessories	..	5 504	9 543	22 206	45 864	41 063	56 793	54 231	83 591	72 133
Unallocable between 1000 and 5000 caused in exercices fiscal previous liquidation slopes or of payment	..	374	(927)	30	400	79	218	304	328	257
Additional state and local taxes	..	1 773	3 077	5 162	18 952	23 512	18 660	27 560	31 926	41 919

.. No disponible

Nota: Ejercicio cerrado a 31 de diciembre.

Los datos siguen el criterio de caja.

Partida 1000: En los datos de la CEPAL, los impuestos sobre la renta se presentan netos de crédito en las cifras salariales.

Partida 2000: En los datos de la CEPAL, las contribuciones a la seguridad social se presentan netas de transferencias procedentes del Gobierno federal en concepto de pago de las pensiones del IMSS (Instituto Mexicano del Seguro Social).

Fuente: Secretaría de Economía.

Cuadro 5.20. Nicaragua

Ingresos tributarios detallados
Millones NIO

	1990	2000	2005	2010	2018	2019	2020	2021	2022	2023
Total de ingresos tributarios	..	**9 300**	**18 353**	**36 162**	**95 459**	**107 333**	**110 648**	**134 518**	**156 174**	**178 432**
1000 Imp. renta, utilidades y ganancias de capital	..	**1 144**	**3 902**	**8 351**	**29 258**	**33 036**	**32 470**	**40 753**	**50 714**	**58 692**
1100 De personas físicas	..	299	925	1 857	6 780	6 561	6 833	7 753	9 648	11 166
1110 Renta y utilidades	..	299	925	1 857	6 780	6 561	6 833	7 753	9 648	11 166
1120 Ganancias de capital	..	..	..	..	..	..	..	..	..	..
1200 De sociedades	..	845	2 977	6 494	22 478	26 475	25 637	33 000	41 066	47 526
1210 Renta y utilidades	..	845	2 977	6 494	22 478	26 475	25 637	33 000	41 066	47 526
1220 Ganancias de capital de sociedades	..	..	..	..	..	..	..	..	..	..
1300 No clasificables entre 1100 y 1200	..	0	0	0	0	0	0	0	0	0
2000 Contribuciones a la seguridad social	..	**1 678**	**3 363**	**8 090**	**24 624**	**27 586**	**29 014**	**32 054**	**35 571**	**38 390**
2100 Empleados	..	..	..	..	..	..	..	..	..	..
2110 Sobre la base de la nómina	..	..	..	..	..	..	..	..	..	..
2120 Sobre la base del impuesto sobre la renta	..	..	..	..	..	..	..	..	..	..
2200 Empleadores	..	..	..	..	..	..	..	..	..	..
2210 Sobre la base de la nómina	..	..	..	..	..	..	..	..	..	..
2220 Sobre la base del impuesto sobre la renta	..	..	..	..	..	..	..	..	..	..
2300 Trabajadores por cuenta propia o no empleados	..	..	..	..	..	..	..	..	..	..
2310 Sobre la base de la nómina	..	..	..	..	..	..	..	..	..	..
2320 Sobre la base del impuesto sobre la renta	..	..	..	..	..	..	..	..	..	..
2400 No clasificables entre 2100, 2200 y 2300	..	1 678	3 363	8 090	24 624	27 586	29 014	32 054	35 571	38 390
2410 Sobre la base de la nómina	..	1 678	3 363	8 090	24 624	27 586	29 014	32 054	35 571	38 390
2420 Sobre la base del impuesto sobre la renta	..	0	0	0	0	0	0	0	0	0
3000 Impuestos sobre la nómina y la fuerza de trabajo	..	**0**	**0**	**0**	**0**	**0**	**0**	**0**	**0**	**0**
4000 Impuestos sobre la propiedad	..	**11**	**227**	**423**	**961**	**1 196**	**1 401**	**1 778**	**1 815**	**2 102**
4100 Impuestos recurrentes sobre la propiedad inmueble	..	0	211	403	881	1 129	1 346	1 707	1 726	1 994
4110 Hogares	..	..	..	..	..	..	..	..	..	..
4120 Otros	..	..	..	..	..	..	..	..	..	..
4200 Impuestos recurrentes sobre la riqueza neta	..	0	0	0	0	0	0	0	0	0
4210 Personas físicas	..	..	..	..	..	..	..	..	..	..
4220 Sociedades	..	..	..	..	..	..	..	..	..	..
4300 Impuestos sobre sucesiones y donaciones	..	0	0	0	0	0	0	0	0	0
4310 Impuestos sobre sucesiones y herencias	..	..	..	..	..	..	..	..	..	..
4320 Impuestos sobre donaciones	..	..	..	..	..	..	..	..	..	..
4400 Imp. sobre transacciones financieras y de capital	..	11	17	20	80	67	55	71	90	107
Stamp duties	..	11	17	20	80	67	55	71	90	107
4500 Otros impuestos no recurrentes sobre la propiedad	..	0	0	0	0	0	0	0	0	0
4510 Otros impuestos sobre la riqueza neta	..	..	..	..	..	..	..	..	..	..
4520 Otros impuestos no recurrentes	..	..	..	..	..	..	..	..	..	..
4600 Otros impuestos recurrentes sobre la propiedad	..	0	0	0	0	0	0	0	0	0
5000 Impuestos sobre los bienes y servicios	..	**5 584**	**10 649**	**18 951**	**39 817**	**44 608**	**46 487**	**58 693**	**66 654**	**77 607**
5100 Imp. sobre la producción, venta, etc.	..	5 584	10 485	18 608	38 782	43 674	45 505	57 630	65 415	76 175
5110 Impuestos generales	..	2 931	6 359	11 932	25 792	27 933	29 002	37 772	43 273	51 409
5111 Impuestos sobre el valor agregado	..	2 931	5 599	10 353	21 905	24 116	24 990	32 998	38 081	45 424
5112 Impuestos sobre las ventas	..	0	0	0	0	0	0	0	0	0
5113 Otros impuestos generales	..	0	761	1 579	3 888	3 817	4 012	4 774	5 192	5 985
5120 Impuestos sobre bienes y servicios específicos	..	2 653	4 126	6 676	12 990	15 741	16 503	19 858	22 142	24 766
5121 Impuestos selectivos	..	2 034	3 227	5 541	10 931	13 616	14 163	16 549	18 191	19 999
Alcoholic beverages	..	84	102	198	353	583	702	626	713	535
Beer	..	203	340	645	1 663	1 857	1 939	2 269	2 401	2 710
Cigarettes	..	70	143	45	0	0	0	0	0	1
Soft drinks	..	123	128	248	523	470	539	611	753	829
Petroleum products	..	1 359	1 756	2 699	5 395	5 589	5 561	6 846	6 900	7 100
Gaming machines	..	0	0	0	90	120	118	137	147	158
Excises on imports	..	196	734	1 559	2 763	4 805	5 083	5 794	7 057	8 360
Other excises	..	- 1	25	148	145	193	222	267	221	306
5122 Utilidades de los monopolios fiscales	..	0	0	0	0	0	0	0	0	0
5123 Derechos de aduanas y de importación	..	619	899	1 135	2 058	2 125	2 340	3 309	3 950	4 767
Custom duties	..	452	880	1 094	2 058	2 125	2 340	3 309	3 950	4 767
Temporary protection duty	..	96	0	0	0	0	0	0	0	0
On products originating in Colombia or Honduras	..	72	18	41	0	0	0	0	1	0
5124 Impuestos sobre las exportaciones	..	0	0	0	0	0	0	0	0	0
5125 Impuestos sobre los bienes de inversión	..	0	0	0	0	0	0	0	0	0
5126 Impuestos sobre servicios específicos	..	0	0	0	0	0	0	0	0	0

	1990	2000	2005	2010	2018	2019	2020	2021	2022	2023
5127 Otros imp. sobre el comercio y transacciones intern.	..	0	0	0	0	0	0	0	0	0
5128 Otros impuestos sobre bienes y servicios específicos	..	0	0	0	0	0	0	0	0	0
5130 No clasificables entre 5110 y 5120	..	0	0	0	0	0	0	0	0	0
5200 Sobre el uso de bienes y permiso para actividades	..	0	163	343	1 035	934	982	1 063	1 239	1 432
5210 Impuestos recurrentes	..	..	18	20	59	61	63	68	80	92
5211 Por los hogares sobre vehículos automotores	..	..	18	20	59	61	63	68	80	92
5212 Por otros sobre vehículos automotores	..	..	0	0	0	0	0	0	0	0
5213 Otros impuestos recurrentes	..	..	0	0	0	0	0	0	0	0
5220 Impuestos no recurrentes	..	..	145	323	976	874	919	994	1 159	1 340
5300 No clasificables entre 5100 y 5200	..	0	0	0	0	0	0	0	0	0
6000 Otros impuestos	**..**	**0**	**212**	**347**	**798**	**907**	**1 275**	**1 240**	**1 420**	**1 641**
6100 Pagados únicamente por empresas	..	..	0	0	0	0	0	0	0	0
6200 Pagados por otros o no identificables	..	..	212	347	798	907	1 275	1 240	1 420	1 641

.. No disponible

Nota: Ejercicio cerrado a 31 de diciembre.

Los datos siguen el criterio de caja.

No se pueden mostrar datos estadísticos comparables de 1990 por la devaluación de la córdoba nicaragüense.

Las cifras relativas a ingresos tributarios de las administraciones locales de 2022 y 2023 son una estimación, ya que no hay datos disponibles. Los datos de las contribuciones a la seguridad social son preliminares en 2022 y 2023.

Partida 1000: La división entre IRPF (partida 1100) e IS (partida 1200) en 2022 y 2023 se estiman sobre la base de valores agregados.

Fuente: Ministerio de Hacienda y Crédito Público; Centro Interamericano de Administraciones Tributarias.

Cuadro 5.21. Panamá

Ingresos tributarios detallados
Millones PAB

	1990	2000	2005	2010	2018	2019	2020	2021	2022	2023
Total de ingresos tributarios	**948**	**1 942**	**2 257**	**4 793**	**9 107**	**8 782**	**6 866**	**7 862**	**9 141**	**9 960**
1000 Imp. renta, utilidades y ganancias de capital	**217**	**485**	**563**	**1 317**	**2 672**	**2 445**	**1 880**	**1 998**	**2 807**	**3 356**
1100 De personas físicas	140	295	303	440	1 193	1 135	965	1 101	1 418	1 723
1110 Renta y utilidades	140	295	303	440	1 193	1 135	965	1 101	1 418	1 723
Payroll	115	222	227	353	1 049	992	838	967	1 268	1 573
Personal income tax	14	20	24	35	54	49	32	38	46	49
Panama Canal Authority withholding	10	53	52	52	90	94	94	97	103	101
1120 Ganancias de capital	..	..	..	..	..	..	..	..	..	..
1200 De sociedades	66	159	213	603	955	902	595	582	954	1 232
1210 Renta y utilidades	66	159	213	603	955	902	595	582	954	1 232
Colón Free Zone	5	3	4	20	53	45	30	41	69	51
Corporate income tax	61	155	208	584	901	857	565	541	884	1 181
1220 Ganancias de capital de sociedades	..	..	..	..	..	..	..	..	..	..
1300 No clasificables entre 1100 y 1200	11	31	47	273	524	407	320	315	435	402
Dividends and complimentary tax	11	31	47	166	307	266	218	210	269	293
Capital gains	0	0	0	107	217	142	102	105	167	108
2000 Contribuciones a la seguridad social	**325**	**742**	**827**	**1 615**	**3 273**	**3 295**	**2 851**	**3 325**	**3 313**	**3 490**
2100 Empleados	..	..	..	..	..	..	..	..	..	..
2110 Sobre la base de la nómina	..	..	..	..	..	..	..	..	..	..
2120 Sobre la base del impuesto sobre la renta	..	..	..	..	..	..	..	..	..	..
2200 Empleadores	..	..	..	..	..	..	..	..	..	..
2210 Sobre la base de la nómina	..	..	..	..	..	..	..	..	..	..
2220 Sobre la base del impuesto sobre la renta	..	..	..	..	..	..	..	..	..	..
2300 Trabajadores por cuenta propia o no empleados	..	..	..	..	..	..	..	..	..	..
2310 Sobre la base de la nómina	..	..	..	..	..	..	..	..	..	..
2320 Sobre la base del impuesto sobre la renta	..	..	..	..	..	..	..	..	..	..
2400 No clasificables entre 2100, 2200 y 2300	325	742	827	1 615	3 273	3 295	2 851	3 325	3 313	3 490
2410 Sobre la base de la nómina	..	..	..	..	..	..	..	..	..	..
2420 Sobre la base del impuesto sobre la renta	..	..	..	..	..	..	..	..	..	..
3000 Impuestos sobre la nómina y la fuerza de trabajo	**0**	**36**	**36**	**59**	**130**	**138**	**103**	**113**	**131**	**200**
Education insurance	..	36	36	59	130	138	103	113	131	200
4000 Impuestos sobre la propiedad	**32**	**43**	**77**	**138**	**244**	**169**	**126**	**180**	**208**	**249**
4100 Impuestos recurrentes sobre la propiedad inmueble	28	34	56	108	209	134	104	145	160	201
4110 Hogares	28	34	56	108	209	134	104	145	160	201
4120 Otros	0	0	0	0	0	0	0	0	0	0
4200 Impuestos recurrentes sobre la riqueza neta	0	0	0	0	0	0	0	0	0	0
4210 Personas físicas	..	..	..	..	..	..	..	..	..	..
4220 Sociedades	..	..	..	..	..	..	..	..	..	..
4300 Impuestos sobre sucesiones y donaciones	0	0	0	0	0	0	0	0	0	0
4310 Impuestos sobre sucesiones y herencias	..	..	..	..	..	..	..	..	..	..
4320 Impuestos sobre donaciones	..	..	..	..	..	..	..	..	..	..
4400 Imp. sobre transacciones financieras y de capital	3	9	21	30	36	35	22	35	48	48
4500 Otros impuestos no recurrentes sobre la propiedad	0	0	0	0	0	0	0	0	0	0
4510 Otros impuestos sobre la riqueza neta	..	..	..	..	..	..	..	..	..	..
4520 Otros impuestos no recurrentes	..	..	..	..	..	..	..	..	..	..
4600 Otros impuestos recurrentes sobre la propiedad	0	0	0	0	0	0	0	0	0	0
5000 Impuestos sobre los bienes y servicios	**349**	**608**	**726**	**1 623**	**2 754**	**2 705**	**1 887**	**2 221**	**2 655**	**2 640**
5100 Imp. sobre la producción, venta, etc.	332	546	643	1 473	2 474	2 425	1 661	1 974	2 382	2 350
5110 Impuestos generales	80	69	138	766	1 477	1 436	979	1 152	1 424	1 429
5111 Impuestos sobre el valor agregado	80	69	138	766	1 477	1 436	979	1 152	1 424	1 429
ITBMS on sales	31	69	138	399	957	954	659	710	880	875
ITBMS on imports	49	0	0	367	519	482	320	442	543	554
5112 Impuestos sobre las ventas	0	0	0	0	0	0	0	0	0	0
5113 Otros impuestos generales	0	0	0	0	0	0	0	0	0	0
5120 Impuestos sobre bienes y servicios específicos	251	477	505	707	997	989	682	822	958	921
5121 Impuestos selectivos	0	141	106	239	449	468	301	368	431	428
Petroleum products	..	109	69	97	168	196	123	151	152	166
Beer	..	18	22	31	53	54	47	47	58	36
Cigarette	..	0	0	0	24	26	20	17	18	18
Wine and liquor	..	12	11	11	18	17	13	15	23	15
Soft drinks	..	2	3	6	11	11	7	6	6	5
Automobiles	..	0	0	0	149	138	69	105	140	159
Other excises	..	0	1	95	27	26	23	27	32	29
5122 Utilidades de los monopolios fiscales	0	0	0	0	0	0	0	0	0	0

	1990	2000	2005	2010	2018	2019	2020	2021	2022	2023
5123 Derechos de aduanas y de importación	125	298	364	390	338	319	215	286	323	304
5124 Impuestos sobre las exportaciones	13	0	0	0	0	0	0	0	0	0
5125 Impuestos sobre los bienes de inversión	0	0	0	0	0	0	0	0	0	0
5126 Impuestos sobre servicios específicos	1	37	35	78	211	203	166	168	205	189
Insurance premiums	0	17	20	47	90	86	88	80	101	87
Cable and telecommunications	0	16	7	17	42	40	37	36	36	35
Gambling	0	0	1	1	53	50	16	29	42	44
Banks, financial institutions and exchange houses	0	2	7	12	26	26	25	23	26	24
Commercial activities and services	1	3	0	0	0	0	0	0	0	0
5127 Otros imp. sobre el comercio y transacciones intern.	0	0	0	0	0	0	0	0	0	0
5128 Otros impuestos sobre bienes y servicios específicos	0	0	0	0	0	0	0	0	0	0
5130 No clasificables entre 5110 y 5120	0	0	0	0	0	0	0	0	0	0
5200 Sobre el uso de bienes y permiso para actividades	15	62	83	151	280	280	227	247	273	290
Other indirect taxes	0	0	0	36	66	61	42	50	56	62
5210 Impuestos recurrentes	12	58	75	115	214	219	184	197	216	228
5211 Por los hogares sobre vehículos automotores	0	7	8	0	0	0	0	0	0	0
5212 Por otros sobre vehículos automotores	0	5	4	0	0	0	0	0	0	0
5213 Otros impuestos recurrentes	12	46	63	115	214	219	184	197	216	228
Commercial licences	12	19	32	75	124	126	107	119	125	125
Permission to conduct commercial and service activities	0	25	29	38	86	89	73	75	88	98
Permission to conduct industrial activities	0	2	2	2	4	4	3	3	4	4
Others	0	0	1	0	0	0	0	0	0	0
5220 Impuestos no recurrentes	4	4	7	0	0	0	0	0	0	0
Building and construction	0	4	7	..	..	..	..	..	..	..
Ship registration	4	0	0	..	..	..	..	..	..	..
5300 No clasificables entre 5100 y 5200	2	0	0	0	0	0	0	0	0	0
6000 Otros impuestos	**26**	**27**	**27**	**41**	**34**	**30**	**20**	**24**	**28**	**26**
6100 Pagados únicamente por empresas	0	0	0	0	0	0	0	0	0	0
6200 Pagados por otros o no identificables	26	27	27	41	34	30	20	24	28	26
Stamp duties	17	27	27	41	34	30	20	24	28	26
Others	9	0	0	0	0	0	0	0	0	0

.. No disponible

Nota: Ejercicio cerrado a 31 de diciembre.

Los datos siguen el criterio de caja.

Los datos sobre ingresos tributarios no incluyen los documentos fiscales que se consideran créditos fiscales no exigibles (o desaprovechables) según la clasificación de la OCDE descrita en la Guía de interpretación. Los datos de ingresos tributarios del Gobierno central correspondientes a 2022 son preliminares. Los datos de los ingresos tributarios de las administraciones locales correspondientes a 2023 son una estimación.

Partida 2000: Las contribuciones a la seguridad social engloban contribuciones periódicas y especiales y también la prima por riesgos laborales recaudadas por la Caja de Seguro Social (CSS).

Partida 3000: En los datos de la CEPAL, el seguro de educación se clasifica como "Otros impuestos" (6000).

Partida 5126: En los datos del CIAT y la CEPAL, el impuesto a la banca, las financieras y las casas de cambio se clasifica como un impuesto a la propiedad (4000).

Partida 6200: Los derechos de timbre antes de 2000 incluyen el impuesto sobre llamadas telefónicas y cables, que no puede distinguirse por la disponibilidad de los datos.

Fuente: Contraloría General de la República de Panamá; Ministerio de Economía y Finanzas de Panamá; Caja de Seguro Social; Centro Interamericano de Administraciones Tributarias.

Cuadro 5.22. Paraguay

Ingresos tributarios detallados
Millones PYG

	1990	2000	2005	2010	2018	2019	2020	2021	2022	2023
Total de ingresos tributarios	**608 021**	**3 587 451**	**7 078 832**	**15 638 531**	**31 954 693**	**33 008 733**	**32 441 314**	**37 494 171**	**42 659 531**	**45 466 039**
1000 Imp. renta, utilidades y ganancias de capital	**73 726**	**470 388**	**938 886**	**2 096 498**	**5 265 609**	**6 022 875**	**6 010 196**	**6 920 734**	**8 777 690**	**8 175 518**
1100 De personas físicas	..	15 042	22 477	31 263	626 525	620 038	536 357	364 990	436 247	457 741
1110 Renta y utilidades	..	15 042	22 477	31 263	626 525	620 038	536 357	364 990	436 247	457 741
IRAGRO-IMAGRO	..	15 042	22 477	30 113	360 003	327 328	277 061	14 567	3 481	2 997
Personal income tax	..	0	0	1 150	266 523	292710	259 296	350 422	432 765	454 744
1120 Ganancias de capital	..	..	..	..	..	..	..	..	..	..
1200 De sociedades	..	455 346	916 409	2 065 235	4 639 084	5 402 837	5 473 839	6 555 744	8 341 443	7 717 776
1210 Renta y utilidades	..	455 346	916 409	2 065 235	4 639 084	5 402 837	5 473 839	6 555 744	8 341 443	7 717 776
Income tax on small businesses	..	0	0	9 380	25 540	26 824	28 852	1 907	408	206
Single tax	..	4 238	5 802	715	1	0	0	0	0	0
Single tax on maquiladoras companies	..	0	289	3 310	27 070	31 201	35 229	53 255	59 535	50 634
IRACIS	..	451 108	910 318	2 051 830	4 586 475	5 344 811	1 302 426	215 069	113 934	111 849
Business income tax (IRE)	..	0	0	0	0	0	3 239 933	5 288 814	7 007 006	6 240 808
Tax on dividends and income (IDU)	..	0	0	0	0	0	867 399	996 698	1 160 560	1 314 279
1220 Ganancias de capital de sociedades	..	..	..	..	..	..	..	..	..	..
1300 No clasificables entre 1100 y 1200	73 726	0	0	0	0	0	0	0	0	0
Others	73 726									
2000 Contribuciones a la seguridad social	**28 882**	**919 533**	**1 591 980**	**3 552 640**	**8 209 087**	**8 729 492**	**8 954 858**	**10 273 367**	**11 801 175**	**12 909 156**
2100 Empleados	..	..	..	..	..	..	..	..	..	..
2110 Sobre la base de la nómina	..	..	..	..	..	..	..	..	..	..
2120 Sobre la base del impuesto sobre la renta	..	..	..	..	..	..	..	..	..	..
2200 Empleadores	..	..	..	..	..	..	..	..	..	..
2210 Sobre la base de la nómina	..	..	..	..	..	..	..	..	..	..
2220 Sobre la base del impuesto sobre la renta	..	..	..	..	..	..	..	..	..	..
2300 Trabajadores por cuenta propia o no empleados	..	..	..	..	..	..	..	..	..	..
2310 Sobre la base de la nómina	..	..	..	..	..	..	..	..	..	..
2320 Sobre la base del impuesto sobre la renta	..	..	..	..	..	..	..	..	..	..
2400 No clasificables entre 2100, 2200 y 2300	28 882	919 533	1 591 980	3 552 640	8 209 087	8 729 492	8 954 858	10 273 367	11 801 175	12 909 156
2410 Sobre la base de la nómina	28 882	919 533	1 591 980	3 552 640	8 209 087	8 729 492	8 954 858	10 273 367	11 801 175	12 909 156
2420 Sobre la base del impuesto sobre la renta	0	0	0	0	0	0	0	0	0	0
3000 Impuestos sobre la nómina y la fuerza de trabajo	**0**	**0**	**0**	**0**	**0**	**0**	**0**	**0**	**0**	**0**
4000 Impuestos sobre la propiedad	**17 162**	**71 777**	**192 393**	**276 119**	**415 570**	**443 521**	**401 222**	**488 894**	**541 289**	**584 604**
4100 Impuestos recurrentes sobre la propiedad inmueble	17 162	..	..	258 423	389 962	417 177	..	..	498 239	544 983
4110 Hogares	17 162	..	..	258 423	389 962	417 177	..	..	498 239	544 983
Real estate tax	17162	..	..	249 697	359 235	378 712	..	..	447 898	491 060
Tax on vacant lots	0	..	..	2 925	17 411	20 985	..	..	26 471	27 815
Large estate and land tax	0	..	..	5 801	13 315	17480	..	..	23 871	26 108
4120 Otros	0	..	..	0	0	0	..	..	0	0
4200 Impuestos recurrentes sobre la riqueza neta	0	..	..	0	0	0	..	..	0	0
4210 Personas físicas	..	..	..	..	..	..	..	..	..	..
4220 Sociedades	..	..	..	..	..	..	..	..	..	..
4300 Impuestos sobre sucesiones y donaciones	0	..	..	0	0	0	..	..	0	0
4310 Impuestos sobre sucesiones y herencias	..	..	..	..	..	..	..	..	..	..
4320 Impuestos sobre donaciones	..	..	..	..	..	..	..	..	..	..
4400 Imp. sobre transacciones financieras y de capital	0	..	..	15 955	24 583	24 912	..	..	41 869	38 340
Real estate transfer tax	..	..	..	11 766	17 228	17 216	..	..	32 576	28 102
Municipal Seal and Stamp Paper Tax	..	..	..	3 857	7 326	7 346	..	..	9 064	8 904
Registration and stamp duties		..	..	332	30	350	..	..	229	1 335
4500 Otros impuestos no recurrentes sobre la propiedad	..	..	..	..	..	..	..	..	..	..
4510 Otros impuestos sobre la riqueza neta	..	..	..	..	..	..	..	..	..	..
4520 Otros impuestos no recurrentes		..	..				..	..		
4600 Otros impuestos recurrentes sobre la propiedad	0	0	0	1 742	1 025	1 432	565	579	1 181	1 281
5000 Impuestos sobre los bienes y servicios	**438 444**	**2 080 878**	**4 313 729**	**9 462 461**	**17 901 774**	**17 610 929**	**16 929 091**	**19 548 577**	**21 287 297**	**23 508 408**
5100 Imp. sobre la producción, venta, etc.	438 444	2 080 878	4 309 832	9 245 877	17 550 296	17 230 758	16 557 669	19 123 598	20 838 938	23 023 740
5110 Impuestos generales	..	1 150 496	2 478 998	5 991 694	11 851 395	11 794 402	11 787 033	13 705 814	15 142 895	17 037 941
5111 Impuestos sobre el valor agregado	..	1 150 496	2 478 998	5 991 694	11 851 395	11 794 402	11 787 033	13 705 814	15 142 895	17 037 941
5112 Impuestos sobre las ventas	..	0	0	0	0	0	0	0	0	0
5113 Otros impuestos generales		0	0	0	0	0	0	0	0	0
5120 Impuestos sobre bienes y servicios específicos	438 444	930 382	1 830 834	3 254 183	5 698 901	5 436 356	4 770 635	5 417 784	5 696 043	5 985 799

	1990	2000	2005	2010	2018	2019	2020	2021	2022	2023
5121 Impuestos selectivos	300 219	456 561	949 962	1 710 531	3 156 091	2 992 813	2 773 235	2 989 115	2 832 744	2 974 981
Fuels	41 087	316 694	688 773	1126 143	2 300 311	2 084 712	2 032 124	2 301 115	2 015 230	2 080 065
Other excises	259 132	136 194	249 239	537 887	841 900	886 475	724 578	664 820	785 758	865 009
Animal health and quality service	0	3 673	11 950	46 501	13 881	13 875	16 533	23 163	31 755	29 907
Livestock trade	0	0	0	0	0	7 751	0	17	0	0
5122 Utilidades de los monopolios fiscales	0	0	0	0	0	0	0	0	0	0
5123 Derechos de aduanas y de importación	138 225	473 821	880 872	1 524 252	2 512 883	2 420 302	1 984 697	2 409 292	2 840 257	2 984 368
5124 Impuestos sobre las exportaciones	0	0	0	0	0	0	0	0	0	0
5125 Impuestos sobre los bienes de inversión	0	0	0	0	0	0	0	0	0	0
5126 Impuestos sobre servicios específicos	..	..	..	19 401	29 927	23 241	..	..	23 041	26 450
Advertising	..	..	..	5 249	7 387	6 741	..	..	8 281	9 542
Public transport	..	..	..	4 363	4 196	3 420	..	..	1 896	2 728
Gambling	..	..	..	16	6 448	6 617	..	..	6 787	8 173
Advertising and gambling				8 884	9 796	4 447	1 317	2 502	3 723	3 519
Other taxes on specific services				888	2 099	2 017	1 082	2 810	2 354	2 489
5127 Otros imp. sobre el comercio y transacciones intern.	0	0	0	0	0	0	0	0	0	0
5128 Otros impuestos sobre bienes y servicios específicos	0	0	0	0	0	0	0	0	0	0
5130 No clasificables entre 5110 y 5120	..	..	..	0	0	0	0	0	0	0
5200 Sobre el uso de bienes y permiso para actividades	..	..	..	216 347	350 893	379 208	..	..	447 151	483 312
5210 Impuestos recurrentes	..	..	..	183 622	315 178	329 087	..	..	388 958	418 103
5211 Por los hogares sobre vehículos automotores	..	..	..	0	0	0	..	..	0	0
5212 Por otros sobre vehículos automotores	..	..	..	52 365	106 872	109 402	..	..	118 598	123 942
Motor vehicle licences	..	..	..	52 365	106 872	109 402	..	..	118 598	123 942
5213 Otros impuestos recurrentes	..	..	..	131 257	208 305	219 685	..	..	270 361	294 161
Licencing fees	..	..	..	126 965	203 605	214 555	225 717	245 516	264 129	287 160
slaughter tax				4 271	4 635	4 990	5 585	3 958	5 886	6 329
Tax to the owners of animals				21	65	140	148	199	345	672
5220 Impuestos no recurrentes			3 897	32 725	35 715	50 121	35 607	57 390	58 193	65 208
Tax on construction			0	31 696	34 999	49 375	34 930	56 728	57 466	64 704
Luxury automobile tax			3 897	91	0	0	0	0	0	0
Trademarks registration			0	938	716	746	677	662	727	504
5300 No clasificables entre 5100 y 5200	0	0	0	237	585	962	1 092	1 872	1 208	1 356
6000 Otros impuestos	**49 807**	**44 875**	**41 844**	**250 812**	**162 652**	**201 917**	**145 946**	**262 599**	**252 081**	**288 352**
6100 Pagados únicamente por empresas	0	0	0	0	0	0	0	0	0	0
6200 Pagados por otros o no identificables	49 807	44 875	41 844	250 812	162 652	201 917	145 946	262 599	252 081	288 352
Taxes replaced	0	0	0	0	0	0	0	0	0	0
Other	49 807	44 875	41 844	250 812	162 652	201 917	145 946	262 599	252 081	288 352

.. No disponible

Nota: Ejercicio cerrado a 31 de diciembre.

Los datos siguen el criterio de caja.

Las cifras de los años anteriores a 2006 no incluyen los ingresos tributarios de las administraciones locales, porque no hay datos disponibles. Esto afecta a los datos de las categorías 4000, 5000 y 6000.

Partida 2000: Las contribuciones a la seguridad social antes de 1999 no incluyen las contribuciones de ese tipo cobradas por las instituciones descentralizadas porque no hay datos disponibles.

Fuente: Subsecretaría de Estado de Tributación, Ministerio de Hacienda del Paraguay; Centro Interamericano de Administraciones Tributarias.

Cuadro 5.23. Perú

Ingresos tributarios detallados
Millones PEN

	1990	2000	2005	2010	2018	2019	2020	2021	2022	2023
Total de ingresos tributarios	**601**	**26 526**	**40 145**	**73 779**	**121 833**	**128 478**	**109 820**	**158 068**	**178 749**	**169 615**
1000 Imp. renta, utilidades y ganancias de capital	**37**	**5 078**	**10 877**	**25 530**	**40 359**	**42 986**	**36 526**	**55 185**	**69 141**	**61 638**
1100 De personas físicas	3	2 117	3 327	6 518	13 598	14 744	13 182	16 765	18 325	17 875
First category	..	167	181	160	580	624	503	616	679	736
Second category	..	7	250	869	1 772	2 412	1 767	3 835	3 605	3 244
Fourth category	..	234	395	521	960	1 023	1 002	1 328	1 410	1 329
Fifth category	..	1 641	2 369	4 735	9 162	9 760	9 178	10 237	11 600	11 844
Income Tax Adjustments	..	68	130	233	1 125	926	733	749	1 030	722
1110 Renta y utilidades	..	..	..	..	..	..	..	..	..	..
1120 Ganancias de capital	..	..	..	..	..	..	..	..	..	..
1200 De sociedades	32	2 526	7 319	17 773	25 210	25 681	19 756	35 488	48 448	41 153
1210 Renta y utilidades	32	2 526	7 319	17 773	25 210	25 681	19 756	35 488	48 448	41 153
Third category	..	2 023	5 316	14 652	17 268	17 679	13 804	22 786	29 821	28 176
Income tax on mining	..	0	0	0	770	545	430	1 802	1 608	1 233
Income tax special regime	..	47	55	118	344	354	271	406	458	458
Other incomes corporate	..	18	41	148	1 584	1 666	1 388	2 206	2 571	2 516
Income Tax Adjustments	..	438	1 908	2 856	5 244	5 438	3 863	8 291	13 992	8 770
Income tax on mining refunds	..	0	0	0	0	0	0	-1	-2	0
1220 Ganancias de capital de sociedades	..	..	..	..	..	..	..	..	..	..
1300 No clasificables entre 1100 y 1200	1	436	232	1 239	1 550	2 560	3 588	2 932	2 368	2 611
Income tax on non-residents	1	487	542	1 511	3 560	4 135	5 658	4 425	4 755	5 014
Income tax refunds	0	-51	-310	-272	-2 009	-1 575	-2 071	-1 493	-2 387	-2 404
2000 Contribuciones a la seguridad social	**50**	**3 185**	**4 024**	**7 929**	**14 873**	**15 453**	**14 680**	**16 407**	**17 877**	**18 883**
2100 Empleados	..	566	692	2 433	4 150	4 137	3 864	4 193	4 471	4 480
2110 Sobre la base de la nómina	..	566	669	1 665	3 874	3 959	3 681	3 988	4 121	4 227
2120 Sobre la base del impuesto sobre la renta	..	0	23	768	275	179	182	206	350	253
Solidarity contribution for pension plan	..	..	23	768	275	179	182	206	350	253
2200 Empleadores	..	2 515	3 285	5 454	10 653	11 245	10 767	12 166	13 353	14 344
2210 Sobre la base de la nómina	..	2 432	3 140	5 216	10 299	10 883	10 344	11 680	12 795	13 825
2220 Sobre la base del impuesto sobre la renta	..	83	144	238	354	362	423	486	558	519
2300 Trabajadores por cuenta propia o no empleados	..	95	36	42	70	70	49	48	54	59
2310 Sobre la base de la nómina	..	0	0	0	0	0	0	0	0	0
2320 Sobre la base del impuesto sobre la renta	..	95	36	42	70	70	49	48	54	59
2400 No clasificables entre 2100, 2200 y 2300	50	9	12	0	1	0	0	0	0	0
2410 Sobre la base de la nómina	50	9	12	0	1	..	..	..	..	..
2420 Sobre la base del impuesto sobre la renta	0	0	0	0	0	..	..	..	..	..
3000 Impuestos sobre la nómina y la fuerza de trabajo	**0**	**1 149**	**7**	**57**	**99**	**99**	**96**	**101**	**113**	**115**
Extraordinary solidarity tax (IES)	..	1 151	14	3	1	0	1	0	2	2
IES refunds	..	-2	-7	-2	0	-3	0	0	0	-1
Contributions to SENATI	..	0	0	56	98	102	96	100	111	114
4000 Impuestos sobre la propiedad	**99**	**323**	**2 414**	**3 833**	**6 622**	**7 146**	**5 942**	**7 659**	**8 376**	**9 128**
4100 Impuestos recurrentes sobre la propiedad inmueble	0	298	461	727	1 748	2 026	1 749	2 266	2 391	2 711
4110 Hogares	..	..	..	..	..	..	..	..	..	..
4120 Otros	..	..	..	..	..	..	..	..	..	..
4200 Impuestos recurrentes sobre la riqueza neta	0	0	1 072	1 601	3 942	4 082	3 523	4 393	4 816	5 302
4210 Personas físicas	..	..	0	0	0	0	0	0	0	0
4220 Sociedades	..	..	1 072	1 601	3 942	4 082	3 523	4 393	4 816	5 302
Temporary Net Assets Tax (ITAN)	..	..	1 073	1 788	4 953	5 176	4 764	5 926	6 302	6 692
Temporary Net Assets Tax (ITAN) refunds	..	..	0	-186	-1 011	-1 094	-1 241	-1 533	-1 485	-1 390
4300 Impuestos sobre sucesiones y donaciones	0	0	0	0	0	0	0	0	0	0
4310 Impuestos sobre sucesiones y herencias	..	..	..	..	..	..	..	..	..	..
4320 Impuestos sobre donaciones	..	..	..	..	..	..	..	..	..	..
4400 Imp. sobre transacciones financieras y de capital	38	25	804	1 504	932	1 037	669	1 000	1 169	1 115
Financial transactions tax	0	0	706	944	200	224	207	271	309	311
Real estate transfer tax	0	25	98	560	732	813	463	728	861	804
Tax Law Decree 519	38	0	0	0	0	0	0	0	0	0
4500 Otros impuestos no recurrentes sobre la propiedad	0	0	0	0	0	0	0	0	0	0
4510 Otros impuestos sobre la riqueza neta	..	..	..	..	..	..	..	..	..	..
4520 Otros impuestos no recurrentes	..	..	..	..	..	..	..	..	..	..
4600 Otros impuestos recurrentes sobre la propiedad	61	0	76	0	0	0	0	0	0	0
5000 Impuestos sobre los bienes y servicios	**407**	**16 045**	**22 157**	**35 330**	**57 206**	**59 446**	**50 457**	**73 221**	**79 632**	**76 345**
5100 Imp. sobre la producción, venta, etc.	407	16 020	22 101	35 175	56 912	59 144	50 216	72 938	79 308	75 998
5110 Impuestos generales	109	9 646	15 109	29 094	49 038	49 197	42 375	62 780	68 418	65 093

	1990	2000	2005	2010	2018	2019	2020	2021	2022	2023
5111 Impuestos sobre el valor agregado	109	9 646	15 109	29 094	49 038	49 197	42 375	62 780	68 418	65 093
VAT (internal)	69	6 992	10 587	19 629	35 125	37 892	32 708	42 608	47 375	48 052
VAT (imports)	41	4 961	7 715	15 908	25 541	25 613	22 671	35 490	40 930	35 393
VAT refunds	0	-2 307	-3 193	-6 442	-11 628	-14 307	-13 004	-15 318	-19 887	-18 351
5112 Impuestos sobre las ventas	0	0	0	0	0	0	0	0	0	0
5113 Otros impuestos generales	0	0	0	0	0	0	0	0	0	0
5120 Impuestos sobre bienes y servicios específicos	297	6 374	6 992	6 081	7 874	9 947	7 841	10 158	10 890	10 905
5121 Impuestos selectivos	232	3 518	4 193	4 875	7 011	8 672	7 238	9 575	9 773	9 921
Fuels	151	2 145	2 607	2 410	2 565	3 212	2 970	3 648	3 000	3 464
Gasoline sales tax	3	97	140	210	437	456	316	548	799	678
Other excises	78	1 304	1 459	2 258	4 295	5 005	3 951	5 490	6 026	5 864
Excise tax refunds	0	-28	-12	-4	-286	-4	-5	-119	-58	-90
Plastic Bag Consumption Tax	0	0	0	0	0	4	7	7	7	6
5122 Utilidades de los monopolios fiscales	0	0	0	0	0	0	0	0	0	0
5123 Derechos de aduanas y de importación	64	2 741	2 625	779	109	504	398	299	576	388
Customs duties	64	2 960	3 143	1 803	1 455	1 424	1 159	1 465	1 806	1 547
Customs duties refunds	0	-219	-518	-1 024	-1 345	-920	-760	-1 166	-1 231	-1 159
5124 Impuestos sobre las exportaciones	2	0	0	0	0	0	0	0	0	0
5125 Impuestos sobre los bienes de inversión	0	0	0	0	0	0	0	0	0	0
5126 Impuestos sobre servicios específicos	0	115	174	427	754	771	205	284	542	597
Casinos and slot machines	..	81	49	187	318	310	69	125	204	211
Tourism tax	..	0	74	105	193	211	65	76	176	202
Municipal taxes on services	..	34	50	135	243	250	70	83	162	183
5127 Otros imp. sobre el comercio y transacciones intern.	0	0	0	0	0	0	0	0	0	0
5128 Otros impuestos sobre bienes y servicios específicos	0	0	0	0	0	0	0	0	0	0
5130 No clasificables entre 5110 y 5120	0	0	0	0	0	0	0	0	0	0
5200 Sobre el uso de bienes y permiso para actividades	0	25	55	154	294	302	241	284	323	347
5210 Impuestos recurrentes	..	25	55	154	294	302	241	284	323	347
5211 Por los hogares sobre vehículos automotores	..	..	..	..	..	..	..	..	..	..
5212 Por otros sobre vehículos automotores	..	..	..	..	..	..	..	..	..	..
5213 Otros impuestos recurrentes	..	..	..	..	..	..	..	..	..	..
5220 Impuestos no recurrentes	..	0	0	0	0	0	0	0	0	0
5300 No clasificables entre 5100 y 5200	0	0	0	0	0	0	0	0	0	0
6000 Otros impuestos	**9**	**745**	**666**	**1 100**	**2 673**	**3 348**	**2 119**	**5 495**	**3 610**	**3 507**
6100 Pagados únicamente por empresas	0	84	73	108	133	135	93	109	114	115
Single simplified regime	..	84	73	108	133	135	93	109	114	115
University Development Fund	..	0	0	0	0	0	0	0	0	0
6200 Pagados por otros o no identificables	9	662	594	993	2 540	3 214	2 026	5 386	3 496	3 392
Tax Instalment payments	9	542	397	714	1 320	1 843	1 165	4 437	2 314	2 360
Other taxes	0	133	266	280	1 225	1 389	868	1 031	1 271	1 194
Other tax refunds	0	-14	-69	-2	-5	-18	-8	-81	-89	-162

.. No disponible

Nota: Ejercicio cerrado a 31 de diciembre.

Los datos siguen el criterio de caja.

Las cifras de los años hasta 2000 no incluyen los ingresos tributarios de las administraciones locales, porque no hay datos disponibles.

Partida 1210: "Impuesto sobre la Renta de las Personas Físicas por reintegros mineros" se ha añadido en la partida 1210 en esta edición. Anteriormente se incluía dentro de "Otras devoluciones de impuestos" en la partida 6200.

Partida 2000: Todas las contribuciones pertenecientes a las pensiones las realizan exclusivamente los empleados y las contribuciones para el servicio de salud las realizan los empleadores. Las excepciones son regímenes especiales que se aplican a las personas empleadas por cuenta propia, en función de los ingresos.

Partida 3000: Las contribuciones al SENATI se incluyen en la partida 3000. Los ingresos tributarios se clasifican dentro del Gobierno central. En Perú, estos ingresos se clasifican en una unidad aparte que se considera diferente del Gobierno central. "Fondo Nacional de la Vivienda (FONAVI) " ha sido eliminado en esta edición.

Partida 4220: El "Impuesto Temporal a los Activos Netos" ha sido reclasificado en la partida 4220 en esta edición. Anteriormente figuraba en la partida 1210. En esta edición se ha añadido la rúbrica 4220 "Devoluciones del Impuesto Temporal a los Activos Netos (ITAN) ". Anteriormente se incluía dentro de "Otras devoluciones de impuestos" en la partida 6200.

Partida 5121: "Impuesto sobre el consumo de bolsas de plástico" se ha añadido bajo la partida 5121 en esta edición.

Partida 5123: Se han añadido las devoluciones de derechos de aduana en la partida 5123 de esta edición.

Partida 6200: "Otras devoluciones de impuestos" excluye "Devoluciones del impuesto sobre la renta de la minería" y "Devoluciones del impuesto Temporal a los Activos Netos (ITAN)" en esta edición, ya que se informarán por separado en partidas 1210 y 4220 respectivamente.

Fuente: Superintendencia Nacional de Aduanas y de Administración Tributaria (SUNAT); Banco de la Nación; Ministerio de Economía y Finanzas; Servicio Nacional de Adiestramiento en Trabajo Industrial.

Cuadro 5.24. Santa Lucía

Ingresos tributarios detallados
Millones XCD

	1990	2000	2005	2010	2018	2019	2020	2021	2022	2023
Total de ingresos tributarios	..	**480**	**612**	**828**	**1 157**	**1 180**	**923**	**1 046**	**1 274**	**1 383**
1000 Imp. renta, utilidades y ganancias de capital	..	**137**	**157**	**224**	**269**	**258**	**228**	**226**	**283**	**307**
1100 De personas físicas	..	49	58	83	131	134	115	130	153	151
1110 Renta y utilidades	..	49	58	83	131	134	115	130	153	151
Personal income tax	..	49	58	83	113	116	99	112	131	124
Arrears on personal income tax	..	0	0	0	18	18	16	18	22	27
1120 Ganancias de capital	..	..	..	..	..	..	..	..	..	..
1200 De sociedades	..	63	60	95	115	111	97	84	114	141
1210 Renta y utilidades	..	63	60	95	115	111	97	84	114	141
Corporate income tax	..	63	60	95	92	93	81	67	94	114
Arrears on corporate income tax	..	0	0	0	23	18	16	17	20	27
1220 Ganancias de capital de sociedades	..	..	..	..	..	..	..	..	..	..
1300 No clasificables entre 1100 y 1200	..	26	39	46	23	13	17	12	16	15
Withholdings	..	7	17	14	28	16	20	18	21	22
Arrears	..	25	30	42	5	7	5	4	5	3
Tax Refunds	..	-6	-8	-10	-10	-9	- 8	- 10	- 10	- 10
2000 Contribuciones a la seguridad social	..	**48**	**63**	**92**	**120**	**127**	**118**	**128**	**152**	**158**
2100 Empleados	..	..	..	..	..	..	..	..	..	..
2110 Sobre la base de la nómina	..	..	..	..	..	..	..	..	..	..
2120 Sobre la base del impuesto sobre la renta	..	..	..	..	..	..	..	..	..	..
2200 Empleadores	..	..	..	..	..	..	..	..	..	..
2210 Sobre la base de la nómina	..	..	..	..	..	..	..	..	..	..
2220 Sobre la base del impuesto sobre la renta	..	..	..	..	..	..	..	..	..	..
2300 Trabajadores por cuenta propia o no empleados	..	..	0	1	1	1	1	1	1	1
2310 Sobre la base de la nómina	..	..	0	1	1	1	1	1	1	1
2320 Sobre la base del impuesto sobre la renta	..	..	0	0	0	0	0	0	0	0
2400 No clasificables entre 2100, 2200 y 2300	..	48	63	91	119	126	117	126	150	157
2410 Sobre la base de la nómina	..	48	63	91	119	126	117	126	150	157
2420 Sobre la base del impuesto sobre la renta	..	0	0	0	0	0	0	0	0	0
3000 Impuestos sobre la nómina y la fuerza de trabajo	..	**0**	**0**	**0**	**0**	**0**	**0**	**0**	**0**	**0**
4000 Impuestos sobre la propiedad	..	**11**	**24**	**19**	**26**	**25**	**20**	**31**	**36**	**35**
4100 Impuestos recurrentes sobre la propiedad inmueble	..	2	6	3	10	8	7	8	12	10
4110 Hogares	..	..	..	..	..	..	..	..	..	..
4120 Otros	..	..	..	..	..	..	..	..	..	..
4200 Impuestos recurrentes sobre la riqueza neta	..	0	0	0	0	0	0	0	0	0
4210 Personas físicas	..	..	..	..	..	..	..	..	..	..
4220 Sociedades	..	..	..	..	..	..	..	..	..	..
4300 Impuestos sobre sucesiones y donaciones	..	0	0	0	0	0	0	0	0	0
4310 Impuestos sobre sucesiones y herencias	..	..	..	..	..	..	..	..	..	..
4320 Impuestos sobre donaciones	..	..	..	..	..	..	..	..	..	..
4400 Imp. sobre transacciones financieras y de capital	..	9	18	16	17	18	13	23	24	26
4500 Otros impuestos no recurrentes sobre la propiedad	..	0	0	0	0	0	0	0	0	0
4510 Otros impuestos sobre la riqueza neta	..	..	..	..	..	..	..	..	..	..
4520 Otros impuestos no recurrentes	..	..	..	..	..	..	..	..	..	..
4600 Otros impuestos recurrentes sobre la propiedad	..	0	0	0	0	0	0	0	0	0
5000 Impuestos sobre los bienes y servicios	..	**284**	**368**	**493**	**742**	**770**	**555**	**661**	**803**	**882**
5100 Imp. sobre la producción, venta, etc.	..	277	353	467	715	742	548	654	797	871
5110 Impuestos generales	..	101	112	119	329	339	241	306	396	404
5111 Impuestos sobre el valor agregado	..	0	0	0	329	339	241	306	382	404
VAT (domestic)	..	..	..	..	181	184	..	..	..	..
VAT (imports)	..	..	..	..	148	156	..	..	..	..
5112 Impuestos sobre las ventas	..	101	112	119	0	0	0	0	14	0
Consumption tax (domestic)	..	11	8	6	..	..	0	..	0	..
Consumption tax (Imports)	..	90	104	114	..	..	0	..	14	..
5113 Otros impuestos generales	..	0	0	0	0	0	0	0	0	0
5120 Impuestos sobre bienes y servicios específicos	..	176	240	348	385	402	306	348	401	467
5121 Impuestos selectivos	..	34	13	85	134	140	121	111	101	139
Excise tax (domestic)	..	28	6	14	5	5	3	3	4	4
Excise tax (imports)	..	0	0	68	109	114	99	88	76	115
Fuel Surcharge	..	3	3	4	20	21	18	20	21	20
Surcharge on international calls	..	4	4	0	0	0	0	0	0	0
5122 Utilidades de los monopolios fiscales	..	0	0	0	0	0	0	0	0	0

	1990	2000	2005	2010	2018	2019	2020	2021	2022	2023
5123 Derechos de aduanas y de importación	..	108	178	187	206	205	160	203	241	263
Import Duty	..	64	90	101	123	122	92	116	138	152
Thruput Charge	..	1	2	6	4	4	4	4	1	2
Service Charge (imports) and security charges	..	33	86	64	79	80	65	83	103	110
Environmental Levy	..	9	0	16	0	0	0	0	0	0
5124 Impuestos sobre las exportaciones	..	0	0	0	0	0	0	0	0	0
5125 Impuestos sobre los bienes de inversión	..	0	0	0	0	0	0	0	0	0
5126 Impuestos sobre servicios específicos	..	34	49	76	45	57	25	35	59	65
Hotel occupancy tax	..	23	29	34	0	1	0	0	1	0
Insurance premium tax	..	4	5	7	9	10	10	10	11	14
Cellular tax	..	0	8	18	0	0	0	0	0	0
Passenger facility fee	..	0	2	5	3	3	1	1	4	7
Travel tax	..	3	5	4	5	4	1	1	6	6
Airport tax	..	5	1	9	28	39	13	22	37	37
5127 Otros imp. sobre el comercio y transacciones intern.	..	0	0	0	0	0	0	0	0	0
5128 Otros impuestos sobre bienes y servicios específicos	..	0	0	0	0	0	0	0	0	0
5130 No clasificables entre 5110 y 5120	..	0	0	0	0	0	0	0	0	0
5200 5200 Sobre el uso de bienes y permiso para actividades	..	7	16	26	28	28	8	7	6	10
5210 Impuestos recurrentes	..	7	16	26	28	28	8	7	6	10
5211 Por los hogares sobre vehículos automotores	..	0	0	0	0	0	0	0	0	0
5212 Por otros sobre vehículos automotores	..	0	0	0	0	0	0	0	0	0
5213 Otros impuestos recurrentes	..	7	16	26	28	28	8	7	6	10
5220 Impuestos no recurrentes	..	0	0	0	0	0	0	0	0	0
5300 No clasificables entre 5100 y 5200	..	0	0	0	0	0	0	0	0	0
6000 Otros impuestos	**..**	**0**	**0**	**0**	**0**	**0**	**0**	**0**	**0**	**0**
6100 Pagados únicamente por empresas	..	..	..	..	..	..	..	..	..	..
6200 Pagados por otros o no identificables	..	..	..	..	..	..	..	..	..	..

.. No disponible

Nota: Ejercicio cerrado a 31 de marzo. Por ejemplo, los datos de 2023 corresponden al período comprendido entre abril de 2023 y marzo de 2024.

Los datos siguen el criterio de caja.

Las cifras no incluyen los ingresos tributarios locales porque no hay datos disponibles. Los datos de ingresos tributarios del Gobierno central en 2023 son estimaciones revisadas por la.

Partida 2000: Las contribuciones a la seguridad social siguen el ejercicio financiero comprendido entre los meses de julio y junio, no de abril y marzo. Por ejemplo, las contribuciones a la seguridad social de 2023 corresponden al período del 1 de julio de 2022 al 30 de junio de 2023. Los datos de 2021-23 son una estimación.

Partida 5123: Los datos correspondientes al gravamen de seguridad no estarán disponibles después de 2019.

Partida 5213: Los datos han incluido desde 2020 ingresos de algunas de las licencias y las tasas de los impuestos al uso de bienes y los permisos de las Estimaciones de Ingresos y Gastos del Departamento de Finanzas.

Fuente: Oficina Central de Estadística de Santa Lucía (Central Statistical Office); Departamento de Finanzas (Department of Finance) de Santa Lucía; Corporación de Seguro Nacional (National Insurance Corporation) de Santa Lucía.

Cuadro 5.25. Trinidad y Tobago

Ingresos tributarios detallados
Millones TTD

	1990	2000	2005	2010	2018	2019	2020	2021	2022	2023
Total de ingresos tributarios	**4 923**	**10 953**	**27 665**	**39 720**	**36 813**	**38 417**	**31 258**	**34 745**	**47 956**	**46 704**
1000 Imp. renta, utilidades y ganancias de capital	**2 595**	**6 224**	**20 010**	**27 213**	**19 413**	**22 391**	**15 332**	**17 206**	**32 666**	**29 668**
1100 De personas físicas	669	2 325	4 452	4 674	6 842	7 215	6 209	5 816	5 811	6 054
1110 Renta y utilidades	669	2 325	4 452	4 674	6 842	7 215	6 209	5 816	5 811	6 054
Health surcharge	92	149	187	185	184	191	170	166	180	170
Insurance surrender tax	6	7	15	22	57	65	59	65	80	66
Individuals (Ch. 75:01)	571	2 169	4 250	4 467	6 601	6 960	5 980	5 585	5 551	5 818
1120 Ganancias de capital	..	..	..	..	..	..	..	..	..	..
1200 De sociedades	1 856	3 704	15 023	21 659	11 713	13 816	8 186	10 384	25 817	21 995
1210 Renta y utilidades	1 856	3 704	15 023	21 659	11 713	13 816	8 186	10 384	25 817	21 995
Oil companies	1 439	2 441	10 806	13 834	2 093	3 755	1 762	3 104	11 462	10 171
Other companies	383	1 041	3 166	6 630	8 858	8 694	5 641	6 292	11 768	9 587
Business levy	0	65	146	206	608	649	571	650	642	763
National recovery impost	34	0	0	0	0	0	0	0	0	0
Unemployment Fund	0	157	905	989	153	718	211	339	1 945	1 474
1220 Ganancias de capital de sociedades	..	..	..	..	..	..	..	..	..	..
1300 No clasificables entre 1100 y 1200	70	195	536	881	858	1 360	938	1 005	1 038	1 619
2000 Contribuciones a la seguridad social	**183**	**702**	**1 173**	**2 645**	**4 670**	**4 706**	**4 686**	**4 510**	**4 530**	**4 808**
2100 Empleados	..	..	..	..	..	..	..	..	..	..
2110 Sobre la base de la nómina	..	..	..	..	..	..	..	..	..	..
2120 Sobre la base del impuesto sobre la renta	..	..	..	..	..	..	..	..	..	..
2200 Empleadores	..	..	..	..	..	..	..	..	..	..
2210 Sobre la base de la nómina	..	..	..	..	..	..	..	..	..	..
2220 Sobre la base del impuesto sobre la renta	..	..	..	..	..	..	..	..	..	..
2300 Trabajadores por cuenta propia o no empleados	..	..	..	..	..	..	..	..	..	..
2310 Sobre la base de la nómina	..	..	..	..	..	..	..	..	..	..
2320 Sobre la base del impuesto sobre la renta	..	..	..	..	..	..	..	..	..	..
2400 No clasificables entre 2100, 2200 y 2300	183	702	1 173	2 645	4 670	4 706	4 686	4 510	4 530	4 808
2410 Sobre la base de la nómina	..	..	..	..	..	..	..	..	..	..
2420 Sobre la base del impuesto sobre la renta	..	..	..	..	..	..	..	..	..	..
3000 Impuestos sobre la nómina y la fuerza de trabajo	**0**	**0**	**0**	**0**	**0**	**0**	**0**	**0**	**0**	**0**
4000 Impuestos sobre la propiedad	**90**	**175**	**307**	**194**	**362**	**405**	**260**	**289**	**345**	**291**
4100 Impuestos recurrentes sobre la propiedad inmueble	39	64	63	22	4	50	2	2	2	1
4110 Hogares	..	..	..	..	..	..	..	..	..	..
4120 Otros	..	..	..	..	..	..	..	..	..	..
4200 Impuestos recurrentes sobre la riqueza neta	0	0	0	0	0	0	0	0	0	0
4210 Personas físicas	..	..	..	..	..	..	..	..	..	..
4220 Sociedades	..	..	..	..	..	..	..	..	..	..
4300 Impuestos sobre sucesiones y donaciones	1	0	0	0	0	0	0	0	0	0
4310 Impuestos sobre sucesiones y herencias	1	..	..	..	..	..	..	..	..	..
4320 Impuestos sobre donaciones	0	..	..	..	..	..	..	..	..	..
4400 Imp. sobre transacciones financieras y de capital	49	111	245	172	359	356	258	287	342	290
Stamp duties	49	111	245	172	359	356	258	287	342	290
4500 Otros impuestos no recurrentes sobre la propiedad	0	0	0	0	0	0	0	0	0	0
4510 Otros impuestos sobre la riqueza neta	..	..	..	..	..	..	..	..	..	..
4520 Otros impuestos no recurrentes	..	..	..	..	..	..	..	..	..	..
4600 Otros impuestos recurrentes sobre la propiedad	0	0	0	0	0	0	0	0	0	0
5000 Impuestos sobre los bienes y servicios	**2 055**	**3 852**	**6 175**	**9 667**	**12 368**	**10 915**	**10 980**	**12 740**	**10 416**	**11 938**
5100 Imp. sobre la producción, venta, etc.	1 973	3 603	5 948	9 282	12 024	10 612	10 752	12 480	10 143	11 637
5110 Impuestos generales	980	1 890	3 149	6 358	8 087	6 836	7 417	9 173	6 437	7 788
5111 Impuestos sobre el valor agregado	927	1 890	2 963	6 032	7 245	5 848	6 682	8 296	5 097	6 613
5112 Impuestos sobre las ventas	54	0	0	0	0	0	0	0	0	0
5113 Otros impuestos generales	0	0	186	325	842	988	734	877	1 340	1 175
Green Fund	..	..	186	325	813	957	689	811	1 284	1 117
Tax on online purchases	..	..	0	0	29	31	46	66	56	58
5120 Impuestos sobre bienes y servicios específicos	993	1 713	2 799	2 924	3 936	3 777	3 336	3 307	3 707	3 849
5121 Impuestos selectivos	481	801	1 072	708	793	680	703	707	755	710
Alcohol products	..	..	..	156	183	187	205	209	225	196
Beer	..	..	..	202	202	173	197	208	220	229
Petroleum products	..	..	..	105	98	23	6	0	0	0
Cigarette products	..	..	..	243	269	262	274	288	307	283
Malt beverages	..	..	..	2	41	35	21	2	3	2
5122 Utilidades de los monopolios fiscales	0	0	0	0	0	0	0	0	0	0
5123 Derechos de aduanas y de importación	260	748	1 473	1 905	2 732	2 672	2 301	2 287	2 608	2 740

	1990	2000	2005	2010	2018	2019	2020	2021	2022	2023
5124 Impuestos sobre las exportaciones	0	0	0	0	0	0	0	0	0	0
5125 Impuestos sobre los bienes de inversión	0	0	0	0	0	0	0	0	0	0
5126 Impuestos sobre servicios específicos	49	163	253	311	411	425	331	313	343	399
Insurance premium tax	0	56	98	167	170	180	159	175	177	180
Transaction tax on financial services	0	23	33	53	97	103	92	90	103	115
Hotel room tax	0	23	42	46	52	55	34	20	34	54
Betting and entertainment taxes	4	17	9	12	0	0	0	0	0	0
Other taxes on goods and services	45	44	72	33	93	86	46	27	30	50
5127 Otros imp. sobre el comercio y transacciones intern.	202	0	0	1	0	0	0	0	0	0
5128 Otros impuestos sobre bienes y servicios específicos	0	0	0	0	0	0	0	0	0	0
5130 No clasificables entre 5110 y 5120	0	0	0	0	0	0	0	0	0	0
5200 Sobre el uso de bienes y permiso para actividades	81	249	227	386	344	303	228	260	272	301
5210 Impuestos recurrentes	81	249	227	386	344	303	228	260	272	301
Motor vehicle taxes and duties	76	239	217	375	334	291	221	251	260	290
5211 Por los hogares sobre vehículos automotores	..	..	..	..	..	..	..	..	..	..
5212 Por otros sobre vehículos automotores	..	..	..	..	..	..	..	..	..	..
5213 Otros impuestos recurrentes	5	10	10	10	11	12	7	9	12	11
Liquor and miscellaneous business licence fees	5	10	10	10	11	12	7	9	12	11
5220 Impuestos no recurrentes	0	0	0	0	0	0	0	0	0	0
5300 No clasificables entre 5100 y 5200	0	0	0	0	0	0	0	0	0	0
6000 Otros impuestos	**0**	**0**	**0**	**0**	**0**	**0**	**0**	**0**	**0**	**0**
6100 Pagados únicamente por empresas	..	..	..	..	..	..	..	..	..	..
6200 Pagados por otros o no identificables	..	..	..	..	..	..	..	..	..	..

.. No disponible

Nota: Ejercicio fiscal cerrado a 30 de septiembre. Por ejemplo, los datos de 2023 corresponden a los meses de octubre de 2022 a septiembre de 2023.

Los datos siguen el criterio de caja.

Las cifras no incluyen los ingresos tributarios de las administraciones locales, porque no hay datos disponibles.

Partida 1100: Los impuestos sobre la renta de las personas físicas incluyen el impuesto a las "Personas físicas (Cap. 75:01)" y los premios de la lotería.

Partida 2000: Las contribuciones a la seguridad social siguen el ejercicio financiero comprendido entre los meses de julio y junio, no de octubre y septiembre. Por ejemplo, las contribuciones a la seguridad social de 2023 corresponden al período del 1 de julio de 2022 al 30 de junio de 2023. Las cifras incluyen los ingresos totales por contribuciones del Consejo de Seguro Nacional menos las devoluciones. Desde 2013, se ha identificado un reducido importe de contribuciones voluntarias y se han eliminado de las cifras.

Partida 5126: Otros impuestos sobre bienes y servicios de la partida 5126 incluyen principalmente el impuesto a los juegos de azar de los clubes que se cobra a todas las mesas de juego y otros dispositivos de juegos de azar de cualquier operador con licencia para realizar esta actividad.

Fuente: Ministerio de Finanzas; Consejo de Seguro Nacional.

Cuadro 5.26. Uruguay

Ingresos tributarios detallados
Millones UYU

	1990	2000	2005	2010	2018	2019	2020	2021	2022	2023
Total de ingresos tributarios	**2 399**	**64 183**	**106 251**	**212 907**	**534 519**	**573 642**	**600 332**	**684 851**	**780 163**	**821 959**
1000 Imp. renta, utilidades y ganancias de capital	**114**	**8 698**	**13 831**	**42 583**	**140 527**	**149 920**	**159 783**	**178 797**	**207 294**	**217 293**
1100 De personas físicas	0	3 597	3 285	19 148	78 571	85 847	91 819	98 825	113 351	121 171
Personal income tax (IRP)	..	3 597	3 285	0	0	0	0	0	0	0
1110 Renta y utilidades	..	..	..	16 790	69 083	75 944	80 407	84 910	96 142	103 172
IRPF second category	..	..	..	14 643	61 077	67 254	70 295	74 209	84 803	92 152
Social security assistance	..	..	..	2 651	11 091	12 336	14 198	15 355	16 315	16 648
Personal income tax refunds	..	..	..	-504	-3 085	-3 646	-4 086	-4 653	-4 977	-5 627
1120 Ganancias de capital	..	..	..	2 358	9 488	9 903	11 412	13 915	17 209	17 999
IRPF first category	..	..	..	2 358	9 488	9 903	11 412	13 915	17 209	17 999
1200 De sociedades	114	5 102	10 546	21 772	56 316	58 071	61 487	71 500	82 729	83 530
1210 Renta y utilidades	114	5 102	10 546	21 772	56 316	58 071	61 487	71 500	82 729	83 530
Income tax for economic activities (IRAE)	0	0	0	21 437	56 316	58 071	61 487	71 500	82 729	83 530
Industry and commerce income tax (IRIC)	97	5 096	10 516	333	0	0	0	0	0	0
Agricultural income tax (IRA)	10	3	30	2	0	0	0	0	0	0
Tax on agricultural activities (IMAGRO)	7	3	0	0	0	0	0	0	0	0
1220 Ganancias de capital de sociedades	..	..	..	..	..	..	..	..	..	..
1300 No clasificables entre 1100 y 1200	0	0	0	1 662	5 639	6 002	6 477	8 472	11 214	12 592
Non-resident income tax (IRNR)	..	..	..	1 662	5 639	6 002	6 477	8 472	11 214	12 592
2000 Contribuciones a la seguridad social	**717**	**17 679**	**21 425**	**49 742**	**139 561**	**151 589**	**150 185**	**165 500**	**196 321**	**218 255**
2100 Empleados	..	..	..	..	..	..	..	..	..	..
2110 Sobre la base de la nómina	..	..	..	..	..	..	..	..	..	..
2120 Sobre la base del impuesto sobre la renta	..	..	..	..	..	..	..	..	..	..
2200 Empleadores	..	..	..	..	..	..	..	..	..	..
2210 Sobre la base de la nómina	..	..	..	..	..	..	..	..	..	..
2220 Sobre la base del impuesto sobre la renta	..	..	..	..	..	..	..	..	..	..
2300 Trabajadores por cuenta propia o no empleados	..	..	..	..	..	..	..	..	..	..
2310 Sobre la base de la nómina	..	..	..	..	..	..	..	..	..	..
2320 Sobre la base del impuesto sobre la renta	..	..	..	..	..	..	..	..	..	..
2400 No clasificables entre 2100, 2200 y 2300	717	17 679	21 425	49 742	139 561	151 589	150 185	165 500	196 321	218 255
2410 Sobre la base de la nómina	717	17 679	21 425	49 742	139 561	151 589	150 185	165 500	196 321	218 255
2420 Sobre la base del impuesto sobre la renta	0	0	0	0	0	0	0	0	0	0
3000 Impuestos sobre la nómina y la fuerza de trabajo	**0**	**0**	**0**	**0**	**0**	**0**	**0**	**0**	**0**	**0**
4000 Impuestos sobre la propiedad	**213**	**5 508**	**12 159**	**18 965**	**40 508**	**44 178**	**46 785**	**52 387**	**60 024**	**63 961**
4100 Impuestos recurrentes sobre la propiedad inmueble	87	3 248	5 586	8 140	19 648	21 056	22 672	24 921	27 927	31 134
Primary education tax	0	378	852	1 064	2 961	3 271	3 474	3 822	4 224	4 664
Farm property tax	0	155	1	189	728	750	941	968	1 127	1 031
Property tax surcharge	0	0	0	0	476	471	610	562	601	537
Primary education tax refunds	0	0	0	0	-3	-2	-1	-1	-2	-1
Other property taxes	87	2 715	4 733	6 887	15 485	16 567	17 649	19 570	21 976	24 903
4110 Hogares	..	..	..	..	..	..	..	..	..	..
4120 Otros	..	..	..	..	..	..	..	..	..	..
4200 Impuestos recurrentes sobre la riqueza neta	94	1 769	4 942	8 760	17 473	19 717	20 335	22 357	25 740	27 090
4210 Personas físicas	64	108	336	382	760	707	676	579	519	437
4220 Sociedades	30	1 661	4 605	8 378	16 713	19 010	19 659	21 778	25 221	26 653
Corporate wealth tax	28	1 507	4 382	8 165	16 713	19 010	19 659	21 778	25 221	26 653
Tax on financial investment companies (ISAFI)	1	154	224	213	1	0	1	0	0	0
4300 Impuestos sobre sucesiones y donaciones	0	0	0	0	0	0	0	0	0	0
4310 Impuestos sobre sucesiones y herencias	..	..	..	..	..	..	..	..	..	..
4320 Impuestos sobre donaciones	..	..	..	..	..	..	..	..	..	..
4400 Imp. sobre transacciones financieras y de capital	31	476	1 259	1 740	2 819	2 841	3 193	4 341	5 307	4 985
Property transfer tax (ITP)	11	372	886	1 347	1 984	1 859	2 120	2 866	3 553	3 641
Tax on transfer of rights over athletes	0	0	47	3	0	0	0	0	0	0
Auction tax	20	104	326	390	835	982	1 073	1 475	1 754	1 344
4500 Otros impuestos no recurrentes sobre la propiedad	0	0	0	0	0	0	0	0	0	0
4510 Otros impuestos sobre la riqueza neta	..	..	..	..	..	..	..	..	..	..
4520 Otros impuestos no recurrentes	..	..	..	..	..	..	..	..	..	..
4600 Otros impuestos recurrentes sobre la propiedad	1	15	372	326	567	564	585	768	1 050	751
Corporation control tax (ICOSA)	1	15	176	325	567	564	585	768	1 050	751
Financial system control tax (ICOSIFI)	0	0	196	0	0	0	0	0	0	0
5000 Impuestos sobre los bienes y servicios	**1 358**	**32 139**	**57 834**	**100 282**	**210 711**	**224 394**	**239 924**	**284 206**	**311 195**	**316 632**
5100 Imp. sobre la producción, venta, etc.	1 301	29 562	54 763	96 494	199 329	212 218	227 247	269 210	294 123	298 172
5110 Impuestos generales	660	18 009	34 641	69 951	137 400	145 846	157 644	184 834	199 428	206 033
5111 Impuestos sobre el valor agregado	660	17 995	31 696	69 921	137 400	145 846	157 644	184 834	199 428	206 033

	1990	2000	2005	2010	2018	2019	2020	2021	2022	2023
5112 Impuestos sobre las ventas	1	14	2 945	30	0	0	0	0	0	0
Social security financing tax (COFIS)	0	0	2 905	30	..	..	..	..	..	..
Other sales taxes	1	14	40	0	..	..	..	..	..	..
5113 Otros impuestos generales	0	0	0	0	0	0	0	0	0	0
5120 Impuestos sobre bienes y servicios específicos	641	11 553	20 122	26 543	61 928	66 372	69 604	84 376	94 695	92 139
5121 Impuestos selectivos	393	7 896	11 447	17 300	39 214	42 183	44 212	51 646	58 274	57 773
Fuels	203	4 067	4 900	6 551	18 662	20 094	22 157	23 720	18 047	17 822
Tobacco products	80	1 741	2 705	4 236	7 518	7 703	7 944	8 303	8 640	8 775
Motor vehicles	20	656	977	2 289	3 789	3 799	4 626	7 289	7 437	7 540
Non-alcoholic beverages	19	464	532	1 172	2 687	2 754	2 879	2 964	3 297	3 675
Agricultural products	4	299	1 182	1 349	2 636	2 998	3 256	4 548	5 222	3 906
Beer	8	205	308	602	1 526	1 494	1 688	1 773	2 032	2 191
Advances of import excises	0	27	9	-136	704	1 591	-465	0	0	0
Greases and lubricants	5	119	289	390	652	677	815	1 380	1 374	1 432
Alcoholic beverages	22	212	352	562	617	677	714	1 024	1 125	1 225
Other excises	32	106	193	283	423	397	598	644	11 098	11 207
5122 Utilidades de los monopolios fiscales	0	0	0	0	0	0	0	0	0	0
5123 Derechos de aduanas y de importación	214	1 967	5 195	8 478	20 878	22 124	23 099	29 923	33 304	31 341
5124 Impuestos sobre las exportaciones	1	32	243	325	770	858	908	1 374	1 430	1 114
5125 Impuestos sobre los bienes de inversión	0	0	0	0	0	0	0	0	0	0
5126 Impuestos sobre servicios específicos	34	1 392	2 748	440	1 067	1 207	1 384	1 433	1 686	1 911
Bank asset tax (IMABA)	31	1 092	1 152	2	0	0	0	0	0	0
Income tax for insurance companies	3	76	298	366	916	1 004	1 270	1 333	1 447	1 673
Other services taxes	0	224	1 298	72	152	202	115	100	239	237
5127 Otros imp. sobre el comercio y transacciones intern.	0	265	489	0	0	0	0	0	0	0
5128 Otros impuestos sobre bienes y servicios específicos	0	0	0	0	0	0	0	0	0	0
5130 No clasificables entre 5110 y 5120	0	0	0	0	0	0	0	0	0	0
5200 Sobre el uso de bienes y permiso para actividades	57	2 576	3 071	3 788	11 382	12 176	12 677	14 996	17 072	18 459
5210 Impuestos recurrentes	57	2 576	3 071	3 788	11 382	12 176	12 677	14 996	17 072	18 459
5211 Por los hogares sobre vehículos automotores	0	0	0	0	0	0	0	0	0	0
5212 Por otros sobre vehículos automotores	57	2 576	3 071	3 788	11 382	12 176	12 677	14 996	17 072	18 459
5213 Otros impuestos recurrentes	0	0	0	0	0	0	0	0	0	0
5220 Impuestos no recurrentes	0	0	0	0	0	0	0	0	0	0
5300 No clasificables entre 5100 y 5200	0	0	0	0	0	0	0	0	0	0
6000 Otros impuestos	**-3**	**159**	**1 003**	**1 335**	**3 212**	**3 560**	**3 655**	**3 960**	**5 329**	**5 820**
6100 Pagados únicamente por empresas	-10	-145	533	586	980	1 039	1 033	1 099	1 205	1 231
Small business tax (minimum VAT)	0	296	457	586	980	1 039	1 033	1 099	1 205	1 231
Credit card tax	0	0	76	0	0	0	0	0	0	0
Other tax refunds	-10	-440	0	0	0	0	0	0	0	0
6200 Pagados por otros o no identificables	7	303	470	748	2 232	2 521	2 623	2 861	4 124	4 589

.. No disponible

Nota: Ejercicio cerrado a 31 de diciembre.

Los datos siguen el criterio de caja.

Las cifras relativas a ingresos tributarios de las administraciones locales de 2022 son una estimación, ya que no hay datos disponibles.

Partida 2000: Las cifras del período 1990-1998 son una estimación de la Dirección General Impositiva (DGI). Las cifras han incluido ingresos del Banco de Previsión Social (BPS) publicados por el Ministerio de Economía y Finanzas desde 1999.

Partida 5112: El impuesto a la venta de productos en subasta pública contabilizado en la partida otros impuestos sobre ventas se clasifica dentro de la categoría 4000 en los datos de la CEPAL.

Fuente: Dirección General Impositiva; Ministerio de Economía y Finanzas.

Cuadro 5.27. Venezuela

Ingresos tributarios detallados
VES

	1990	2000	2005	2010	2018	2019	2020	2021	2022	2023
Total de ingresos tributarios	**4 115**	**108 486**	**482 849**	**1 200 840**	..	..	..	..	..	..
1000 Imp. renta, utilidades y ganancias de capital	**3 444**	**46 856**	**185 291**	**368 365**	..	..	..	..	..	..
1100 De personas físicas	..	..	..	..	..	..	..	..	..	..
1110 Renta y utilidades	..	..	..	..	..	..	..	..	..	..
1120 Ganancias de capital	..	..	..	..	..	..	..	..	..	..
1200 De sociedades	3 148	33 683	111 839	86 998	..	..	..	..	..	..
1210 Renta y utilidades	3 148	33 683	111 839	86 998	..	..	..	..	..	..
Oil	3 148	33 683	111 839	86 998	..	..	..	..	..	..
1220 Ganancias de capital de sociedades	..	..	..	..	..	..	..	..	..	..
1300 No clasificables entre 1100 y 1200	297	13 173	73 452	281 367	..	..	..	..	..	..
2000 Contribuciones a la seguridad social	**202**	**5 905**	**18 899**	**96 896**	..	..	..	..	..	..
2100 Empleados	..	..	..	..	..	..	..	..	..	..
2110 Sobre la base de la nómina	..	..	..	..	..	..	..	..	..	..
2120 Sobre la base del impuesto sobre la renta	..	..	..	..	..	..	..	..	..	..
2200 Empleadores	..	..	..	..	..	..	..	..	..	..
2210 Sobre la base de la nómina	..	..	..	..	..	..	..	..	..	..
2220 Sobre la base del impuesto sobre la renta	..	..	..	..	..	..	..	..	..	..
2300 Trabajadores por cuenta propia o no empleados	..	..	..	..	..	..	..	..	..	..
2310 Sobre la base de la nómina	..	..	..	..	..	..	..	..	..	..
2320 Sobre la base del impuesto sobre la renta	..	..	..	..	..	..	..	..	..	..
2400 No clasificables entre 2100, 2200 y 2300	202	5 905	18 899	96 896	..	..	..	..	..	..
2410 Sobre la base de la nómina	..	..	..	..	..	..	..	..	..	..
2420 Sobre la base del impuesto sobre la renta	..	..	..	..	..	..	..	..	..	..
3000 Impuestos sobre la nómina y la fuerza de trabajo	**0**	**0**	**0**	**0**	..	..	..	..	..	..
4000 Impuestos sobre la propiedad	**11**	**3 999**	**28 338**	**2 217**	..	..	..	..	..	..
4100 Impuestos recurrentes sobre la propiedad inmueble	0	0	0	0	..	..	..	..	..	..
4110 Hogares	..	..	..	..	..	..	..	..	..	..
4120 Otros	..	..	..	..	..	..	..	..	..	..
4200 Impuestos recurrentes sobre la riqueza neta	0	0	0	0	..	..	..	..	..	..
4210 Personas físicas	..	..	..	..	..	..	..	..	..	..
4220 Sociedades	..	..	..	..	..	..	..	..	..	..
4300 Impuestos sobre sucesiones y donaciones	11	191	552	2 217	..	..	..	..	..	..
4310 Impuestos sobre sucesiones y herencias	11	191	552	2 217	..	..	..	..	..	..
4320 Impuestos sobre donaciones	0	0	0	0	..	..	..	..	..	..
4400 Imp. sobre transacciones financieras y de capital	0	3 808	27 786	0	..	..	..	..	..	..
Bank debits	..	2 918	27 429	..	..	..	..	..	..	..
Registration of immovable property rights	..	890	357	..	..	..	..	..	..	..
Tax on Large Financial Transactions (IGTF)	..	0	0	..	..	..	..	..	..	..
4500 Otros impuestos no recurrentes sobre la propiedad	0	0	0	0	..	..	..	..	..	..
4510 Otros impuestos sobre la riqueza neta	..	..	..	..	..	..	..	..	..	..
4520 Otros impuestos no recurrentes	..	..	..	..	..	..	..	..	..	..
4600 Otros impuestos recurrentes sobre la propiedad	0	0	0	0	..	..	..	..	..	..
5000 Impuestos sobre los bienes y servicios	**457**	**51 726**	**250 322**	**733 363**	..	..	..	..	..	..
5100 Imp. sobre la producción, venta, etc.	457	51 726	250 322	733 363	..	..	..	..	..	..
5110 Impuestos generales	0	32 716	195 132	561 005	..	..	..	..	..	..
5111 Impuestos sobre el valor agregado	0	32 716	195 132	561 005	..	..	..	..	..	..
5112 Impuestos sobre las ventas	..	0	0	0	..	..	..	..	..	..
5113 Otros impuestos generales	..	0	0	0	..	..	..	..	..	..
5120 Impuestos sobre bienes y servicios específicos	457	19 011	55 190	172 357	..	..	..	..	..	..
5121 Impuestos selectivos	157	7 742	16 036	88 722	..	..	..	..	..	..
Oil	57	4 679	4 718	12 798	..	..	..	..	..	..
Alcoholic beverages	58	852	4 270	21 915	..	..	..	..	..	..
Tobacco	42	2 201	7 038	54 009	..	..	..	..	..	..
Matches	0	9	11	0	..	..	..	..	..	..
5122 Utilidades de los monopolios fiscales	0	0	0	0	..	..	..	..	..	..
5123 Derechos de aduanas y de importación	300	9 716	36 522	81 333	..	..	..	..	..	..
5124 Impuestos sobre las exportaciones	0	0	0	0	..	..	..	..	..	..
5125 Impuestos sobre los bienes de inversión	0	0	0	0	..	..	..	..	..	..
5126 Impuestos sobre servicios específicos	0	1 552	2 631	2 302	..	..	..	..	..	..
Telecommunications	0	1 505	2 370	0	..	..	..	..	..	..
Casinos, bingo and slot machines	0	47	261	2 302	..	..	..	..	..	..
5127 Otros imp. sobre el comercio y transacciones intern.	0	0	0	0	..	..	..	..	..	..

	1990	2000	2005	2010	2018	2019	2020	2021	2022	2023
5128 Otros impuestos sobre bienes y servicios específicos	0	0	0	0	..	..	..	..	..	..
5130 No clasificables entre 5110 y 5120	0	0	0	0	..	..	..	..	..	..
5200 Sobre el uso de bienes y permiso para actividades	0	0	0	0	..	..	..	..	..	..
5210 Impuestos recurrentes	..	..	..	..	..	..	..	..	..	..
5211 Por los hogares sobre vehículos automotores	..	..	..	..	..	..	..	..	..	..
5212 Por otros sobre vehículos automotores	..	..	..	..	..	..	..	..	..	..
5213 Otros impuestos recurrentes	..	..	..	..	..	..	..	..	..	..
5220 Impuestos no recurrentes	..	..	..	..	..	..	..	..	..	..
5300 No clasificables entre 5100 y 5200	0	0	0	0	..	..	..	..	..	..
6000 Otros impuestos	**0**	**0**	**0**	**0**	**..**	**..**	**..**	**..**	**..**	**..**
6100 Pagados únicamente por empresas	..	..	..	..	..	..	..	..	..	..
6200 Pagados por otros o no identificables	..	..	..	..	..	..	..	..	..	..

.. No disponible

Nota: Ejercicio cerrado a 31 de diciembre.

Los datos siguen el criterio de caja.

No hay datos tributarios disponibles a partir de 2018.

Las cifras no incluyen los ingresos tributarios de las administraciones estatal y locales, porque no hay datos disponibles.

Las cifras correspondientes al período entre 2015 y 2017 deberían interpretarse con precaución porque se han visto afectadas por la elevada tasa de inflación durante este período.

No ha habido datos sobre ingresos tributarios totales disponibles desde 2014 por la falta de información sobre las contribuciones a la seguridad social desde 2014 y sobre los ingresos por petróleo desde 2016 (clasificados en la partida 1210 impuestos sobre las ganancias de las sociedades).

Fuente: Servicio Nacional Integrado de Administración Aduanera; Ministerio de Finanzas.

6 Cuadros país, ingresos tributarios por subsectores de gobierno general, 1990-2023

Los ingresos de los países latinoamericanos, del Caribe y de los países de la OCDE se han atribuido a los diferentes niveles de gobierno de acuerdo con lo recogido en la versión final 2008 del Sistema de Cuentas Nacionales (SCN), según el cual, los ingresos se atribuyen por lo general al nivel de gobierno que ejerce la facultad de aplicar el impuesto o que puede a su discreción establecer y modificar la tasa del impuesto.

En todos los cuadros siguientes un ("..") indica no disponible. Las principales series de este volumen abarcan los años 1990 a 2023.

Las cifras referidas a 1991-99, 2001-09 y 2011-21 de los cuadros 6.1 a 6.27 se han omitido por falta de espacio. Se puede acceder a las series cronológicas completas en línea en http://data-explorer.oecd.org/s/e1.

Cuadro 6.1. Antigua y Barbuda, ingresos tributarios por subsectores de gobierno general

Millones XCD

	Gobierno federal					Estatal/Regional				
	1990	2000	2010	2022	2023	1990	2000	2010	2022	2023
1000 Imp. renta, utilidades y ganancias de capital	**..**	**38**	**92**	**71**	**107**	**..**	**..**	**..**	**..**	**..**
1100 De personas físicas	..	0	33	0	0	..	..	..	..	..
1200 De sociedades	..	37	59	71	106	..	..	..	..	..
1300 No clasificables entre 1100 y 1200	..	0	0	0	0	..	..	..	..	..
2000 Contribuciones a la seguridad social	**..**	**0**	**0**	**0**	**0**	**..**	**..**	**..**	**..**	**..**
2100 Empleados	..	..	..	..	..	..	..	..	..	..
2200 Empleadores	..	..	..	..	..	..	..	..	..	..
2300 Trabajadores por cuenta propia o no empleados	..	..	..	..	..	..	..	..	..	..
2400 No clasificables entre 2100, 2200 y 2300	..	..	..	..	..	..	..	..	..	..
3000 Imp. sobre nómina y fuerza de trabajo	**..**	**0**	**0**	**0**	**0**	**..**	**..**	**..**	**..**	**..**
4000 Impuestos sobre la propiedad	**..**	**13**	**49**	**96**	**66**	**..**	**..**	**..**	**..**	**..**
4100 Imp. recurrentes sobre propiedad inmueble	..	0	18	32	25	..	..	..	..	..
4200 Impuestos recurrentes sobre la riqueza neta	..	0	0	0	0	..	..	..	..	..
4300 Impuestos sobre sucesiones y donaciones	..	0	0	0	0	..	..	..	..	..
4400 Imp. transacciones finan. y de capital	..	13	32	64	41	..	..	..	..	..
4500 Otros imp. no recurrentes sobre propiedad	..	0	0	0	0	..	..	..	..	..
4600 Otros imp. recurrentes sobre propiedad	..	0	0	0	0	..	..	..	..	..
5000 Impuestos sobre los bienes y servicios	**..**	**217**	**435**	**585**	**619**	**..**	**..**	**..**	**..**	**..**
5100 Imp. sobre la producción, venta, etc.	..	217	429	581	587	..	..	..	..	..
5110 Impuestos generales	..	0	179	396	398	..	..	..	..	..
5120 Impuestos sobre bienes y servicios específicos	..	217	250	186	189	..	..	..	..	..
5130 No clasificables entre 5110 y 5120	..	0	0	0	0	..	..	..	..	..
5200 Sobre uso bienes y permiso para actividades	..	0	6	4	31	..	..	..	..	..
5300 No clasificables entre 5100 y 5200	..	0	0	0	0	..	..	..	..	..
6000 Otros impuestos	**..**	**0**	**0**	**0**	**0**	**..**	**..**	**..**	**..**	**..**
6100 Pagados únicamente por empresas	..	..	..	..	..	..	..	..	..	..
6200 Pagados por otros o no identificables	..	..	..	..	..	..	..	..	..	..
Total de ingresos tributarios	**..**	**268**	**577**	**752**	**792**	**..**	**..**	**..**	**..**	**..**

Millones XCD

	Gobiernos locales					Autoridades de seguridad social[1]				
	1990	2000	2010	2022	2023	1990	2000	2010	2022	2023
1000 Imp. renta, utilidades y ganancias de capital	**..**	**..**	**..**	**..**	**..**	**..**	**..**	**0**	**0**	**0**
1100 De personas físicas	..	..	..	..	..	..	..	..	..	..
1200 De sociedades	..	..	..	..	..	..	..	..	..	..
1300 No clasificables entre 1100 y 1200	..	..	..	..	..	..	..	..	..	..
2000 Contribuciones a la seguridad social	**..**	**..**	**..**	**..**	**..**	**..**	**..**	**83**	**160**	**175**
2100 Empleados	..	..	..	..	..	..	..	..	..	..
2200 Empleadores	..	..	..	..	..	..	..	..	..	..
2300 Trabajadores por cuenta propia o no empleados	..	..	..	..	..	..	..	..	..	..
2400 No clasificables entre 2100, 2200 y 2300	..	..	..	..	..	..	..	83	160	175
3000 Imp. sobre nómina y fuerza de trabajo	**..**	**..**	**..**	**..**	**..**	**..**	**..**	**0**	**0**	**0**
4000 Impuestos sobre la propiedad	**..**	**..**	**..**	**..**	**..**	**..**	**..**	**0**	**0**	**0**
4100 Imp. recurrentes sobre propiedad inmueble	..	..	..	..	..	..	..	..	..	..
4200 Impuestos recurrentes sobre la riqueza neta	..	..	..	..	..	..	..	..	..	..
4300 Impuestos sobre sucesiones y donaciones	..	..	..	..	..	..	..	..	..	..
4400 Imp. transacciones finan. y de capital	..	..	..	..	..	..	..	..	..	..
4500 Otros imp. no recurrentes sobre propiedad	..	..	..	..	..	..	..	..	..	..
4600 Otros imp. recurrentes sobre propiedad	..	..	..	..	..	..	..	..	..	..
5000 Impuestos sobre los bienes y servicios	**..**	**..**	**..**	**..**	**..**	**..**	**..**	**0**	**0**	**0**
5100 Imp. sobre la producción, venta, etc.	..	..	..	..	..	..	..	..	..	..
5110 Impuestos generales	..	..	..	..	..	..	..	..	..	..
5120 Impuestos sobre bienes y servicios específicos	..	..	..	..	..	..	..	..	..	..
5130 No clasificables entre 5110 y 5120	..	..	..	..	..	..	..	..	..	..
5200 Sobre uso bienes y permiso para actividades	..	..	..	..	..	..	..	..	..	..
5300 No clasificables entre 5100 y 5200	..	..	..	..	..	..	..	..	..	..
6000 Otros impuestos	**..**	**..**	**..**	**..**	**..**	**..**	**..**	**0**	**0**	**0**
6100 Pagados únicamente por empresas	..	..	..	..	..	..	..	..	..	..
6200 Pagados por otros o no identificables	..	..	..	..	..	..	..	..	..	..
Total de ingresos tributarios	**..**	**..**	**..**	**..**	**..**	**..**	**..**	**83**	**160**	**175**

.. No disponible

1. Las cifras del período 2019-2023 son una estimación.

Cuadro 6.2. Argentina, ingresos tributarios por subsectores de gobierno general

Millones ARS

	Gobierno federal					Estatal/Regional				
	1990	2000	2010	2022	2023	1990	2000	2010	2022	2023
1000 Imp. renta, utilidades y ganancias de capital	**542**	**11 303**	**78 427**	**4 727 878**	**8 815 183**	**0**	**0**	**0**	**0**	**0**
1100 De personas físicas	141	3 937	23 980	2 091 474	4 143 024	..	..	..	..	..
1200 De sociedades	357	6 575	50 664	2 390 528	4 205 785	..	..	..	..	..
1300 No clasificables entre 1100 y 1200	43	792	3 783	245 876	466 374	..	..	..	..	..
2000 Contribuciones a la seguridad social[1]	**0**	**0**	**0**	**0**	**0**	**0**	**0**	**0**	**0**	**0**
2100 Empleados	..	..	..	..	..	..	..	..	..	..
2200 Empleadores	..	..	..	..	..	..	..	..	..	..
2300 Trabajadores por cuenta propia o no empleados	..	..	..	..	..	..	..	..	..	..
2400 No clasificables entre 2100, 2200 y 2300	..	..	..	..	..	..	..	..	..	..
3000 Imp. sobre nómina y fuerza de trabajo	**0**	**0**	**0**	**0**	**0**	**0**	**0**	**0**	**0**	**0**
4000 Impuestos sobre la propiedad	**616**	**1 254**	**32 674**	**1 786 657**	**4 180 208**	**549**	**2 614**	**10 864**	**614 364**	**1 126 125**
4100 Imp. recurrentes sobre propiedad inmueble	0	0	0	0	0	419	1 809	5 035	262 053	434 854
4200 Impuestos recurrentes sobre la riqueza neta	246	1 084	5 248	428 916	1 002 323	0	0	0	0	0
4300 Impuestos sobre sucesiones y donaciones	0	0	0	0	0	0	0	0	0	0
4400 Imp. transacciones finan. y de capital	330	100	27 423	1 357 741	3 177 884	130	804	5 829	352 310	691 270
4500 Otros imp. no recurrentes sobre propiedad	40	70	3	0	0	0	0	0	0	0
4600 Otros imp. recurrentes sobre propiedad	0	0	0	0	0	0	0	0	0	0
5000 Impuestos sobre los bienes y servicios	**4 669**	**27 592**	**198 346**	**9 336 887**	**20 771 346**	**967**	**6 947**	**54 746**	**3 502 540**	**8 413 028**
5100 Imp. sobre la producción, venta, etc.	4 671	28 174	201 402	9 446 857	21 005 296	791	6 114	51 148	3 312 564	8 094 547
5110 Impuestos generales	1 594	19 009	116 386	5 831 330	14 791 510	791	6 114	51 148	3 312 564	8 094 547
5120 Impuestos sobre bienes y servicios específicos	3 077	9 166	85 016	3 615 528	6 213 786	0	0	0	0	0
5130 No clasificables entre 5110 y 5120	0	0	0	0	0	0	0	0	0	0
5200 Sobre uso bienes y permiso para actividades[2]	..	..	..	..	..	177	833	3 598	189 977	318 481
5300 No clasificables entre 5100 y 5200	-3	-583	-3 056	-109 970	-233 950	0	0	0	0	0
6000 Otros impuestos	**214**	**395**	**2 386**	**58 005**	**114 973**	**78**	**1 309**	**3 110**	**72 233**	**146 186**
6100 Pagados únicamente por empresas	0	354	2 093	39 721	68 791	0	0	0	0	0
6200 Pagados por otros o no identificables[3]	214	41	294	18 284	46 182	78	1 309	3 110	72 233	146 186
Total de ingresos tributarios	**6 040**	**40 544**	**311 834**	**15 909 427**	**33 881 710**	**1 594**	**10 870**	**68 720**	**4 189 137**	**9 685 339**

Millones ARS

	Gobiernos locales					Autoridades de seguridad social				
	1990	2000	2010	2022	2023	1990	2000	2010	2022	2023
1000 Imp. renta, utilidades y ganancias de capital	**..**	**..**	**..**	**..**	**..**	**0**	**0**	**0**	**0**	**0**
1100 De personas físicas	..	..	..	..	..	..	..	..	..	..
1200 De sociedades	..	..	..	..	..	..	..	..	..	..
1300 No clasificables entre 1100 y 1200	..	..	..	..	..	..	..	..	..	..
2000 Contribuciones a la seguridad social[1]	**..**	**..**	**..**	**..**	**..**	**2 583**	**9 670**	**102 460**	**4 331 972**	**9 723 087**
2100 Empleados	..	..	..	..	..	..	2 486	37 990	1 719 052	3 786 892
2200 Empleadores	..	..	..	..	..	..	6 069	54 713	2 492 899	5 718 848
2300 Trabajadores por cuenta propia o no empleados	..	..	..	..	..	98	1 115	9 757	120 021	217 347
2400 No clasificables entre 2100, 2200 y 2300	..	..	..	..	..	2 485	0	0	0	0
3000 Imp. sobre nómina y fuerza de trabajo	**..**	**..**	**..**	**..**	**..**	**0**	**0**	**0**	**0**	**0**
4000 Impuestos sobre la propiedad	**..**	**..**	**..**	**..**	**..**	**0**	**0**	**0**	**0**	**0**
4100 Imp. recurrentes sobre propiedad inmueble	..	..	..	..	..	..	..	..	..	..
4200 Impuestos recurrentes sobre la riqueza neta	..	..	..	..	..	..	..	..	..	..
4300 Impuestos sobre sucesiones y donaciones	..	..	..	..	..	..	..	..	..	..
4400 Imp. transacciones finan. y de capital	..	..	..	..	..	..	..	..	..	..
4500 Otros imp. no recurrentes sobre propiedad	..	..	..	..	..	..	..	..	..	..
4600 Otros imp. recurrentes sobre propiedad	..	..	..	..	..	..	..	..	..	..
5000 Impuestos sobre los bienes y servicios	**..**	**..**	**..**	**..**	**..**	**0**	**0**	**0**	**0**	**0**
5100 Imp. sobre la producción, venta, etc.	..	..	..	..	..	..	..	..	..	..
5110 Impuestos generales	..	..	..	..	..	..	..	..	..	..
5120 Impuestos sobre bienes y servicios específicos	..	..	..	..	..	..	..	..	..	..
5130 No clasificables entre 5110 y 5120	..	..	..	..	..	..	..	..	..	..
5200 Sobre uso bienes y permiso para actividades[2]	..	..	..	..	..	..	..	..	..	..
5300 No clasificables entre 5100 y 5200	..	..	..	..	..	..	..	..	..	..
6000 Otros impuestos	**..**	**..**	**..**	**..**	**..**	**0**	**0**	**0**	**0**	**0**
6100 Pagados únicamente por empresas	..	..	..	..	..	..	..	..	..	..
6200 Pagados por otros o no identificables[3]	..	..	..	..	..	..	..	..	..	..
Total de ingresos tributarios	**..**	**..**	**..**	**..**	**..**	**2 583**	**9 670**	**102 460**	**4 331 972**	**9 723 087**

.. No disponible

1. Es posible que se hayan infraestimado las cifras, porque excluyen tipos de contribuciones a la seguridad social a cuyos datos no es fácil acceder.
2. En los datos de la CEPAL, el impuesto a la propiedad de vehículos automotores se clasifica en la categoría 4000.
3. Los pagos de deudas tributarias de 2016 incluyen la recaudación tras la aplicación de un nuevo régimen de declaración de información voluntario en julio de 2016 (Ley 27260).

Cuadro 6.3. Bahamas, ingresos tributarios por subsectores de gobierno general

Millones BSD

	Gobierno federal					Estatal/Regional				
	1990	2000	2010	2022	2023	1990	2000	2010	2022	2023
1000 Imp. renta, utilidades y ganancias de capital	**0**	**0**	**0**	**0**	**0**	**..**	**..**	**..**	**..**	**..**
1100 De personas físicas	0	0	0	0	0	..	..	..	..	..
1200 De sociedades	0	0	0	0	0	..	..	..	..	..
1300 No clasificables entre 1100 y 1200	0	0	0	0	0	..	..	..	..	..
2000 Contribuciones a la seguridad social	**0**	**0**	**0**	**0**	**0**	**..**	**..**	**..**	**..**	**..**
2100 Empleados	..	..	..	..	..	..	..	..	..	..
2200 Empleadores	..	..	..	..	..	..	..	..	..	..
2300 Trabajadores por cuenta propia o no empleados	..	..	..	..	..	..	..	..	..	..
2400 No clasificables entre 2100, 2200 y 2300	..	..	..	..	..	..	..	..	..	..
3000 Imp. sobre nómina y fuerza de trabajo	**0**	**0**	**0**	**0**	**0**	**..**	**..**	**..**	**..**	**..**
4000 Impuestos sobre la propiedad	**56**	**208**	**269**	**241**	**276**	**..**	**..**	**..**	**..**	**..**
4100 Imp. recurrentes sobre propiedad inmueble	19	32	92	147	162	..	..	..	..	..
4200 Impuestos recurrentes sobre la riqueza neta	0	0	0	0	0	..	..	..	..	..
4300 Impuestos sobre sucesiones y donaciones	0	0	0	0	0	..	..	..	..	..
4400 Imp. transacciones finan. y de capital	37	176	177	94	115	..	..	..	..	..
4500 Otros imp. no recurrentes sobre propiedad	0	0	0	0	0	..	..	..	..	..
4600 Otros imp. recurrentes sobre propiedad	0	0	0	0	0	..	..	..	..	..
5000 Impuestos sobre los bienes y servicios	**386**	**620**	**780**	**1 917**	**2 198**	**..**	**..**	**..**	**..**	**..**
5100 Imp. sobre la producción, venta, etc.	354	552	657	1 745	1 994	..	..	..	..	..
5110 Impuestos generales	0	0	0	1 136	1 252	..	..	..	..	..
5120 Impuestos sobre bienes y servicios específicos	354	552	657	609	742	..	..	..	..	..
5130 No clasificables entre 5110 y 5120	0	0	0	0	0	..	..	..	..	..
5200 Sobre uso bienes y permiso para actividades	32	69	123	172	204	..	..	..	..	..
5300 No clasificables entre 5100 y 5200	0	0	0	0	0	..	..	..	..	..
6000 Otros impuestos	**-4**	**21**	**60**	**0**	**0**	**..**	**..**	**..**	**..**	**..**
6100 Pagados únicamente por empresas	0	0	0	..	..	..	..	..	..	..
6200 Pagados por otros o no identificables	-4	21	60	..	..	..	..	..	..	..
Total de ingresos tributarios	**438**	**849**	**1 109**	**2 158**	**2 474**	**..**	**..**	**..**	**..**	**..**

Millones BSD

	Gobiernos locales					Autoridades de seguridad social[1]				
	1990	2000	2010	2022	2023	1990	2000	2010	2022	2023
1000 Imp. renta, utilidades y ganancias de capital	**..**	**..**	**..**	**..**	**..**	**0**	**0**	**0**	**0**	**0**
1100 De personas físicas	..	..	..	..	..	..	..	..	..	..
1200 De sociedades	..	..	..	..	..	..	..	..	..	..
1300 No clasificables entre 1100 y 1200	..	..	..	..	..	..	..	..	..	..
2000 Contribuciones a la seguridad social	**..**	**..**	**..**	**..**	**..**	**66**	**115**	**167**	**278**	**315**
2100 Empleados	..	..	..	..	..	..	..	60	..	..
2200 Empleadores	..	..	..	..	..	..	..	104	..	..
2300 Trabajadores por cuenta propia o no empleados	..	..	..	..	..	..	..	3	..	..
2400 No clasificables entre 2100, 2200 y 2300	..	..	..	..	..	66	115	0	278	315
3000 Imp. sobre nómina y fuerza de trabajo	**..**	**..**	**..**	**..**	**..**	**0**	**0**	**0**	**0**	**0**
4000 Impuestos sobre la propiedad	**..**	**..**	**..**	**..**	**..**	**0**	**0**	**0**	**0**	**0**
4100 Imp. recurrentes sobre propiedad inmueble	..	..	..	..	..	..	..	..	..	..
4200 Impuestos recurrentes sobre la riqueza neta	..	..	..	..	..	..	..	..	..	..
4300 Impuestos sobre sucesiones y donaciones	..	..	..	..	..	..	..	..	..	..
4400 Imp. transacciones finan. y de capital	..	..	..	..	..	..	..	..	..	..
4500 Otros imp. no recurrentes sobre propiedad	..	..	..	..	..	..	..	..	..	..
4600 Otros imp. recurrentes sobre propiedad	..	..	..	..	..	..	..	..	..	..
5000 Impuestos sobre los bienes y servicios	**..**	**..**	**..**	**..**	**..**	**0**	**0**	**0**	**0**	**0**
5100 Imp. sobre la producción, venta, etc.	..	..	..	..	..	..	..	..	..	..
5110 Impuestos generales	..	..	..	..	..	..	..	..	..	..
5120 Impuestos sobre bienes y servicios específicos	..	..	..	..	..	..	..	..	..	..
5130 No clasificables entre 5110 y 5120	..	..	..	..	..	..	..	..	..	..
5200 Sobre uso bienes y permiso para actividades	..	..	..	..	..	..	..	..	..	..
5300 No clasificables entre 5100 y 5200	..	..	..	..	..	..	..	..	..	..
6000 Otros impuestos	**..**	**..**	**..**	**..**	**..**	**0**	**0**	**0**	**..**	**..**
6100 Pagados únicamente por empresas	..	..	..	..	..	..	..	..	..	..
6200 Pagados por otros o no identificables	..	..	..	..	..	..	..	..	..	..
Total de ingresos tributarios	**..**	**..**	**..**	**..**	**..**	**66**	**115**	**167**	**278**	**315**

.. No disponible

1. Los datos de las contribuciones a la seguridad social de 2022 y 2023 son estimaciones.

Cuadro 6.4. Barbados, ingresos tributarios por subsectores de gobierno general

Millones BBD

	Gobierno federal					Estatal/Regional				
	1990	2000	2010	2022	2023	1990	2000	2010	2022	2023
1000 Imp. renta, utilidades y ganancias de capital	**250**	**599**	**766**	**1 111**	**1 108**	..	..	..	..	..
1100 De personas físicas	140	293	395	407	447	..	..	..	..	..
1200 De sociedades	95	269	294	624	563	..	..	..	..	..
1300 No clasificables entre 1100 y 1200	15	37	76	81	97	..	..	..	..	..
2000 Contribuciones a la seguridad social	**0**	**0**	**0**	**0**	**0**	..	..	..	..	..
2100 Empleados	..	..	..	..	..	..	..	..	..	..
2200 Empleadores	..	..	..	..	..	..	..	..	..	..
2300 Trabajadores por cuenta propia o no empleados	..	..	..	..	..	..	..	..	..	..
2400 No clasificables entre 2100, 2200 y 2300	..	..	..	..	..	..	..	..	..	..
3000 Imp. sobre nómina y fuerza de trabajo	**0**	**0**	**0**	**0**	**0**	..	..	..	..	..
4000 Impuestos sobre la propiedad	**147**	**108**	**130**	**239**	**237**	..	..	..	..	..
4100 Imp. recurrentes sobre propiedad inmueble	46	95	118	217	219	..	..	..	..	..
4200 Impuestos recurrentes sobre la riqueza neta	0	0	0	0	0	..	..	..	..	..
4300 Impuestos sobre sucesiones y donaciones	0	0	0	0	0	..	..	..	..	..
4400 Imp. transacciones finan. y de capital	101	13	12	22	18	..	..	..	..	..
4500 Otros imp. no recurrentes sobre propiedad	0	0	0	0	0	..	..	..	..	..
4600 Otros imp. recurrentes sobre propiedad	0	0	0	0	0	..	..	..	..	..
5000 Impuestos sobre los bienes y servicios	**495**	**889**	**1 276**	**1 761**	**1 861**	..	..	..	..	..
5100 Imp. sobre la producción, venta, etc.	424	788	1 105	1 686	1 754	..	..	..	..	..
5110 Impuestos generales	197	492	768	1 023	1 096	..	..	..	..	..
5120 Impuestos sobre bienes y servicios específicos	227	296	337	663	659	..	..	..	..	..
5130 No clasificables entre 5110 y 5120	0	0	0	0	0	..	..	..	..	..
5200 Sobre uso bienes y permiso para actividades	71	101	171	75	107	..	..	..	..	..
5300 No clasificables entre 5100 y 5200	0	0	0	0	0	..	..	..	..	..
6000 Otros impuestos	**0**	**0**	**0**	**0**	**0**	..	..	..	..	..
6100 Pagados únicamente por empresas	..	..	..	..	..	..	..	..	..	..
6200 Pagados por otros o no identificables	..	..	..	..	..	..	..	..	..	..
Total de ingresos tributarios	**892**	**1 596**	**2 171**	**3 111**	**3 206**	..	..	..	..	..

Millones BBD

	Gobiernos locales					Autoridades de seguridad social				
	1990	2000	2010	2022	2023	1990	2000	2010	2022	2023
1000 Imp. renta, utilidades y ganancias de capital	..	..	..	..	..	**0**	**0**	**0**	**0**	**0**
1100 De personas físicas	..	..	..	..	..	..	..	..	..	..
1200 De sociedades	..	..	..	..	..	..	..	..	..	..
1300 No clasificables entre 1100 y 1200	..	..	..	..	..	..	..	..	..	..
2000 Contribuciones a la seguridad social	..	..	..	..	..	**134**	**295**	**565**	**621**	**649**
2100 Empleados	..	..	..	..	..	..	..	..	..	..
2200 Empleadores	..	..	..	..	..	..	..	..	..	..
2300 Trabajadores por cuenta propia o no empleados	..	..	..	..	..	..	..	..	..	..
2400 No clasificables entre 2100, 2200 y 2300	..	..	..	..	..	134	295	565	621	649
3000 Imp. sobre nómina y fuerza de trabajo	..	..	..	..	..	**0**	**0**	**0**	**0**	**0**
4000 Impuestos sobre la propiedad	..	..	..	..	..	**0**	**0**	**0**	**0**	**0**
4100 Imp. recurrentes sobre propiedad inmueble	..	..	..	..	..	..	..	..	..	..
4200 Impuestos recurrentes sobre la riqueza neta	..	..	..	..	..	..	..	..	..	..
4300 Impuestos sobre sucesiones y donaciones	..	..	..	..	..	..	..	..	..	..
4400 Imp. transacciones finan. y de capital	..	..	..	..	..	..	..	..	..	..
4500 Otros imp. no recurrentes sobre propiedad	..	..	..	..	..	..	..	..	..	..
4600 Otros imp. recurrentes sobre propiedad	..	..	..	..	..	..	..	..	..	..
5000 Impuestos sobre los bienes y servicios	..	..	..	..	..	**0**	**0**	**0**	**0**	**0**
5100 Imp. sobre la producción, venta, etc.	..	..	..	..	..	..	..	..	..	..
5110 Impuestos generales	..	..	..	..	..	..	..	..	..	..
5120 Impuestos sobre bienes y servicios específicos	..	..	..	..	..	..	..	..	..	..
5130 No clasificables entre 5110 y 5120	..	..	..	..	..	..	..	..	..	..
5200 Sobre uso bienes y permiso para actividades	..	..	..	..	..	..	..	..	..	..
5300 No clasificables entre 5100 y 5200	..	..	..	..	..	..	..	..	..	..
6000 Otros impuestos	..	..	..	..	..	**0**	**0**	**0**	**0**	**0**
6100 Pagados únicamente por empresas	..	..	..	..	..	..	..	..	..	..
6200 Pagados por otros o no identificables	..	..	..	..	..	..	..	..	..	..
Total de ingresos tributarios	..	..	..	..	..	**134**	**295**	**565**	**621**	**649**

.. No disponible

Cuadro 6.5. Belice, ingresos tributarios por subsectores de gobierno general

Millones BZD

	Gobierno federal					Estatal/Regional				
	1990	2000	2010	2022	2023	1990	2000	2010	2022	2023
1000 Imp. renta, utilidades y ganancias de capital	**37**	**76**	**248**	**308**	**349**	..	..	..	..	..
1100 De personas físicas	21	19	52	111	126	..	..	..	..	..
1200 De sociedades	12	51	189	178	209	..	..	..	..	..
1300 No clasificables entre 1100 y 1200	4	6	7	18	13	..	..	..	..	..
2000 Contribuciones a la seguridad social	**0**	**0**	**0**	**0**	**0**	..	..	..	..	..
2100 Empleados	..	..	..	..	..	..	..	..	..	..
2200 Empleadores	..	..	..	..	..	..	..	..	..	..
2300 Trabajadores por cuenta propia o no empleados	..	..	..	..	..	..	..	..	..	..
2400 No clasificables entre 2100, 2200 y 2300	..	..	..	..	..	..	..	..	..	..
3000 Imp. sobre nómina y fuerza de trabajo	**0**	**0**	**0**	**0**	**0**	..	..	..	..	..
4000 Impuestos sobre la propiedad	**33**	**11**	**16**	**50**	**66**	..	..	..	..	..
4100 Imp. recurrentes sobre propiedad inmueble	0	0	0	0	0	..	..	..	..	..
4200 Impuestos recurrentes sobre la riqueza neta	0	0	0	0	0	..	..	..	..	..
4300 Impuestos sobre sucesiones y donaciones	0	0	0	0	0	..	..	..	..	..
4400 Imp. transacciones finan. y de capital	33	11	16	50	66	..	..	..	..	..
4500 Otros imp. no recurrentes sobre propiedad	0	0	0	0	0	..	..	..	..	..
4600 Otros imp. recurrentes sobre propiedad	0	0	0	0	0	..	..	..	..	..
5000 Impuestos sobre los bienes y servicios	**97**	**211**	**409**	**825**	**918**	..	..	..	..	..
5100 Imp. sobre la producción, venta, etc.	94	207	400	815	910	..	..	..	..	..
5110 Impuestos generales	0	82	199	381	421	..	..	..	..	..
5120 Impuestos sobre bienes y servicios específicos	94	125	200	433	488	..	..	..	..	..
5130 No clasificables entre 5110 y 5120	0	0	0	0	0	..	..	..	..	..
5200 Sobre uso bienes y permiso para actividades	3	4	9	11	9	..	..	..	..	..
5300 No clasificables entre 5100 y 5200	0	0	0	0	0	..	..	..	..	..
6000 Otros impuestos	**0**	**0**	**0**	**0**	**0**	..	..	..	..	..
6100 Pagados únicamente por empresas	..	..	..	..	..	..	..	..	..	..
6200 Pagados por otros o no identificables	..	..	..	..	..	..	..	..	..	..
Total de ingresos tributarios	**167**	**298**	**673**	**1 182**	**1 333**	..	..	..	..	..

Millones BZD

	Gobiernos locales					Autoridades de seguridad social				
	1990	2000	2010	2022	2023	1990	2000	2010	2022	2023
1000 Imp. renta, utilidades y ganancias de capital	**0**	**0**	**0**	**0**	**0**	**0**	**0**	**0**	**0**	**0**
1100 De personas físicas	..	..	..	..	..	..	..	..	..	..
1200 De sociedades	..	..	..	..	..	..	..	..	..	..
1300 No clasificables entre 1100 y 1200	..	..	..	..	..	..	..	..	..	..
2000 Contribuciones a la seguridad social	**0**	**0**	**0**	**0**	**0**	**10**	**18**	**60**	**144**	**164**
2100 Empleados	..	..	..	..	..	..	..	..	..	..
2200 Empleadores	..	..	..	..	..	..	..	..	..	..
2300 Trabajadores por cuenta propia o no empleados	..	..	..	..	..	..	..	..	..	..
2400 No clasificables entre 2100, 2200 y 2300	..	..	..	..	..	10	18	60	144	164
3000 Imp. sobre nómina y fuerza de trabajo	**0**	**0**	**0**	**0**	**0**	**0**	**0**	**0**	**0**	**0**
4000 Impuestos sobre la propiedad	**1**	**2**	**7**	**8**	**7**	**0**	**0**	**0**	**0**	**0**
4100 Imp. recurrentes sobre propiedad inmueble	1	2	7	8	7	..	..	..	..	..
4200 Impuestos recurrentes sobre la riqueza neta	0	0	0	0	0	..	..	..	..	..
4300 Impuestos sobre sucesiones y donaciones	0	0	0	0	0	..	..	..	..	..
4400 Imp. transacciones finan. y de capital	0	0	0	0	0	..	..	..	..	..
4500 Otros imp. no recurrentes sobre propiedad	0	0	0	0	0	..	..	..	..	..
4600 Otros imp. recurrentes sobre propiedad	0	0	0	0	0	..	..	..	..	..
5000 Impuestos sobre los bienes y servicios	**0**	**0**	**0**	**0**	**0**	**0**	**0**	**0**	**0**	**0**
5100 Imp. sobre la producción, venta, etc.	..	..	..	..	..	..	..	..	..	..
5110 Impuestos generales	..	..	..	..	..	..	..	..	..	..
5120 Impuestos sobre bienes y servicios específicos	..	..	..	..	..	..	..	..	..	..
5130 No clasificables entre 5110 y 5120	..	..	..	..	..	..	..	..	..	..
5200 Sobre uso bienes y permiso para actividades	..	..	..	..	..	..	..	..	..	..
5300 No clasificables entre 5100 y 5200	..	..	..	..	..	..	..	..	..	..
6000 Otros impuestos	**0**	**0**	**0**	**0**	**0**	**0**	**0**	**0**	**0**	**0**
6100 Pagados únicamente por empresas	..	..	..	..	..	..	..	..	..	..
6200 Pagados por otros o no identificables	..	..	..	..	..	..	..	..	..	..
Total de ingresos tributarios	**1**	**2**	**7**	**8**	**7**	**10**	**18**	**60**	**144**	**164**

.. No disponible

Cuadro 6.6. Bolivia, ingresos tributarios por subsectores de gobierno general

Millones BOB

	Gobierno federal					Estatal/Regional				
	1990	2000	2010	2022	2023	1990	2000	2010	2022	2023
1000 Imp. renta, utilidades y ganancias de capital	**68**	**1 209**	**6 294**	**10 397**	**9 008**	**..**	**..**	**..**	**..**	**..**
1100 De personas físicas	68	214	263	502	883	..	..	..	..	..
1200 De sociedades	0	995	6 031	9 896	8 124	..	..	..	..	..
1300 No clasificables entre 1100 y 1200	0	0	0	0	0	..	..	..	..	..
2000 Contribuciones a la seguridad social	**0**	**0**	**0**	**0**	**0**	**..**	**..**	**..**	**..**	**..**
2100 Empleados	..	..	..	..	..	..	..	..	..	..
2200 Empleadores	..	..	..	..	..	..	..	..	..	..
2300 Trabajadores por cuenta propia o no empleados	..	..	..	..	..	..	..	..	..	..
2400 No clasificables entre 2100, 2200 y 2300	..	..	..	..	..	..	..	..	..	..
3000 Imp. sobre nómina y fuerza de trabajo	**0**	**0**	**0**	**0**	**0**	**..**	**..**	**..**	**..**	**..**
4000 Impuestos sobre la propiedad	**1**	**3**	**367**	**767**	**570**	**..**	**..**	**..**	**..**	**..**
4100 Imp. recurrentes sobre propiedad inmueble	0	0	0	0	0	..	..	..	..	..
4200 Impuestos recurrentes sobre la riqueza neta	0	0	0	205	180	..	..	..	..	..
4300 Impuestos sobre sucesiones y donaciones	1	3	20	0	0	..	..	..	..	..
4400 Imp. transacciones finan. y de capital	0	0	347	561	389	..	..	..	..	..
4500 Otros imp. no recurrentes sobre propiedad	0	0	0	0	0	..	..	..	..	..
4600 Otros imp. recurrentes sobre propiedad	0	0	0	0	0	..	..	..	..	..
5000 Impuestos sobre los bienes y servicios	**907**	**6 656**	**17 791**	**36 806**	**38 386**	**..**	**..**	**..**	**..**	**..**
5100 Imp. sobre la producción, venta, etc.	907	6 656	17 791	36 806	38 386	..	..	..	..	..
5110 Impuestos generales	584	3 953	12 541	27 953	29 137	..	..	..	..	..
5120 Impuestos sobre bienes y servicios específicos	324	2 702	5 250	8 853	9 249	..	..	..	..	..
5130 No clasificables entre 5110 y 5120	0	0	0	0	0	..	..	..	..	..
5200 Sobre uso bienes y permiso para actividades	0	0	0	0	0	..	..	..	..	..
5300 No clasificables entre 5100 y 5200	0	0	0	0	0	..	..	..	..	..
6000 Otros impuestos	**30**	**42**	**451**	**3 526**	**5 170**	**..**	**..**	**..**	**..**	**..**
6100 Pagados únicamente por empresas	4	6	12	30	40	..	..	..	..	..
6200 Pagados por otros o no identificables	26	36	439	3 496	5 130	..	..	..	..	..
Total de ingresos tributarios	**1 005**	**7 910**	**24 903**	**51 496**	**53 133**	**..**	**..**	**..**	**..**	**..**

Millones BOB

	Gobiernos locales[1]					Autoridades de seguridad social[2]				
	1990	2000	2010	2022	2023	1990	2000	2010	2022	2023
1000 Imp. renta, utilidades y ganancias de capital	**..**	**0**	**0**	**0**	**0**	**..**	**0**	**0**	**0**	**0**
1100 De personas físicas	..	..	..	..	..	..	..	..	..	..
1200 De sociedades	..	..	..	..	..	..	..	..	..	..
1300 No clasificables entre 1100 y 1200	..	..	..	..	..	..	..	..	..	..
2000 Contribuciones a la seguridad social	**..**	**0**	**0**	**0**	**0**	**..**	**666**	**5 265**	**17 351**	**17 908**
2100 Empleados	..	..	..	..	..	..	..	..	..	..
2200 Empleadores	..	..	..	..	..	..	..	..	..	..
2300 Trabajadores por cuenta propia o no empleados	..	..	..	..	..	..	..	..	..	..
2400 No clasificables entre 2100, 2200 y 2300	..	..	..	..	..	..	666	5 265	17 351	17 908
3000 Imp. sobre nómina y fuerza de trabajo	**..**	**0**	**0**	**0**	**0**	**..**	**0**	**0**	**0**	**0**
4000 Impuestos sobre la propiedad	**..**	**0**	**0**	**0**	**0**	**..**	**0**	**0**	**0**	**0**
4100 Imp. recurrentes sobre propiedad inmueble	..	..	..	..	..	..	..	..	..	..
4200 Impuestos recurrentes sobre la riqueza neta	..	..	..	..	..	..	..	..	..	..
4300 Impuestos sobre sucesiones y donaciones	..	..	..	..	..	..	..	..	..	..
4400 Imp. transacciones finan. y de capital	..	..	..	..	..	..	..	..	..	..
4500 Otros imp. no recurrentes sobre propiedad	..	..	..	..	..	..	..	..	..	..
4600 Otros imp. recurrentes sobre propiedad	..	..	..	..	..	..	..	..	..	..
5000 Impuestos sobre los bienes y servicios	**..**	**0**	**0**	**0**	**0**	**..**	**0**	**0**	**0**	**0**
5100 Imp. sobre la producción, venta, etc.	..	..	..	..	..	..	..	..	..	..
5110 Impuestos generales	..	..	..	..	..	..	..	..	..	..
5120 Impuestos sobre bienes y servicios específicos	..	..	..	..	..	..	..	..	..	..
5130 No clasificables entre 5110 y 5120	..	..	..	..	..	..	..	..	..	..
5200 Sobre uso bienes y permiso para actividades	..	..	..	..	..	..	..	..	..	..
5300 No clasificables entre 5100 y 5200	..	..	..	..	..	..	..	..	..	..
6000 Otros impuestos	**..**	**575**	**1 381**	**3 166**	**3 378**	**..**	**0**	**0**	**0**	**0**
6100 Pagados únicamente por empresas	..	0	0	0	0	..	..	..	..	..
6200 Pagados por otros o no identificables	..	575	1 381	3 166	3 378	..	..	..	..	..
Total de ingresos tributarios	**..**	**575**	**1 381**	**3 166**	**3 378**	**..**	**666**	**5 265**	**17 351**	**17 908**

.. No disponible

1. Las cifras no incluyen los ingresos tributarios de las administraciones locales en relación con el período comprendido entre 1990 y 1993, porque no hay datos disponibles.
2. Los datos correspondientes a las contribuciones a la seguridad social incluyen las contribuciones al sistema de pensiones de Bolivia (desde su nacionalización en 2010) y los fondos relacionados con la atención sanitaria.

Cuadro 6.7. Brasil, ingresos tributarios por subsectores de gobierno general

Millones BRL

	Gobierno federal					Estatal/Regional				
	1990	2000	2010	2022	2023	1990	2000	2010	2022	2023
1000 Imp. renta, utilidades y ganancias de capital	**1**	**68 667**	**258 738**	**908 977**	**940 529**	**0**	**0**	**0**	**0**	**0**
1100 De personas físicas	0	3 406	87 828	303 926	331 196	..	..	..	..	..
1200 De sociedades	0	25 430	128 255	437 358	399 090	..	..	..	..	..
1300 No clasificables entre 1100 y 1200	0	39 831	42 656	167 693	210 244	..	..	..	..	..
2000 Contribuciones a la seguridad social	**0**	**0**	**0**	**0**	**0**	**0**	**0**	**0**	**0**	**0**
2100 Empleados	..	..	..	..	..	..	..	..	..	..
2200 Empleadores	..	..	..	..	..	..	..	..	..	..
2300 Trabajadores por cuenta propia o no empleados	..	..	..	..	..	..	..	..	..	..
2400 No clasificables entre 2100, 2200 y 2300	..	..	..	..	..	..	..	..	..	..
3000 Imp. sobre nómina y fuerza de trabajo	**0**	**5 437**	**21 348**	**54 762**	**61 267**	**0**	**0**	**0**	**0**	**0**
4000 Impuestos sobre la propiedad	**0**	**17 726**	**27 044**	**61 583**	**64 757**	**0**	**329**	**3 166**	**14 613**	**16 473**
4100 Imp. recurrentes sobre propiedad inmueble	0	234	485	2 594	3 041	0	0	437	1 218	1 213
4200 Impuestos recurrentes sobre la riqueza neta	0	0	0	0	0	0	0	0	0	0
4300 Impuestos sobre sucesiones y donaciones	0	0	0	0	0	0	329	2 518	12 874	14 714
4400 Imp. transacciones finan. y de capital	0	17 492	26 559	58 989	61 716	0	0	210	521	546
4500 Otros imp. no recurrentes sobre propiedad	0	0	0	0	0	0	0	0	0	0
4600 Otros imp. recurrentes sobre propiedad	0	0	0	0	0	0	0	0	0	0
5000 Impuestos sobre los bienes y servicios	**1**	**75 502**	**257 124**	**489 626**	**497 315**	**1**	**87 573**	**290 506**	**755 645**	**783 502**
5100 Imp. sobre la producción, venta, etc.	1	75 502	251 726	480 233	497 314	1	82 279	269 140	691 720	703 756
5110 Impuestos generales[1]	0	48 358	182 188	351 018	369 668	1	82 279	269 056	691 493	703 471
5120 Impuestos sobre bienes y servicios específicos	0	27 144	69 538	129 216	127 646	0	0	84	226	285
5130 No clasificables entre 5110 y 5120	0	0	0	0	0	0	0	0	0	0
5200 Sobre uso bienes y permiso para actividades	0	0	5 399	9 392	1	0	5 294	21 367	63 925	79 746
5300 No clasificables entre 5100 y 5200	0	0	0	0	0	0	0	0	0	0
6000 Otros impuestos	**0**	**1 479**	**480**	**92**	**14 911**	**0**	**322**	**0**	**0**	**0**
6100 Pagados únicamente por empresas	0	0	0	0	0	0	0	..	..	..
6200 Pagados por otros o no identificables	0	1 479	480	92	14 911	0	322	..	..	..
Total de ingresos tributarios	**1**	**168 811**	**564 734**	**1 515 040**	**1 578 779**	**1**	**88 224**	**293 672**	**770 258**	**799 975**

Millones BRL

	Gobiernos locales					Autoridades de seguridad social				
	1990	2000	2010	2022	2023	1990	2000	2010	2022	2023
1000 Imp. renta, utilidades y ganancias de capital	**0**	**0**	**0**	**0**	**0**	**0**	**0**	**0**	**0**	**0**
1100 De personas físicas	..	..	..	..	..	..	..	..	..	..
1200 De sociedades	..	..	..	..	..	..	..	..	..	..
1300 No clasificables entre 1100 y 1200	..	..	..	..	..	..	..	..	..	..
2000 Contribuciones a la seguridad social	**0**	**0**	**0**	**0**	**0**	**1**	**83 469**	**316 530**	**797 991**	**874 486**
2100 Empleados	..	..	..	..	..	..	..	75 509	196 952	..
2200 Empleadores	..	..	..	..	..	0	18 709	240 280	585 739	175 433
2300 Trabajadores por cuenta propia o no empleados	..	..	..	..	..	..	..	..	..	..
2400 No clasificables entre 2100, 2200 y 2300	..	..	..	..	..	1	64 760	741	15 300	699 053
3000 Imp. sobre nómina y fuerza de trabajo	**0**	**0**	**0**	**0**	**0**	**0**	**0**	**0**	**0**	**0**
4000 Impuestos sobre la propiedad	**0**	**5 469**	**23 285**	**79 610**	**86 420**	**0**	**0**	**0**	**0**	**0**
4100 Imp. recurrentes sobre propiedad inmueble	0	4 519	17 444	60 689	65 305	..	..	..	..	..
4200 Impuestos recurrentes sobre la riqueza neta	0	0	0	0	0	..	..	..	..	..
4300 Impuestos sobre sucesiones y donaciones	0	0	0	0	0	..	..	..	..	..
4400 Imp. transacciones finan. y de capital	0	950	5 840	18 922	21 114	..	..	..	..	..
4500 Otros imp. no recurrentes sobre propiedad	0	0	0	0	0	..	..	..	..	..
4600 Otros imp. recurrentes sobre propiedad	0	0	0	0	0	..	..	..	..	..
5000 Impuestos sobre los bienes y servicios	**0**	**6 106**	**35 873**	**116 985**	**134 208**	**0**	**0**	**0**	**0**	**0**
5100 Imp. sobre la producción, venta, etc.	0	6 106	35 873	116 985	134 208	..	..	..	..	..
5110 Impuestos generales[1]	0	6 106	32 756	104 210	120 182	..	..	..	..	..
5120 Impuestos sobre bienes y servicios específicos	0	0	3 117	12 776	14 026	..	..	..	..	..
5130 No clasificables entre 5110 y 5120	0	0	0	0	0	..	..	..	..	..
5200 Sobre uso bienes y permiso para actividades	0	0	0	0	0	..	..	..	..	..
5300 No clasificables entre 5100 y 5200	0	0	0	0	0	..	..	..	..	..
6000 Otros impuestos	**0**	**377**	**0**	**0**	**389**	**0**	**0**	**0**	**0**	**0**
6100 Pagados únicamente por empresas	0	0	..	..	0	..	..	..	..	..
6200 Pagados por otros o no identificables	0	377	..	..	389	..	..	..	..	..
Total de ingresos tributarios	**0**	**11 952**	**59 158**	**196 596**	**221 017**	**1**	**83 469**	**316 530**	**797 991**	**874 486**

.. No disponible

1. Las contribuciones al PASEP (Programa de Formación del Patrimonio del Funcionariado) se suman a las contribuciones del PIS (Programa de Integración Social) en la partida 5110 en relación con los años previos a 2000.

Cuadro 6.8. Chile, ingresos tributarios por subsectores de gobierno general

Millones CLP

	Gobierno federal					Estatal/Regional				
	1990	2000	2010	2022	2023	1990	2000	2010	2022	2023
1000 Imp. renta, utilidades y ganancias de capital	**412 974**	**1 841 630**	**8 329 058**	**27 491 879**	**20 433 071**	**..**	**..**	**..**	**..**	**..**
1100 De personas físicas	99 154	604 100	1 492 837	6 626 617	5 424 215	..	..	..	..	..
1200 De sociedades	219 586	882 896	4 448 745	14 900 568	14 707 116	..	..	..	..	..
1300 No clasificables entre 1100 y 1200	94 233	354 634	2 387 477	5 964 694	301 739	..	..	..	..	..
2000 Contribuciones a la seguridad social	**66 738**	**232 728**	**371 386**	**548 558**	**610 121**	**..**	**..**	**..**	**..**	**..**
2100 Empleados	61 200	209 907	310 558	398 535	452 858	..	..	..	..	..
2200 Empleadores	5 538	22 821	60 828	150 023	157 262	..	..	..	..	..
2300 Trabajadores por cuenta propia o no empleados	0	0	0	0	0	..	..	..	..	..
2400 No clasificables entre 2100, 2200 y 2300	0	0	0	0	0	..	..	..	..	..
3000 Imp. sobre nómina y fuerza de trabajo	**0**	**0**	**0**	**0**	**0**	**..**	**..**	**..**	**..**	**..**
4000 Impuestos sobre la propiedad	**59 682**	**255 371**	**244 647**	**1 456 756**	**1 456 116**	**..**	**..**	**..**	**..**	**..**
4100 Imp. recurrentes sobre propiedad inmueble	10 331	3 578	8 408	274 828	469 386	..	..	..	..	..
4200 Impuestos recurrentes sobre la riqueza neta	0	0	0	0	0	..	..	..	..	..
4300 Impuestos sobre sucesiones y donaciones	3 444	10 906	39 338	416 219	240 541	..	..	..	..	..
4400 Imp. transacciones finan. y de capital	45 907	240 886	196 901	765 709	746 189	..	..	..	..	..
4500 Otros imp. no recurrentes sobre propiedad	0	0	0	0	0	..	..	..	..	..
4600 Otros imp. recurrentes sobre propiedad	0	0	0	0	0	..	..	..	..	..
5000 Impuestos sobre los bienes y servicios	**1 063 677**	**4 719 255**	**10 330 379**	**27 754 579**	**28 832 960**	**..**	**..**	**..**	**..**	**..**
5100 Imp. sobre la producción, venta, etc.	1 060 304	4 684 525	10 294 166	27 543 004	28 640 165	..	..	..	..	..
5110 Impuestos generales	664 421	3 306 350	8 399 927	24 515 246	24 179 491	..	..	..	..	..
5120 Impuestos sobre bienes y servicios específicos[1]	395 883	1 378 175	1 894 239	3 027 758	4 460 674	..	..	..	..	..
5130 No clasificables entre 5110 y 5120	0	0	0	0	0	..	..	..	..	..
5200 Sobre uso bienes y permiso para actividades	3 374	34 730	36 213	211 576	192 795	..	..	..	..	..
5300 No clasificables entre 5100 y 5200	0	0	0	0	0	..	..	..	..	..
6000 Otros impuestos	**-23 356**	**-112 195**	**-60 720**	**-722 555**	**-854 528**	**..**	**..**	**..**	**..**	**..**
6100 Pagados únicamente por empresas	0	0	0	0	0	..	..	..	..	..
6200 Pagados por otros o no identificables	-23 356	-112 195	-60 720	-722 555	-854 528	..	..	..	..	..
Total de ingresos tributarios	**1 579 715**	**6 936 788**	**19 214 751**	**56 529 218**	**50 477 740**	**..**	**..**	**..**	**..**	**..**

Millones CLP

	Gobiernos locales					Autoridades de seguridad social				
	1990	2000	2010	2022	2023	1990	2000	2010	2022	2023
1000 Imp. renta, utilidades y ganancias de capital	**0**	**0**	**0**	**0**	**0**	**0**	**0**	**0**	**0**	**0**
1100 De personas físicas	..	..	..	..	..	..	..	..	..	..
1200 De sociedades	..	..	..	..	..	..	..	..	..	..
1300 No clasificables entre 1100 y 1200	..	..	..	..	..	..	..	..	..	..
2000 Contribuciones a la seguridad social	**0**	**0**	**0**	**0**	**0**	**92 821**	**344 030**	**1 122 601**	**2 036 863**	**2 671 858**
2100 Empleados	..	..	..	..	..	92 821	344 030	1 122 601	2 036 863	2 671 858
2200 Empleadores	..	..	..	..	..	0	0	0	0	0
2300 Trabajadores por cuenta propia o no empleados	..	..	..	..	..	0	0	0	0	0
2400 No clasificables entre 2100, 2200 y 2300	..	..	..	..	..	0	0	0	0	0
3000 Imp. sobre nómina y fuerza de trabajo	**0**	**0**	**0**	**0**	**0**	**0**	**0**	**0**	**0**	**0**
4000 Impuestos sobre la propiedad	**49 637**	**298 666**	**623 261**	**2 009 425**	**2 296 094**	**0**	**0**	**0**	**0**	**0**
4100 Imp. recurrentes sobre propiedad inmueble	49 637	298 666	623 261	2 009 425	2 296 094	..	..	..	..	..
4200 Impuestos recurrentes sobre la riqueza neta	0	0	0	0	0	..	..	..	..	..
4300 Impuestos sobre sucesiones y donaciones	0	0	0	0	0	..	..	..	..	..
4400 Imp. transacciones finan. y de capital	0	0	0	0	0	..	..	..	..	..
4500 Otros imp. no recurrentes sobre propiedad	0	0	0	0	0	..	..	..	..	..
4600 Otros imp. recurrentes sobre propiedad	0	0	0	0	0	..	..	..	..	..
5000 Impuestos sobre los bienes y servicios	**55 045**	**322 514**	**854 778**	**2 325 932**	**2 660 682**	**0**	**0**	**0**	**0**	**0**
5100 Imp. sobre la producción, venta, etc.	13 705	105 302	238 739	535 676	602 611	..	..	..	..	..
5110 Impuestos generales	0	0	0	0	0	..	..	..	..	..
5120 Impuestos sobre bienes y servicios específicos[1]	13 705	105 302	238 739	535 676	602 611	..	..	..	..	..
5130 No clasificables entre 5110 y 5120	0	0	0	0	0	..	..	..	..	..
5200 Sobre uso bienes y permiso para actividades	41 340	217 212	616 039	1 790 256	2 058 071	..	..	..	..	..
5300 No clasificables entre 5100 y 5200	0	0	0	0	0	..	..	..	..	..
6000 Otros impuestos	**0**	**0**	**0**	**0**	**0**	**0**	**0**	**0**	**0**	**0**
6100 Pagados únicamente por empresas	..	..	..	..	..	..	..	..	..	..
6200 Pagados por otros o no identificables	..	..	..	..	..	..	..	..	..	..
Total de ingresos tributarios	**104 682**	**621 180**	**1 478 039**	**4 335 357**	**4 956 776**	**92 821**	**344 030**	**1 122 601**	**2 036 863**	**2 671 858**

.. No disponible

1. La CEPAL clasifica los ingresos del Fondo de Estabilización de Precios del Petróleo como ingresos no tributarios.

Cuadro 6.9. Colombia, ingresos tributarios por subsectores de gobierno general

Millones COP

	Gobierno federal					Estatal/Regional[1]				
	1990	2000	2010	2022	2023	1990	2000	2010	2022	2023
1000 Imp. renta, utilidades y ganancias de capital	**771 694**	**7 103 525**	**26 218 852**	**95 911 106**	**140 176 582**	**0**	**0**	**0**	**0**	**0**
1100 De personas físicas	47 210	1 499 345	5 192 384	20 356 452	25 786 518	..	..	..	..	..
1200 De sociedades	359 758	5 119 828	20 405 209	73 300 918	113 032 346	..	..	..	..	..
1300 No clasificables entre 1100 y 1200	364 726	484 352	621 258	2 253 735	1 357 718	..	..	..	..	..
2000 Contribuciones a la seguridad social	**0**	**0**	**0**	**0**	**0**	**0**	**0**	**0**	**0**	**0**
2100 Empleados	..	..	..	..	..	..	..	..	..	..
2200 Empleadores	..	..	..	..	..	..	..	..	..	..
2300 Trabajadores por cuenta propia o no empleados	..	..	..	..	..	..	..	..	..	..
2400 No clasificables entre 2100, 2200 y 2300	..	..	..	..	..	..	..	..	..	..
3000 Imp. sobre nómina y fuerza de trabajo	**0**	**1 286 803**	**4 022 503**	**4 421 997**	**5 025 164**	**0**	**0**	**0**	**0**	**0**
4000 Impuestos sobre la propiedad	**0**	**1 036 584**	**5 196 303**	**12 588 105**	**14 895 042**	**0**	**0**	**0**	**0**	**0**
4100 Imp. recurrentes sobre propiedad inmueble	..	0	0	0	0	..	..	..	..	..
4200 Impuestos recurrentes sobre la riqueza neta	..	0	1 970 530	73 113	1 221 366	..	..	..	..	..
4300 Impuestos sobre sucesiones y donaciones	..	0	0	0	0	..	..	..	..	..
4400 Imp. transacciones finan. y de capital	..	1 036 584	3 225 773	12 281 751	13 668 690	..	..	..	..	..
4500 Otros imp. no recurrentes sobre propiedad	..	0	0	233 241	4 986	..	..	..	..	..
4600 Otros imp. recurrentes sobre propiedad	..	0	0	0	0	..	..	..	..	..
5000 Impuestos sobre los bienes y servicios	**1 035 934**	**11 108 594**	**35 382 852**	**103 231 251**	**107 682 019**	**263 429**	**1 481 725**	**3 406 301**	**9 817 124**	**10 706 975**
5100 Imp. sobre la producción, venta, etc.	1 035 934	11 108 594	35 382 852	103 231 251	107 682 019	263 429	1 349 930	3 032 733	8 365 348	8 920 875
5110 Impuestos generales	583 078	8 445 776	28 811 682	91 723 278	95 426 768	0	0	0	0	0
5120 Impuestos sobre bienes y servicios específicos	452 856	2 662 818	6 571 170	11 507 974	12 255 251	263 429	1 349 930	3 032 733	8 365 348	8 920 875
5130 No clasificables entre 5110 y 5120	0	0	0	0	0	0	0	0	0	0
5200 Sobre uso bienes y permiso para actividades	0	0	0	0	0	0	131 795	373 568	1 451 776	1 786 100
5300 No clasificables entre 5100 y 5200	0	0	0	0	0	0	0	0	0	0
6000 Otros impuestos	**78 306**	**480 784**	**483 762**	**923 110**	**1 190 296**	**0**	**241 471**	**1 374 970**	**4 053 893**	**4 399 354**
6100 Pagados únicamente por empresas	0	0	0	0	0	..	0	0	0	0
6200 Pagados por otros o no identificables	78 306	480 784	483 762	923 110	1 190 296	..	241 471	1 374 970	4 053 893	4 399 354
Total de ingresos tributarios	**1 885 934**	**21 016 290**	**71 304 272**	**217 075 569**	**268 969 102**	**263 429**	**1 723 196**	**4 781 271**	**13 871 017**	**15 106 328**

Millones COP

	Gobiernos locales[1]					Autoridades de seguridad social[2]				
	1990	2000	2010	2022	2023	1990	2000	2010	2022	2023
1000 Imp. renta, utilidades y ganancias de capital	**0**	**0**	**0**	**0**	**0**	**0**	**0**	**0**	**0**	**0**
1100 De personas físicas	..	..	..	..	..	..	..	..	..	..
1200 De sociedades	..	..	..	..	..	..	..	..	..	..
1300 No clasificables entre 1100 y 1200	..	..	..	..	..	..	..	..	..	..
2000 Contribuciones a la seguridad social	**0**	**0**	**0**	**0**	**0**	**203 596**	**4 989 000**	**11 478 085**	**23 908 538**	**25 378 236**
2100 Empleados	..	..	..	..	..	..	..	..	..	..
2200 Empleadores	..	..	..	..	..	..	..	..	..	..
2300 Trabajadores por cuenta propia o no empleados	..	..	..	..	..	..	..	..	..	..
2400 No clasificables entre 2100, 2200 y 2300	..	..	..	..	..	203 596	4 989 000	11 478 085	23 908 538	25 378 236
3000 Imp. sobre nómina y fuerza de trabajo	**0**	**0**	**0**	**0**	**0**	**0**	**0**	**0**	**0**	**0**
4000 Impuestos sobre la propiedad	**56 160**	**991 070**	**3 338 935**	**9 937 041**	**11 007 128**	**0**	**0**	**0**	**0**	**0**
4100 Imp. recurrentes sobre propiedad inmueble	56 160	991 070	3 338 935	9 937 041	11 007 128	..	..	..	..	..
4200 Impuestos recurrentes sobre la riqueza neta	0	0	0	0	0	..	..	..	..	..
4300 Impuestos sobre sucesiones y donaciones	0	0	0	0	0	..	..	..	..	..
4400 Imp. transacciones finan. y de capital	0	0	0	0	0	..	..	..	..	..
4500 Otros imp. no recurrentes sobre propiedad	0	0	0	0	0	..	..	..	..	..
4600 Otros imp. recurrentes sobre propiedad	0	0	0	0	0	..	..	..	..	..
5000 Impuestos sobre los bienes y servicios	**89 290**	**1 590 132**	**5 622 489**	**16 283 558**	**19 787 871**	**0**	**0**	**0**	**0**	**0**
5100 Imp. sobre la producción, venta, etc.	89 290	1 590 132	5 622 489	15 449 777	18 749 117	..	..	..	..	..
5110 Impuestos generales	89 290	1 140 090	4 522 121	13 360 841	16 494 199	..	..	..	..	..
5120 Impuestos sobre bienes y servicios específicos	0	450 042	1 100 368	2 088 936	2 254 918	..	..	..	..	..
5130 No clasificables entre 5110 y 5120	0	0	0	0	0	..	..	..	..	..
5200 Sobre uso bienes y permiso para actividades	0	0	0	833 781	1 038 754	..	..	..	..	..
5300 No clasificables entre 5100 y 5200	0	0	0	0	0	..	..	..	..	..
6000 Otros impuestos	**81 017**	**288 942**	**1 930 282**	**7 766 603**	**9 550 912**	**0**	**0**	**0**	**0**	**0**
6100 Pagados únicamente por empresas	0	0	0	0	0	..	..	..	..	..
6200 Pagados por otros o no identificables	81 017	288 942	1 930 282	7 766 603	9 550 912	..	..	..	..	..
Total de ingresos tributarios	**226 467**	**2 870 144**	**10 891 707**	**33 987 202**	**40 345 911**	**203 596**	**4 989 000**	**11 478 085**	**23 908 538**	**25 378 236**

.. No disponible

1. Los datos corresponden a los ingresos consolidados declarados de las entidades territoriales (departamentos y municipios).
2. Todas las contribuciones en materia de salud pertenecientes al FOSYGA (Fondo de Solidaridad y Garantía) se clasifican como contribuciones a la seguridad social desde 2013. Antes de 2013, solo se incluía la parte de las contribuciones que se utilizaba para financiar el régimen subvencionado y la parte destinada a financiar el régimen contributivo se clasificaba dentro del sector de la seguridad social como "otros ingresos"

Cuadro 6.10. Costa Rica, ingresos tributarios por subsectores de gobierno general

Millones CRC

	Gobierno federal					Estatal/Regional				
	1990	2000	2010	2022	2023	1990	2000	2010	2022	2023
1000 Imp. renta, utilidades y ganancias de capital	**11 820**	**128 805**	**748 093**	**2 430 200**	**2 486 519**	**..**	**..**	**..**	**..**	**..**
1100 De personas físicas	..	..	202 849	691 305	670 835	..	..	..	..	..
1200 De sociedades	..	..	450 312	1 188 835	1 244 931	..	..	..	..	..
1300 No clasificables entre 1100 y 1200	11 820	128 805	94 932	550 059	570 753	..	..	..	..	..
2000 Contribuciones a la seguridad social[1]	**1 345**	**18 677**	**61 193**	**515 732**	**554 243**	**..**	**..**	**..**	**..**	**..**
2100 Empleados	..	..	..	..	..	..	..	..	..	..
2200 Empleadores	0	0	0	0	0	..	..	..	..	..
2300 Trabajadores por cuenta propia o no empleados	..	..	..	..	..	..	..	..	..	..
2400 No clasificables entre 2100, 2200 y 2300	1 345	18 677	61 193	515 732	554 243	..	..	..	..	..
3000 Imp. sobre nómina y fuerza de trabajo	**0**	**0**	**0**	**0**	**0**	**..**	**..**	**..**	**..**	**..**
4000 Impuestos sobre la propiedad	**366**	**3 007**	**18 270**	**71 009**	**65 393**	**..**	**..**	**..**	**..**	**..**
4100 Imp. recurrentes sobre propiedad inmueble	0	0	3 527	5 206	5 424	..	..	..	..	..
4200 Impuestos recurrentes sobre la riqueza neta	0	0	0	0	0	..	..	..	..	..
4300 Impuestos sobre sucesiones y donaciones	0	0	0	0	0	..	..	..	..	..
4400 Imp. transacciones finan. y de capital	366	3 007	14 743	65 802	59 970	..	..	..	..	..
4500 Otros imp. no recurrentes sobre propiedad	0	0	0	0	0	..	..	..	..	..
4600 Otros imp. recurrentes sobre propiedad	0	0	0	0	0	..	..	..	..	..
5000 Impuestos sobre los bienes y servicios	**52 248**	**444 870**	**1 696 593**	**3 519 484**	**3 746 704**	**..**	**..**	**..**	**..**	**..**
5100 Imp. sobre la producción, venta, etc.	49 867	425 630	1 598 789	3 326 853	3 541 201	..	..	..	..	..
5110 Impuestos generales	21 326	222 775	920 298	2 217 743	2 312 188	..	..	..	..	..
5120 Impuestos sobre bienes y servicios específicos[2]	28 541	202 856	678 491	1 109 110	1 229 012	..	..	..	..	..
5130 No clasificables entre 5110 y 5120	0	0	0	0	0	..	..	..	..	..
5200 Sobre uso bienes y permiso para actividades	2 380	19 240	97 804	192 631	205 504	..	..	..	..	..
5300 No clasificables entre 5100 y 5200	0	0	0	0	0	..	..	..	..	..
6000 Otros impuestos[3]	**9 251**	**23 956**	**92 452**	**394 676**	**222 541**	**..**	**..**	**..**	**..**	**..**
6100 Pagados únicamente por empresas	0	0	0	0	0	..	..	..	..	..
6200 Pagados por otros o no identificables	9 251	23 956	92 452	394 676	222 541	..	..	..	..	..
Total de ingresos tributarios	**75 030**	**619 314**	**2 616 600**	**6 931 100**	**7 075 402**	**..**	**..**	**..**	**..**	**..**

Millones CRC

	Gobiernos locales					Autoridades de seguridad social				
	1990	2000	2010	2022	2023	1990	2000	2010	2022	2023
1000 Imp. renta, utilidades y ganancias de capital	**0**	**0**	**0**	**0**	**0**	**0**	**0**	**0**	**0**	**0**
1100 De personas físicas	..	..	..	..	..	..	..	..	..	..
1200 De sociedades	..	..	..	..	..	..	..	..	..	..
1300 No clasificables entre 1100 y 1200	..	..	..	..	..	..	..	..	..	..
2000 Contribuciones a la seguridad social[1]	**0**	**0**	**0**	**0**	**0**	**32 645**	**278 392**	**1 389 338**	**3 409 960**	**3 637 837**
2100 Empleados	..	..	..	..	..	..	..	..	..	..
2200 Empleadores	..	..	..	..	..	3 447	37 313	207 206	412 852	430 510
2300 Trabajadores por cuenta propia o no empleados	..	..	..	..	..	..	..	..	..	..
2400 No clasificables entre 2100, 2200 y 2300	..	..	..	..	..	29 198	241 079	1 182 132	2 997 108	3 207 328
3000 Imp. sobre nómina y fuerza de trabajo	**0**	**0**	**0**	**0**	**0**	**7 575**	**61 796**	**260 664**	**639 737**	**693 618**
4000 Impuestos sobre la propiedad	**1 200**	**5 390**	**45 436**	**149 733**	**155 404**	**0**	**0**	**0**	**0**	**0**
4100 Imp. recurrentes sobre propiedad inmueble	1 200	5 390	45 436	149 724	155 395	..	..	..	..	..
4200 Impuestos recurrentes sobre la riqueza neta	0	0	0	0	0	..	..	..	..	..
4300 Impuestos sobre sucesiones y donaciones	0	0	0	0	0	..	..	..	..	..
4400 Imp. transacciones finan. y de capital	0	0	0	0	0	..	..	..	..	..
4500 Otros imp. no recurrentes sobre propiedad	0	0	0	8	10	..	..	..	..	..
4600 Otros imp. recurrentes sobre propiedad	0	0	0	0	0	..	..	..	..	..
5000 Impuestos sobre los bienes y servicios	**1 262**	**11 981**	**70 321**	**155 239**	**169 947**	**0**	**0**	**0**	**0**	**0**
5100 Imp. sobre la producción, venta, etc.	0	83	1 513	3 919	3 877	..	..	..	..	..
5110 Impuestos generales	..	0	0	0	0	..	..	..	..	..
5120 Impuestos sobre bienes y servicios específicos[2]	..	83	1 513	3 919	3 877	..	..	..	..	..
5130 No clasificables entre 5110 y 5120	..	0	0	0	0	..	..	..	..	..
5200 Sobre uso bienes y permiso para actividades	1 262	11 898	68 808	151 320	166 070	..	..	..	..	..
5300 No clasificables entre 5100 y 5200	0	0	0	0	0	..	..	..	..	..
6000 Otros impuestos[3]	**0**	**1 242**	**8**	**198**	**78**	**0**	**0**	**0**	**0**	**0**
6100 Pagados únicamente por empresas	..	0	0	0	0	..	..	..	..	..
6200 Pagados por otros o no identificables	..	1 242	8	198	78	..	..	..	..	..
Total de ingresos tributarios	**2 461**	**18 613**	**115 765**	**305 170**	**325 429**	**40 220**	**340 187**	**1 650 002**	**4 049 697**	**4 331 455**

.. No disponible

1. Los datos incluyen las contribuciones a la seguridad social que paga la administración por sus empleados, así como las contribuciones destinadas a regímenes especiales (profesorado y magistratura). En los datos de la CEPAL, las contribuciones a la seguridad social también incluyen el INA (Instituto Nacional de Aprendizaje), el IMAS (Instituto Mixto de Ayuda Social) y el FODESAF (Fondo de Desarrollo Social y Asignaciones Familiares).
2. En los datos de la CEPAL, el impuesto a la propiedad de vehículos, aeronaves y embarcaciones se clasifica dentro de la categoría 4000.
3. Los ingresos tributarios de órganos descentralizados se clasifican dentro del Gobierno central. En Costa Rica, estos ingresos se clasifican dentro de una unidad aparte (descentralizada) que se considera separada del Gobierno central.

Cuadro 6.11. Cuba, ingresos tributarios por subsectores de gobierno general

Millones CUP

	Gobierno federal[1]					Estatal/Regional				
	1990	2000	2010	2022	2023	1990	2000	2010	2022	2023
1000 Imp. renta, utilidades y ganancias de capital	**..**	**..**	**1 857**	**..**	**..**	**..**	**..**	**..**	**..**	**..**
1100 De personas físicas	..	..	0	..	..	..	..	..	..	..
1200 De sociedades	..	..	1 857	..	..	..	..	..	..	..
1300 No clasificables entre 1100 y 1200	..	..	0	..	..	..	..	..	..	..
2000 Contribuciones a la seguridad social	**..**	**..**	**0**	**..**	**..**	**..**	**..**	**..**	**..**	**..**
2100 Empleados	..	..	..	..	..	..	..	..	..	..
2200 Empleadores	..	..	..	..	..	..	..	..	..	..
2300 Trabajadores por cuenta propia o no empleados	..	..	..	..	..	..	..	..	..	..
2400 No clasificables entre 2100, 2200 y 2300	..	..	..	..	..	..	..	..	..	..
3000 Imp. sobre nómina y fuerza de trabajo	**..**	**..**	**289**	**..**	**..**	**..**	**..**	**..**	**..**	**..**
4000 Impuestos sobre la propiedad	**..**	**..**	**0**	**..**	**..**	**..**	**..**	**..**	**..**	**..**
4100 Imp. recurrentes sobre propiedad inmueble	..	..	..	..	..	..	..	..	..	..
4200 Impuestos recurrentes sobre la riqueza neta	..	..	..	..	..	..	..	..	..	..
4300 Impuestos sobre sucesiones y donaciones	..	..	..	..	..	..	..	..	..	..
4400 Imp. transacciones finan. y de capital	..	..	..	..	..	..	..	..	..	..
4500 Otros imp. no recurrentes sobre propiedad	..	..	..	..	..	..	..	..	..	..
4600 Otros imp. recurrentes sobre propiedad	..	..	..	..	..	..	..	..	..	..
5000 Impuestos sobre los bienes y servicios	**..**	**..**	**5 757**	**..**	**..**	**..**	**..**	**..**	**..**	**..**
5100 Imp. sobre la producción, venta, etc.	..	..	5 757	..	..	..	..	..	..	..
5110 Impuestos generales	..	..	4 924	..	..	..	..	..	..	..
5120 Impuestos sobre bienes y servicios específicos	..	..	833	..	..	..	..	..	..	..
5130 No clasificables entre 5110 y 5120	..	..	0	..	..	..	..	..	..	..
5200 Sobre uso bienes y permiso para actividades	..	..	0	..	..	..	..	..	..	..
5300 No clasificables entre 5100 y 5200	..	..	0	..	..	..	..	..	..	..
6000 Otros impuestos	**..**	**..**	**569**	**..**	**..**	**..**	**..**	**..**	**..**	**..**
6100 Pagados únicamente por empresas	..	..	..	..	..	..	..	..	..	..
6200 Pagados por otros o no identificables	..	..	..	..	..	..	..	..	..	..
Total de ingresos tributarios	**..**	**..**	**8 472**	**..**	**..**	**..**	**..**	**..**	**..**	**..**

Millones CUP

	Gobiernos locales[2]					Autoridades de seguridad social				
	1990	2000	2010	2022	2023	1990	2000	2010	2022	2023
1000 Imp. renta, utilidades y ganancias de capital	**..**	**..**	**1 746**	**..**	**..**	**0**	**0**	**0**	**0**	**0**
1100 De personas físicas	..	..	554	..	..	..	..	..	..	..
1200 De sociedades	..	..	1 193	..	..	..	..	..	..	..
1300 No clasificables entre 1100 y 1200	..	..	0	..	..	..	..	..	..	..
2000 Contribuciones a la seguridad social	**..**	**..**	**0**	**..**	**..**	**691**	**1 181**	**2 974**	**16 727**	**29 368**
2100 Empleados	..	..	..	..	..	..	..	..	..	..
2200 Empleadores	..	..	..	..	..	..	..	..	..	..
2300 Trabajadores por cuenta propia o no empleados	..	..	..	..	..	..	..	..	..	..
2400 No clasificables entre 2100, 2200 y 2300	..	..	..	..	..	691	1 181	2 974	16 727	29 368
3000 Imp. sobre nómina y fuerza de trabajo	**..**	**..**	**4 125**	**..**	**..**	**0**	**0**	**0**	**0**	**0**
4000 Impuestos sobre la propiedad	**..**	**..**	**0**	**..**	**..**	**0**	**0**	**0**	**0**	**0**
4100 Imp. recurrentes sobre propiedad inmueble	..	..	..	..	..	..	..	..	..	..
4200 Impuestos recurrentes sobre la riqueza neta	..	..	..	..	..	..	..	..	..	..
4300 Impuestos sobre sucesiones y donaciones	..	..	..	..	..	..	..	..	..	..
4400 Imp. transacciones finan. y de capital	..	..	..	..	..	..	..	..	..	..
4500 Otros imp. no recurrentes sobre propiedad	..	..	..	..	..	..	..	..	..	..
4600 Otros imp. recurrentes sobre propiedad	..	..	..	..	..	..	..	..	..	..
5000 Impuestos sobre los bienes y servicios	**..**	**..**	**6 526**	**..**	**..**	**0**	**0**	**0**	**0**	**0**
5100 Imp. sobre la producción, venta, etc.	..	..	6 526	..	..	..	..	..	..	..
5110 Impuestos generales	..	..	5 601	..	..	..	..	..	..	..
5120 Impuestos sobre bienes y servicios específicos	..	..	925	..	..	..	..	..	..	..
5130 No clasificables entre 5110 y 5120	..	..	0	..	..	..	..	..	..	..
5200 Sobre uso bienes y permiso para actividades	..	..	0	..	..	..	..	..	..	..
5300 No clasificables entre 5100 y 5200	..	..	0	..	..	..	..	..	..	..
6000 Otros impuestos	**..**	**..**	**106**	**..**	**..**	**0**	**0**	**0**	**0**	**0**
6100 Pagados únicamente por empresas	..	..	..	..	..	..	..	..	..	..
6200 Pagados por otros o no identificables	..	..	..	..	..	..	..	..	..	..
Total de ingresos tributarios	**..**	**..**	**12 503**	**..**	**..**	**691**	**1 181**	**2 974**	**16 727**	**29 368**

.. No disponible

1. Las cifras incluyen los ingresos tributarios del Gobierno central entre 2002 y 2012. No hay datos disponibles de los ingresos tributarios del Gobierno central correspondientes a otros años.
2. Las cifras incluyen los ingresos tributarios de las administraciones locales entre 2002 y 2012. No existen ingresos tributarios de las administraciones locales disponibles en relación con los otros años.

Cuadro 6.12. República Dominicana, ingresos tributarios por subsectores de gobierno general

Millones DOP

	Gobierno federal					Estatal/Regional				
	1990	2000	2010	2022	2023	1990	2000	2010	2022	2023
1000 Imp. renta, utilidades y ganancias de capital	**1 650**	**10 517**	**52 653**	**276 183**	**339 646**	..	..	..	..	..
1100 De personas físicas	..	4 088	17 088	87 200	103 150	..	..	..	..	..
1200 De sociedades	..	4 605	21 325	140 603	179 748	..	..	..	..	..
1300 No clasificables entre 1100 y 1200	1 650	1 824	14 241	48 380	56 748	..	..	..	..	..
2000 Contribuciones a la seguridad social	**0**	**0**	**0**	**0**	**0**	..	..	..	..	..
2100 Empleados	..	..	..	..	..	..	..	..	..	..
2200 Empleadores	..	..	..	..	..	..	..	..	..	..
2300 Trabajadores por cuenta propia o no empleados	..	..	..	..	..	..	..	..	..	..
2400 No clasificables entre 2100, 2200 y 2300	..	..	..	..	..	..	..	..	..	..
3000 Imp. sobre nómina y fuerza de trabajo[1]	**0**	**0**	**1 385**	**4 347**	**4 991**	..	..	..	..	..
4000 Impuestos sobre la propiedad	**74**	**644**	**12 416**	**45 061**	**49 224**	..	..	..	..	..
4100 Imp. recurrentes sobre propiedad inmueble	9	115	555	4 438	5 105	..	..	..	..	..
4200 Impuestos recurrentes sobre la riqueza neta	0	0	2 449	8 615	9 401	..	..	..	..	..
4300 Impuestos sobre sucesiones y donaciones	11	96	231	1 389	1 158	..	..	..	..	..
4400 Imp. transacciones finan. y de capital	40	377	8 658	28 611	30 737	..	..	..	..	..
4500 Otros imp. no recurrentes sobre propiedad	3	32	488	1 929	2 746	..	..	..	..	..
4600 Otros imp. recurrentes sobre propiedad	11	25	35	81	77	..	..	..	..	..
5000 Impuestos sobre los bienes y servicios	**4 484**	**35 672**	**174 457**	**542 443**	**576 480**	..	..	..	..	..
5100 Imp. sobre la producción, venta, etc.	4 418	34 962	167 983	519 450	551 102	..	..	..	..	..
5110 Impuestos generales	970	9 912	81 226	310 788	336 694	..	..	..	..	..
5120 Impuestos sobre bienes y servicios específicos	3 449	25 051	86 757	208 662	214 408	..	..	..	..	..
5130 No clasificables entre 5110 y 5120	0	0	0	0	0	..	..	..	..	..
5200 Sobre uso bienes y permiso para actividades	65	710	6 475	22 993	25 379	..	..	..	..	..
5300 No clasificables entre 5100 y 5200	0	0	0	0	0	..	..	..	..	..
6000 Otros impuestos	**159**	**429**	**0**	**3**	**3**	..	..	..	..	..
6100 Pagados únicamente por empresas	0	0	..	0	0	..	..	..	..	..
6200 Pagados por otros o no identificables	159	429	..	3	3	..	..	..	..	..
Total de ingresos tributarios	**6 367**	**47 263**	**240 910**	**868 037**	**970 343**	..	..	..	..	..

Millones DOP

	Gobiernos locales					Autoridades de seguridad social[2]				
	1990	2000	2010	2022	2023	1990	2000	2010	2022	2023
1000 Imp. renta, utilidades y ganancias de capital	..	..	..	..	..	**0**	**0**	**0**	**0**	**0**
1100 De personas físicas	..	..	..	..	..	..	..	..	..	..
1200 De sociedades	..	..	..	..	..	..	..	..	..	..
1300 No clasificables entre 1100 y 1200	..	..	..	..	..	..	..	..	..	..
2000 Contribuciones a la seguridad social	..	..	..	..	..	**53**	**490**	**1 845**	**4 923**	**4 221**
2100 Empleados	..	..	..	..	..	..	..	1 720	..	..
2200 Empleadores	..	..	..	..	..	..	..	125	..	..
2300 Trabajadores por cuenta propia o no empleados	..	..	..	..	..	..	..	0	..	..
2400 No clasificables entre 2100, 2200 y 2300	..	..	..	..	..	53	490	0	4 923	4 221
3000 Imp. sobre nómina y fuerza de trabajo[1]	..	..	..	..	..	**0**	**0**	**0**	**0**	**0**
4000 Impuestos sobre la propiedad	..	..	..	..	..	**0**	**0**	**0**	**0**	**0**
4100 Imp. recurrentes sobre propiedad inmueble	..	..	..	..	..	..	..	..	..	..
4200 Impuestos recurrentes sobre la riqueza neta	..	..	..	..	..	..	..	..	..	..
4300 Impuestos sobre sucesiones y donaciones	..	..	..	..	..	..	..	..	..	..
4400 Imp. transacciones finan. y de capital	..	..	..	..	..	..	..	..	..	..
4500 Otros imp. no recurrentes sobre propiedad	..	..	..	..	..	..	..	..	..	..
4600 Otros imp. recurrentes sobre propiedad	..	..	..	..	..	..	..	..	..	..
5000 Impuestos sobre los bienes y servicios	..	..	..	..	..	**0**	**0**	**0**	**0**	**0**
5100 Imp. sobre la producción, venta, etc.	..	..	..	..	..	..	..	..	..	..
5110 Impuestos generales	..	..	..	..	..	..	..	..	..	..
5120 Impuestos sobre bienes y servicios específicos	..	..	..	..	..	..	..	..	..	..
5130 No clasificables entre 5110 y 5120	..	..	..	..	..	..	..	..	..	..
5200 Sobre uso bienes y permiso para actividades	..	..	..	..	..	..	..	..	..	..
5300 No clasificables entre 5100 y 5200	..	..	..	..	..	..	..	..	..	..
6000 Otros impuestos	..	..	..	..	..	**0**	**0**	**0**	**0**	**0**
6100 Pagados únicamente por empresas	..	..	..	..	..	..	..	..	..	..
6200 Pagados por otros o no identificables	..	..	..	..	..	..	..	..	..	..
Total de ingresos tributarios	..	..	..	..	..	**53**	**490**	**1 845**	**4 923**	**4 221**

.. No disponible

1. Esta partida incluye las contribuciones obligatorias no destinadas a las pensiones al Instituto de Formación Técnico Profesional (INFOTEP). Los ingresos tributarios se clasifican dentro del Gobierno central. En la República Dominicana esos ingresos se clasifican en una unidad aparte (descentralizada) que se considera diferente del Gobierno central.
2. Las cifras excluyen las contribuciones a la seguridad social destinadas al Gobierno central gestionadas por el sector privado.

Cuadro 6.13. Ecuador, ingresos tributarios por subsectores de gobierno general

Millones USD

	Gobierno federal					Estatal/Regional				
	1990	2000	2010	2022	2023	1990	2000	2010	2022	2023
1000 Imp. renta, utilidades y ganancias de capital	**138**	**267**	**2 909**	**5 241**	**5 629**	..	..	..	..	..
1100 De personas físicas	..	10	80	181	293	..	..	..	..	..
1200 De sociedades	..	53	1 046	1 350	1 317	..	..	..	..	..
1300 No clasificables entre 1100 y 1200	138	204	1 783	3 710	4 018	..	..	..	..	..
2000 Contribuciones a la seguridad social	**0**	**0**	**0**	**0**	**0**	..	..	..	..	..
2100 Empleados	..	..	..	..	..	..	..	..	..	..
2200 Empleadores	..	..	..	..	..	..	..	..	..	..
2300 Trabajadores por cuenta propia o no empleados	..	..	..	..	..	..	..	..	..	..
2400 No clasificables entre 2100, 2200 y 2300	..	..	..	..	..	..	..	..	..	..
3000 Imp. sobre nómina y fuerza de trabajo	**0**	**0**	**0**	**0**	**0**	..	..	..	..	..
4000 Impuestos sobre la propiedad	**0**	**0**	**43**	**665**	**410**	..	..	..	..	..
4100 Imp. recurrentes sobre propiedad inmueble	..	..	3	0	0	..	..	..	..	..
4200 Impuestos recurrentes sobre la riqueza neta	..	..	35	19	19	..	..	..	..	..
4300 Impuestos sobre sucesiones y donaciones	..	..	5	11	17	..	..	..	..	..
4400 Imp. transacciones finan. y de capital	..	..	0	0	0	..	..	..	..	..
4500 Otros imp. no recurrentes sobre propiedad	..	..	0	635	374	..	..	..	..	..
4600 Otros imp. recurrentes sobre propiedad	..	..	0	0	0	..	..	..	..	..
5000 Impuestos sobre los bienes y servicios	**668**	**1 596**	**5 969**	**11 733**	**11 704**	..	..	..	..	..
5100 Imp. sobre la producción, venta, etc.	665	1 574	5 814	11 493	11 443	..	..	..	..	..
5110 Impuestos generales	302	923	3 759	7 854	8 097	..	..	..	..	..
5120 Impuestos sobre bienes y servicios específicos	363	651	2 054	3 640	3 346	..	..	..	..	..
5130 No clasificables entre 5110 y 5120	0	0	0	0	0	..	..	..	..	..
5200 Sobre uso bienes y permiso para actividades	3	22	156	240	261	..	..	..	..	..
5300 No clasificables entre 5100 y 5200	0	0	0	0	0	..	..	..	..	..
6000 Otros impuestos	**0**	**0**	**4**	**2**	**0**	..	..	..	..	..
6100 Pagados únicamente por empresas	..	..	0	0	0	..	..	..	..	..
6200 Pagados por otros o no identificables	..	..	4	2	0	..	..	..	..	..
Total de ingresos tributarios	**806**	**1 863**	**8 925**	**17 640**	**17 743**	..	..	..	..	..

Millones USD

	Gobiernos locales[1]					Autoridades de seguridad social				
	1990	2000	2010	2022	2023	1990	2000	2010	2022	2023
1000 Imp. renta, utilidades y ganancias de capital	**1**	**2**	**15**	**74**	**77**	**0**	**0**	**0**	**0**	**0**
1100 De personas físicas	..	..	0	0	0	..	..	..	..	..
1200 De sociedades	..	..	..	..	..	..	..	..	..	..
1300 No clasificables entre 1100 y 1200	1	2	15	74	77	..	..	..	..	..
2000 Contribuciones a la seguridad social	**0**	**0**	**0**	**0**	**0**	**243**	**228**	**2 541**	**5 773**	**6 051**
2100 Empleados	..	..	..	..	..	..	..	..	..	..
2200 Empleadores	..	..	..	..	..	..	..	..	..	..
2300 Trabajadores por cuenta propia o no empleados	..	..	..	..	..	..	..	..	..	..
2400 No clasificables entre 2100, 2200 y 2300	..	..	..	..	..	243	228	2 541	5 773	6 051
3000 Imp. sobre nómina y fuerza de trabajo	**0**	**0**	**0**	**0**	**0**	**0**	**0**	**0**	**0**	**0**
4000 Impuestos sobre la propiedad	**16**	**17**	**116**	**321**	**331**	**0**	**0**	**0**	**0**	**0**
4100 Imp. recurrentes sobre propiedad inmueble	13	8	66	200	206	..	..	..	..	..
4200 Impuestos recurrentes sobre la riqueza neta	0	0	0	0	0	..	..	..	..	..
4300 Impuestos sobre sucesiones y donaciones	0	0	0	0	0	..	..	..	..	..
4400 Imp. transacciones finan. y de capital	0	0	0	0	0	..	..	..	..	..
4500 Otros imp. no recurrentes sobre propiedad	0	0	0	0	0	..	..	..	..	..
4600 Otros imp. recurrentes sobre propiedad	3	9	50	121	125	..	..	..	..	..
5000 Impuestos sobre los bienes y servicios	**10**	**13**	**97**	**261**	**270**	**0**	**0**	**0**	**0**	**0**
5100 Imp. sobre la producción, venta, etc.	6	6	49	92	95	..	..	..	..	..
5110 Impuestos generales	4	5	41	84	86	..	..	..	..	..
5120 Impuestos sobre bienes y servicios específicos	1	2	8	9	9	..	..	..	..	..
5130 No clasificables entre 5110 y 5120	0	0	0	0	0	..	..	..	..	..
5200 Sobre uso bienes y permiso para actividades	5	7	48	169	174	..	..	..	..	..
5300 No clasificables entre 5100 y 5200	0	0	0	0	0	..	..	..	..	..
6000 Otros impuestos	**2**	**2**	**1**	**0**	**0**	**0**	**0**	**0**	**0**	**0**
6100 Pagados únicamente por empresas	0	0	0	0	0	..	..	..	..	..
6200 Pagados por otros o no identificables	2	2	1	0	0	..	..	..	..	..
Total de ingresos tributarios	**29**	**34**	**228**	**656**	**678**	**243**	**228**	**2 541**	**5 773**	**6 051**

.. No disponible

1. Los datos de los ingresos tributarios locales de 2021-2023 son una estimación.

Cuadro 6.14. El Salvador, ingresos tributarios por subsectores de gobierno general

Millones USD

	Gobierno federal					Estatal/Regional				
	1990	2000	2010	2022	2023	1990	2000	2010	2022	2023
1000 Imp. renta, utilidades y ganancias de capital	**95**	**429**	**996**	**2 707**	**2 809**	..	..	..	..	..
1100 De personas físicas	..	..	590	1 060	1 172	..	..	..	..	..
1200 De sociedades	..	..	420	1 334	1 310	..	..	..	..	..
1300 No clasificables entre 1100 y 1200	95	429	-14	313	328	..	..	..	..	..
2000 Contribuciones a la seguridad social	**0**	**0**	**0**	**0**	**0**	..	..	..	..	..
2100 Empleados	..	..	..	..	..	..	..	..	..	..
2200 Empleadores	..	..	..	..	..	..	..	..	..	..
2300 Trabajadores por cuenta propia o no empleados	..	..	..	..	..	..	..	..	..	..
2400 No clasificables entre 2100, 2200 y 2300	..	..	..	..	..	..	..	..	..	..
3000 Imp. sobre nómina y fuerza de trabajo[1]	**0**	**0**	**21**	**42**	**45**	..	..	..	..	..
4000 Impuestos sobre la propiedad	**26**	**12**	**16**	**47**	**54**	..	..	..	..	..
4100 Imp. recurrentes sobre propiedad inmueble	0	0	0	0	0	..	..	..	..	..
4200 Impuestos recurrentes sobre la riqueza neta	16	0	0	0	0	..	..	..	..	..
4300 Impuestos sobre sucesiones y donaciones	0	0	0	0	0	..	..	..	..	..
4400 Imp. transacciones finan. y de capital	10	12	16	47	54	..	..	..	..	..
4500 Otros imp. no recurrentes sobre propiedad	0	0	0	0	0	..	..	..	..	..
4600 Otros imp. recurrentes sobre propiedad	0	0	0	0	0	..	..	..	..	..
5000 Impuestos sobre los bienes y servicios	**259**	**903**	**1 871**	**3 661**	**3 836**	..	..	..	..	..
5100 Imp. sobre la producción, venta, etc.	259	903	1 863	3 637	3 811	..	..	..	..	..
5110 Impuestos generales	133	714	1 433	2 944	3 072	..	..	..	..	..
5120 Impuestos sobre bienes y servicios específicos	127	189	431	694	738	..	..	..	..	..
5130 No clasificables entre 5110 y 5120	0	0	0	0	0	..	..	..	..	..
5200 Sobre uso bienes y permiso para actividades	0	0	7	24	26	..	..	..	..	..
5300 No clasificables entre 5100 y 5200	0	0	0	0	0	..	..	..	..	..
6000 Otros impuestos	**58**	**0**	**0**	**0**	**0**	..	..	..	..	..
6100 Pagados únicamente por empresas	0	0	..	..	..	..	..	..	..	..
6200 Pagados por otros o no identificables	58	0	..	..	..	..	..	..	..	..
Total de ingresos tributarios	**438**	**1 344**	**2 903**	**6 457**	**6 744**	..	..	..	..	..

Millones USD

	Gobiernos locales					Autoridades de seguridad social[2]				
	1990	2000	2010	2022	2023	1990	2000	2010	2022	2023
1000 Imp. renta, utilidades y ganancias de capital	..	..	**0**	**0**	**0**	**0**	**0**	**0**	**0**	**0**
1100 De personas físicas	..	..	..	..	..	..	..	..	..	..
1200 De sociedades	..	..	..	..	..	..	..	..	..	..
1300 No clasificables entre 1100 y 1200	..	..	..	..	..	..	..	..	..	..
2000 Contribuciones a la seguridad social	..	..	**0**	**0**	**0**	**104**	**325**	**470**	**834**	**881**
2100 Empleados	..	..	..	..	..	..	75	165	293	318
2200 Empleadores	..	..	..	..	..	..	176	306	541	564
2300 Trabajadores por cuenta propia o no empleados	..	..	..	..	..	..	13	0	0	0
2400 No clasificables entre 2100, 2200 y 2300	..	..	..	..	..	104	62	0	0	0
3000 Imp. sobre nómina y fuerza de trabajo[1]	..	..	**0**	**0**	**0**	**0**	**0**	**0**	**0**	**0**
4000 Impuestos sobre la propiedad	..	..	**3**	**11**	**7**	**0**	**0**	**0**	**0**	**0**
4100 Imp. recurrentes sobre propiedad inmueble	..	..	3	11	7	..	..	..	..	..
4200 Impuestos recurrentes sobre la riqueza neta	..	..	0	0	0	..	..	..	..	..
4300 Impuestos sobre sucesiones y donaciones	..	..	0	0	0	..	..	..	..	..
4400 Imp. transacciones finan. y de capital	..	..	0	0	0	..	..	..	..	..
4500 Otros imp. no recurrentes sobre propiedad	..	..	0	0	0	..	..	..	..	..
4600 Otros imp. recurrentes sobre propiedad	..	..	0	0	0	..	..	..	..	..
5000 Impuestos sobre los bienes y servicios	..	..	**7**	**23**	**21**	**0**	**0**	**0**	**0**	**0**
5100 Imp. sobre la producción, venta, etc.	..	..	0	0	0	..	..	..	..	..
5110 Impuestos generales	..	..	..	..	..	..	..	..	..	..
5120 Impuestos sobre bienes y servicios específicos	..	..	..	..	..	..	..	..	..	..
5130 No clasificables entre 5110 y 5120	..	..	..	..	..	..	..	..	..	..
5200 Sobre uso bienes y permiso para actividades	..	..	7	23	21	..	..	..	..	..
5300 No clasificables entre 5100 y 5200	..	..	0	0	0	..	..	..	..	..
6000 Otros impuestos	..	..	**63**	**114**	**108**	**0**	**0**	**0**	**0**	**0**
6100 Pagados únicamente por empresas	..	..	0	0	0	..	..	..	..	..
6200 Pagados por otros o no identificables	..	..	63	114	108	..	..	..	..	..
Total de ingresos tributarios	..	..	**74**	**147**	**136**	**104**	**325**	**470**	**834**	**881**

.. No disponible

1. Las contribuciones a la formación profesional realizadas al Instituto Salvadoreño de Formación Profesional (INSAFORP) se incluyen en la partida 3000. Los ingresos tributarios se clasifican dentro del Gobierno central. En El Salvador, estos ingresos se clasifican en una unidad aparte que se considera diferente del Gobierno central.
2. Las contribuciones a la seguridad social son las que se pagan al Instituto Salvadoreño del Seguro Social (ISSS), el Instituto Nacional de Pensiones de los Empleados Públicos (INPEP), el Instituto de Previsión Social de la Fuerza Armada (IPSFA) y el Instituto Salvadoreño de Bienestar Magisterial (ISBM). Las cifras no incluyen las contribuciones al régimen de gestión privada, pero pueden incluir una pequeña cantidad de contribuciones voluntarias, que no se puede distinguir de los datos de contribuciones al sistema público de seguridad social.

Cuadro 6.15. Guatemala, ingresos tributarios por subsectores de gobierno general

Millones GTQ

	Gobierno federal					Estatal/Regional				
	1990	2000	2010	2022	2023	1990	2000	2010	2022	2023
1000 Imp. renta, utilidades y ganancias de capital	**507**	**3 293**	**7 745**	**25 658**	**28 391**	..	..	..	..	..
1100 De personas físicas	25	143	1 225	3 892	4 205	..	..	..	..	..
1200 De sociedades	482	3 149	6 520	21 765	24 186	..	..	..	..	..
1300 No clasificables entre 1100 y 1200	0	0	0	0	0	..	..	..	..	..
2000 Contribuciones a la seguridad social	**0**	**0**	**0**	**0**	**0**	..	..	..	..	..
2100 Empleados	..	..	..	..	..	..	..	..	..	..
2200 Empleadores	..	..	..	..	..	..	..	..	..	..
2300 Trabajadores por cuenta propia o no empleados	..	..	..	..	..	..	..	..	..	..
2400 No clasificables entre 2100, 2200 y 2300	..	..	..	..	..	..	..	..	..	..
3000 Imp. sobre nómina y fuerza de trabajo[1]	**0**	**0**	**447**	**1 130**	**1 249**	..	..	..	..	..
4000 Impuestos sobre la propiedad	**149**	**199**	**582**	**623**	**629**	..	..	..	..	..
4100 Imp. recurrentes sobre propiedad inmueble	0	6	1	1	1	..	..	..	..	..
4200 Impuestos recurrentes sobre la riqueza neta	0	0	0	0	0	..	..	..	..	..
4300 Impuestos sobre sucesiones y donaciones	0	0	0	0	0	..	..	..	..	..
4400 Imp. transacciones finan. y de capital	149	194	581	622	628	..	..	..	..	..
4500 Otros imp. no recurrentes sobre propiedad	0	0	0	0	0	..	..	..	..	..
4600 Otros imp. recurrentes sobre propiedad	0	0	0	0	0	..	..	..	..	..
5000 Impuestos sobre los bienes y servicios	**1 554**	**10 317**	**23 255**	**55 975**	**59 325**	..	..	..	..	..
5100 Imp. sobre la producción, venta, etc.	1 526	10 131	22 750	54 905	58 165	..	..	..	..	..
5110 Impuestos generales	762	6 259	16 980	43 404	45 770	..	..	..	..	..
5120 Impuestos sobre bienes y servicios específicos	764	3 872	5 770	11 500	12 395	..	..	..	..	..
5130 No clasificables entre 5110 y 5120	0	0	0	0	0	..	..	..	..	..
5200 Sobre uso bienes y permiso para actividades	28	186	505	1 071	1 160	..	..	..	..	..
5300 No clasificables entre 5100 y 5200	0	0	0	0	0	..	..	..	..	..
6000 Otros impuestos	**0**	**7**	**2 575**	**6 130**	**7 268**	..	..	..	..	..
6100 Pagados únicamente por empresas	..	0	0	0	0	..	..	..	..	..
6200 Pagados por otros o no identificables	..	7	2 575	6 130	7 268	..	..	..	..	..
Total de ingresos tributarios	**2 210**	**13 815**	**34 605**	**89 517**	**96 862**	..	..	..	..	..

Millones GTQ

	Gobiernos locales					Autoridades de seguridad social[2]				
	1990	2000	2010	2022	2023	1990	2000	2010	2022	2023
1000 Imp. renta, utilidades y ganancias de capital	..	**0**	**0**	**0**	**0**	**0**	**0**	**0**	**0**	**0**
1100 De personas físicas	..	..	..	..	..	..	..	..	..	..
1200 De sociedades	..	..	..	..	..	..	..	..	..	..
1300 No clasificables entre 1100 y 1200	..	..	..	..	..	..	..	..	..	..
2000 Contribuciones a la seguridad social	..	**0**	**0**	**0**	**0**	**436**	**2 569**	**6 312**	**15 539**	**17 613**
2100 Empleados	..	..	..	..	..	..	..	..	..	..
2200 Empleadores	..	..	..	..	..	..	..	..	..	..
2300 Trabajadores por cuenta propia o no empleados	..	..	..	..	..	..	..	..	..	..
2400 No clasificables entre 2100, 2200 y 2300	..	..	..	..	..	436	2 569	6 312	15 539	17 613
3000 Imp. sobre nómina y fuerza de trabajo[1]	..	**0**	**0**	**0**	**0**	**0**	**0**	**0**	**0**	**0**
4000 Impuestos sobre la propiedad	..	**147**	**620**	**914**	**156**	**0**	**0**	**0**	**0**	**0**
4100 Imp. recurrentes sobre propiedad inmueble	..	147	620	914	156	..	..	..	..	..
4200 Impuestos recurrentes sobre la riqueza neta	..	0	0	0	0	..	..	..	..	..
4300 Impuestos sobre sucesiones y donaciones	..	0	0	0	0	..	..	..	..	..
4400 Imp. transacciones finan. y de capital	..	0	0	0	0	..	..	..	..	..
4500 Otros imp. no recurrentes sobre propiedad	..	0	0	0	0	..	..	..	..	..
4600 Otros imp. recurrentes sobre propiedad	..	0	0	0	0	..	..	..	..	..
5000 Impuestos sobre los bienes y servicios	..	**0**	**0**	**0**	**0**	**0**	**0**	**0**	**0**	**0**
5100 Imp. sobre la producción, venta, etc.	..	..	..	..	..	..	..	..	..	..
5110 Impuestos generales	..	..	..	..	..	..	..	..	..	..
5120 Impuestos sobre bienes y servicios específicos	..	..	..	..	..	..	..	..	..	..
5130 No clasificables entre 5110 y 5120	..	..	..	..	..	..	..	..	..	..
5200 Sobre uso bienes y permiso para actividades	..	..	..	..	..	..	..	..	..	..
5300 No clasificables entre 5100 y 5200	..	..	..	..	..	..	..	..	..	..
6000 Otros impuestos	..	**0**	**0**	**0**	**0**	**0**	**0**	**0**	**0**	**0**
6100 Pagados únicamente por empresas	..	..	..	..	..	..	..	..	..	..
6200 Pagados por otros o no identificables	..	..	..	..	..	..	..	..	..	..
Total de ingresos tributarios	..	**147**	**620**	**914**	**156**	**436**	**2 569**	**6 312**	**15 539**	**17 613**

.. No disponible

1. Las contribuciones al INTECAP y al IRTRA se incluyen en la partida 3000. Los ingresos tributarios se clasifican dentro del Gobierno central. En Guatemala, estos ingresos se clasifican en una unidad aparte considerada diferente de la administración central.
2. Corresponde a las contribuciones al Instituto Guatemalteco de Seguridad Social (IGSS) y los pagos de los empleados públicos al fondo de pensiones del Gobierno.

Cuadro 6.16. Guyana, ingresos tributarios por subsectores de gobierno general

Millones GYD

	Gobierno federal[1]					Estatal/Regional				
	1990	2000	2010	2022	2023	1990	2000	2010	2022	2023
1000 Imp. renta, utilidades y ganancias de capital	**1 752**	**16 179**	**39 561**	**164 802**	**213 899**	..	..	..	..	..
1100 De personas físicas	333	7 734	17 816	58 903	72 423	..	..	..	..	..
1200 De sociedades	1 375	8 266	21 427	104 581	139 404	..	..	..	..	..
1300 No clasificables entre 1100 y 1200	43	179	317	1 318	2 072	..	..	..	..	..
2000 Contribuciones a la seguridad social	**0**	**0**	**0**	**0**	**0**	..	..	..	..	..
2100 Empleados	..	..	..	..	..	..	..	..	..	..
2200 Empleadores	..	..	..	..	..	..	..	..	..	..
2300 Trabajadores por cuenta propia o no empleados	..	..	..	..	..	..	..	..	..	..
2400 No clasificables entre 2100, 2200 y 2300	..	..	..	..	..	..	..	..	..	..
3000 Imp. sobre nómina y fuerza de trabajo	**0**	**0**	**0**	**0**	**0**	..	..	..	..	..
4000 Impuestos sobre la propiedad	**53**	**701**	**2 068**	**6 543**	**7 668**	..	..	..	..	..
4100 Imp. recurrentes sobre propiedad inmueble	40	681	1 562	5 853	7 065	..	..	..	..	..
4200 Impuestos recurrentes sobre la riqueza neta	0	0	0	0	0	..	..	..	..	..
4300 Impuestos sobre sucesiones y donaciones	13	20	31	91	99	..	..	..	..	..
4400 Imp. transacciones finan. y de capital	0	0	476	598	505	..	..	..	..	..
4500 Otros imp. no recurrentes sobre propiedad	0	0	0	0	0	..	..	..	..	..
4600 Otros imp. recurrentes sobre propiedad	0	0	0	0	0	..	..	..	..	..
5000 Impuestos sobre los bienes y servicios	**2 200**	**20 798**	**59 360**	**119 641**	**149 202**	..	..	..	..	..
5100 Imp. sobre la producción, venta, etc.	2 162	20 530	58 846	118 411	141 976	..	..	..	..	..
5110 Impuestos generales	1 399	14 861	27 044	56 998	72 535	..	..	..	..	..
5120 Impuestos sobre bienes y servicios específicos	763	5 669	31 802	61 413	69 441	..	..	..	..	..
5130 No clasificables entre 5110 y 5120	0	0	0	0	0	..	..	..	..	..
5200 Sobre uso bienes y permiso para actividades	38	268	514	1 230	7 226	..	..	..	..	..
5300 No clasificables entre 5100 y 5200	0	0	0	0	0	..	..	..	..	..
6000 Otros impuestos	**1 037**	**204**	**757**	**1 878**	**2 050**	..	..	..	..	..
6100 Pagados únicamente por empresas	0	0	0	0	0	..	..	..	..	..
6200 Pagados por otros o no identificables	1 037	204	757	1 878	2 050	..	..	..	..	..
Total de ingresos tributarios	**5 041**	**37 882**	**101 746**	**292 864**	**372 819**	..	..	..	..	..

Millones GYD

	Gobiernos locales[2]					Autoridades de seguridad social[3]				
	1990	2000	2010	2022	2023	1990	2000	2010	2022	2023
1000 Imp. renta, utilidades y ganancias de capital	..	..	**0**	**0**	**0**	**0**	**0**	**0**	**0**	**0**
1100 De personas físicas	..	..	..	..	..	..	..	..	..	..
1200 De sociedades	..	..	..	..	..	..	..	..	..	..
1300 No clasificables entre 1100 y 1200	..	..	..	..	..	..	..	..	..	..
2000 Contribuciones a la seguridad social	..	..	**0**	**0**	**0**	**191**	**4 868**	**10 047**	**31 353**	**36 077**
2100 Empleados	..	..	..	..	..	..	..	..	..	..
2200 Empleadores	..	..	..	..	..	..	..	..	..	..
2300 Trabajadores por cuenta propia o no empleados	..	..	..	..	..	..	..	..	..	..
2400 No clasificables entre 2100, 2200 y 2300	..	..	..	..	..	191	4 868	10 047	31 353	36 077
3000 Imp. sobre nómina y fuerza de trabajo	..	..	**0**	**0**	**0**	**0**	**0**	**0**	**0**	**0**
4000 Impuestos sobre la propiedad	..	..	**0**	**0**	**0**	**0**	**0**	**0**	**0**	**0**
4100 Imp. recurrentes sobre propiedad inmueble	..	..	..	..	..	..	..	..	..	..
4200 Impuestos recurrentes sobre la riqueza neta	..	..	..	..	..	..	..	..	..	..
4300 Impuestos sobre sucesiones y donaciones	..	..	..	..	..	..	..	..	..	..
4400 Imp. transacciones finan. y de capital	..	..	..	..	..	..	..	..	..	..
4500 Otros imp. no recurrentes sobre propiedad	..	..	..	..	..	..	..	..	..	..
4600 Otros imp. recurrentes sobre propiedad	..	..	..	..	..	..	..	..	..	..
5000 Impuestos sobre los bienes y servicios	..	..	**0**	**0**	**0**	**0**	**0**	**0**	**0**	**0**
5100 Imp. sobre la producción, venta, etc.	..	..	..	..	..	..	..	..	..	..
5110 Impuestos generales	..	..	..	..	..	..	..	..	..	..
5120 Impuestos sobre bienes y servicios específicos	..	..	..	..	..	..	..	..	..	..
5130 No clasificables entre 5110 y 5120	..	..	..	..	..	..	..	..	..	..
5200 Sobre uso bienes y permiso para actividades	..	..	..	..	..	..	..	..	..	..
5300 No clasificables entre 5100 y 5200	..	..	..	..	..	..	..	..	..	..
6000 Otros impuestos	..	..	**113**	**159**	**53**	**0**	**0**	**0**	**0**	**0**
6100 Pagados únicamente por empresas	..	..	0	0	0	..	..	..	..	..
6200 Pagados por otros o no identificables	..	..	113	159	53	..	..	..	..	..
Total de ingresos tributarios	..	..	**113**	**159**	**53**	**191**	**4 868**	**10 047**	**31 353**	**36 077**

.. No disponible

1. Los ingresos tributarios del Gobierno central se basan en estimaciones presupuestarias del Ministerio de Finanzas.
2. Los ingresos tributarios de las administraciones locales incluyen pagos de impuestos locales por parte de las corporaciones públicas.
3. Las cifras de la seguridad social incluyen las contribuciones al Sistema de Seguro Social.

Cuadro 6.17. Honduras, ingresos tributarios por subsectores de gobierno general

Millones HNL

	Gobierno federal					Estatal/Regional				
	1990	2000	2010	2022	2023	1990	2000	2010	2022	2023
1000 Imp. renta, utilidades y ganancias de capital	**431**	**2 907**	**13 232**	**48 289**	**48 397**	**..**	**..**	**..**	**..**	**..**
1100 De personas físicas	157	992	4 528	17 478	18 570	..	..	..	..	..
1200 De sociedades	274	1 916	8 705	30 811	29 828	..	..	..	..	..
1300 No clasificables entre 1100 y 1200	0	0	0	0	0	..	..	..	..	..
2000 Contribuciones a la seguridad social	**0**	**0**	**0**	**0**	**0**	**..**	**..**	**..**	**..**	**..**
2100 Empleados	..	..	..	..	..	..	..	..	..	..
2200 Empleadores	..	..	..	..	..	..	..	..	..	..
2300 Trabajadores por cuenta propia o no empleados	..	..	..	..	..	..	..	..	..	..
2400 No clasificables entre 2100, 2200 y 2300	..	..	..	..	..	..	..	..	..	..
3000 Imp. sobre nómina y fuerza de trabajo[1]	**0**	**0**	**485**	**1 215**	**1 459**	**..**	**..**	**..**	**..**	**..**
4000 Impuestos sobre la propiedad	**16**	**266**	**994**	**4 881**	**5 562**	**..**	**..**	**..**	**..**	**..**
4100 Imp. recurrentes sobre propiedad inmueble	16	189	254	720	910	..	..	..	..	..
4200 Impuestos recurrentes sobre la riqueza neta	0	78	359	439	429	..	..	..	..	..
4300 Impuestos sobre sucesiones y donaciones	0	0	0	0	0	..	..	..	..	..
4400 Imp. transacciones finan. y de capital	0	0	0	3 722	4 222	..	..	..	..	..
4500 Otros imp. no recurrentes sobre propiedad	0	0	380	0	0	..	..	..	..	..
4600 Otros imp. recurrentes sobre propiedad	0	0	0	0	0	..	..	..	..	..
5000 Impuestos sobre los bienes y servicios	**1 401**	**12 436**	**28 937**	**80 525**	**90 535**	**..**	**..**	**..**	**..**	**..**
5100 Imp. sobre la producción, venta, etc.	1 401	12 436	28 937	80 525	90 535	..	..	..	..	..
5110 Impuestos generales	344	5 146	16 050	56 067	64 421	..	..	..	..	..
5120 Impuestos sobre bienes y servicios específicos	1 057	7 290	12 887	24 458	26 114	..	..	..	..	..
5130 No clasificables entre 5110 y 5120	0	0	0	0	0	..	..	..	..	..
5200 Sobre uso bienes y permiso para actividades	0	0	0	0	0	..	..	..	..	..
5300 No clasificables entre 5100 y 5200	0	0	0	0	0	..	..	..	..	..
6000 Otros impuestos	**1**	**2**	**9**	**13**	**13**	**..**	**..**	**..**	**..**	**..**
6100 Pagados únicamente por empresas	0	0	0	0	0	..	..	..	..	..
6200 Pagados por otros o no identificables	1	2	9	13	13	..	..	..	..	..
Total de ingresos tributarios	**1 849**	**15 612**	**43 657**	**134 924**	**145 966**	**..**	**..**	**..**	**..**	**..**

Millones HNL

	Gobiernos locales[2]					Autoridades de seguridad social				
	1990	2000	2010	2022	2023	1990	2000	2010	2022	2023
1000 Imp. renta, utilidades y ganancias de capital	**0**	**0**	**0**	**0**	**0**	**0**	**0**	**0**	**0**	**0**
1100 De personas físicas	..	..	..	..	..	..	..	..	..	..
1200 De sociedades	..	..	..	..	..	..	..	..	..	..
1300 No clasificables entre 1100 y 1200	..	..	..	..	..	..	..	..	..	..
2000 Contribuciones a la seguridad social	**0**	**0**	**0**	**0**	**0**	**179**	**1 727**	**8 671**	**25 284**	**25 949**
2100 Empleados	..	..	..	..	..	..	..	..	..	..
2200 Empleadores	..	..	..	..	..	..	..	..	..	..
2300 Trabajadores por cuenta propia o no empleados	..	..	..	..	..	..	..	..	..	..
2400 No clasificables entre 2100, 2200 y 2300	..	..	..	..	..	179	1 727	8 671	25 284	25 949
3000 Imp. sobre nómina y fuerza de trabajo[1]	**0**	**0**	**0**	**0**	**0**	**0**	**0**	**0**	**0**	**0**
4000 Impuestos sobre la propiedad	**0**	**0**	**0**	**0**	**0**	**0**	**0**	**0**	**0**	**0**
4100 Imp. recurrentes sobre propiedad inmueble	..	..	..	..	..	..	..	..	..	..
4200 Impuestos recurrentes sobre la riqueza neta	..	..	..	..	..	..	..	..	..	..
4300 Impuestos sobre sucesiones y donaciones	..	..	..	..	..	..	..	..	..	..
4400 Imp. transacciones finan. y de capital	..	..	..	..	..	..	..	..	..	..
4500 Otros imp. no recurrentes sobre propiedad	..	..	..	..	..	..	..	..	..	..
4600 Otros imp. recurrentes sobre propiedad	..	..	..	..	..	..	..	..	..	..
5000 Impuestos sobre los bienes y servicios	**0**	**0**	**0**	**0**	**0**	**0**	**0**	**0**	**0**	**0**
5100 Imp. sobre la producción, venta, etc.	..	..	..	..	..	..	..	..	..	..
5110 Impuestos generales	..	..	..	..	..	..	..	..	..	..
5120 Impuestos sobre bienes y servicios específicos	..	..	..	..	..	..	..	..	..	..
5130 No clasificables entre 5110 y 5120	..	..	..	..	..	..	..	..	..	..
5200 Sobre uso bienes y permiso para actividades	..	..	..	..	..	..	..	..	..	..
5300 No clasificables entre 5100 y 5200	..	..	..	..	..	..	..	..	..	..
6000 Otros impuestos	**90**	**960**	**2 216**	**5 918**	**5 770**	**0**	**0**	**0**	**0**	**0**
6100 Pagados únicamente por empresas	0	0	0	0	0	..	..	..	..	..
6200 Pagados por otros o no identificables	90	960	2 216	5 918	5 770	..	..	..	..	..
Total de ingresos tributarios	**90**	**960**	**2 216**	**5 918**	**5 770**	**179**	**1 727**	**8 671**	**25 284**	**25 949**

.. No disponible

1. Las contribuciones de los empleadores al Instituto Nacional de Formación Profesional (INFOP) se incluyen en la partida 3000. Los ingresos tributarios se clasifican dentro del Gobierno central. En Honduras, estos ingresos se clasifican en una unidad aparte que se considera diferente del Gobierno central.
2. Las cifras pueden incluir ingresos no tributarios y transferencias del Gobierno central, aunque no ha sido posible distinguir los diferentes componentes de los ingresos tributarios de las administraciones locales.

Cuadro 6.18. Jamaica, ingresos tributarios por subsectores de gobierno general

Millones JMD

	Gobierno federal[1]					Estatal/Regional				
	1990	2000	2010	2022	2023	1990	2000	2010	2022	2023
1000 Imp. renta, utilidades y ganancias de capital	**3 639**	**35 457**	**105 917**	**206 743**	**278 663**	..	..	..	..	..
1100 De personas físicas	1 687	17 441	54 798	96 902	143 758	..	..	..	..	..
1200 De sociedades	1 280	7 627	33 091	79 485	100 539	..	..	..	..	..
1300 No clasificables entre 1100 y 1200	672	10 389	18 028	30 356	34 366	..	..	..	..	..
2000 Contribuciones a la seguridad social	**0**	**0**	**0**	**0**	**0**	..	..	..	..	..
2100 Empleados	..	..	..	..	..	..	..	..	..	..
2200 Empleadores	..	..	..	..	..	..	..	..	..	..
2300 Trabajadores por cuenta propia o no empleados	..	..	..	..	..	..	..	..	..	..
2400 No clasificables entre 2100, 2200 y 2300	..	..	..	..	..	..	..	..	..	..
3000 Imp. sobre nómina y fuerza de trabajo	**305**	**3 821**	**12 792**	**38 188**	**47 305**	..	..	..	..	..
4000 Impuestos sobre la propiedad	**965**	**3 623**	**7 339**	**11 399**	**11 146**	..	..	..	..	..
4100 Imp. recurrentes sobre propiedad inmueble	67	0	0	0	0	..	..	..	..	..
4200 Impuestos recurrentes sobre la riqueza neta	0	0	0	0	0	..	..	..	..	..
4300 Impuestos sobre sucesiones y donaciones	0	0	0	0	0	..	..	..	..	..
4400 Imp. transacciones finan. y de capital	898	3 623	7 339	11 399	11 146	..	..	..	..	..
4500 Otros imp. no recurrentes sobre propiedad	0	0	0	0	0	..	..	..	..	..
4600 Otros imp. recurrentes sobre propiedad	0	0	0	0	0	..	..	..	..	..
5000 Impuestos sobre los bienes y servicios	**2 824**	**43 907**	**149 544**	**457 446**	**475 406**	..	..	..	..	..
5100 Imp. sobre la producción, venta, etc.	2 760	43 107	147 500	448 649	468 632	..	..	..	..	..
5110 Impuestos generales	297	22 356	84 409	253 358	271 437	..	..	..	..	..
5120 Impuestos sobre bienes y servicios específicos	2 463	20 752	63 091	195 291	197 195	..	..	..	..	..
5130 No clasificables entre 5110 y 5120	0	0	0	0	0	..	..	..	..	..
5200 Sobre uso bienes y permiso para actividades	64	800	2 045	8 797	6 774	..	..	..	..	..
5300 No clasificables entre 5100 y 5200	0	0	0	0	0	..	..	..	..	..
6000 Otros impuestos	**16**	**266**	**748**	**2 551**	**2 752**	..	..	..	..	..
6100 Pagados únicamente por empresas	0	0	0	0	0	..	..	..	..	..
6200 Pagados por otros o no identificables	16	266	748	2 551	2 752	..	..	..	..	..
Total de ingresos tributarios	**7 748**	**87 074**	**276 340**	**716 327**	**815 273**	..	..	..	..	..

Millones JMD

	Gobiernos locales[1]					Autoridades de seguridad social[1]				
	1990	2000	2010	2022	2023	1990	2000	2010	2022	2023
1000 Imp. renta, utilidades y ganancias de capital	..	**0**	**0**	**0**	**0**	..	..	**0**	**0**	**0**
1100 De personas físicas	..	..	..	..	..	..	..	..	..	..
1200 De sociedades	..	..	..	..	..	..	..	..	..	..
1300 No clasificables entre 1100 y 1200	..	..	..	..	..	..	..	..	..	..
2000 Contribuciones a la seguridad social	..	**0**	**0**	**0**	**0**	..	..	**8 199**	**42 531**	**54 449**
2100 Empleados	..	..	..	..	..	..	..	..	..	..
2200 Empleadores	..	..	..	..	..	..	..	..	..	..
2300 Trabajadores por cuenta propia o no empleados	..	..	..	..	..	..	..	..	..	..
2400 No clasificables entre 2100, 2200 y 2300	..	..	..	..	..	..	..	8 199	42 531	54 449
3000 Imp. sobre nómina y fuerza de trabajo	..	**0**	**0**	**0**	**0**	..	..	**0**	**0**	**0**
4000 Impuestos sobre la propiedad	..	**639**	**2 600**	**9 716**	**9 449**	..	..	**0**	**0**	**0**
4100 Imp. recurrentes sobre propiedad inmueble	..	639	2 600	9 716	9 449	..	..	..	..	..
4200 Impuestos recurrentes sobre la riqueza neta	..	0	0	0	0	..	..	..	..	..
4300 Impuestos sobre sucesiones y donaciones	..	0	0	0	0	..	..	..	..	..
4400 Imp. transacciones finan. y de capital	..	0	0	0	0	..	..	..	..	..
4500 Otros imp. no recurrentes sobre propiedad	..	0	0	0	0	..	..	..	..	..
4600 Otros imp. recurrentes sobre propiedad	..	0	0	0	0	..	..	..	..	..
5000 Impuestos sobre los bienes y servicios	..	**0**	**0**	**0**	**0**	..	..	**0**	**0**	**0**
5100 Imp. sobre la producción, venta, etc.	..	..	..	..	..	..	..	..	..	..
5110 Impuestos generales	..	..	..	..	..	..	..	..	..	..
5120 Impuestos sobre bienes y servicios específicos	..	..	..	..	..	..	..	..	..	..
5130 No clasificables entre 5110 y 5120	..	..	..	..	..	..	..	..	..	..
5200 Sobre uso bienes y permiso para actividades	..	..	..	..	..	..	..	..	..	..
5300 No clasificables entre 5100 y 5200	..	..	..	..	..	..	..	..	..	..
6000 Otros impuestos	..	**0**	**0**	**0**	**0**	..	..	**0**	**0**	**0**
6100 Pagados únicamente por empresas	..	..	..	..	..	..	..	..	..	..
6200 Pagados por otros o no identificables	..	..	..	..	..	..	..	..	..	..
Total de ingresos tributarios	..	**639**	**2 600**	**9 716**	**9 449**	..	..	**8 199**	**42 531**	**54 449**

.. No disponible

1. Las cifras se refieren al ejercicio fiscal cerrado el 31 de marzo en relación con el período 1990-2003 y posteriormente al ejercicio natural cerrado a 31 de diciembre.

Cuadro 6.19. México, ingresos tributarios por subsectores de gobierno general

Millones MXN

	Gobierno federal					Estatal/Regional				
	1990	2000	2010	2022	2023	1990	2000	2010	2022	2023
1000 Imp. renta, utilidades y ganancias de capital[1]	**34 668**	**276 548**	**683 604**	**2 280 791**	**2 514 390**	**3**	**0**	**0**	**0**	**0**
1100 De personas físicas	..	..	313 473	1 066 965	1 190 186	..	..	..	..	..
1200 De sociedades	..	..	246 745	1 136 636	1 243 430	..	..	..	..	..
1300 No clasificables entre 1100 y 1200	34 668	276 548	123 386	77 190	80 774	3	..	..	..	..
2000 Contribuciones a la seguridad social	**0**	**0**	**0**	**0**	**0**	**0**	**0**	**0**	**0**	**0**
2100 Empleados	..	..	..	..	..	..	..	..	..	..
2200 Empleadores	..	..	..	..	..	..	..	..	..	..
2300 Trabajadores por cuenta propia o no empleados	..	..	..	..	..	..	..	..	..	..
2400 No clasificables entre 2100, 2200 y 2300	..	..	..	..	..	..	..	..	..	..
3000 Imp. sobre nómina y fuerza de trabajo	**818**	**0**	**0**	**0**	**0**	**972**	**11 215**	**36 818**	**141 159**	**170 427**
4000 Impuestos sobre la propiedad	**3**	**0**	**0**	**0**	**0**	**894**	**7 018**	**13 137**	**33 683**	**35 733**
4100 Imp. recurrentes sobre propiedad inmueble	0	..	..	..	..	482	5 238	8 522	21 898	23 417
4200 Impuestos recurrentes sobre la riqueza neta	0	..	..	..	..	0	0	0	0	0
4300 Impuestos sobre sucesiones y donaciones	0	..	..	..	..	7	0	0	0	0
4400 Imp. transacciones finan. y de capital	3	..	..	..	..	405	1 781	4 615	11 785	12 316
4500 Otros imp. no recurrentes sobre propiedad	0	..	..	..	..	0	0	0	0	0
4600 Otros imp. recurrentes sobre propiedad	0	..	..	..	..	0	0	0	0	0
5000 Impuestos sobre los bienes y servicios	**44 605**	**318 065**	**645 623**	**1 592 921**	**1 946 058**	**118**	**1 346**	**5 805**	**29 364**	**34 144**
5100 Imp. sobre la producción, venta, etc.	44 029	309 283	627 187	1 592 129	1 945 068	45	910	2 470	12 784	15 721
5110 Impuestos generales	26 635	189 606	504 509	1 221 803	1 366 583	0	0	0	0	0
5120 Impuestos sobre bienes y servicios específicos	17 394	119 677	122 678	370 327	578 485	30	910	2 470	12 784	15 721
5130 No clasificables entre 5110 y 5120	0	0	0	0	0	15	0	0	0	0
5200 Sobre uso bienes y permiso para actividades	576	8 782	18 436	792	990	73	436	3 335	16 581	18 423
5300 No clasificables entre 5100 y 5200	0	0	0	0	0	0	0	0	0	0
6000 Otros impuestos	**1 340**	**5 878**	**22 236**	**83 919**	**72 390**	**165**	**907**	**2 546**	**14 477**	**16 057**
6100 Pagados únicamente por empresas	0	0	0	0	0	0	0	0	0	0
6200 Pagados por otros o no identificables	1 340	5 878	22 236	83 919	72 390	165	907	2 546	14 477	16 057
Total de ingresos tributarios	**81 434**	**600 491**	**1 351 463**	**3 957 631**	**4 532 837**	**2 152**	**20 485**	**58 307**	**218 683**	**256 362**

Millones MXN

	Gobiernos locales					Autoridades de seguridad social[2]				
	1990	2000	2010	2022	2023	1990	2000	2010	2022	2023
1000 Imp. renta, utilidades y ganancias de capital[1]	**2**	**0**	**0**	**0**	**0**	**0**	**0**	**0**	**0**	**0**
1100 De personas físicas	..	..	..	..	..	..	..	..	..	..
1200 De sociedades	..	..	..	..	..	..	..	..	..	..
1300 No clasificables entre 1100 y 1200	2	..	..	..	..	..	..	..	..	..
2000 Contribuciones a la seguridad social	**0**	**0**	**0**	**0**	**0**	**17 165**	**138 223**	**277 459**	**681 672**	**761 511**
2100 Empleados	..	..	..	..	..	..	..	..	..	..
2200 Empleadores	..	..	..	..	..	..	..	..	..	..
2300 Trabajadores por cuenta propia o no empleados	..	..	..	..	..	..	..	..	..	..
2400 No clasificables entre 2100, 2200 y 2300	..	..	..	..	..	17 165	138 223	277 459	681 672	761 511
3000 Imp. sobre nómina y fuerza de trabajo	**7**	**2**	**93**	**2**	**2**	**0**	**0**	**0**	**0**	**0**
4000 Impuestos sobre la propiedad	**1 017**	**6 946**	**25 818**	**71 562**	**59 766**	**0**	**0**	**0**	**0**	**0**
4100 Imp. recurrentes sobre propiedad inmueble	554	4 710	17 202	43 005	37 121	..	..	..	..	..
4200 Impuestos recurrentes sobre la riqueza neta	0	0	0	0	0	..	..	..	..	..
4300 Impuestos sobre sucesiones y donaciones	1	0	0	0	0	..	..	..	..	..
4400 Imp. transacciones finan. y de capital	462	2 236	8 616	28 557	22 645	..	..	..	..	..
4500 Otros imp. no recurrentes sobre propiedad	0	0	0	0	0	..	..	..	..	..
4600 Otros imp. recurrentes sobre propiedad	0	0	0	0	0	..	..	..	..	..
5000 Impuestos sobre los bienes y servicios	**114**	**202**	**487**	**1 320**	**2 273**	**0**	**0**	**0**	**0**	**0**
5100 Imp. sobre la producción, venta, etc.	97	133	466	1 231	1 981	..	..	..	..	..
5110 Impuestos generales	0	0	0	0	0	..	..	..	..	..
5120 Impuestos sobre bienes y servicios específicos	95	133	466	1 231	1 981	..	..	..	..	..
5130 No clasificables entre 5110 y 5120	2	0	0	0	0	..	..	..	..	..
5200 Sobre uso bienes y permiso para actividades	17	69	21	89	293	..	..	..	..	..
5300 No clasificables entre 5100 y 5200	0	0	0	0	0	..	..	..	..	..
6000 Otros impuestos	**114**	**866**	**2 616**	**17 449**	**25 862**	**0**	**0**	**0**	**0**	**0**
6100 Pagados únicamente por empresas	0	0	0	0	0	..	..	..	..	..
6200 Pagados por otros o no identificables	114	866	2 616	17 449	25 862	..	..	..	..	..
Total de ingresos tributarios	**1 254**	**8 016**	**29 014**	**90 332**	**87 902**	**17 165**	**138 223**	**277 459**	**681 672**	**761 511**

.. No disponible

1. En los datos de la CEPAL, los impuestos sobre la renta se presentan netos de crédito en las cifras salariales.

2. En los datos de la CEPAL, las contribuciones a la seguridad social se presentan netas de transferencias procedentes del Gobierno federal en concepto de pago de las pensiones del IMSS (Instituto Mexicano del Seguro Social).

Cuadro 6.20. Nicaragua, ingresos tributarios por subsectores de gobierno general

Millones NIO

	Gobierno federal					Estatal/Regional				
	1990	2000	2010	2022	2023	1990	2000	2010	2022	2023
1000 Imp. renta, utilidades y ganancias de capital	..	**1 144**	**8 351**	**50 714**	**58 692**	..	..	..	..	..
1100 De personas físicas	..	299	1 857	9 648	11 166	..	..	..	..	..
1200 De sociedades	..	845	6 494	41 066	47 526	..	..	..	..	..
1300 No clasificables entre 1100 y 1200	..	0	0	0	0	..	..	..	..	..
2000 Contribuciones a la seguridad social	..	**0**	**0**	**0**	**0**	..	..	..	..	..
2100 Empleados	..	..	..	..	..	..	..	..	..	..
2200 Empleadores	..	..	..	..	..	..	..	..	..	..
2300 Trabajadores por cuenta propia o no empleados	..	..	..	..	..	..	..	..	..	..
2400 No clasificables entre 2100, 2200 y 2300	..	..	..	..	..	..	..	..	..	..
3000 Imp. sobre nómina y fuerza de trabajo	..	**0**	**0**	**0**	**0**	..	..	..	..	..
4000 Impuestos sobre la propiedad	..	**11**	**20**	**90**	**107**	..	..	..	..	..
4100 Imp. recurrentes sobre propiedad inmueble	..	0	0	0	0	..	..	..	..	..
4200 Impuestos recurrentes sobre la riqueza neta	..	0	0	0	0	..	..	..	..	..
4300 Impuestos sobre sucesiones y donaciones	..	0	0	0	0	..	..	..	..	..
4400 Imp. transacciones finan. y de capital	..	11	20	90	107	..	..	..	..	..
4500 Otros imp. no recurrentes sobre propiedad	..	0	0	0	0	..	..	..	..	..
4600 Otros imp. recurrentes sobre propiedad	..	0	0	0	0	..	..	..	..	..
5000 Impuestos sobre los bienes y servicios	..	**5 584**	**17 029**	**60 591**	**70 600**	..	..	..	..	..
5100 Imp. sobre la producción, venta, etc.	..	5 584	17 029	60 591	70 600	..	..	..	..	..
5110 Impuestos generales	..	2 931	10 353	38 449	45 834	..	..	..	..	..
5120 Impuestos sobre bienes y servicios específicos	..	2 653	6 676	22 142	24 766	..	..	..	..	..
5130 No clasificables entre 5110 y 5120	..	0	0	0	0	..	..	..	..	..
5200 Sobre uso bienes y permiso para actividades	..	0	0	0	0	..	..	..	..	..
5300 No clasificables entre 5100 y 5200	..	0	0	0	0	..	..	..	..	..
6000 Otros impuestos	..	**0**	**0**	**0**	**0**	..	..	..	..	..
6100 Pagados únicamente por empresas	..	..	..	..	..	..	..	..	..	..
6200 Pagados por otros o no identificables	..	..	..	..	..	..	..	..	..	..
Total de ingresos tributarios	..	**6 739**	**25 400**	**111 395**	**129 400**	..	..	..	..	..

Millones NIO

	Gobiernos locales[1]					Autoridades de seguridad social				
	1990	2000	2010	2022	2023	1990	2000	2010	2022	2023
1000 Imp. renta, utilidades y ganancias de capital	..	**0**	**0**	**0**	**0**	..	**0**	**0**	**0**	**0**
1100 De personas físicas	..	..	..	..	..	..	..	..	..	..
1200 De sociedades	..	..	..	..	..	..	..	..	..	..
1300 No clasificables entre 1100 y 1200	..	..	..	..	..	..	..	..	..	..
2000 Contribuciones a la seguridad social	..	**0**	**0**	**0**	**0**	..	**1 678**	**8 090**	**35 571**	**38 390**
2100 Empleados	..	..	..	..	..	..	..	..	..	..
2200 Empleadores	..	..	..	..	..	..	..	..	..	..
2300 Trabajadores por cuenta propia o no empleados	..	..	..	..	..	..	..	..	..	..
2400 No clasificables entre 2100, 2200 y 2300	..	..	..	..	..	..	1 678	8 090	35 571	38 390
3000 Imp. sobre nómina y fuerza de trabajo	..	**0**	**0**	**0**	**0**	..	**0**	**0**	**0**	**0**
4000 Impuestos sobre la propiedad	..	**0**	**403**	**1 726**	**1 994**	..	**0**	**0**	**0**	**0**
4100 Imp. recurrentes sobre propiedad inmueble	..	..	403	1 726	1 994	..	..	..	..	..
4200 Impuestos recurrentes sobre la riqueza neta	..	..	0	0	0	..	..	..	..	..
4300 Impuestos sobre sucesiones y donaciones	..	..	0	0	0	..	..	..	..	..
4400 Imp. transacciones finan. y de capital	..	..	0	0	0	..	..	..	..	..
4500 Otros imp. no recurrentes sobre propiedad	..	..	0	0	0	..	..	..	..	..
4600 Otros imp. recurrentes sobre propiedad	..	..	0	0	0	..	..	..	..	..
5000 Impuestos sobre los bienes y servicios	..	**0**	**1 922**	**6 063**	**7 007**	..	**0**	**0**	**0**	**0**
5100 Imp. sobre la producción, venta, etc.	..	..	1 579	4 824	5 575	..	..	..	..	..
5110 Impuestos generales	..	..	1 579	4 824	5 575	..	..	..	..	..
5120 Impuestos sobre bienes y servicios específicos	..	..	0	0	0	..	..	..	..	..
5130 No clasificables entre 5110 y 5120	..	..	0	0	0	..	..	..	..	..
5200 Sobre uso bienes y permiso para actividades	..	..	343	1 239	1 432	..	..	..	..	..
5300 No clasificables entre 5100 y 5200	..	..	0	0	0	..	..	..	..	..
6000 Otros impuestos	..	**0**	**347**	**1 420**	**1 641**	..	**0**	**0**	**0**	**0**
6100 Pagados únicamente por empresas	..	..	0	0	0	..	..	..	..	..
6200 Pagados por otros o no identificables	..	..	347	1 420	1 641	..	..	..	..	..
Total de ingresos tributarios	..	**882**	**2 672**	**9 209**	**10 642**	..	**1 678**	**8 090**	**35 571**	**38 390**

.. No disponible

Nota: No se pueden mostrar datos estadísticos comparables de 1990 por la devaluación de la córdoba nicaragüense.

1. Los datos de los ingresos tributarios locales de 2022 y 2023 son una estimación.

Cuadro 6.21. Panamá, ingresos tributarios por subsectores de gobierno general

Millones PAB

	Gobierno federal[3]					Estatal/Regional				
	1990	2000	2010	2022	2023	1990	2000	2010	2022	2023
1000 Imp. renta, utilidades y ganancias de capital	**217**	**485**	**1 317**	**2 807**	**3 356**	..	..	..	..	..
1100 De personas físicas	140	295	440	1 418	1 723	..	..	..	..	..
1200 De sociedades	66	159	603	954	1 232	..	..	..	..	..
1300 No clasificables entre 1100 y 1200	11	31	273	435	402	..	..	..	..	..
2000 Contribuciones a la seguridad social	**0**	**0**	**0**	**0**	**0**	..	..	..	..	..
2100 Empleados	..	..	..	..	..	..	..	..	..	..
2200 Empleadores	..	..	..	..	..	..	..	..	..	..
2300 Trabajadores por cuenta propia o no empleados	..	..	..	..	..	..	..	..	..	..
2400 No clasificables entre 2100, 2200 y 2300	..	..	..	..	..	..	..	..	..	..
3000 Imp. sobre nómina y fuerza de trabajo[1]	**0**	**36**	**59**	**131**	**200**	..	..	..	..	..
4000 Impuestos sobre la propiedad	**32**	**43**	**138**	**208**	**249**	..	..	..	..	..
4100 Imp. recurrentes sobre propiedad inmueble	28	34	108	160	201	..	..	..	..	..
4200 Impuestos recurrentes sobre la riqueza neta	0	0	0	0	0	..	..	..	..	..
4300 Impuestos sobre sucesiones y donaciones	0	0	0	0	0	..	..	..	..	..
4400 Imp. transacciones finan. y de capital	3	9	30	48	48	..	..	..	..	..
4500 Otros imp. no recurrentes sobre propiedad	0	0	0	0	0	..	..	..	..	..
4600 Otros imp. recurrentes sobre propiedad	0	0	0	0	0	..	..	..	..	..
5000 Impuestos sobre los bienes y servicios	**349**	**565**	**1 547**	**2 507**	**2 476**	..	..	..	..	..
5100 Imp. sobre la producción, venta, etc.	332	546	1 473	2 382	2 350	..	..	..	..	..
5110 Impuestos generales	80	69	766	1 424	1 429	..	..	..	..	..
5120 Impuestos sobre bienes y servicios específicos[2]	251	477	707	958	921	..	..	..	..	..
5130 No clasificables entre 5110 y 5120	0	0	0	0	0	..	..	..	..	..
5200 Sobre uso bienes y permiso para actividades	15	19	75	125	125	..	..	..	..	..
5300 No clasificables entre 5100 y 5200	2	0	0	0	0	..	..	..	..	..
6000 Otros impuestos	**26**	**27**	**41**	**28**	**26**	..	..	..	..	..
6100 Pagados únicamente por empresas	0	0	0	0	0	..	..	..	..	..
6200 Pagados por otros o no identificables	26	27	41	28	26	..	..	..	..	..
Total de ingresos tributarios	**624**	**1 157**	**3 102**	**5 680**	**6 306**	..	..	..	..	..

Millones PAB

	Gobiernos locales[4]					Autoridades de seguridad social[5]				
	1990	2000	2010	2022	2023	1990	2000	2010	2022	2023
1000 Imp. renta, utilidades y ganancias de capital	..	**0**	**0**	**0**	**0**	**0**	**0**	**0**	**0**	**0**
1100 De personas físicas	..	..	..	..	..	..	..	..	..	..
1200 De sociedades	..	..	..	..	..	..	..	..	..	..
1300 No clasificables entre 1100 y 1200	..	..	..	..	..	..	..	..	..	..
2000 Contribuciones a la seguridad social	..	**0**	**0**	**0**	**0**	**325**	**742**	**1 615**	**3 313**	**3 490**
2100 Empleados	..	..	..	..	..	..	..	..	..	..
2200 Empleadores	..	..	..	..	..	..	..	..	..	..
2300 Trabajadores por cuenta propia o no empleados	..	..	..	..	..	..	..	..	..	..
2400 No clasificables entre 2100, 2200 y 2300	..	..	..	..	..	325	742	1 615	3 313	3 490
3000 Imp. sobre nómina y fuerza de trabajo[1]	..	**0**	**0**	**0**	**0**	**0**	**0**	**0**	**0**	**0**
4000 Impuestos sobre la propiedad	..	**0**	**0**	**0**	**0**	**0**	**0**	**0**	**0**	**0**
4100 Imp. recurrentes sobre propiedad inmueble	..	0	..	..	..	..	..	..	..	..
4200 Impuestos recurrentes sobre la riqueza neta	..	0	..	..	..	..	..	..	..	..
4300 Impuestos sobre sucesiones y donaciones	..	0	..	..	..	..	..	..	..	..
4400 Imp. transacciones finan. y de capital	..	0	..	..	..	..	..	..	..	..
4500 Otros imp. no recurrentes sobre propiedad	..	0	..	..	..	..	..	..	..	..
4600 Otros imp. recurrentes sobre propiedad	..	0	..	..	..	..	..	..	..	..
5000 Impuestos sobre los bienes y servicios	..	**43**	**76**	**148**	**165**	**0**	**0**	**0**	**0**	**0**
5100 Imp. sobre la producción, venta, etc.	..	0	0	0	0	..	..	..	..	..
5110 Impuestos generales	..	0	..	..	..	..	..	..	..	..
5120 Impuestos sobre bienes y servicios específicos[2]	..	0	..	..	..	..	..	..	..	..
5130 No clasificables entre 5110 y 5120	..	0	..	..	..	..	..	..	..	..
5200 Sobre uso bienes y permiso para actividades	..	43	76	148	165	..	..	..	..	..
5300 No clasificables entre 5100 y 5200	..	0	0	0	0	..	..	..	..	..
6000 Otros impuestos	..	**0**	**0**	**0**	**0**	**0**	**0**	**0**	**0**	**0**
6100 Pagados únicamente por empresas	..	0	..	..	..	..	..	..	..	..
6200 Pagados por otros o no identificables	..	0	..	..	..	..	..	..	..	..
Total de ingresos tributarios	..	**43**	**76**	**148**	**165**	**325**	**742**	**1 615**	**3 313**	**3 490**

.. No disponible

1. En los datos de la CEPAL, el seguro de educación se clasifica como "Otros impuestos" (6000).
2. En los datos del CIAT y la CEPAL, el impuesto a la banca, las financieras y los operadores de cambio de divisas se clasifica como un impuesto a la propiedad (4000).
3. Las cifras excluyen los documentos fiscales, ya que no se consideran ingresos tributarios según la clasificación de la OCDE descrita en la Guía de interpretación.
4. Los datos de los ingresos tributarios locales de 2023 son una estimación.
5. Las contribuciones a la seguridad social engloban contribuciones periódicas y especiales y también la prima por riesgos laborales recaudadas por la Caja de Seguro Social (CSS).

Cuadro 6.22. Paraguay, ingresos tributarios por subsectores de gobierno general

Millones PYG

	Gobierno federal					Estatal/Regional				
	1990	2000	2010	2022	2023	1990	2000	2010	2022	2023
1000 Imp. renta, utilidades y ganancias de capital	**73 726**	**470 388**	**2 096 498**	**8 777 690**	**8 175 518**	..	..	..	..	..
1100 De personas físicas	..	15 042	31 263	436 247	457 741	..	..	..	..	..
1200 De sociedades	..	455 346	2 065 235	8 341 443	7 717 776	..	..	..	..	..
1300 No clasificables entre 1100 y 1200	73 726	0	0	0	0	..	..	..	..	..
2000 Contribuciones a la seguridad social	**0**	**0**	**0**	**0**	**0**	..	..	..	..	..
2100 Empleados	..	..	..	..	..	..	..	..	..	..
2200 Empleadores	..	..	..	..	..	..	..	..	..	..
2300 Trabajadores por cuenta propia o no empleados	..	..	..	..	..	..	..	..	..	..
2400 No clasificables entre 2100, 2200 y 2300	..	..	..	..	..	..	..	..	..	..
3000 Imp. sobre nómina y fuerza de trabajo	**0**	**0**	**0**	**0**	**0**	..	..	..	..	..
4000 Impuestos sobre la propiedad	**17 162**	**71 777**	**332**	**142**	**35**	..	..	..	..	..
4100 Imp. recurrentes sobre propiedad inmueble	17 162	0	0	0	0	..	..	..	..	..
4200 Impuestos recurrentes sobre la riqueza neta	0	0	0	0	0	..	..	..	..	..
4300 Impuestos sobre sucesiones y donaciones	0	0	0	0	0	..	..	..	..	..
4400 Imp. transacciones finan. y de capital	0	71 777	332	142	35	..	..	..	..	..
4500 Otros imp. no recurrentes sobre propiedad	0	0	0	0	0	..	..	..	..	..
4600 Otros imp. recurrentes sobre propiedad	0	0	0	0	0	..	..	..	..	..
5000 Impuestos sobre los bienes y servicios	**438 444**	**2 080 878**	**9 226 584**	**20 822 684**	**23 005 530**	..	..	..	..	..
5100 Imp. sobre la producción, venta, etc.	438 444	2 080 878	9 226 493	20 822 684	23 005 530	..	..	..	..	..
5110 Impuestos generales	0	1 150 496	5 991 694	15 142 895	17 037 941	..	..	..	..	..
5120 Impuestos sobre bienes y servicios específicos	438 444	930 382	3 234 799	5 679 789	5 967 589	..	..	..	..	..
5130 No clasificables entre 5110 y 5120	0	0	0	0	0	..	..	..	..	..
5200 Sobre uso bienes y permiso para actividades	0	0	91	0	0	..	..	..	..	..
5300 No clasificables entre 5100 y 5200	0	0	0	0	0	..	..	..	..	..
6000 Otros impuestos	**49 807**	**44 875**	**109 001**	**193 036**	**228 712**	..	..	..	..	..
6100 Pagados únicamente por empresas	0	0	0	0	0	..	..	..	..	..
6200 Pagados por otros o no identificables	49 807	44 875	109 001	193 036	228 712	..	..	..	..	..
Total de ingresos tributarios	**579 139**	**2 667 918**	**11 432 415**	**29 793 551**	**31 409 795**	..	..	..	..	..

Millones PYG

	Gobiernos locales[1]					Autoridades de seguridad social[2]				
	1990	2000	2010	2022	2023	1990	2000	2010	2022	2023
1000 Imp. renta, utilidades y ganancias de capital	..	..	**0**	**0**	**0**	**0**	**0**	**0**	**0**	**0**
1100 De personas físicas	..	..	..	..	..	..	..	..	..	..
1200 De sociedades	..	..	..	..	..	..	..	..	..	..
1300 No clasificables entre 1100 y 1200	..	..	..	..	..	..	..	..	..	..
2000 Contribuciones a la seguridad social	..	..	**0**	**0**	**0**	**28 882**	**919 533**	**3 552 640**	**11 801 175**	**12 909 156**
2100 Empleados	..	..	..	..	..	..	..	..	..	..
2200 Empleadores	..	..	..	..	..	..	..	..	..	..
2300 Trabajadores por cuenta propia o no empleados	..	..	..	..	..	..	..	..	..	..
2400 No clasificables entre 2100, 2200 y 2300	..	..	..	..	..	28 882	919 533	3 552 640	11 801 175	12 909 156
3000 Imp. sobre nómina y fuerza de trabajo	..	..	**0**	**0**	**0**	**0**	**0**	**0**	**0**	**0**
4000 Impuestos sobre la propiedad	..	..	**275 787**	**541 147**	**584 569**	**0**	**0**	**0**	**0**	**0**
4100 Imp. recurrentes sobre propiedad inmueble	..	..	258 423	498 239	544 983	..	..	..	..	..
4200 Impuestos recurrentes sobre la riqueza neta	..	..	0	0	0	..	..	..	..	..
4300 Impuestos sobre sucesiones y donaciones	..	..	0	0	0	..	..	..	..	..
4400 Imp. transacciones finan. y de capital	..	..	15 623	41 727	38 305	..	..	..	..	..
4500 Otros imp. no recurrentes sobre propiedad	..	..	0	0	0	..	..	..	..	..
4600 Otros imp. recurrentes sobre propiedad	..	..	1 742	1 181	1 281	..	..	..	..	..
5000 Impuestos sobre los bienes y servicios	..	..	**235 877**	**464 613**	**502 878**	**0**	**0**	**0**	**0**	**0**
5100 Imp. sobre la producción, venta, etc.	..	..	19 384	16 254	18 210	..	..	..	..	..
5110 Impuestos generales	..	..	0	0	0	..	..	..	..	..
5120 Impuestos sobre bienes y servicios específicos	..	..	19 384	16 254	18 210	..	..	..	..	..
5130 No clasificables entre 5110 y 5120	..	..	0	0	0	..	..	..	..	..
5200 Sobre uso bienes y permiso para actividades	..	..	216 256	447 151	483 312	..	..	..	..	..
5300 No clasificables entre 5100 y 5200	..	..	237	1 208	1 356	..	..	..	..	..
6000 Otros impuestos	..	..	**141 811**	**59 045**	**59 641**	**0**	**0**	**0**	**0**	**0**
6100 Pagados únicamente por empresas	..	..	0	0	0	..	..	..	..	..
6200 Pagados por otros o no identificables	..	..	141 811	59 045	59 641	..	..	..	..	..
Total de ingresos tributarios	..	..	**653 476**	**1 064 805**	**1 147 088**	**28 882**	**919 533**	**3 552 640**	**11 801 175**	**12 909 156**

.. No disponible

1. Las cifras de los años anteriores a 2006 no incluyen los ingresos tributarios de las administraciones locales, porque no hay datos disponibles.
2. Las contribuciones a la seguridad social antes de 1999 no incluyen las contribuciones de ese tipo cobradas por las instituciones descentralizadas porque no hay datos disponibles.

Cuadro 6.23. Perú, ingresos tributarios por subsectores de gobierno general

Millones PEN

	Gobierno federal					Estatal/Regional				
	1990	2000	2010	2022	2023	1990	2000	2010	2022	2023
1000 Imp. renta, utilidades y ganancias de capital	**37**	**5 078**	**25 530**	**69 141**	**61 638**	..	..	..	..	..
1100 De personas físicas	3	2 117	6 518	18 325	17 875	..	..	..	..	..
1200 De sociedades	32	2 526	17 773	48 448	41 153	..	..	..	..	..
1300 No clasificables entre 1100 y 1200	1	436	1 239	2 368	2 611	..	..	..	..	..
2000 Contribuciones a la seguridad social	**0**	**0**	**0**	**0**	**0**	..	..	..	..	..
2100 Empleados	..	..	..	..	..	..	..	..	..	..
2200 Empleadores	..	..	..	..	..	..	..	..	..	..
2300 Trabajadores por cuenta propia o no empleados	..	..	..	..	..	..	..	..	..	..
2400 No clasificables entre 2100, 2200 y 2300	..	..	..	..	..	..	..	..	..	..
3000 Imp. sobre nómina y fuerza de trabajo[1]	**0**	**1 149**	**57**	**113**	**115**	..	..	..	..	..
4000 Impuestos sobre la propiedad	**99**	**0**	**2 545**	**5 125**	**5 612**	..	..	..	..	..
4100 Imp. recurrentes sobre propiedad inmueble	0	0	0	0	0	..	..	..	..	..
4200 Impuestos recurrentes sobre la riqueza neta	0	0	1 601	4 816	5 302	..	..	..	..	..
4300 Impuestos sobre sucesiones y donaciones	0	0	0	0	0	..	..	..	..	..
4400 Imp. transacciones finan. y de capital	38	0	944	309	311	..	..	..	..	..
4500 Otros imp. no recurrentes sobre propiedad	0	0	0	0	0	..	..	..	..	..
4600 Otros imp. recurrentes sobre propiedad	61	0	0	0	0	..	..	..	..	..
5000 Impuestos sobre los bienes y servicios	**407**	**15 986**	**35 040**	**79 146**	**75 815**	..	..	..	..	..
5100 Imp. sobre la producción, venta, etc.	407	15 986	35 040	79 146	75 815	..	..	..	..	..
5110 Impuestos generales	109	9 646	29 094	68 418	65 093	..	..	..	..	..
5120 Impuestos sobre bienes y servicios específicos	297	6 340	5 946	10 729	10 722	..	..	..	..	..
5130 No clasificables entre 5110 y 5120	0	0	0	0	0	..	..	..	..	..
5200 Sobre uso bienes y permiso para actividades	0	0	0	0	0	..	..	..	..	..
5300 No clasificables entre 5100 y 5200	0	0	0	0	0	..	..	..	..	..
6000 Otros impuestos	**9**	**697**	**1 074**	**3 555**	**3 435**	..	..	..	..	..
6100 Pagados únicamente por empresas	0	84	108	114	115	..	..	..	..	..
6200 Pagados por otros o no identificables	9	614	966	3 441	3 321	..	..	..	..	..
Total de ingresos tributarios	**551**	**22 911**	**64 246**	**157 080**	**146 616**	..	..	..	..	..

Millones PEN

	Gobiernos locales[2]					Autoridades de seguridad social				
	1990	2000	2010	2022	2023	1990	2000	2010	2022	2023
1000 Imp. renta, utilidades y ganancias de capital	..	**0**	**0**	**0**	**0**	**0**	**0**	**0**	**0**	**0**
1100 De personas físicas	..	..	..	..	..	..	..	..	..	..
1200 De sociedades	..	..	..	..	..	..	..	..	..	..
1300 No clasificables entre 1100 y 1200	..	..	..	..	..	..	..	..	..	..
2000 Contribuciones a la seguridad social	..	**0**	**0**	**0**	**0**	**50**	**3 185**	**7 929**	**17 877**	**18 883**
2100 Empleados	..	..	..	..	..	..	566	2 433	4 471	4 480
2200 Empleadores	..	..	..	..	..	..	2 515	5 454	13 353	14 344
2300 Trabajadores por cuenta propia o no empleados	..	..	..	..	..	..	95	42	54	59
2400 No clasificables entre 2100, 2200 y 2300	..	..	..	..	..	50	9	0	0	0
3000 Imp. sobre nómina y fuerza de trabajo[1]	..	**0**	**0**	**0**	**0**	**0**	**0**	**0**	**0**	**0**
4000 Impuestos sobre la propiedad	..	**323**	**1 287**	**3 251**	**3 515**	**0**	**0**	**0**	**0**	**0**
4100 Imp. recurrentes sobre propiedad inmueble	..	298	727	2 391	2 711	..	..	..	..	..
4200 Impuestos recurrentes sobre la riqueza neta	..	0	0	0	0	..	..	..	..	..
4300 Impuestos sobre sucesiones y donaciones	..	0	0	0	0	..	..	..	..	..
4400 Imp. transacciones finan. y de capital	..	25	560	861	804	..	..	..	..	..
4500 Otros imp. no recurrentes sobre propiedad	..	0	0	0	0	..	..	..	..	..
4600 Otros imp. recurrentes sobre propiedad	..	0	0	0	0	..	..	..	..	..
5000 Impuestos sobre los bienes y servicios	..	**59**	**290**	**485**	**530**	**0**	**0**	**0**	**0**	**0**
5100 Imp. sobre la producción, venta, etc.	..	34	135	162	183	..	..	..	..	..
5110 Impuestos generales	..	0	0	0	0	..	..	..	..	..
5120 Impuestos sobre bienes y servicios específicos	..	34	135	162	183	..	..	..	..	..
5130 No clasificables entre 5110 y 5120	..	0	0	0	0	..	..	..	..	..
5200 Sobre uso bienes y permiso para actividades	..	25	154	323	347	..	..	..	..	..
5300 No clasificables entre 5100 y 5200	..	0	0	0	0	..	..	..	..	..
6000 Otros impuestos	..	**48**	**26**	**55**	**72**	**0**	**0**	**0**	**0**	**0**
6100 Pagados únicamente por empresas	..	0	0	0	0	..	..	..	..	..
6200 Pagados por otros o no identificables	..	48	26	55	72	..	..	..	..	..
Total de ingresos tributarios	..	**430**	**1 603**	**3 792**	**4 117**	**50**	**3 185**	**7 929**	**17 877**	**18 883**

.. No disponible

1. Las contribuciones al SENATI se incluyen en la partida 3000. Los ingresos tributarios se clasifican dentro del Gobierno central. En Perú, estos ingresos se clasifican en una unidad aparte que se considera diferente del Gobierno central.
2. Las cifras de los años hasta 2000 no incluyen los ingresos tributarios de las administraciones locales, porque no hay datos disponibles.

Cuadro 6.24. Santa Lucía, ingresos tributarios por subsectores de gobierno general

Millones XCD

	Gobierno federal					Estatal/Regional				
	1990	2000	2010	2022	2023	1990	2000	2010	2022	2023
1000 Imp. renta, utilidades y ganancias de capital	**..**	**137**	**224**	**283**	**307**	**..**	**..**	**..**	**..**	**..**
1100 De personas físicas	..	49	83	153	151	..	..	..	..	..
1200 De sociedades	..	63	95	114	141	..	..	..	..	..
1300 No clasificables entre 1100 y 1200	..	26	46	16	15	..	..	..	..	..
2000 Contribuciones a la seguridad social	**..**	**0**	**0**	**0**	**0**	**..**	**..**	**..**	**..**	**..**
2100 Empleados	..	..	..	..	..	..	..	..	..	..
2200 Empleadores	..	..	..	..	..	..	..	..	..	..
2300 Trabajadores por cuenta propia o no empleados	..	..	..	..	..	..	..	..	..	..
2400 No clasificables entre 2100, 2200 y 2300	..	..	..	..	..	..	..	..	..	..
3000 Imp. sobre nómina y fuerza de trabajo	**..**	**0**	**0**	**0**	**0**	**..**	**..**	**..**	**..**	**..**
4000 Impuestos sobre la propiedad	**..**	**11**	**19**	**36**	**35**	**..**	**..**	**..**	**..**	**..**
4100 Imp. recurrentes sobre propiedad inmueble	..	2	3	12	10	..	..	..	..	..
4200 Impuestos recurrentes sobre la riqueza neta	..	0	0	0	0	..	..	..	..	..
4300 Impuestos sobre sucesiones y donaciones	..	0	0	0	0	..	..	..	..	..
4400 Imp. transacciones finan. y de capital	..	9	16	24	26	..	..	..	..	..
4500 Otros imp. no recurrentes sobre propiedad	..	0	0	0	0	..	..	..	..	..
4600 Otros imp. recurrentes sobre propiedad	..	0	0	0	0	..	..	..	..	..
5000 Impuestos sobre los bienes y servicios	**..**	**284**	**493**	**803**	**882**	**..**	**..**	**..**	**..**	**..**
5100 Imp. sobre la producción, venta, etc.	..	277	467	797	871	..	..	..	..	..
5110 Impuestos generales	..	101	119	396	404	..	..	..	..	..
5120 Impuestos sobre bienes y servicios específicos	..	176	348	401	467	..	..	..	..	..
5130 No clasificables entre 5110 y 5120	..	0	0	0	0	..	..	..	..	..
5200 Sobre uso bienes y permiso para actividades	..	7	26	6	10	..	..	..	..	..
5300 No clasificables entre 5100 y 5200	..	0	0	0	0	..	..	..	..	..
6000 Otros impuestos	**..**	**0**	**0**	**0**	**0**	**..**	**..**	**..**	**..**	**..**
6100 Pagados únicamente por empresas	..	..	..	..	..	..	..	..	..	..
6200 Pagados por otros o no identificables	..	..	..	..	..	..	..	..	..	..
Total de ingresos tributarios	**..**	**432**	**737**	**1 122**	**1 224**	**..**	**..**	**..**	**..**	**..**

Millones XCD

	Gobiernos locales					Autoridades de seguridad social[1]				
	1990	2000	2010	2022	2023	1990	2000	2010	2022	2023
1000 Imp. renta, utilidades y ganancias de capital	**..**	**..**	**..**	**..**	**..**	**..**	**0**	**0**	**0**	**0**
1100 De personas físicas	..	..	..	..	..	..	..	..	..	..
1200 De sociedades	..	..	..	..	..	..	..	..	..	..
1300 No clasificables entre 1100 y 1200	..	..	..	..	..	..	..	..	..	..
2000 Contribuciones a la seguridad social	**..**	**..**	**..**	**..**	**..**	**..**	**48**	**92**	**152**	**158**
2100 Empleados	..	..	..	..	..	..	..	..	..	..
2200 Empleadores	..	..	..	..	..	..	..	..	..	..
2300 Trabajadores por cuenta propia o no empleados	..	..	..	..	..	..	..	1	1	1
2400 No clasificables entre 2100, 2200 y 2300	..	..	..	..	..	..	48	91	150	157
3000 Imp. sobre nómina y fuerza de trabajo	**..**	**..**	**..**	**..**	**..**	**..**	**0**	**0**	**0**	**0**
4000 Impuestos sobre la propiedad	**..**	**..**	**..**	**..**	**..**	**..**	**0**	**0**	**0**	**0**
4100 Imp. recurrentes sobre propiedad inmueble	..	..	..	..	..	..	..	..	..	..
4200 Impuestos recurrentes sobre la riqueza neta	..	..	..	..	..	..	..	..	..	..
4300 Impuestos sobre sucesiones y donaciones	..	..	..	..	..	..	..	..	..	..
4400 Imp. transacciones finan. y de capital	..	..	..	..	..	..	..	..	..	..
4500 Otros imp. no recurrentes sobre propiedad	..	..	..	..	..	..	..	..	..	..
4600 Otros imp. recurrentes sobre propiedad	..	..	..	..	..	..	..	..	..	..
5000 Impuestos sobre los bienes y servicios	**..**	**..**	**..**	**..**	**..**	**..**	**0**	**0**	**0**	**0**
5100 Imp. sobre la producción, venta, etc.	..	..	..	..	..	..	..	..	..	..
5110 Impuestos generales	..	..	..	..	..	..	..	..	..	..
5120 Impuestos sobre bienes y servicios específicos	..	..	..	..	..	..	..	..	..	..
5130 No clasificables entre 5110 y 5120	..	..	..	..	..	..	..	..	..	..
5200 Sobre uso bienes y permiso para actividades	..	..	..	..	..	..	..	..	..	..
5300 No clasificables entre 5100 y 5200	..	..	..	..	..	..	..	..	..	..
6000 Otros impuestos	**..**	**..**	**..**	**..**	**..**	**..**	**0**	**0**	**0**	**0**
6100 Pagados únicamente por empresas	..	..	..	..	..	..	..	..	..	..
6200 Pagados por otros o no identificables	..	..	..	..	..	..	..	..	..	..
Total de ingresos tributarios	**..**	**..**	**..**	**..**	**..**	**..**	**48**	**92**	**152**	**158**

.. No disponible

1. Las cifras del período 2021-2023 son una estimación.

Cuadro 6.25. Trinidad y Tobago, ingresos tributarios por subsectores de gobierno general

Millones TTD

	Gobierno federal					Estatal/Regional				
	1990	2000	2010	2022	2023	1990	2000	2010	2022	2023
1000 Imp. renta, utilidades y ganancias de capital	**2 595**	**6 224**	**27 213**	**32 666**	**29 668**	**..**	**..**	**..**	**..**	**..**
1100 De personas físicas	669	2 325	4 674	5 811	6 054	..	..	..	..	..
1200 De sociedades	1 856	3 704	21 659	25 817	21 995	..	..	..	..	..
1300 No clasificables entre 1100 y 1200	70	195	881	1 038	1 619	..	..	..	..	..
2000 Contribuciones a la seguridad social	**0**	**0**	**0**	**0**	**0**	**..**	**..**	**..**	**..**	**..**
2100 Empleados	..	..	..	..	..	..	..	..	..	..
2200 Empleadores	..	..	..	..	..	..	..	..	..	..
2300 Trabajadores por cuenta propia o no empleados	..	..	..	..	..	..	..	..	..	..
2400 No clasificables entre 2100, 2200 y 2300	..	..	..	..	..	..	..	..	..	..
3000 Imp. sobre nómina y fuerza de trabajo	**0**	**0**	**0**	**0**	**0**	**..**	**..**	**..**	**..**	**..**
4000 Impuestos sobre la propiedad	**90**	**175**	**194**	**345**	**291**	**..**	**..**	**..**	**..**	**..**
4100 Imp. recurrentes sobre propiedad inmueble	39	64	22	2	1	..	..	..	..	..
4200 Impuestos recurrentes sobre la riqueza neta	0	0	0	0	0	..	..	..	..	..
4300 Impuestos sobre sucesiones y donaciones	1	0	0	0	0	..	..	..	..	..
4400 Imp. transacciones finan. y de capital	49	111	172	342	290	..	..	..	..	..
4500 Otros imp. no recurrentes sobre propiedad	0	0	0	0	0	..	..	..	..	..
4600 Otros imp. recurrentes sobre propiedad	0	0	0	0	0	..	..	..	..	..
5000 Impuestos sobre los bienes y servicios	**2 055**	**3 852**	**9 667**	**10 416**	**11 938**	**..**	**..**	**..**	**..**	**..**
5100 Imp. sobre la producción, venta, etc.	1 973	3 603	9 282	10 143	11 637	..	..	..	..	..
5110 Impuestos generales	980	1 890	6 358	6 437	7 788	..	..	..	..	..
5120 Impuestos sobre bienes y servicios específicos	993	1 713	2 924	3 707	3 849	..	..	..	..	..
5130 No clasificables entre 5110 y 5120	0	0	0	0	0	..	..	..	..	..
5200 Sobre uso bienes y permiso para actividades	81	249	386	272	301	..	..	..	..	..
5300 No clasificables entre 5100 y 5200	0	0	0	0	0	..	..	..	..	..
6000 Otros impuestos	**0**	**0**	**0**	**0**	**0**	**..**	**..**	**..**	**..**	**..**
6100 Pagados únicamente por empresas	..	..	..	..	..	..	..	..	..	..
6200 Pagados por otros o no identificables	..	..	..	..	..	..	..	..	..	..
Total de ingresos tributarios	**4 740**	**10 251**	**37 074**	**43 426**	**41 897**	**..**	**..**	**..**	**..**	**..**

Millones TTD

	Gobiernos locales					Autoridades de seguridad social[1]				
	1990	2000	2010	2022	2023	1990	2000	2010	2022	2023
1000 Imp. renta, utilidades y ganancias de capital	**..**	**..**	**..**	**..**	**..**	**0**	**0**	**0**	**0**	**0**
1100 De personas físicas	..	..	..	..	..	..	..	..	..	..
1200 De sociedades	..	..	..	..	..	..	..	..	..	..
1300 No clasificables entre 1100 y 1200	..	..	..	..	..	..	..	..	..	..
2000 Contribuciones a la seguridad social	**..**	**..**	**..**	**..**	**..**	**183**	**702**	**2 645**	**4 530**	**4 808**
2100 Empleados	..	..	..	..	..	..	..	..	..	..
2200 Empleadores	..	..	..	..	..	..	..	..	..	..
2300 Trabajadores por cuenta propia o no empleados	..	..	..	..	..	..	..	..	..	..
2400 No clasificables entre 2100, 2200 y 2300	..	..	..	..	..	183	702	2 645	4 530	4 808
3000 Imp. sobre nómina y fuerza de trabajo	**..**	**..**	**..**	**..**	**..**	**0**	**0**	**0**	**0**	**0**
4000 Impuestos sobre la propiedad	**..**	**..**	**..**	**..**	**..**	**0**	**0**	**0**	**0**	**0**
4100 Imp. recurrentes sobre propiedad inmueble	..	..	..	..	..	..	..	..	..	..
4200 Impuestos recurrentes sobre la riqueza neta	..	..	..	..	..	..	..	..	..	..
4300 Impuestos sobre sucesiones y donaciones	..	..	..	..	..	..	..	..	..	..
4400 Imp. transacciones finan. y de capital	..	..	..	..	..	..	..	..	..	..
4500 Otros imp. no recurrentes sobre propiedad	..	..	..	..	..	..	..	..	..	..
4600 Otros imp. recurrentes sobre propiedad	..	..	..	..	..	..	..	..	..	..
5000 Impuestos sobre los bienes y servicios	**..**	**..**	**..**	**..**	**..**	**0**	**0**	**0**	**0**	**0**
5100 Imp. sobre la producción, venta, etc.	..	..	..	..	..	..	..	..	..	..
5110 Impuestos generales	..	..	..	..	..	..	..	..	..	..
5120 Impuestos sobre bienes y servicios específicos	..	..	..	..	..	..	..	..	..	..
5130 No clasificables entre 5110 y 5120	..	..	..	..	..	..	..	..	..	..
5200 Sobre uso bienes y permiso para actividades	..	..	..	..	..	..	..	..	..	..
5300 No clasificables entre 5100 y 5200	..	..	..	..	..	..	..	..	..	..
6000 Otros impuestos	**..**	**..**	**..**	**..**	**..**	**0**	**0**	**0**	**0**	**0**
6100 Pagados únicamente por empresas	..	..	..	..	..	..	..	..	..	..
6200 Pagados por otros o no identificables	..	..	..	..	..	..	..	..	..	..
Total de ingresos tributarios	**..**	**..**	**..**	**..**	**..**	**183**	**702**	**2 645**	**4 530**	**4 808**

.. No disponible

1. Las cifras siguen el ejercicio financiero comprendido entre los meses de julio y junio.

Cuadro 6.26. Uruguay, ingresos tributarios por subsectores de gobierno general

Millones UYU

	Gobierno federal					Estatal/Regional				
	1990	2000	2010	2022	2023	1990	2000	2010	2022	2023
1000 Imp. renta, utilidades y ganancias de capital	**114**	**8 698**	**42 583**	**207 294**	**217 293**	..	..	..	..	..
1100 De personas físicas	0	3 597	19 148	113 351	121 171	..	..	..	..	..
1200 De sociedades	114	5 102	21 772	82 729	83 530	..	..	..	..	..
1300 No clasificables entre 1100 y 1200	0	0	1 662	11 214	12 592	..	..	..	..	..
2000 Contribuciones a la seguridad social	**0**	**0**	**0**	**0**	**0**	..	..	..	..	..
2100 Empleados	..	..	..	..	..	..	..	..	..	..
2200 Empleadores	..	..	..	..	..	..	..	..	..	..
2300 Trabajadores por cuenta propia o no empleados	..	..	..	..	..	..	..	..	..	..
2400 No clasificables entre 2100, 2200 y 2300	..	..	..	..	..	..	..	..	..	..
3000 Imp. sobre nómina y fuerza de trabajo	**0**	**0**	**0**	**0**	**0**	..	..	..	..	..
4000 Impuestos sobre la propiedad	**105**	**2 690**	**11 688**	**36 294**	**37 713**	..	..	..	..	..
4100 Imp. recurrentes sobre propiedad inmueble	0	533	1 252	5 951	6 231	..	..	..	..	..
4200 Impuestos recurrentes sobre la riqueza neta	94	1 769	8 760	25 740	27 090	..	..	..	..	..
4300 Impuestos sobre sucesiones y donaciones	0	0	0	0	0	..	..	..	..	..
4400 Imp. transacciones finan. y de capital	11	372	1 350	3 553	3 641	..	..	..	..	..
4500 Otros imp. no recurrentes sobre propiedad	0	0	0	0	0	..	..	..	..	..
4600 Otros imp. recurrentes sobre propiedad	1	15	326	1 050	751	..	..	..	..	..
5000 Impuestos sobre los bienes y servicios	**1 301**	**29 556**	**96 432**	**293 884**	**297 935**	..	..	..	..	..
5100 Imp. sobre la producción, venta, etc.	1 301	29 556	96 432	293 884	297 935	..	..	..	..	..
5110 Impuestos generales[1]	660	18 009	69 951	199 428	206 033	..	..	..	..	..
5120 Impuestos sobre bienes y servicios específicos	641	11 546	26 480	94 456	91 902	..	..	..	..	..
5130 No clasificables entre 5110 y 5120	0	0	0	0	0	..	..	..	..	..
5200 Sobre uso bienes y permiso para actividades	0	0	0	0	0	..	..	..	..	..
5300 No clasificables entre 5100 y 5200	0	0	0	0	0	..	..	..	..	..
6000 Otros impuestos	**-10**	**-145**	**586**	**1 205**	**1 231**	..	..	..	..	..
6100 Pagados únicamente por empresas	-10	-145	586	1 205	1 231	..	..	..	..	..
6200 Pagados por otros o no identificables	0	0	0	0	0	..	..	..	..	..
Total de ingresos tributarios	**1 510**	**40 799**	**151 289**	**538 678**	**554 172**	..	..	..	..	..

Millones UYU

	Gobiernos locales					Autoridades de seguridad social[2]				
	1990	2000	2010	2022	2023	1990	2000	2010	2022	2023
1000 Imp. renta, utilidades y ganancias de capital	**0**	**0**	**0**	**0**	**0**	**0**	**0**	**0**	**0**	**0**
1100 De personas físicas	..	..	..	..	..	..	..	..	..	..
1200 De sociedades	..	..	..	..	..	..	..	..	..	..
1300 No clasificables entre 1100 y 1200	..	..	..	..	..	..	..	..	..	..
2000 Contribuciones a la seguridad social	**0**	**0**	**0**	**0**	**0**	**717**	**17 679**	**49 742**	**196 321**	**218 255**
2100 Empleados	..	..	..	..	..	..	..	..	..	..
2200 Empleadores	..	..	..	..	..	..	..	..	..	..
2300 Trabajadores por cuenta propia o no empleados	..	..	..	..	..	..	..	..	..	..
2400 No clasificables entre 2100, 2200 y 2300	..	..	..	..	..	717	17 679	49 742	196 321	218 255
3000 Imp. sobre nómina y fuerza de trabajo	**0**	**0**	**0**	**0**	**0**	**0**	**0**	**0**	**0**	**0**
4000 Impuestos sobre la propiedad	**107**	**2 819**	**7 277**	**23 730**	**26 247**	**0**	**0**	**0**	**0**	**0**
4100 Imp. recurrentes sobre propiedad inmueble	87	2 715	6 887	21 976	24 903	..	..	..	..	..
4200 Impuestos recurrentes sobre la riqueza neta	0	0	0	0	0	..	..	..	..	..
4300 Impuestos sobre sucesiones y donaciones	0	0	0	0	0	..	..	..	..	..
4400 Imp. transacciones finan. y de capital	20	104	390	1 754	1 344	..	..	..	..	..
4500 Otros imp. no recurrentes sobre propiedad	0	0	0	0	0	..	..	..	..	..
4600 Otros imp. recurrentes sobre propiedad	0	0	0	0	0	..	..	..	..	..
5000 Impuestos sobre los bienes y servicios	**57**	**2 583**	**3 851**	**17 311**	**18 697**	**0**	**0**	**0**	**0**	**0**
5100 Imp. sobre la producción, venta, etc.	0	7	63	239	237	..	..	..	..	..
5110 Impuestos generales[1]	0	0	0	0	0	..	..	..	..	..
5120 Impuestos sobre bienes y servicios específicos	0	7	63	239	237	..	..	..	..	..
5130 No clasificables entre 5110 y 5120	0	0	0	0	0	..	..	..	..	..
5200 Sobre uso bienes y permiso para actividades	57	2 576	3 788	17 072	18 459	..	..	..	..	..
5300 No clasificables entre 5100 y 5200	0	0	0	0	0	..	..	..	..	..
6000 Otros impuestos	**7**	**303**	**748**	**4 124**	**4 589**	**0**	**0**	**0**	**0**	**0**
6100 Pagados únicamente por empresas	0	0	0	0	0	..	..	..	..	..
6200 Pagados por otros o no identificables	7	303	748	4 124	4 589	..	..	..	..	..
Total de ingresos tributarios	**171**	**5 705**	**11 876**	**45 165**	**49 533**	**717**	**17 679**	**49 742**	**196 321**	**218 255**

.. No disponible

1. El impuesto a la venta de productos en subasta pública de esta partida se clasifica dentro de la categoría 4000 en los datos de la CEPAL.
2. Las cifras del período 1990-1998 son una estimación de la Dirección General Impositiva (DGI). Desde 1999, las cifras incluyen ingresos del Banco de Previsión Social (BPS) publicados por el Ministerio de Economía y Finanzas.

Cuadro 6.27. Venezuela, ingresos tributarios por subsectores de gobierno general

VES

	Gobierno federal[2]					Estatal/Regional				
	1990	2000	2010	2022	2023	1990	2000	2010	2022	2023
1000 Imp. renta, utilidades y ganancias de capital	**3 444**	**46 856**	**368 365**	..	..	..	..	..	..	..
1100 De personas físicas	..	..	..	..	..	..	..	..	..	..
1200 De sociedades[1]	3 148	33 683	86 998	..	..	..	..	..	..	..
1300 No clasificables entre 1100 y 1200	297	13 173	281 367	..	..	..	..	..	..	..
2000 Contribuciones a la seguridad social	**0**	**0**	**0**	..	..	..	..	..	..	..
2100 Empleados	..	..	..	..	..	..	..	..	..	..
2200 Empleadores	..	..	..	..	..	..	..	..	..	..
2300 Trabajadores por cuenta propia o no empleados	..	..	..	..	..	..	..	..	..	..
2400 No clasificables entre 2100, 2200 y 2300	..	..	..	..	..	..	..	..	..	..
3000 Imp. sobre nómina y fuerza de trabajo	**0**	**0**	**0**	..	..	..	..	..	..	..
4000 Impuestos sobre la propiedad	**11**	**3 999**	**2 217**	..	..	..	..	..	..	..
4100 Imp. recurrentes sobre propiedad inmueble	0	0	0	..	..	..	..	..	..	..
4200 Impuestos recurrentes sobre la riqueza neta	0	0	0	..	..	..	..	..	..	..
4300 Impuestos sobre sucesiones y donaciones	11	191	2 217	..	..	..	..	..	..	..
4400 Imp. transacciones finan. y de capital	0	3 808	0	..	..	..	..	..	..	..
4500 Otros imp. no recurrentes sobre propiedad	0	0	0	..	..	..	..	..	..	..
4600 Otros imp. recurrentes sobre propiedad	0	0	0	..	..	..	..	..	..	..
5000 Impuestos sobre los bienes y servicios	**457**	**51 726**	**733 363**	..	..	..	..	..	..	..
5100 Imp. sobre la producción, venta, etc.	457	51 726	733 363	..	..	..	..	..	..	..
5110 Impuestos generales	0	32 716	561 005	..	..	..	..	..	..	..
5120 Impuestos sobre bienes y servicios específicos	457	19 011	172 357	..	..	..	..	..	..	..
5130 No clasificables entre 5110 y 5120	0	0	0	..	..	..	..	..	..	..
5200 Sobre uso bienes y permiso para actividades	0	0	0	..	..	..	..	..	..	..
5300 No clasificables entre 5100 y 5200	0	0	0	..	..	..	..	..	..	..
6000 Otros impuestos	**0**	**0**	**0**	..	..	..	..	..	..	..
6100 Pagados únicamente por empresas	..	..	..	..	..	..	..	..	..	..
6200 Pagados por otros o no identificables	..	..	..	..	..	..	..	..	..	..
Total de ingresos tributarios	**3 913**	**102 581**	**1 103 944**	..	..	..	..	..	..	..

VES

	Gobiernos locales					Autoridades de seguridad social[2, 3]				
	1990	2000	2010	2022	2023	1990	2000	2010	2022	2023
1000 Imp. renta, utilidades y ganancias de capital	..	..	..	..	..	**0**	**0**	**0**	..	..
1100 De personas físicas	..	..	..	..	..	..	..	..	..	..
1200 De sociedades[1]	..	..	..	..	..	..	..	..	..	..
1300 No clasificables entre 1100 y 1200	..	..	..	..	..	..	..	..	..	..
2000 Contribuciones a la seguridad social	..	..	..	..	..	**202**	**5 905**	**96 896**	..	..
2100 Empleados	..	..	..	..	..	..	..	..	..	..
2200 Empleadores	..	..	..	..	..	..	..	..	..	..
2300 Trabajadores por cuenta propia o no empleados	..	..	..	..	..	..	..	..	..	..
2400 No clasificables entre 2100, 2200 y 2300	..	..	..	..	..	202	5 905	96 896	..	..
3000 Imp. sobre nómina y fuerza de trabajo	..	..	..	..	..	**0**	**0**	**0**	..	..
4000 Impuestos sobre la propiedad	..	..	..	..	..	**0**	**0**	**0**	..	..
4100 Imp. recurrentes sobre propiedad inmueble	..	..	..	..	..	..	..	..	..	..
4200 Impuestos recurrentes sobre la riqueza neta	..	..	..	..	..	..	..	..	..	..
4300 Impuestos sobre sucesiones y donaciones	..	..	..	..	..	..	..	..	..	..
4400 Imp. transacciones finan. y de capital	..	..	..	..	..	..	..	..	..	..
4500 Otros imp. no recurrentes sobre propiedad	..	..	..	..	..	..	..	..	..	..
4600 Otros imp. recurrentes sobre propiedad	..	..	..	..	..	..	..	..	..	..
5000 Impuestos sobre los bienes y servicios	..	..	..	..	..	**0**	**0**	**0**	..	..
5100 Imp. sobre la producción, venta, etc.	..	..	..	..	..	..	..	..	..	..
5110 Impuestos generales	..	..	..	..	..	..	..	..	..	..
5120 Impuestos sobre bienes y servicios específicos	..	..	..	..	..	..	..	..	..	..
5130 No clasificables entre 5110 y 5120	..	..	..	..	..	..	..	..	..	..
5200 Sobre uso bienes y permiso para actividades	..	..	..	..	..	..	..	..	..	..
5300 No clasificables entre 5100 y 5200	..	..	..	..	..	..	..	..	..	..
6000 Otros impuestos	..	..	..	..	..	**0**	**0**	**0**	..	..
6100 Pagados únicamente por empresas	..	..	..	..	..	..	..	..	..	..
6200 Pagados por otros o no identificables	..	..	..	..	..	..	..	..	..	..
Total de ingresos tributarios	..	..	..	..	..	**202**	**5 905**	**96 896**	..	..

.. No disponible

1. Desde 2016 no hay datos disponibles sobre ingresos procedentes de los impuestos a los beneficios del petróleo (clasificados en la partida 1200).
2. No hay datos tributarios disponibles a partir de 2018. Las cifras correspondientes al período entre 2015 y 2017 deberían interpretarse con precaución porque se han visto afectadas por la elevada tasa de inflación durante este período.
3. Desde 2014, no hay datos disponibles sobre contribuciones a la seguridad social.

Anexo A. Clasificación de impuestos de la OCDE y guía de interpretación de la OCDE

Índice[1]

A.1 Clasificación de impuestos de la OCDE

1. **1000. Impuestos sobre la renta, las utilidades y las ganancias de capital**
    - 1100. Impuestos sobre la renta, utilidades y ganancias de capital de personas físicas
        - 1110. Renta y utilidades
        - 1120. Ganancias de capital
    - 1200. Impuesto sobre la renta, utilidades y ganancias de capital de sociedades
        - 1210. Renta y utilidades
        - 1220. Ganancias de capital
    - 1300. No clasificables entre 1100 y 1200
2. **2000. Contribuciones a la seguridad social**
    - 2100. Empleados
        - 2110. Sobre la base de la nómina
        - 2120. Sobre la base del impuesto sobre la renta
    - 2200. Empleadores
        - 2210. Sobre la base de la nómina
        - 2220. Sobre la base del impuesto sobre la renta
    - 2300. Trabajadores por cuenta propia o no empleados
        - 2310. Sobre la base de la nómina
        - 2320. Sobre la base del impuesto sobre la renta
    - 2400. No clasificables entre 2100, 2200 y 2300
        - 2410. Sobre la base de la nómina
        - 2420. Sobre la base del impuesto sobre la renta
3. **3000. Impuestos sobre la nómina y la fuerza de trabajo**
4. **4000. Impuestos sobre la propiedad**
    - 4100. Impuestos recurrentes sobre la propiedad inmueble
        - 4110. Hogares
        - 4120. Otros
    - 4200. Impuestos recurrentes sobre la riqueza neta
        - 4210. Personas físicas
        - 4220. Sociedades
    - 4300. Impuestos sobre sucesiones, herencias y donaciones
        - 4310. Impuestos sobre sucesiones y herencias
        - 4320. Impuestos sobre donaciones
    - 4400. Impuestos sobre transacciones financieras y de capital

4500. Otros impuestos no recurrentes sobre la propiedad

4510. Otros impuestos sobre la riqueza neta

4520. Otros impuestos no recurrentes

4600. Otros impuestos recurrentes sobre la propiedad

5. 5000. Impuestos sobre los bienes y servicios

5100. Impuestos sobre la producción, venta, transferencia, arrendamiento y entrega de bienes y prestación de servicios

5110. Impuestos generales

5111. Impuestos sobre el valor agregado

5112. Impuestos sobre las ventas

5113. Otros impuestos generales sobre ingresos brutos y sobre bienes y servicios

5120. Impuestos sobre bienes y servicios específicos

5121. Impuestos selectivos

5122. Utilidades de los monopolios fiscales

5123. Derechos de aduanas y otros derechos de importación

5124. Impuestos sobre las exportaciones

5125. Impuestos sobre los bienes de inversión

5126. Impuestos sobre servicios específicos

5127. Otros impuestos sobre el comercio y las transacciones internacionales

5128. Otros impuestos sobre bienes y servicios específicos

5130. No clasificables entre 5110 y 5120

5200. Impuestos sobre el uso de bienes y sobre el permiso para usar bienes y realizar actividades

5210. Impuestos recurrentes

5211. Pagados por los hogares sobre vehículos automotores.

5212. Pagados por otros sobre vehículos automotores

5213. Otros impuestos recurrentes

5220. Impuestos no recurrentes

5300. No clasificables entre 5100 y 5200

6. 6000. Otros impuestos

6100. Pagados únicamente por empresas

6200. Pagados por otros distintos de las empresas o no identificables

A.2 Cobertura

Criterios generales

1. En la clasificación de la OCDE, el término "impuestos" se circunscribe exclusivamente a los pagos sin contraprestación efectuados al gobierno general o una autoridad supranacional. Los impuestos carecen de contraprestación en el sentido en que, normalmente, las prestaciones proporcionadas por el gobierno a los contribuyentes no guardan relación directa con los pagos realizados por estos.

2. El término "impuestos" no incluye las multas, sanciones pecuniarias, ni préstamos obligatorios pagados al gobierno. La delimitación entre ingresos tributarios y no tributarios en relación con ciertas tasas y cargos se abordan en los § 12-15.

3. El gobierno general comprende la Administración central y los organismos que se hallan bajo su control efectivo, los gobiernos estatales y locales y sus respectivas administraciones, y ciertos regímenes de seguridad social y entidades gubernamentales autónomas, excluidas las empresas públicas. Esta definición del gobierno proviene del *Sistema de Cuentas Nacionales* (SCN) 2008;[2] en esa publicación, el sector del gobierno general y sus subsectores se hallan definidos en el capítulo 4, párrafos 4.117 a 4.165 de la versión en inglés.

4. Las unidades extrapresupuestarias son parte del sistema de gobierno general. Estas son entidades del gobierno general con presupuestos individuales que no están completamente cubiertos por el presupuesto principal o general. Estas entidades operan bajo la autoridad o el control de un gobierno central, estatal o local. Las entidades extrapresupuestarias pueden tener sus propias fuentes de ingresos, que pueden complementarse con subvenciones (transferencias) del presupuesto general o de otras fuentes. A pesar de que sus presupuestos pueden estar sujetos a la aprobación de la legislatura, similar a la de las cuentas presupuestarias, tienen discreción sobre el volumen y la composición de sus gastos. Dichas entidades pueden establecerse para llevar a cabo funciones gubernamentales específicas, como la construcción de carreteras o la producción de servicios de salud o educación pública. Los arreglos presupuestarios varían ampliamente entre países, y se utilizan diversos términos para describir estas entidades, pero a menudo se los denomina "fondos extrapresupuestarios" o "agencias descentralizadas".

5. Los pagos obligatorios y sin contraprestación recaudados por los gobiernos nacionales y abonados a las autoridades supranacionales se considerarán también como impuestos según la definición del párrafo 1. Los ingresos tributarios que recaudan los gobiernos nacionales y que se pagan a una autoridad supranacional se asignan como ingresos fiscales a la autoridad supranacional en el SCN 2008 (véanse los párrafos 22.60-61, 22.88 y 22.99) y en el SEC 2010 (véase el párrafo 20.165). En las estadísticas tributarias, estos ingresos tributarios incluyen los derechos de aduana, las contribuciones al Fondo de Resolución Único de la UE y cualquier otro impuesto recaudado por los Estados miembros de la UE en nombre de la Unión Europea. Se incluyen en los importes de los ingresos tributarios en los cuadros de países (capítulo 5) del país en el que se recaudan y se atribuyen a la autoridad supranacional (véase el §102).

6. En los países en los que la Iglesia forma parte del gobierno general y las autoridades supranacionales, se computan los impuestos eclesiásticos, siempre que reúnan los criterios establecidos en el § 1. Además, habida cuenta de que los datos hacen referencia a las entradas que recibe el gobierno general, quedan excluidos los gravámenes abonados a órganos no gubernamentales, organismos de bienestar o regímenes de seguro social externos al gobierno general, y sindicatos u organizaciones profesionales, aun cuando dichos gravámenes sean obligatorios; sin embargo, los pagos obligatorios al gobierno general asignados a esos entes sí están incluidos aquí siempre que el gobierno no actúe como mero agente de estos[3]. Las utilidades de los monopolios fiscales se diferencian de las de otras empresas públicas, y se tratan como impuestos porque reflejan el ejercicio del poder tributario del Estado mediante

el uso de prerrogativas monopolísticas (véanse los § 66-68), al igual que las utilidades percibidas por el gobierno por la compra y la venta de divisas a diferentes tipos de cambio (véase el § 76).

7. Los impuestos pagados por el gobierno (p. ej., contribuciones a la seguridad social e impuestos sobre la nómina pagados por el gobierno en su calidad de empleador, impuestos sobre el consumo en sus compras o impuestos sobre sus propiedades) no se han excluido de los datos presentados. Sin embargo, cuando ha sido posible identificar las cantidades de ingreso implicadas[4], se han mostrado en el Cuadro 5.39 de la publicación Estadísticas Tributarias en países de la OCDE.

8. La relación entre esta clasificación y la del Sistema de Cuentas Nacionales (SCN) se aclara en los apartados A.9 y A.11 infra.; dado que estas dos clasificaciones no coinciden en todos sus aspectos, en ocasiones, los datos presentados en las cuentas nacionales se calculan o clasifican de forma diferente a lo establecido en la presente guía y, aunque esas y otras diferencias se han mencionado en determinados casos (p. ej., en el § 31 infra.), no ha sido posible hacer referencia a todas ellas. Por otra parte, pueden darse asimismo ciertas disparidades entre la presente clasificación y la empleada internamente por algunas administraciones nacionales (véase el § 13), por lo que quizá las estadísticas de la OCDE y las nacionales no siempre concuerden; sin embargo, es más que probable que esas diferencias sean mínimas en lo que a la cuantía de ingresos se refiere.

Contribuciones a la seguridad social

9. Las contribuciones obligatorias a la seguridad social, tal y como se definen en el § 40, abonadas al gobierno general, se tratan aquí como ingresos tributarios. No obstante, pueden diferir de otros impuestos por el hecho de que la recepción de prestaciones de la seguridad social depende, en numerosos países, de que se hayan aportado las debidas contribuciones, aunque la magnitud de dichas prestaciones no tiene por qué estar supeditada obligatoriamente al importe de las contribuciones. Al tratar las contribuciones sociales como impuestos, se obtiene un mayor grado de comparabilidad entre países, aunque se han consignado en una categoría separada para poder distinguirlas en cualquier análisis.

10. La estricta distinción entre los ingresos tributarios (pagos obligatorios sin contraprestaciones directas a los gobiernos generales o una autoridad supranacional) y los pagos obligatorios no tributarios (NTCPs por sus siglas en inglés) (pagos que con derechos a contraprestaciones o que se realizan a otras instituciones) está claramente definida. Sin embargo, dentro del rango de diferentes pagos obligatorios realizados a los gobiernos en todos los países, no siempre es sencillo en la práctica decidir si los pagos específicos son impuestos o NTCPs. Por ejemplo, los ahorros de pensión obligatorios que son controlados por el gobierno general y que se acumulan en una cuenta individual obteniendo una rentabilidad del mercado o una tasa que compensa la inflación se clasificarían a primera vista como NTCPs en lugar de impuestos. Sin embargo, incluso estos pagos podrían no dar origen a “reembolsos” y clasificarse como impuestos en lugar de NTCPs (por ejemplo, si estos ahorros no se pagan cuando el contribuyente muere antes de alcanzar la edad de jubilación y los fondos se utilizan para proporcionar una pensión mínima a todos los contribuyentes que están asegurados). Estos problemas hacen que las cifras de ingresos de la seguridad social reportadas para la mayoría de los países se basen en la premisa de que todos los tipos de pagos obligatorios a las administraciones públicas se consideran en cierta medida como elementos de redistribución. Cabe señalar que esta conclusión se basa en una interpretación generalmente amplia del término "no correspondido" en la definición del impuesto.

11. Por el contrario, las contribuciones a la seguridad social voluntarias o no pagaderas al gobierno general (véase el § 1) no se tratan como impuestos, aunque en ciertos países, tal y como se indica debidamente en cada caso en las notas que figuran al pie de los cuadros, plantea dificultades el eliminar tanto las contribuciones voluntarias como algunos pagos obligatorios al sector privado de las cifras de recaudo tributario. Las contribuciones a la seguridad social imputadas tampoco son considerados impuestos.

Tasas, cargos a usuarios y licencias

12. Aparte de las tasas por licencia de vehículos, universalmente consideradas como impuestos, no resulta fácil distinguir entre las tasas y cargos a usuarios que deben tratarse como impuestos y las que no, ya que, aunque toda tasa o cargo se impone en conexión con un servicio o una actividad específicos, la intensidad del vínculo entre el derecho cobrado y el servicio prestado puede variar considerablemente, al igual que puede hacerlo la relación entre la cuantía de la tasa y el costo que supone proporcionar el servicio en cuestión. En todo caso, cuando el beneficiario del servicio pague una tasa claramente relacionada con el costo que supone prestar un servicio, puede inferirse que el gravamen tiene contraprestación y, de acuerdo con la definición reseñada en el § 1, no se considerará como impuesto. En sentido contrario, puede estimarse que el gravamen "carece de contraprestación" cuando:

a) el cargo exceda con creces el costo que supone prestar el servicio;
b) el pagador o sujeto pasivo del gravamen no sea el beneficiario del servicio (p. ej., tasas recaudadas de los mataderos para financiar un servicio proporcionado a los titulares de explotaciones agropecuarias);
c) el gobierno no proporcione un servicio específico a cambio del pago del gravamen, aun y cuando se emita un permiso en beneficio del sujeto pasivo (p. ej., cuando el gobierno concede licencias de caza, pesca o tiro que no otorgan el derecho a usar una zona específica propiedad del gobierno);
d) los servicios beneficien únicamente a los pagadores del gravamen, pero las utilidades recibidas por cada persona no guarden necesariamente proporción con sus pagos (p. ej., el gravamen sobre la comercialización de la leche que recae en los criadores de ganado lechero y que se utiliza para fomentar el consumo de la leche).
e) el pagador de la tasa no pueda optar por no pagarla cuando no usa el servicio (por ejemplo, en el caso de las tasas públicas de radiodifusión, en las que el pagador está obligado a pagar la tasa aunque no consuma el servicio público de radiodifusión).

13. Pese a las anteriores consideraciones, en ciertos casos excepcionales la aplicación de los criterios plasmados en el § 1 puede resultar particularmente compleja. La solución adoptada –dada la conveniencia de uniformidad internacional y las cantidades de ingreso relativamente bajas implicadas por lo general– ha consistido en seguir la práctica dominante en la mayoría de las administraciones, en lugar de permitir que cada país aplique su propia visión sobre si estos gravámenes deben considerarse como ingresos tributarios o no tributarios.[5]

14. Seguidamente, se ofrece una lista de las principales tasas y cargos en cuestión, y su tratamiento normal[6] en esta publicación:

Ingresos no tributarios:	tasas procesales, permisos de conducir, tasas portuarias, tasas por expedición de pasaportes
Impuestos de la partida 5200	permiso para realizar actividades tales como distribución cinematográfica; caza, pesca o tiro; suministro de instalaciones para actividades recreativas o de ocio o juegos de azar; venta de bebidas alcohólicas o tabaco; posesión de animales domésticos o uso de vehículos automotores; derechos sobre la extracción

15. En la práctica, puede que no siempre resulte posible aislar las entradas tributarias de las no tributarias cuando estas se registran conjuntamente. En ese caso, si se considera que la mayoría de las entradas proviene de ingresos no tributarios, se tratará el importe total como tal; de lo contrario, esas entradas del gobierno se incluirán y clasificarán según las normas recogidas en el § 33.

Regalías

16. La propiedad de los activos del subsuelo en forma de depósitos de minerales o combustibles fósiles (carbón, petróleo o gas natural) depende de la forma en que los derechos de propiedad están definidos por la ley y también de los acuerdos internacionales en el caso de depósitos bajo aguas internacionales. En algunos casos, ya sea en el terreno por debajo del cual se encuentran los depósitos minerales, los depósitos en sí o ambos pueden pertenecer a una unidad del gobierno local o central.

17. En tales casos, estas unidades del gobierno general pueden otorgar arrendamientos a otras unidades institucionales que les permitan extraer estos depósitos durante un período de tiempo específico a cambio de un pago o una serie de pagos. Estos pagos a menudo se describen como "regalías", pero son esencialmente rentas que se acumulan a los propietarios de los recursos naturales a cambio de poner estos activos a disposición de otros agentes durante períodos de tiempo específicos. El alquiler puede tomar la forma de pagos periódicos de cantidades fijas, independientemente de la tasa de extracción, o, más comúnmente, pueden ser una función de la cantidad, el volumen o el valor del activo extraído. Las empresas dedicadas a la exploración en tierras del gobierno pueden hacer pagos a las unidades del gobierno general a cambio del derecho a realizar perforaciones de prueba o investigar de otro modo la existencia y ubicación de los activos del subsuelo. Dichos pagos también se registran como rentas aunque no se realice ninguna extracción. Por lo tanto, estos pagos se clasifican como ingresos no tributarios.

18. Los mismos principios se aplican cuando a otras unidades institucionales se les conceden arrendamientos que les permiten talar madera en bosques naturales en tierras que son propiedad de unidades del gobierno general. Estos pagos también se clasifican como ingresos no tributarios.

19. Estas rentas o regalías pagadas al gobierno general no deben confundirse con los impuestos sobre los ingresos y las ganancias, los impuestos sobre la extracción de recursos naturales, las licencias comerciales u otros impuestos. Si los pagos se aplican a las ganancias de la actividad de extracción, entonces deben clasificarse como impuestos sobre ingresos, utilidades y ganancias (1000). Además, cualquier pago que se imponga a la extracción de minerales y combustibles fósiles de las reservas de propiedad privada o de otro gobierno se debe clasificar como impuestos. Los pagos relacionados con el valor bruto de la producción deben clasificarse como otros impuestos sobre bienes y servicios (5128). Los pagos de una licencia o permiso para realizar operaciones de extracción se deben clasificar como impuestos sobre el uso de bienes y sobre el permiso para usar bienes o realizar actividades (5213).

Multas y sanciones pecuniarias

20. En principio, las multas y sanciones pecuniarias impuestas por el pago tardío de los impuestos o por el intento de evasión de los impuestos no deben registrarse como ingresos tributarios. Sin embargo, en ocasiones no es posible distinguir y separar los pagos por multas y penalidades del recaudo del impuesto a los que estos están relacionados. En este caso, las multas y sanciones pecuniarias vinculadas a un determinado impuesto se registran con los ingresos de ese impuesto. Las multas y penalidades pagadas sobre el recaudo de impuestos no identificados se clasifican como otros impuestos en la partida 6000. Las multas que no están relacionadas con delitos tributarios (por ejemplo, las infracciones por estacionamiento indebido), o que no puedan ser identificadas como ofensas tributarias, no serán tratadas como ingresos tributarios.

A.3. Principios de registro

Criterio de devengo o de caja

21. Los datos recogidos en las publicaciones *Estadísticas tributarias* de los últimos años relativos a los países de la OCDE se han registrado predominantemente según el criterio de devengo, esto es, se

han computado en el momento en que nace la obligación. Se ofrece más información al respecto en las notas que figuran al pie de los cuadros de países en el Capítulo 5 del informe.

22. Sin embargo, los datos relativos a años anteriores y a países que no pertenecen a la OCDE han seguido registrándose principalmente según el criterio de caja, es decir, en el momento en que el gobierno recibió el pago. Por lo tanto, por ejemplo, los impuestos descontados por los empleadores en un año pero pagados al gobierno al año siguiente y los impuestos debidos un año pero liquidados el año después constan ambos en las entradas del segundo año. Las transacciones correctoras, tales como devoluciones, reembolsos y reintegros, se deducen de los ingresos brutos del periodo en que se realizan.

23. Los datos sobre ingresos tributarios se registran sin deducción de los gastos administrativos propios de la recaudación impositiva. De igual modo, cuando los recursos generados por un impuesto se emplean para subvencionar a miembros particulares de la comunidad, el subsidio no se descuenta del producto impositivo, aunque puede que el impuesto aparezca sin los subsidios en los registros nacionales de algunos países.

24. En lo que a los monopolios fiscales se refiere (5122), únicamente se incluye en los ingresos del gobierno el importe realmente transferido a este. Sin embargo, si cualquier gasto de los monopolios fiscales se considera gasto del gobierno (p. ej., gastos sociales emprendidos por los monopolios fiscales en beneficio del gobierno), se añadirán posteriormente con el fin de llegar a cifras de ingreso tributario (véase el § 66 infra.).

Distinción entre disposiciones tributarias y disposiciones relativas al gasto[7]

25. Dado que la presente publicación aborda únicamente la actividad del gobierno desde el punto de vista del ingreso, sin tener en cuenta los aspectos relacionados con el gasto, resulta preciso realizar una distinción entre las disposiciones que rigen estos dos elementos. Por lo general, no existe dificultad alguna en diferenciar ambos aspectos, ya que los gastos operan en un ámbito externo al sistema tributario y sus cuentas, y se rigen por una legislación separada de la impositiva. En los casos de difícil delimitación, se emplea el flujo de caja para distinguir entre disposiciones tributarias y disposiciones relativas al gasto. En la medida en que una disposición incida en el flujo de pagos tributarios del contribuyente al gobierno, se entenderá que reviste un carácter tributario y se tendrá en cuenta en los datos recogidos en esta publicación. Cualquier disposición que no afecte a ese flujo se reputará como relativa al gasto y no se tendrá en consideración en la información plasmada en la publicación.

26. Las desgravaciones, exenciones y deducciones tributarias sobre la base imponible afectan claramente a la cantidad transferida al gobierno y, por ende, se consideran disposiciones de naturaleza tributaria. En el extremo opuesto, los subsidios o exoneraciones que no compensen la obligación tributaria y que estén claramente desvinculados del proceso de evaluación, no reducen los ingresos tributarios consignados en esta publicación. De particular interés en este ámbito resultan los créditos fiscales, que son cantidades deducibles del impuesto liquidable (lo que los diferencia de las deducciones sobre la base imponible). Cabe distinguir dos tipos de créditos fiscales: los créditos fiscales no exigibles (a veces denominados desaprovechables), limitados al importe de la obligación tributaria y que, por ende, no pueden generar un pago de las autoridades al contribuyente; y los créditos fiscales exigibles (o no desaprovechables), que no están sometidos a dicho límite, de forma que toda cantidad que exceda la obligación tributaria puede abonarse al contribuyente[8]. Al igual que las desgravaciones, un crédito fiscal no exigible afecta claramente a la cantidad transferida al gobierno y, por ende, se considerará como tributario. La práctica seguida para los créditos fiscales exigibles[9] consiste en distinguir entre "el componente de gasto tributario"[10] que es la porción del crédito empleada en reducir o eliminar la obligación del contribuyente" y el "componente de transferencia", constituido por la parte que excede la obligación del contribuyente y que se paga a este. Al registrar los ingresos tributarios deberá restarse la parte equivalente al componente de gasto tributario, pero no la correspondiente al componente de transferencia. Además, las cantidades de ambos componentes deberán figurar como partidas informativas

en los cuadros de países. Los países que no puedan diferenciar entre estos dos componentes deberán indicar si se ha restado de los ingresos tributarios el total de ellos y presentar las evaluaciones disponibles del valor que ambos representan. Para mayor información, consúltese el Capítulo 1 de la publicación Revenue Statistics de la OCDE, que examina el efecto de los diversos tratamientos de los créditos fiscales exigibles en la relación impuestos sobre PIB.

Calendario y ejercicio fiscal

27. Las autoridades nacionales cuyos ejercicios fiscales no coinciden con el año calendario deben presentar los datos, siempre que sea posible, sobre la base del año calendario, a fin de permitir el mayor grado posible de comparación con la información de otros países. Subsisten algunos países en los que los datos hacen referencia a los ejercicios fiscales; para ellos, los datos relativos al PIB utilizados en los cuadros comparativos corresponden igualmente a los ejercicios fiscales.

A.4 Criterios generales de clasificación

Principales criterios de clasificación

28. El desglose de las entradas fiscales en las diversas categorías (1000, 2000, 3000, 4000, 5000 y 6000) se rige en general por la base sobre la cual recae el impuesto: 1000, renta, utilidades y ganancias de capital; 2000 y 3000, remuneraciones, nómina o número de empleados (fuerza de trabajo); 4000, propiedad; 5000, bienes y servicios; 6000, bases múltiples, otras bases o bases no identificables. Cuando un impuesto se calcula sobre más de una base, las entradas que genera se distribuyen, en la medida de lo posible, entre las diversas categorías (véanse los § 33 y 84). Las categorías 4000 y 5000 no sólo cubren aquellos impuestos en los que la base tributaria está constituida por la propiedad, los bienes o los servicios en sí mismos, sino también ciertos impuestos afines; y así, por ejemplo, los impuestos sobre transmisiones patrimoniales se incluyen en la partida 4400,[11] y los impuestos sobre el uso de bienes y sobre el permiso para realizar actividades, en la 5200. En las categorías 4000 y 5000, se distingue en ocasiones entre impuestos recurrentes y no recurrentes: son impuestos recurrentes los que se recaudan a intervalos regulares (por lo general, anualmente), y no recurrentes, los que se imponen una sola vez (véanse los § 48 §51, §54 §55 y §81 para profundizar en las aplicaciones particulares de esta distinción).

29. La asignación de un impuesto a fines específicos no afecta a la clasificación de las entradas fiscales que genera. Sin embargo, tal y como se explica en el § 40 en relación con la clasificación de las contribuciones a la seguridad social, el hecho de que estas confieran un derecho a recibir prestaciones sociales es decisivo para la definición de la categoría 2000.

30. La forma en que se establece o recauda un impuesto (p.ej., mediante el uso de timbres) no afecta a su clasificación.

Clasificación de los contribuyentes

31. En ocasiones, se distingue entre diversas clases de contribuyentes. Esas distinciones dependen de cada impuesto.

a) *Entre personas físicas y sociedades en relación con los impuestos sobre la renta y sobre la riqueza neta*

La distinción básica aquí es que los impuestos sobre la renta de las sociedades (impuesto de sociedades), a diferencia de los impuestos sobre la renta de las personas físicas, gravan a la sociedad como entidad y no a sus propietarios, independientemente de las circunstancias personales de estos; la misma distinción se aplica a los impuestos sobre la riqueza neta de las sociedades y de las personas físicas. Los impuestos liquidados sobre las utilidades de las asociaciones y sobre la renta de las instituciones, tales como seguros de vida o fondos de pensiones, se clasifican siguiendo la misma regla, y así, se considerarán impuestos sobre las sociedades (1200) si se cargan a la asociación o institución como persona jurídica sin tener en cuenta las circunstancias personales de sus propietarios, o impuestos sobre las personas físicas en el caso contrario (1100). Por lo general, los impuestos aplicados a las sociedades y a las personas físicas se rigen por legislaciones diferentes.[12] La distinción realizada aquí entre personas físicas y sociedades no sigue la categorización por sectores entre hogares, empresas, etcétera, del Sistema de Cuentas Nacionales para las cuentas de ingresos y desembolsos. La clasificación del SCN requiere que ciertas empresas no constituidas en sociedad[13] se excluyan del sector de los hogares y vengan a sumarse a las empresas no financieras y las instituciones financieras. Sin embargo, el impuesto sobre las utilidades de esos negocios no siempre puede separarse del impuesto sobre la renta de sus propietarios o, como mucho, puede deslindarse sólo arbitrariamente. Por ello, no se ha intentado reproducir aquí esa separación, y la totalidad del impuesto sobre la renta de las personas físicas se ha recogido en un solo bloque, independientemente de la naturaleza del ingreso imponible.

b) Entre hogares y otros en relación con los impuestos sobre la propiedad inmueble

Esta distinción es la misma que la adoptada por el SCN para las cuentas de gasto del consumo final de los hogares y de producción. Se trata pues de diferenciar a los hogares como consumidores (esto es, excluidas las empresas no constituidas en sociedad), por una parte, y a los productores, por otra. Los impuestos sobre las viviendas ocupadas por los hogares, tanto a cargo de los propietarios-ocupantes como de los arrendatarios o de los arrendadores, se incluyen en los hogares, lo que coincide con la diferenciación que suele hacerse comúnmente entre los impuestos sobre la propiedad doméstica y los impuestos sobre la propiedad empresarial. No obstante, algunos países no se hallan en situación de operar esta distinción.

c) Entre hogares y otros en relación con las licencias de vehículos automotores

Se distingue aquí entre los hogares como consumidores, por una parte, y los productores, por otra, al igual que en las cuentas de gasto del consumo final de los hogares y de producción del SCN.

d) Entre empresas y otros en relación con los impuestos residuales (6000)

La distinción es la misma que en c), esta vez, entre los productores, por una parte, y los hogares como consumidores, por otra. Los impuestos recogidos en la categoría 6000 bien porque gravan más de una base tributaria, o bien porque su base no entra dentro del ámbito de ninguna de las categorías anteriores pero es identificable como imponible sobre los productores, y no sobre los hogares, se incluyen en 'empresas'. El resto de los impuestos de la categoría 6000 se imputan a 'otros' o no identificables.

Recargos

32. Las entradas procedentes de recargos relacionados con impuestos particulares se clasifican por lo general en base al impuesto correspondiente, ya sea el recargo temporal o no. Pero si el recargo posee una característica que lo califica para ser clasificada en una categoría diferente de la lista de la OCDE, las entradas generadas por el recargo se recogen en dicha categoría, separadas de las del correspondiente impuesto.

Entradas tributarias no identificables y partidas residuales

33. En un cierto número de casos, no logra determinarse que los impuestos pertenezcan enteramente a una categoría o partida de la clasificación de la OCDE y, en esos casos, se aplican las siguientes pautas:

a) Se conoce la categoría, pero no la forma de distribuir las entradas entre las diversas subdivisiones: las entradas se clasifican en la correspondiente partida o subpartida residual (1300, 2400, 4520, 4600, 5128, 5130, 5300 o 6200).

b) Se sabe que la mayor parte de las entradas procedentes de un grupo de impuestos (normalmente, impuestos locales) proviene de impuestos de una categoría o una partida particulares, pero algunos de los impuestos del grupo cuya cuantía no puede determinarse con exactitud pueden clasificarse en otras categorías o partidas: las entradas se consignan en la categoría o partida a la que pertenezca la mayoría de ellas.

c) No puede identificarse ni la categoría ni la partida correspondiente al impuesto (normalmente, local): el impuesto se incorpora a la partida 6200, a menos que se conozca que se trata de un impuesto sobre las empresas, en cuyo caso se incluye en la partida 6100.

A.5 Comentarios sobre ítems de la lista

1000 – Impuestos sobre la renta, las utilidades y las ganancias de capital

34. Esta categoría cubre los impuestos aplicados a la renta o a las utilidades netas (esto es, la renta bruta menos las deducciones permitidas) de las personas físicas y las sociedades, así como los impuestos a los que se someten las ganancias de capital de esos mismos sujetos pasivos, y las ganancias obtenidas en juegos de azar.

35. Se incluyen en esta categoría:

a) los impuestos que gravan predominantemente la renta o las utilidades, aunque recaigan parcialmente sobre otras bases; los impuestos aplicados a varias bases que no sean mayoritariamente la renta o las utilidades se clasifican de acuerdo con los principios establecidos en los § 33 y 84;

b) los impuestos sobre la propiedad aplicados a un ingreso presunto o estimado como parte de un impuesto sobre la renta (véase el § 48(a), (c) y (d));

c) los pagos obligatorios al fondo de contribuciones de la seguridad social impuestos sobre la renta que no confieran un derecho a prestaciones sociales; si esas contribuciones otorgan derecho a prestaciones sociales, se incluyen en la categoría 2000 (véase el § 40);

d) el producto de los sistemas integrados de impuestos sobre la renta de régimen cedular se clasifican como un todo en esta categoría, aunque algunos de los impuestos cedulares puedan basarse en la renta bruta y no tener en cuenta las circunstancias personales del contribuyente.

36. La principal división de esta categoría se efectúa entre los gravámenes a personas físicas (1100) y aquellos a sociedades (1200). A su vez, en cada partida, se separa entre impuestos sobre la renta y las utilidades (1110 y 1210) e impuestos sobre las ganancias de capital (1120 y 1220). Si algunas entradas no pueden atribuirse pertinentemente a la partida 1100 o a la 1200, o si no puede realizarse esta distinción en la práctica (p. ej., por falta de datos fiables sobre los receptores de los pagos de los que se deducen los impuestos con retención en la fuente), las entradas se incorporan a la partida 1300 como "no clasificables".

Tratamiento de los créditos fiscales en los sistemas de imputación

37. En los sistemas de imputación del impuesto de sociedades, los accionistas están exentos, total o parcialmente, de responder en concepto del impuesto sobre la renta por los dividendos abonados por la compañía a partir de la renta o de las utilidades sometidas al impuesto de sociedades. En los países con este sistema,[14] una parte del impuesto sobre las utilidades de la sociedad está disponible para exonerar a los accionistas de su propia obligación tributaria. La exoneración del accionista reviste la forma de un crédito fiscal, cuyo importe puede ser inferior, igual o superior al pasivo tributario total del accionista. Si el

crédito fiscal excede al pasivo tributario, puede que ese exceso sea pagadero al accionista. Dado que este tipo de crédito fiscal es parte integrante del sistema de imputación del impuesto sobre la renta de las sociedades, cualquier pago a los accionistas se trata como devolución tributaria, y no como gasto (compárese con el tratamiento de otros créditos fiscales descrito en el § 26).

38. Puesto que en los sistemas de imputación el crédito fiscal (incluso cuando excede la obligación tributaria) debe considerarse como disposición tributaria, se plantea la cuestión de determinar si deberá deducirse de las entradas en concepto de impuesto sobre la renta de las personas físicas (1110) o de las entradas atribuibles al impuesto sobre la renta de las sociedades (1210). En este informe, la cantidad total pagada a título del impuesto sobre la renta de las sociedades se recoge en la subpartida 1210, y el impuesto no imputado en la subpartida 1110. Por lo tanto, la cuantía total del crédito se resta de esta última subpartida, tanto si el crédito da lugar a una reducción de la obligación tributaria por renta personal, como si se realiza un reembolso porque el crédito fiscal excede el pasivo tributario por este concepto. (No obstante, si los créditos fiscales se deducen del impuesto de sociedades por dividendos repartidos a otras sociedades, las correspondientes cantidades se descuentan de las entradas registradas en la subpartida 1210.)

1120 y 1220 – Impuestos sobre las ganancias de capital

39. Como su nombre indica, estas subpartidas engloban los impuestos sobre las ganancias de capital, ya de las personas físicas (1120), ya de las sociedades (1220), siempre que las entradas procedentes de estos impuestos puedan identificarse por separado. Ese no es el caso en numerosos países, y las entradas de estos impuestos se clasifican junto con las del impuesto sobre la renta. La subpartida 1120 contiene asimismo los impuestos sobre las ganancias obtenidas en juegos de azar.

2000 – Contribuciones a la seguridad social

40. Entran en esta categoría todos los pagos obligatorios a las administraciones públicas que confieran un derecho a recibir una prestación social futura (contingente). Esos pagos suelen estar asignados al financiamiento de prestaciones sociales y, a menudo, se pagan a las instituciones del gobierno general que proporcionan dichas prestaciones. Sin embargo, esa asignación no forma parte de la definición de las contribuciones a la seguridad social y no es necesaria para que un impuesto sea clasificado en esta categoría, pero, para que un impuesto se incluya aquí, sí será preciso que confiera un derecho. Y así, los gravámenes sobre la renta o la nómina asignados a los fondos de seguridad social pero que no confieran el derecho a recibir prestaciones sociales quedan excluidos de la presente categoría y se registran bien entre los impuestos sobre la renta de las personas físicas (1100), bien junto con los impuestos sobre la nómina y la fuerza de trabajo (3000). Los impuestos aplicados sobre otras bases, como los bienes y servicios, no se consignarán aquí aunque estén asignados a prestaciones de la seguridad social, sino que se catalogarán según sus respectivas bases, ya que por lo general no otorgarán derecho alguno a prestaciones sociales.

41. Entre otras, se incluirán aquí las contribuciones a los siguientes tipos de prestaciones de la seguridad social: prestaciones y suplementos por seguro de desempleo; prestaciones por accidente, lesión o enfermedad; pensiones por jubilación, invalidez y supervivencia; ayudas familiares; reembolsos de gastos médicos u hospitalarios o prestación de servicios médicos u hospitalarios. Las contribuciones pueden recaudarse tanto de los empleados como de los empleadores.

42. Las contribuciones pueden tener como base bien las remuneraciones o la nómina ('sobre la base de la nómina'), bien la renta neta tras deducciones y exenciones por circunstancias personales ('sobre la base del impuesto sobre la renta'), y el producto de ambas bases deberá identificarse separadamente en la medida de lo posible. Cuando las contribuciones al régimen general de la seguridad social se basen en la nómina, pero las de grupos particulares (tales como los trabajadores por cuenta propia) no puedan

evaluarse en función de esta base y se emplee en ese caso la renta neta como una aproximación de las remuneraciones brutas, las entradas seguirán clasificándose sobre la base de la nómina. En principio, esta categoría excluye las contribuciones voluntarias aportadas a los regímenes de seguridad social, que, cuando sea posible identificarlas de forma separada, se recogerán en la partida informativa sobre el financiamiento de las prestaciones sociales; sin embargo, en la práctica, estas aportaciones no siempre pueden desvincularse de las contribuciones obligatorias, en cuyo caso se incluirán igualmente en esta categoría.

43. Las contribuciones a los regímenes de seguro social no vinculados a instituciones del gobierno general, así como las aportaciones a otros tipos de sistemas de seguro, tales como planes de previsión o planes de pensiones, mutualidades u otros planes de ahorro, no se consideran contribuciones a la seguridad social. Los planes de previsión son acuerdos por los que las contribuciones de cada empleado y la parte correspondiente del empleador en nombre de aquél se conservan en una cuenta separada que genera interés, de la que pueden retirarse en circunstancias específicas. Por su parte, los planes de pensiones son regímenes organizados separadamente, negociados entre empleados y empleadores, que conllevan disposiciones sobre diversas contribuciones y prestaciones, a veces más directamente vinculadas a los niveles salariales y a la duración del servicio que en otros esquemas sociales. Cuando las contribuciones a esos regímenes son obligatorias o cuasiobligatorias (p. ej., en virtud de un acuerdo con sindicatos u organizaciones profesionales), se hacen constar en la partida informativa (véase el Cuadro 5.38 de este Reporte).

44. Las contribuciones de los empleados del gobierno y de este con respecto a sus empleados a los regímenes de seguridad social incluidos en el gobierno general se clasifican en esta categoría. También se consideran impuestos las contribuciones de los empleados del gobierno a regímenes diferentes que puedan reputarse sustitutivos de los regímenes generales de seguridad social.[15] Por el contrario, cuando un régimen diferente no pueda considerarse sustitutivo de uno general y haya sido negociado entre el gobierno, en su papel de empleador, y sus empleados, no se estimará como régimen de seguridad social y, por lo tanto, las contribuciones a él no se tendrán como impuestos, aunque el régimen haya sido instaurado por la legislación.

45. Esta categoría excluye las contribuciones 'imputadas', que corresponden a las prestaciones sociales pagadas directamente por los empleadores a sus empleados, antiguos empleados o personas a cargo de estos (p. ej., cuando los empleadores están legalmente obligados a correr con las prestaciones por enfermedad durante cierto tiempo).

46. Las contribuciones se dividen en tres partidas principales – empleados (2100), empleadores (2200) y trabajadores por cuenta propia o no empleados (2300) – y se subdividen posteriormente en función de la base que gravan. A efectos de la presente publicación, se entiende por empleados todas las personas contratadas en actividades de unidades empresariales, órganos gubernamentales, instituciones privadas sin ánimo de lucro u otro tipo de empleo remunerado, con excepción de los dueños de empresas no constituidas en sociedad y de los miembros no remunerados de sus familias. También se consideran empleados los miembros de las Fuerzas Armadas, independientemente de la duración y del tipo de su servicio, siempre que coticen a regímenes de la seguridad social. Por su parte, las contribuciones de los empleadores se definen como las aportaciones que estos realizan por cuenta de sus empleados a los sistemas de seguridad social. Si los empleados o los empleadores tienen la obligación de continuar cotizando a la seguridad social en el caso de desempleo de un empleado, esas contribuciones se muestran en las partidas 2100 y 2200, respectivamente, siempre que los datos lo permitan. En consecuencia, la partida 2300 queda reservada a las contribuciones abonadas por los trabajadores por cuenta propia y por quienes no se hallan incluidos en la población activa (p. ej., incapacitados o jubilados).

3000 – Impuestos sobre la nómina y la fuerza de trabajo

47. Consiste en los impuestos pagados por las firmas o empresas, ya sea como una proporción de los salarios o la nómina, ya como una cantidad fija por persona empleada. No incluyen pagos a la seguridad social obligatorios pagados por empleadores u otros impuestos pagados por los empleados mismos de sus salarios o remuneraciones.

4000 – Impuestos sobre la propiedad

48. Esta categoría engloba los impuestos, recurrentes y no recurrentes, sobre el uso, la titularidad o la transmisión de la propiedad, lo que incluye impuestos sobre la propiedad inmueble y la riqueza neta, sobre el cambio de titularidad en la propiedad por herencia o donación, y sobre transacciones financieras y de capital. Quedan excluidas de esta categoría los siguientes tipos de impuestos:

a) los impuestos sobre las ganancias de capital procedentes de la venta de propiedad (1120 o 1220);

b) los impuestos sobre el uso de bienes y sobre el permiso para usar bienes o realizar actividades (5200): véase el § 78;

c) los impuestos sobre los bienes inmuebles gravados sobre la base de un ingreso neto presunto que tiene en cuenta las circunstancias personales del contribuyente: se clasifican como impuestos sobre la renta junto con los impuestos sobre la renta y sobre las ganancias de capital derivadas de la propiedad (1100);

d) los impuestos sobre el uso de la propiedad con fines residenciales, tanto si debe responder del impuesto el propietario como el arrendatario, siempre que la cantidad debida tenga en cuenta las circunstancias personales del usuario (ingresos, personas a cargo, etcétera): se integran en los impuestos sobre la renta (1100);

e) los impuestos sobre los edificios con una densidad máxima superior a la permitida; sobre la ampliación, construcción o modificación de ciertos edificios más allá de un valor umbral; y sobre la construcción de edificios: todos ellos se integran en los impuestos sobre el permiso para realizar actividades (5200);

f) los impuestos sobre el uso de la propiedad propia para fines comerciales especiales, tales como la venta de bebidas alcohólicas, tabaco o carne, o para la explotación de tierras (p. ej., impuestos sobre la extracción en Estados Unidos): se integran en los impuestos sobre el permiso para realizar actividades (5200).

4100 – Impuestos recurrentes sobre la propiedad inmueble

49. Esta partida comprende los impuestos con que se grava de forma regular el uso o la titularidad de bienes inmuebles.

- Estos impuestos gravan las tierras y los edificios.
- Pueden consistir en un porcentaje del valor tasado de una propiedad, basado a su vez en un ingreso por alquiler hipotético, en el precio de venta, en un rendimiento capitalizado o en otras características de la propiedad inmueble (por ejemplo, el tamaño o la ubicación) de las que quepa inferir un alquiler o un valor de capital hipotéticos.
- Estos impuestos pueden aplicarse a los propietarios, a los arrendatarios o a ambos. También pueden pagarse de un nivel de gobierno a otro en relación con los bienes bajo jurisdicción de este último.
- Para la evaluación de estos impuestos, no se tienen en cuenta las deudas y, en ese sentido, difieren de los impuestos sobre la riqueza neta.

50. Los impuestos recurrentes sobre la propiedad inmueble se subdividen a su vez en los pagados por los hogares (4110) y los abonados por otros sujetos pasivos (4120), de acuerdo con los criterios establecidos en el § 31(b) supra.

4200 – Impuestos recurrentes sobre la riqueza neta

51. Esta partida abarca los impuestos con que se grava periódicamente (por lo general, anualmente) la riqueza neta, esto es, los impuestos sobre un amplio abanico de bienes muebles e inmuebles, descontadas sus deudas. Esta partida se subdivide a su vez en los impuestos pagados por las personas físicas (4210) y los abonados por las sociedades (4220), de acuerdo con los criterios establecidos en el § 31(a) supra. Si existen cifras separadas para las entradas correspondientes a pagos realizados por instituciones, se añaden a la subpartida de las sociedades.

4300 – Impuestos sobre sucesiones, herencias y donaciones

52. Esta partida se divide entre impuestos sobre sucesiones o herencias (4310) e impuestos sobre donaciones (4320).[16] Los impuestos sobre sucesiones gravan el valor total de la sucesión o del caudal hereditario, mientras los impuestos sobre herencias se aplican a las cuotas recibidas por los causahabientes individualmente considerados o en función de la relación de estos con el difunto.

4400 – Impuestos sobre transacciones financieras y de capital

53. Esta partida incluye, entre otros, los impuestos sobre la emisión, transmisión, compra y venta de activos no financieros y financieros (como divisas o valores), sobre los cheques y otras formas de pago y sobre transacciones legales específicas, tales como la validación de contratos o la venta de bienes inmuebles. La partida no incluye:

- *a)* los impuestos sobre el uso de bienes y sobre el permiso para realizar ciertas actividades (5200);
- *b)* las tasas abonadas en concepto de costos procesales o expedición de actas de nacimiento, matrimonio o defunción, que suelen considerarse como ingresos no tributarios (véase el § 12);
- *c)* los impuestos sobre ganancias de capital (1000);
- *d)* los impuestos recurrentes sobre la propiedad inmueble (4100);
- *e)* los impuestos recurrentes sobre la riqueza neta (4200);
- *f)* otros impuestos no recurrentes sobre la propiedad o la riqueza (4500);
- *g)* impuestos de timbre no relacionados con transacciones financieras y de capital
    - i. impuestos de timbre sobre la venta de productos específicos, tales como bebidas alcohólicas o tabaco (5121);
    - ii. impuestos de timbre restringidos por ley a productos importados (5123) o productos exportados (5124); o
    - iii. impuestos de timbre que no caen exclusivamente en una única categoría de transacción (6000).

4500 – Otros impuestos no recurrentes sobre la propiedad16

54. Esta partida cubre los gravámenes sobre la propiedad que, a diferencia de los impuestos recurrentes, se recaudan una sola vez. Se divide en impuestos no recurrentes sobre la riqueza neta (4510)

y otros impuestos no recurrentes sobre la propiedad (4520). La subpartida 4510 contiene los impuestos que se recaudan a fin de hacer frente a gastos excepcionales o de redistribuir la riqueza. Por su parte, la subpartida 4520 comprende los impuestos que gravan los incrementos de valor de la tierra, debido, por ejemplo, a permisos para su desarrollo concedidos por el gobierno general o a la provisión por parte de este de instalaciones locales adicionales; cualesquiera impuestos sobre la reevaluación del capital; y aquellos impuestos gravados una sola vez sobre determinados tipos de propiedad.

4600 – Otros impuestos recurrentes sobre la propiedad

55. Aunque este tipo de impuestos rara vez se dan en los países miembros de la OCDE, esta partida incluye los impuestos sobre bienes tales como ganado bovino, joyas, ventanas y otros signos externos de riqueza.

5000 – Impuestos sobre los bienes y servicios

56. Se incluyen en esta categoría todos los impuestos y derechos sobre la producción, extracción, venta, transmisión, arrendamiento y entrega de bienes, así como sobre la prestación de servicios (5100), y también los impuestos aplicados al uso de bienes y al permiso para usar bienes o realizar actividades (5200). Por lo tanto, esta categoría comprende:

- *a)* los impuestos acumulativos de etapas múltiples;
- *b)* los impuestos generales sobre las ventas aplicados, ya sea en la fabricación/producción, ya sea en la venta al por mayor o al por menor;
- *c)* los impuestos sobre el valor agregado;
- *d)* los impuestos selectivos;
- *e)* los impuestos sobre las importaciones y exportaciones de bienes;
- *f)* los impuestos sobre el uso de bienes y sobre el permiso para usar bienes o realizar ciertas actividades;
- *g)* los impuestos sobre la extracción, el procesamiento o la producción de minerales y otros productos.

57. Los casos de difícil delimitación entre esta categoría y la categoría 4000 (impuestos sobre la propiedad) o la partida 6100 (otros impuestos pagados únicamente por empresas) se tratan en los § 48, §53 y §80. La partida 5300 y la subpartida 5130, ambas residuales, incluyen, respectivamente, las entradas tributarias que no hayan podido clasificarse entre las partidas 5100 y 5200 o entre las subpartidas 5110 y 5120, respectivamente, véase §33.

5100 – Impuestos sobre la producción, venta, transmisión, arrendamiento y entrega de bienes, y la prestación de servicios

58. Esta partida comprende todos los impuestos aplicados a transacciones de bienes y servicios por las características intrínsecas de estos (p. ej., valor, peso del tabaco, graduación de las bebidas alcohólicas, etcétera) a diferencia de los impuestos determinados por el uso de bienes o por el permiso para usar bienes o realizar actividades, que entran dentro del ámbito de la partida 5200.

5110 – Impuestos generales

59. En esta subpartida, se incluyen todos los impuestos, aparte de los derechos de importación y exportación (5123 y 5124, respectivamente), que gravan la producción, el arrendamiento, la transmisión, la entrega o la venta de un amplio abanico de bienes o la prestación de una gran variedad de servicios, independientemente de que sean de producción nacional o importados, o de la etapa de producción o de

distribución en la que recaigan. Por ende, comprende los impuestos sobre el valor agregado, los impuestos sobre las ventas y los impuestos acumulativos de etapas múltiples. A las entradas brutas generadas, se añaden las entradas por ajustes fronterizos en concepto de esos impuestos cuando se importan bienes, y se restan las devoluciones de dichos impuestos cuando se exportan bienes. Esta subpartida se divide a su vez en los epígrafes 5111, impuestos sobre el valor agregado; 5112, impuestos sobre las ventas; y 5113, otros impuestos generales sobre los ingresos brutos y sobre bienes y servicios.

60. Suelen plantearse dificultades de delimitación entre esta subpartida y la dedicada a los impuestos sobre bienes y servicios específicos (5120) cuando los impuestos se aplican a un gran número de bienes, como, por ejemplo, en el caso del impuesto sobre las compras del Reino Unido (abolido en 1973) o el impuesto sobre mercancías de Japón (abolido en 1988). De acuerdo con las respectivas perspectivas nacionales, el antiguo impuesto sobre las compras británico se ha clasificado como impuesto general (5112), mientras el desaparecido impuesto sobre mercancías japonés se ha incluido entre los impuestos selectivos (5121).

5111 – Impuestos sobre el valor agregado

61. Todos los impuestos generales al consumo cargados sobre el valor agregado entran dentro de este epígrafe, independientemente del método de deducción y de las etapas en las que recaiga el impuesto. En la práctica, todos los países de la OCDE con este tipo de impuestos permiten que todos los intermediarios, excepto el consumidor final, se deduzcan inmediatamente los impuestos sobre las compras e imponen tributación en todas las etapas. Para algunos países, puede que se incluyan en este epígrafe otros impuestos, tales como los aplicados sobre actividades financieras y de seguros, o bien porque las entradas que generan no pueden identificarse separadamente de las procedentes del impuesto sobre el valor agregado, o bien porque se considera que forman parte de este último, aunque esos mismos impuestos puedan clasificarse diferentemente en terceros países (p. ej., como impuestos sobre servicios específicos (5126) o impuestos sobre transacciones financieras y de capital (4400).

5112 – Impuestos sobre las ventas

62. Se clasifican aquí todos los impuestos generales aplicados a una sola etapa, ya sea en la fabricación/producción, o en la venta al por mayor o al por menor.

5113 – Otros impuestos generales sobre los ingresos brutos y sobre bienes y servicios

63. Estos son impuestos acumulativos de etapas múltiples e impuestos en los que el impuesto al consumo se combina con otros impuestos multifásicos. Estos impuestos se aplican cada vez que se realiza una transacción sin deducción del valor de los impuestos pagados sobre los insumos. Los impuestos multifásicos pueden combinarse con elementos de los impuestos sobre el valor agregado o sobre las ventas.

5120 – Impuestos sobre bienes y servicios específicos

64. Se incluyen en esta subpartida los impuestos selectivos, las utilidades generadas y transferidas por los monopolios fiscales, y los derechos de aduana y otros derechos de importación, así como los impuestos sobre las exportaciones, las transacciones de divisas, los bienes de inversión y las apuestas, y los impuestos especiales sobre los servicios que no formen parte de uno de los impuestos generales de la subpartida 5110.

5121 – Impuestos selectivos

65. Los impuestos selectivos gravan la unidad de un producto específico de una gama predefinida y limitada de bienes. Los impuestos generalmente se aplican a tasas diferenciadas sobre bienes no esenciales o de lujo, bebidas alcohólicas, tabaco y la energía. Los selectivos pueden imponerse en cualquier etapa de la producción o distribución y generalmente se aplican como un cargo específico por unidad en función de las características del bien con referencia al valor, peso, intensidad o cantidad del producto. Se incluyen impuestos especiales sobre productos como el azúcar, la remolacha azucarera, fósforos y chocolates; e impuestos que gravan a tasas variables una cierta gama de bienes; e impuestos aplicados a los productos de tabaco, bebidas alcohólicas, combustibles para motores e hidrocarburos. Si un impuesto recaudado principalmente sobre bienes importados también se aplica, o se aplicaría, bajo la misma ley a bienes comparables de producción nacional, entonces los ingresos de este impuesto se clasifican como impuestos selectivos más que de derechos de importación. Este principio se aplica incluso si no hay producción nacional comparable o no hay posibilidad de tal producción. Los impuestos sobre el uso de servicios como agua, electricidad, gas y energía se consideran como impuestos selectivos más que impuestos sobre servicios específicos (5126). Los selectivos no incluyen los gravámenes que se aplican como impuestos generales sobre bienes y servicios (5110); beneficios de los monopolios fiscales (5122); derechos de aduana y otros derechos de importación (5123); o impuestos a las exportaciones (5124).

5122 – Utilidades de los monopolios fiscales

66. Este epígrafe comprende la parte de las utilidades de los monopolios fiscales transferida al gobierno general o usada para financiar gastos considerados como gastos del gobierno (véase el § 24). Las cantidades implicadas se registran cuando se transfieren al gobierno general o cuando se usan para gastos considerados como gastos del gobierno.

67. Los monopolios fiscales reflejan el ejercicio del poder tributario del gobierno mediante el uso de prerrogativas monopolísticas. Se trata de empresas públicas no financieras que ejercen un monopolio, en la mayoría de los casos sobre la producción o la distribución de tabaco, bebidas alcohólicas, sal, fósforos, cartas de juego, productos derivados del petróleo y productos agrícolas (es decir, sobre el tipo de productos susceptibles de estar sometidos, alternativa o adicionalmente, a los impuestos selectivos del epígrafe 5121), con el fin de recaudar ingresos para el gobierno que en otros países se obtienen gravando las operaciones que sobre dichos bienes efectúan las unidades empresariales privadas. El monopolio del gobierno puede intervenir en la etapa de producción o, en el caso de los establecimientos de licores propiedad del gobierno o bajo control de éste, en la etapa de distribución.

68. Cabe distinguir los monopolios fiscales de los servicios públicos, tales como el transporte ferroviario, la electricidad, los servicios de correos y otras comunicaciones, que pueden gozar también de una posición monopolística o cuasi-monopolística, pero cuyo fin primero suele ser la prestación de servicios básicos y no la obtención de ingresos para el gobierno; las transferencias de esas otras empresas públicas al gobierno se consideran ingresos no tributarios. Generalmente, el concepto tradicional de monopolio fiscal no abarca a las loterías estatales, cuyas utilidades usualmente se consideran, en consecuencia, ingresos no tributarios. No obstante, se pueden considerar como ingresos tributarios si su función principal es la de recaudar para financiar gasto gubernamental. Las utilidades de los monopolios fiscales se han separado de las de los monopolios de importación y exportación (5127) transferidas de juntas de comercialización u otras empresas dedicadas al comercio internacional.

5123 – Derechos de aduana y otros derechos de importación

69. Se incluyen aquí los impuestos, derechos de timbre y sobrecargas limitados por ley a los productos importados, así como los gravámenes sobre los productos agrícolas importados impuestos en

los países miembros de la Unión Europea y las cantidades satisfechas por algunos de esos países a tenor del sistema de montantes compensatorios monetarios (MCM).[17] Los derechos de aduana recaudados por los Estados miembros de la Unión Europea en nombre de ésta ya se registran en este epígrafe a nivel de autoridad supranacional en los cuadros de países (Capítulo 4 de la publicación Revenue Statistics de la OCDE). Quedan excluidos aquí los impuestos recaudados de las importaciones como parte de un impuesto general sobre los bienes y servicios, así como los impuestos selectivos aplicables tanto a bienes importados como a bienes de producción nacional.

5124 – Impuestos sobre las exportaciones

70. En los años 1970, los derechos de exportación se aplicaban en Australia, Canadá y Portugal como una medida de carácter regular, y en Finlandia se han utilizado con fines contracíclicos. Algunos países miembros de la Unión Europea pagan un gravamen sobre las exportaciones, en el marco del sistema MCM (véase la nota §16 - § 69). Cuando las cantidades recaudadas son identificables, se integran en este epígrafe, que no incluye, sin embargo, las devoluciones de impuestos generales al consumo, de impuestos selectivos o de derechos de aduana sobre los bienes exportados, que se deducirán de las entradas brutas de 5110, 5121 o 5123, según corresponda.

5125 – Impuestos sobre los bienes de inversión

71. Este epígrafe cubre los impuestos sobre los bienes de inversión, tales como la maquinaria. Estos impuestos pueden cargarse por un cierto número de años o temporalmente con fines contracíclicos. No se incluyen aquí aquellos impuestos sobre los insumos industriales que recaen también en los consumidores (p. ej., el impuesto sobre la energía en Suecia, que se clasifica en 5121).

5126 – Impuestos sobre servicios específicos

72. Todos los impuestos sobre el pago por servicios específicos, tales como los impuestos sobre las primas de seguro, los servicios bancarios, los juegos de azar y las apuestas (p. ej., carreras de caballos, quinielas de fútbol, lotería), el transporte, las actividades recreativas o de ocio, los restaurantes y la publicidad, entran dentro de este epígrafe. También se clasifican en esta partida los impuestos sobre la entrada en casinos, carreras u otras manifestaciones o espacios similares, así como los impuestos de timbre sobre servicios específicos. También se clasifican aquí los impuestos sobre el ingreso bruto de las empresas que prestan un servicio específico (p. ej., transporte, como los impuestos de aeropuerto y otros impuestos de pasajeros; seguros; actividad bancaria; actividades recreativas o de ocio; restaurantes y publicidad).

73. Los ingresos tributarios procedentes de gravámenes bancarios y pagos a sistemas de seguro de depósitos y de estabilidad financiera se han incluido también en este epígrafe

- Los pagos obligatorios de tasas de estabilidad, gravámenes bancarios y primas de seguro de depósitos se tratarán por lo general como ingresos tributarios cuando se abonen al gobierno general o una autoridad supranacional y se asignen a los fondos consolidados o generales de este, de forma que el gobierno pueda utilizar libre e inmediatamente el dinero para los fines que elija. Este principio se aplicará independientemente de que el gobierno prometa revertir esos pagos para garantizar los depósitos de los clientes de los bancos en caso de necesidad futura.
- Si los pagos obligatorios se abonan al gobierno general y se destinan a fondos afectados exclusivamente a volver al sector de la economía que engloba a las sociedades sujetas a dichos pagos, éstos seguirán considerándose ingresos tributarios dado que los fondos estarán disponibles para el gobierno y podrán reducir su déficit presupuestario, que la tasa no conlleva contraprestación para una entidad individual y que las cantidades recaudadas no tienen relación

con cualquier pago posterior a los depositantes o cualquier gasto realizado como medio de respaldo más amplio al sector financiero.

- Se clasificarán como tasa por servicio los pagos que deban aportarse a sistemas permanentes más reducidos para garantizar los depósitos de "particulares" cuando los niveles de pago concuerden con el coste del seguro.
- También se clasificarán como tasa por servicio, y no como ingreso tributario, los pagos que impliquen que el gobierno ejecute los activos de una institución en quiebra o tenga un derecho prioritario sobre la liquidación de activos de esta con objeto de financiar los pagos de compensación a los clientes por la pérdida de sus depósitos.
- Los pagos obligatorios a fondos gestionados fuera del sector público y a instituciones no estatales apoyadas por depositantes, así como todos los pagos a planes voluntarios, no deben tratarse como ingresos tributarios.
- También se incluyen aquí las contribuciones al Fondo de Resolución Única de la UE, que se atribuyen a la autoridad supranacional en los cuadros de los países.

74. Se excluyen de este epígrafe:

a) los impuestos sobre servicios que formen parte de un impuesto general sobre los bienes y servicios (5110);

b) los impuestos sobre la electricidad, el gas y la energía (5121, impuestos selectivos);

c) los impuestos sobre las ganancias de las personas físicas en los juegos de azar (1120, impuestos sobre las ganancias de capital de las personas físicas o de las empresas no constituidas en sociedad) y los impuestos fijos sobre la transferencia de loterías privadas o sobre el permiso para crear loterías (5200);[18]

d) los impuestos sobre los cheques y sobre la emisión, transmisión o compra y venta de valores (4400, impuestos sobre transacciones financieras y de capital);

e) impuestos generales sobre los ingresos brutos (5113).

5127 – Otros impuestos sobre el comercio y las transacciones internacionales

75. Este epígrafe abarca los ingresos percibidos por el gobierno por la compra y la venta de divisas a diferentes tipos de cambio. Cuando el gobierno ejerce poderes monopolísticos para obtener un margen entre los precios de compra y de venta de divisas superior al que sería necesario para cubrir los costos administrativos, el ingreso generado constituye un gravamen obligatorio impuesto en proporciones indeterminadas tanto sobre el comprador como sobre el vendedor de divisas. Es un equivalente común de los derechos de importación y exportación cargados en un sistema con tipo de cambio único o de un impuesto sobre la compraventa de divisas. Al igual que las utilidades de los monopolios fiscales o de los monopolios de importación y exportación transferidas al gobierno, representa el ejercicio de las prerrogativas monopolísticas con fines fiscales y, por lo tanto, se incluye en los ingresos tributarios.

76. El epígrafe engloba asimismo las utilidades de los monopolios de importación y exportación, que, sin embargo, son inexistentes en los países de la OCDE; los impuestos sobre la compraventa de divisas; y cualesquiera otros impuestos que recaigan sobre el comercio o las transacciones internacionales.

5128 – Otros impuestos sobre bienes y servicios específicos

77. Este epígrafe incluye los impuestos sobre la extracción de minerales, combustibles fósiles y otros recursos agotables de yacimientos de propiedad privada o de otro nivel de gobierno, así como cualesquiera otras entradas no clasificables procedentes de impuestos sobre bienes y servicios específicos. Los impuestos sobre la extracción de recursos agotables suelen traducirse en un importe fijo por cantidad o peso, pero también pueden adoptar un valor porcentual. Los impuestos se registran en el

momento de extracción de los recursos. Los pagos por extracción de recursos agotables de yacimientos propiedad de la unidad de gobierno que recibe el pago se clasifican como alquiler.

5200 – Impuestos sobre el uso de bienes y sobre el permiso para usar bienes o realizar actividades

78. Esta partida incluye los impuestos aplicados al uso de bienes a diferencia de los impuestos sobre los propios bienes. Al contrario que los impuestos de este último tipo (registrados en la partida 5100), los impuestos considerados aquí no se basan en el valor de los bienes, sino que suelen revestir la forma de importes fijos. Los impuestos sobre el permiso para usar bienes o realizar actividades entran asimismo en esta partida, como, por ejemplo, los impuestos sobre la contaminación que no se basan en el valor de bienes particulares. En ocasiones, resulta complejo distinguir entre cargos obligatorios a los usuarios y tasas de licencia que se consideran como impuestos y aquellos que quedan excluidos por reputarse como ingresos no tributarios; los criterios de deslinde empleados se explican en los § 12 y §13.

79. Aunque el título de esta partida menciona el "uso" de bienes, es posible que sea el registro de la propiedad, y no el uso, lo que dé lugar a la obligación tributaria, y que los impuestos contenidos aquí se apliquen más al hecho de ser titular de ciertos animales o bienes (p. ej., caballos de carreras, perros y vehículos automotores) que al uso que se hace de ellos, o que recaigan incluso en bienes inutilizables (p. ej., vehículos automotores o armas inservibles).

80. Se plantean casos de difícil delimitación con respecto a:

a) los impuestos sobre el permiso para realizar actividades empresariales que parten de una base combinada de renta, nómina o volumen de ventas, que se clasifican de acuerdo con las normas del §84;

b) los impuestos sobre la propiedad o el uso de la propiedad de las partidas 4100, 4200 y 4600; la partida 4100 se dedica exclusivamente a los impuestos sobre la titularidad o la posesión de bienes inmuebles y, a diferencia de los impuestos de la partida 5200, recaen siempre sobre el valor de la propiedad; los impuestos sobre la riqueza neta (4200) y otros impuestos recurrentes sobre la propiedad (4600) se circunscriben al hecho de ser titular de propiedades, y no al uso de activos; se aplican a grupos de activos, y no a bienes particulares; y están en todo caso relacionados con el valor de los activos en cuestión.

5210 – Impuestos recurrentes sobre el uso de bienes y sobre el permiso para usar bienes o realizar actividades

81. La principal característica de los impuestos consignados aquí es que se recaudan a intervalos regulares y se cobran por lo general según una cantidad fija. En términos de ingresos, el elemento más importante está constituido por los impuestos por licencia de vehículos, aunque también integran esta subpartida los impuestos sobre los permisos de caza, pesca o tiro o sobre la venta de ciertos productos, así como los impuestos sobre la propiedad de animales domésticos, impuestos de radiodifusión y tasas sobre la prestación de ciertos servicios siempre que estos reúnan los criterios establecidos en los § 12 y §13. Los epígrafes en que se divide la partida 5210 son:

- impuestos de uso sobre vehículos automotores pagados por los hogares (5211);
- impuestos sobre vehículos automotores abonados por otros (5212); y
- otros impuestos recurrentes (5213). Esta subpartida abarca las licencias comerciales y profesionales pagadas por las empresas para obtener una licencia para desarrollar un determinado tipo de negocio o profesión cuando los gravámenes se imponen de forma recurrente. Se incluyen licencias como las licencias de taxi o de casinos. También se incluyen las licencias de perros y las licencias generales periódicas de caza, pesca y tiro cuando el derecho a emprender

esas actividades no se otorga como parte de una transacción comercial normal. Las tasas de servicios de radiodifusión se incluyen cuando quien realiza su pago no puede optar por no pagar por la radiodifusión pública si no desea ver o escuchar servicios de radiodifusión públicos (por ejemplo, declarando que no consume servicios de radiodifusión pública). Las exenciones específicas (por ejemplo, para las personas mayores) no modifican el carácter obligatorio del pago.

82. Se excluyen de la subpartida 5213:

a) las licencias cuando el derecho a emprender esas actividades se otorga como parte de una transacción comercial normal (p. ej., la concesión de la licencia va acompañada del derecho a usar una zona específica que es propiedad pública);

b) los pagos relativos a los controles efectuados por el gobierno para comprobar la idoneidad y/o la seguridad de los establecimientos o equipos comerciales o la calidad o normalización de los bienes o servicios producidos como condición para la concesión de dicha licencia. Dichos pagos no son unilaterales y deben tratarse como pagos por los servicios prestados, salvo que los importes cobrados por las licencias sean desproporcionados con relación a los gastos de los referidos controles efectuados por el gobierno.

c) las tasas de servicios de radiodifusión si los usuarios pueden optar por no pagar las tasas de radiodifusión en caso de que no deseen consumir estos servicios, sin que ello afecte la capacidad de consumir servicios de radiodifusión privados.

d) 5220 – Impuestos no recurrentes sobre el uso de bienes y sobre el permiso para usar bienes o realizar actividades

83. Se incluyen aquí los impuestos no recurrentes aplicados sobre el uso de bienes y sobre el permiso para utilizar bienes o realizar actividades, así como los impuestos aplicados cada vez que se utilizan los bienes.

- Entran en esta subpartida los impuestos sobre la emisión o liberación en el medio ambiente de gases y líquidos nocivos y otras sustancias peligrosas. Los pagos por permisos negociables de emisión expedidos por los gobiernos en el marco de programas de límites máximos y comercio de emisiones deberán registrarse aquí en la fecha en que se produzcan las emisiones. No se computarán ingresos por los permisos que los gobiernos expidan a título gratuito. El registro según el criterio de devengo implica que habrá una diferencia temporal entre el momento en que el gobierno reciba el pago por los permisos y el momento en que se produzca la emisión. En las cuentas nacionales, esta diferencia genera un pasivo para el gobierno durante ese periodo.
- Se excluirán los pagos efectuados por la recogida y eliminación de desechos o sustancias nocivas por parte de los poderes públicos, ya que constituyen una venta de servicios a las empresas.

84. También se incluyen aquí otros impuestos que entren dentro del ámbito de aplicación de la partida 5200 y que no se recauden recurrentemente. Por lo tanto, quedarán comprendidos los pagos únicos por permisos para la venta de alcohol o tabaco o para la creación de centros de apuestas, siempre que cumplan los criterios de los § 12 -13.

6000 – Otros impuestos

85. Esta categoría recoge los impuestos que reposan en una o varias bases diferentes de las descritas en las categorías 1000, 3000, 4000 y 5000, o en bases que no puedan considerarse relacionadas a ninguna de estas categorías, se incluyen aquí. Los impuestos de base múltiple, y si es posible estimar las entradas relacionadas con cada base las cantidades desglosadas se repartirán en las correspondientes categorías de acuerdo a su base. Si no pueden calcularse los valores por separado y se sabe que la mayoría de las entradas proceden de una base determinada, el total de estas se atribuirán de acuerdo con dicha base. En caso contrario, las entradas se clasificarán aquí. Otros ingresos incluidos

aquí son los impuestos presuntos no incluidos en el sistema de clasificación, los impuestos a las personas en forma de impuesto de capitación, impuestos de sellos no relacionados con las transacciones financieras y de capital que no pertenecen exclusivamente a una sola categoría de transacción, impuestos a los gastos donde se aplican deducciones o exenciones personales y recibos de impuestos no identificables. Esta categoría se subdivide entre los impuestos pagados completa o principalmente por las empresas (6100) y los abonados por otros sujetos pasivos (6200).

A.6. Conciliación con las cuentas nacionales

86. Esta sección de los cuadros reconcilia el cálculo de la recaudación tributaria total realizado por la OCDE y el total de todos los impuestos y contribuciones sociales pagados al gobierno general tal y como figuran en el registro de las cuentas nacionales de cada país. Cuando el país es miembro de la Unión Europea (UE), la comparación se establece entre el cálculo de la recaudación tributaria total realizado por la OCDE y la suma de los ingresos tributarios y contribuciones sociales registrado en la combinación del gobierno general y de las instituciones de los sectores de la UE de las cuentas nacionales.

A.7. Partida informativa sobre el financiamiento de las prestaciones sociales

87. A la vista de la variedad de relaciones entre la tributación y las contribuciones a la seguridad social y de los casos mencionados en los § 40 al §46, se ha previsto una partida informativa que recopile todos los pagos asignados a las prestaciones tipo de la seguridad social, aparte de los pagos voluntarios al sector privado. Los datos se presentan de la forma siguiente (véase el Cuadro 5.38 de este Reporte):

- *a)* Impuestos de la categoría 2000.
- *b)* Impuestos asignados a las prestaciones de la seguridad social.
- *c)* Contribuciones voluntarias al gobierno.
- *d)* Contribuciones obligatorias al sector privado.

Los § 40 al §46 ofrecen las debidas orientaciones para efectuar el desglose entre las rúbricas (a) a (d).

A.8. Partida informativa sobre impuestos identificables pagados por el gobierno

88. Los impuestos identificables realmente pagados por el gobierno se presentan en una partida informativa, desglosados según las principales categorías de la clasificación de impuestos de la OCDE. En la vasta mayoría de los países, sólo pueden identificarse las contribuciones a la seguridad social y los impuestos sobre la nómina satisfechos por el gobierno, que, sin embargo, suelen ser los gravámenes más importantes liquidados por los gobiernos (véase el Cuadro 5.39 de este Reporte).

A.9. Relación de la clasificación de impuestos de la OCDE con el Sistema de Cuentas Nacionales

89. El Sistema de Cuentas Nacionales (SCN) pretende proporcionar un marco coherente para registrar y presentar los principales flujos relacionados con la producción, el consumo, la acumulación y las transacciones con el exterior de una determinada zona económica, por lo general, un país o una región destacada de un país, y, en este sentido, los ingresos del gobierno constituyen una importante parte de las transacciones registradas en todo sistema de cuentas nacionales. En agosto de 2009, la versión final del SCN 2008 se publicó conjuntamente por cinco organizaciones internacionales: la Organización de las Naciones Unidas, el Fondo Monetario Internacional, la Unión Europea, la Organización para la Cooperación y el Desarrollo Económicos, y el Banco Mundial. La publicación está diseñada para ser

empleada en países con economías de mercado, sea cual sea su estadio de desarrollo económico, así como en países en transición hacia economías de mercado. Las principales partes del marco conceptual y las definiciones de los diversos sectores económicos del SCN se han plasmado en la clasificación de impuestos de la OCDE.

90. Sin embargo, existen ciertas diferencias, reseñadas seguidamente, entre la clasificación de impuestos de la OCDE y los conceptos del SCN, debidas a que la finalidad de la clasificación de la OCDE consiste en lograr la máxima desagregación posible de los datos estadísticos en relación con lo que, por lo general, las Administraciones tributarias consideran como impuestos. Y así:

a) la OCDE incluye las contribuciones a la seguridad social obligatorias, pagadas al gobierno general en la recaudación tributaria total. No se consideran como impuestos las contribuciones imputadas y voluntarias, además de aquellas pagadas a fondos privados (véanse los §9 y §11 supra.);

b) los puntos de vista sobre la calificación de algunos gravámenes y tasas como impuestos son diferentes (§12 y §13 supra.);

c) la OCDE excluye los impuestos imputados o los subsidios procedentes de la aplicación de múltiples tipos de cambio oficiales, o del pago de una tasa diferente a otras del mercado sobre reservas requeridas que pueda hacer el banco central;

d) los créditos fiscales exigibles se tratan de forma diferente.

91. Tal y como se ha apuntado en los §1 y §2, las categorías 1000 a 6000 de la lista de impuestos de la OCDE cubren todos los pagos sin contraprestación al gobierno general o una autoridad supranacional, aparte de las multas y los préstamos obligatorios. Esos pagos sin contraprestación, incluidas las multas pero excluidos los préstamos obligatorios, pueden obtenerse añadiendo los siguientes valores del SCN 2008:

- impuestos sobre el valor agregado (D211);
- impuestos y derechos sobre las importaciones, IVA no incluido (D212);
- impuestos sobre las exportaciones (D213);
- impuestos sobre los productos, IVA e impuestos sobre las importaciones y exportaciones no incluidos (D214);
- otros impuestos sobre la producción (D29);
- impuestos sobre la renta (D51);
- otros impuestos corrientes (D59);
- las contribuciones efectivas a la seguridad social (D.611 y D1613), con exclusión de las contribuciones voluntarias y los pagos a planes de seguro social relacionados con el empleo que no sean planes de seguridad social;
- impuestos sobre el capital (D91).

A10. Relación de la clasificación de impuestos de la OCDE con el sistema de estadísticas de finanzas públicas del Fondo Monetario Internacional

92. La cobertura y la valoración de los ingresos tributarios en el sistema de estadísticas de finanzas públicas (EFP) y en el SCN 2008 son muy similares. Por lo tanto, a excepción del tratamiento dado a los créditos fiscales exigibles, las diferencias entre la clasificación de la OCDE y la del SCN 2008 (véase el §90 supra.) son de aplicación igualmente al sistema de EFP. Además, el Fondo Monetario Internacional (FMI) escinde la categoría única 5000 de la OCDE en dos categorías distintas dedicadas a los impuestos nacionales sobre bienes y servicios (114) y a los impuestos sobre el comercio y las transacciones

internacionales (115). Esto refleja el hecho de que, mientras estos últimos impuestos suelen generar insignificantes cantidades de ingresos en la zona de la OCDE, ese no es el caso en la mayoría de los países no pertenecientes a la Organización.

A.11. Comparación de la clasificación de impuestos de la OCDE con otras clasificaciones internacionales

93. El cuadro siguiente recoge una comparación ítem por ítem entre la clasificación de impuestos de la OCDE y las clasificaciones empleadas en:

a) el Sistema de Cuentas Nacionales (SCN 2008);

b) el Sistema Europeo de Cuentas (SEC 2010);

c) el Manual de estadísticas de finanzas públicas del FMI (MEFP 2014).

94. Estas comparaciones representan equivalencias que podrán aplicarse en la mayoría de los casos. Con todo, deberán emplearse con cierta flexibilidad, ya que, en casos particulares, los países pueden adoptar enfoques diferentes para la clasificación de los ingresos en las cuentas nacionales.

			Clasificación de la OCDE	SCN 2008	SEC 2010	MEFP 2014
1000			Impuestos sobre los ingresos, utilidades y ganancias de capital			
	1100		Personas			
		1110	Ingresos y utilidades	D51-8.61a	D51A	1111
		1120	Ganancias de capital	D51-8.61c, d	D51C, D	1111
	1200		Corporaciones			
		1210	Ingresos y ganancias	D51-8.61b	D51B	1112
		1220	Ganancias de capital	D51-8.61c	D51C	1112
	1300		No clasificables entre 1100 y 1200			1113
2000			Contribuciones a la seguridad social			
	2100		Empleados	D613-8.85	D613	1211
	2200		Empleadores	D611-8.83	D611	1212
	2300		Auto-empleados y no empleados	D613-8.85	D613	1213
	2400		No asignables entre 2100, 2200 y 2300			1214
3000			Impuestos sobre la nómina y fuerza de trabajo	D29-7.97a	D29C	112
4000			Impuestos sobre la propiedad			
	4100		Impuestos recurrentes sobre la propiedad			
		4110	Hogares	D59-8.63a	D59A	1131
		4120	Otro	D29-7.97b	D29A	1131
	4200		Impuestos recurrentes sobre la riqueza neta			
		4210	Hogares	D59-8.63b	D59A	1132
		4220	Corporaciones	D59-8.63b	D59A	1132
	4300		Impuestos sobre sucesiones, herencias y			
		4310	Impuestos sobre sucesiones y	D91-10.207b	D91A	1133
		4320	Impuestos sobre donaciones	D91-10.207b	D91A	1133
	4400		Impuestos sobre transacciones financieras y de capital	D59-7.96d; D29-7.97e	D214B, C	114114; 1161
	4500		Otros impuestos no recurrentes sobre la	D91-10.207a	D91B	1135
	4600		Otros impuestos recurrentes sobre la	D59-8.63c	D59A	1136

5000			Impuestos sobre los bienes y servicios			
	5100		Impuestos sobre la producción, venta y transmisión de bienes y prestación de servicios			
	5110		Impuestos generales sobre bienes y servicios			
		5111	Impuestos sobre el valor agregado	D211-7.89	D211; D29G	11411
		5112	Impuestos sobre las ventas	D2122-7.94a;	D21224; D214I	11412
		5113	Otros impuestos generales sobre los ingresos brutos y sobre bienes y servicios	D214-7.96a	D214I	11413
	5120		Impuestos sobre bienes y servicios específicos			
		5121	Impuestos selectivos	D2122-7.94b; D214-7.96b	D21223; D214A, B, D	1142
		5122	Utilidades de los monopolios fiscales	D214-7.96e	D214J	1143
		5123	Derechos de aduanas y otros derechos de importación	D2121-7.93	D2121; D21221, 2	1151
		5124	Sobre las exportaciones	D213-7.95a	D214K	1152-4
		5125	Sobre los bienes de inversión			
		5126	Sobre servicios específicos	D2122-7.94c; D214-7.96c	D21225; D214E, F, G, H; D29F	1144; 1156
		5127	Otros impuestos sobre el comercio y las transacciones internacionales	D2122-7.94d D29-7.95b	D21226; D29D; D59E	1153; 1155-6
		5128	Otros impuestos sobre bienes y servicios específicos			1146
	5130		No clasificables entre 5110 y 5120			
	5200		Impuestos sobre el uso de bienes y sobre el permiso para usar bienes y realizar actividades			
	5210		Impuestos recurrentes			
		5211	Sobre vehículos automotores: hogares	D59-8.64c	D59D	11451
		5212	Sobre vehículos automotores: otros	D29-7.97d	D214D; D29B	11451

			5213	Otros impuestos recurrentes en el uso de bienes y en el permiso para el uso de bienes y la realización de actividades	D29-7.97c, d, f D59-8.64c	D29B, E, F; D59D	11452
		5220		Impuestos no recurrentes sobre el permiso para el uso de bienes o la realización de actividades			11452
	5300			No clasificables entre 5100 y 5200			
6000				Otros impuestos			
	6100			Pagados únicamente por empresas			1161
	6200			Pagados por otros distintos de las empresas o no identificables	D59-8.64a, b	D59B, C	1162

A.12. Atribución de ingresos tributarios por subsectores del gobierno general

95. La clasificación de la OCDE requiere un desglose de los ingresos tributarios por subsectores del gobierno general. Seguidamente, se establecen la definición de cada subsector y los criterios que deben emplearse para atribuir los ingresos tributarios entre ellos, que siguen las orientaciones del SCN 2008 y del MEFP 2014.

Identificación de los subsectores del gobierno general

a) Gobierno central

96. El subsector del gobierno central incluye todos los departamentos, oficinas y establecimientos del gobierno, así como otros órganos que constituyen organismos o instrumentos de la autoridad central, cuya competencia se extiende a todo el territorio, con excepción de la administración de los fondos de seguridad social. En consecuencia, el gobierno central tiene la facultad de someter a tributación a todas las unidades residentes y no residentes que emprendan actividades económicas en el país.

b) Gobierno estatal, provincial o regional

97. Este subsector está compuesto por unidades intermedias del gobierno que ejercen su competencia a un nivel inferior al del gobierno central. Incluye a todas las unidades que operan independientemente del gobierno central en una parte del territorio de un país que engloba numerosas pequeñas localidades, con la excepción de la administración de los fondos de seguridad social. En los países unitarios, puede considerarse que los gobiernos regionales tienen una existencia separada, en la que cuentan con la suficiente autonomía como para recaudar sus ingresos de fuentes bajo su control, y sus funcionarios son independientes del control administrativo externo en el ejercicio de las actividades de la unidad.

98. En la actualidad, los países federales representan la mayoría de los casos en los que los ingresos atribuidos a unidades intermedias del gobierno se identifican de forma separada. España es el único país unitario en ese caso; en el resto de los países unitarios, los ingresos regionales se computan junto con los de los gobiernos locales.

c) Gobierno local

99. Este subsector incluye todas las demás unidades del gobierno que ejercen una competencia independiente en parte del territorio de un país, con excepción de la administración de los fondos de seguridad social. Engloba varios entes urbanos o rurales (p. ej., autoridades locales, municipios, ciudades, delegaciones, distritos).

d) Fondos de seguridad social

100. Los fondos de seguridad social forman un subsector separado del gobierno general. El SCN 2008 define el subsector de la seguridad social según lo expuesto en sus párrafos 4.124 a 4.126 y 4.147, citados seguidamente:

"Los regímenes de seguridad social son sistemas de seguros sociales que cubren a la comunidad en su conjunto o a amplios sectores de la misma, y que son impuestos y controlados por unidades del gobierno. Los sistemas abarcan una gran variedad de programas, y ofrecen prestaciones en dinero o en especie por vejez, invalidez o muerte, supervivencia, enfermedad y maternidad, accidentes de trabajo, desempleo, ayudas familiares, asistencia sanitaria, etc. No existe necesariamente una relación directa entre la cuantía de la contribución pagada por un individuo y las prestaciones que este pueda recibir." (Párrafo 4.124)

"Cuando los sistemas de seguridad social se organizan por separado de las demás actividades de las unidades del gobierno, mantienen sus activos y pasivos separados de estas últimas, y realizan operaciones financieras por cuenta propia, se califican de unidades institucionales, que reciben el nombre de fondos de seguridad social." (Párrafo 4.125)

"Las cantidades recaudadas y pagadas por contribuciones y prestaciones de la seguridad social pueden modificarse deliberadamente con el fin de alcanzar determinados objetivos de la política del gobierno que no tengan relación directa con el concepto de la seguridad social como sistema destinado a ofrecer prestaciones sociales a los miembros de la comunidad. Pueden aumentarse o disminuirse, por ejemplo, con el fin de influir en el nivel de la demanda agregada de la economía. No obstante, mientras se mantengan como fondos constituidos por separado, han de ser tratados, en el SCN, como unidades institucionales diferentes." (Párrafo 4.126)

"El subsector de los fondos de seguridad social [del gobierno general] está conformado por los fondos de seguridad social que operan en todos los niveles del gobierno. Dichos fondos son sistemas de seguros sociales que cubren a la comunidad en su conjunto o a amplios sectores de la misma, y que son impuestos por unidades del gobierno." (Párrafo 4.147)

101. La clasificación de la OCDE sigue esta definición de los fondos de seguridad social con las dos siguientes excepciones, por las se excluyen:

- los sistemas impuestos por el gobierno pero administrados por órganos externos al sector del gobierno general, tal y como se ha definido en el § 3 de este manual; y
- los sistemas en los que todas las contribuciones son voluntarias.

Autoridades supranacionales

102. Este subsector engloba las operaciones de recaudación fiscal de autoridades supranacionales dentro de un país. En la práctica, la única autoridad supranacional que cabe tener en cuenta en la zona de la OCDE es la que conforman las instituciones de la Unión Europea (UE). Los ingresos tributarios recaudados por los países miembros y remitidos a la UE se incluyen en las estadísticas tributarias a nivel de autoridad supranacional. No se deben incluir los impuestos sobre la renta y las contribuciones a la seguridad social recaudados por las instituciones de la Unión Europea y pagados por funcionarios de la Unión Europea residentes en países miembros de la Unión Europea.

Criterios de atribución de los ingresos tributarios

103. Cuando un gobierno recauda impuestos y los transfiere, en todo o en parte, a otros gobiernos, es necesario determinar si esos ingresos se imputarán al gobierno recaudador que los distribuye a otros en forma de donaciones, o si se atribuirán a los gobiernos beneficiarios para los que el gobierno recaudador actúa como mero agente, recibiendo el producto de los impuestos y transfiriéndolos posteriormente. Los criterios de atribución de los ingresos se establecen en los §104–§107 siguientes, y siguen lo dispuesto en los puntos 3.70 a 3.73 del SCN 2008.

104. Por regla general, un impuesto se atribuye a la unidad de gobierno que:

a) ejerce la facultad de aplicar el impuesto (como entidad principal o a través de la autoridad delegada por la entidad principal); y

b) puede a su discreción establecer y modificar la tasa del impuesto.

105. Cuando un gobierno recauda impuestos para y en nombre de otro, y este último tiene la facultad de aplicar el impuesto y establecer y modificar su tasa impositiva, entonces el gobierno recaudador actúa como agente de este, y el impuesto se reasigna. Cualquier cantidad retenida por el gobierno recaudador como cargo por la recaudación deberá tratarse como pago por un servicio. Cualquier otra cantidad retenida por el gobierno recaudador, por ejemplo, en el marco de un arreglo de coparticipación de impuestos, deberá tratarse como una donación corriente. Si se delegó al gobierno recaudador la autoridad para establecer y modificar la tasa impositiva entonces las cantidades recaudadas deberán tratarse como ingresos tributarios de este gobierno.

106. Cuando diferentes gobiernos establecen conjuntamente y por igual la tasa de un impuesto y el uso de los recursos, sin que ninguno de ellos tenga la autoridad final y exclusiva, entonces los ingresos tributarios se atribuyen a cada gobierno según la proporción de recursos que le corresponda; si el acuerdo permite a una unidad del gobierno ejercer el control final y exclusivo, entonces todos los ingresos tributarios se atribuirán a dicha unidad.

107. También puede ocurrir que un gobierno tenga la autoridad constitucional o de otra índole de aplicar un impuesto, pero que otros gobiernos establezcan individualmente la tasa de ese impuesto en sus jurisdicciones; los recursos generados por el impuesto en cuestión en la jurisdicción de cada gobierno se atribuirán como ingresos tributarios a los respectivos gobiernos.

108. Los gravámenes satisfechos por los Estados miembros de la Unión Europea (UE) revisten la forma de:

a) derechos de aduana y gravámenes sobre los bienes agrícolas (5123);

b) cuentas de compensación monetaria brutas (5123 en relación con las importaciones y 5124 en relación con las exportaciones);

c) contribuciones al Fondo de la Resolución Única (5126); y

d) gravámenes sobre el acero, el carbón, el azúcar y la leche (5128).

109. Los derechos de aduana recaudados por los Estados miembros de la UE en nombre de esta se registran de la siguiente forma:

- sobre la base de un coeficiente de recaudación bruta;
- ajustando los resultados, siempre que sea posible, de forma que esos derechos se muestren en relación con una base de "destino final", por oposición a la base de "país de primera entrada"; estos ajustes atañen particularmente a los derechos colectados en importantes puertos (marítimos); aunque los derechos de la UE se perciben por las autoridades del país de primera entrada, siempre que sea posible cabrá excluir esos derechos del ingreso del país recaudador e incluirlos en el ingreso del país de destino final.

110. Son los gravámenes específicos de la UE los que cumplen más claramente con el criterio de asignación descrito en el §102 anterior. Por consiguiente, estas cantidades se indican en notas a pie de página en los cuadros por país de los Estados miembros de la UE (en el capítulo 5) y aparecen como ingresos supranacionales en cada uno de los epígrafes fiscales identificados en el §108.

Notas

[1]. Las referencias a la publicación Revenue Statistics de la OCDE en esta Guía Interpretativa, aluden a OECD (2024), *Revenue Statistics 2024*, Publicaciones de la OCDE, París.

[2]. Todas las referencias al SCN deberán entenderse hechas a la edición de 2008.

[3]. Véase el apartado A.12 de la presente guía para el análisis del concepto de agente.

[4]. Por lo general, es posible identificar la cuantía de las contribuciones a la seguridad social y de los impuestos sobre la nómina, pero no otros impuestos asumidos por el gobierno.

[5]. Sin embargo, si un gravamen considerado como ingreso no tributario en la mayoría de los países se califica de tributario –o permite recaudar sustanciales ingresos– en uno o más países, las entradas en concepto de dicho gravamen se indican en las notas que figuran al pie de los cuadros de países, pero no se incluyen en la recaudación tributaria total.

[6]. Obsérvese, no obstante, que los nombres pueden dar lugar a confusión. Por ejemplo, aunque una tasa sobre los pasaportes se trataría normalmente como ingreso no tributario, si se impone un gravamen suplementario sobre los pasaportes (como en el caso de Portugal) con el fin de conseguir un ingreso sustancialmente mayor que el costo que supone proporcionar el pasaporte, dicho gravamen deberá considerarse como un impuesto sobre el uso de bienes (5200).

[7]. Para una explicación más detallada de esta distinción, consúltese el estudio especial sobre cuestiones de actualidad en relación con el registro de los ingresos tributarios Current issues in reporting tax revenues, en la edición 2001 de *Revenue Statistics*.

[8]. En ocasiones, se emplean asimismo los términos "no reembolsable" y "reembolsable", pero puede parecer ilógico hablar de "reembolsable" cuando no se ha pagado nada.

[9]. Con la excepción del diferente tratamiento dado a los créditos fiscales exigibles en los sistemas de imputación del impuesto sobre sociedades (§ 37 - 39).

[10]. No se trata aquí de verdaderos gastos tributarios en sentido formal, ya que tales gastos requieren que se identifique un sistema tributario de referencia para cada país o, mejor si cabe, una referencia internacional común y, en la práctica, no se ha logrado acuerdo sobre esta última.

[11]. A menos que se basen en la plusvalía obtenida con la venta, en cuyo caso se clasificarían como impuestos sobre las ganancias de capital, en las subpartidas 1120 o 1220.

[12]. Con todo, algunos países aplican la misma legislación a ambos en impuestos particulares sobre la renta, aunque las entradas procedentes de dichos impuestos suelen ser fácilmente atribuibles a uno u otro caso y pueden, por lo tanto, consignarse en la debida partida.

[13]. Por ejemplo, "[...] que son suficientemente autónomas e independientes y se comportan como si fueran sociedades [...] (incluido en el hecho de llevar) conjuntos completos de cuentas" (SCN 2008, 4.44).

14. En Canadá, país en el que se considera que rige un sistema de imputación, el crédito fiscal (no exigible) para el accionista nace en relación con el impuesto nacional sobre sociedades que se reputa haber pagado, tanto si ha surgido una obligación tributaria para la sociedad como si no. Habida cuenta de que no existe una conexión íntegra entre la obligación tributaria de la sociedad y el crédito concedido en relación con el impuesto sobre la renta en esos sistemas, los créditos por dividendos se tratan, junto con otros créditos fiscales, según lo descrito en el § 26.

15. Esto puede darse, por ejemplo, cuando ya existía un régimen para los empleados del gobierno previo a la introducción de un régimen general de seguridad social.

16. En el SCN 2008, se consideran transferencias de capital y no impuestos (véase la sección A.8.).

17. Mediante este sistema, la Unión Europea ajusta las diferencias entre los tipos de cambio empleados para determinar los precios de la política agrícola común (PAC) y los tipos de cambio reales. Los pagos realizados en este sistema pueden estar relacionados con importaciones o exportaciones y, cuando ha sido posible identificar por separado las respectivas cantidades, se han mostrado en el correspondiente epígrafe (5123 o 5124). En el presente informe, esas cantidades se han consignado en valores brutos (esto es, sin deducir ningún subsidio otorgado en el marco del sistema MCM).

18. Las transferencias de las utilidades de las loterías del Estado se consideran ingresos no tributarios (véase el § 68).

www.ingramcontent.com/pod-product-compliance
Lightning Source LLC
LaVergne TN
LVHW082034051026
849532LV00011B/3358
* 9 7 8 9 2 6 4 5 0 4 7 6 9 *